天下文化
BELIEVE IN READING

西方哲學
之旅

傅佩榮

啟發人生的120位哲學家、穿越2600年的心靈巡禮

中：近代

BCC033

Part 6 啟蒙必有掙扎

自序
半世紀的心願，
跨越兩千六百年的哲普作品

傅佩榮

　　依我所見，介紹西方哲學的書，總會在一開頭就說明：從古希臘開始，哲學的原意是「愛好智慧」。「愛好智慧」是個既動聽又美妙的語詞，誰會不喜歡呢？但是，鼓起勇氣繼續往下讀，就可能是另一回事了。

（一）如何消除隔閡？

　　以西方的哲普作品《蘇菲的世界》為例，它譯為中文之後，廣受歡迎，但是有多少人把它讀完，並且由之獲益？很多人告訴我，這本書最難懂的地方，是引述哲學家原著的部分。這些部分在排版時都會低兩格，唸起來不太通順，勉強唸完也不知所云，所以後來就直接跳過去了。

　　問題出在何處？出在翻譯上。這方面我有一些經驗。我年輕時得以跨過西方哲學的門檻，主要是靠翻譯的訓練。我譯過的書不只十本，字數也超過兩百萬字，所以很清楚翻譯哲學書時的困惑：遇到難題要如何取捨？要直譯還是意譯？需要補充說明這段文字的背景嗎？又要說明到什麼程度呢？這些問題沒有標準的解決方案。由此形成一個相當普遍的現象，就是：翻譯的書讀起來，「凡是看得懂的，都不太重要；凡是重要的，都看不太懂。」既然如此，又怎

能借助這些哲人，而領悟愛好智慧的樂趣呢？

　　能在年輕時就覺察自己的使命，實在是一大幸運。我十八歲考上輔仁大學哲學系，主要學習西方哲學。大三暑假時，譯成《上帝‧密契‧人本》，這是美國大學哲學系「宗教哲學」一課的歷代文選。二十八歲開始在臺大哲學系擔任講師，第一門課是「當代西方哲學」。為了備課，我譯成戴孚高（Bernard Delfgaauw）的《二十世紀的哲學》，其中扼要介紹了十七派學說。這段期間也著手翻譯柯普斯頓（F. Copleston）的《哲學史卷一‧希臘與羅馬》，由此打下西方哲學史的基礎。三十歲赴美國耶魯大學念書，主修宗教哲學，四年學成回臺之後，譯成指導教授杜普雷（Louis Dupré）的《人的宗教向度》。在臺大哲學系教書的前三十年，我主要講授形上學、宗教哲學、西方哲學史（上），以及哲學與人生。在教學相長的過程中，我學會了如何表達深奧的思想，如何把一個觀念的演變與涵義說清楚。

（二）撰寫哲普作品

　　逐漸的，我覺察自己的使命在於從事「哲學普及」的工作：要以講課與寫作的方式，把西方哲學家在愛智過程中所領悟的心得，向中文的閱聽者清楚表述。哲學之所以有益於人生，不在於它的玄妙抽象，而在於它的三點特色，就是：澄清概念、設定判準、建構系統。這三點代表人類理性運作的極致表現。首先，理性一活動，就要思考與說話，此時概念若未能澄清，困惑與誤會難免層出不窮，甚至會糾纏大半輩子。其次，我們每天在做各種判斷，談論有關「真假、是非、善惡、美醜」等，但是請問這些判斷的標準是什麼？是誰所設定的？為什麼這樣設定？然後，思想若是缺乏原則，將無法建立自己的「宇宙觀、人生觀、價值觀」，進而整合這三觀

為一個系統。換言之，建構系統就是要形成「二加一」的格局。所謂「二加一」，就是把「自然界」與「人類」這兩個有形可見的領域，統攝於一個「超越界」，以之做為前兩者的來源與歸宿。西方第一流的哲學家，都在努力以他們各自的方式，建構這樣的系統。

因此，關於西方哲學，我長期以來所講的與所寫的，可以畫歸「哲普作品」。這一類作品也有是否稱職的問題，我於是再退一步，提醒自己要「照著講」，而不是「接著講」。所謂「照著講」，就是努力根據每一位哲學家的觀點，做同情的理解，設法分辨「他說了什麼？他為何這麼說？」然後加上「他的說法可以給人什麼啟發」。

在「照著講」這一點上，要深深感謝柯普斯頓的幫助，他的《哲學史》（其內容自然是就西方而言）共有九卷，我自己譯了第一卷，然後第二卷到第七卷的譯文，由我負責校訂。我校訂得很仔細，並為每一卷寫了導讀，由此對於西方哲學兩千六百年的發展有了全面而深入的認識。

與此同時，我在求學過程中，曾特別用心於柏拉圖、多瑪斯、史賓諾莎、懷德海、卡西勒、德日進、雅士培、馬塞爾、卡繆、伊里亞德、李維史陀等人的思想與著作。比一般教授幸運的是，我長期在民間的教育機構（主要是洪建全基金會）為社會人士講解西方哲學，最長的一個系列是七十二講，等於把整部哲學史的代表人物梳理了一遍，並且探索他們對現代人生的啟發。

（三）本書隨緣而成

二〇一六年初，我從臺大哲學系退休，所有的書必須從研究室搬出。當時我想的是，自己最近十幾年來已經全力在鑽研中國哲學（儒家、道家與《易經》），開始可以「接著講」了，往後沒有太

多力氣再談西方哲學。既然如此，我忍痛把幾百本西方哲學方面的書，分送給朋友與學生，只留下一部分難以割捨的。世事難料，想不到我還有機會總結自己「懸命半生」的西方哲學。二〇一八年春，因緣巧合，大陸的「得到」知識平臺約請我講課，標題是「傅佩榮的西方哲學課」。

於是，我在一年之內，把西方兩千六百年的哲學通講了一遍，總共介紹了一百二十位哲學家。這一年我再度體現了全力以赴的求知熱忱，那是我在美國攻讀博士之後，未曾想像過的。不同的是，以前是老師的要求，現在是自我的期許。一百二十位哲學家是個什麼概念呢？大家耳熟能詳的姑且不論，說幾位比較邊緣的人物吧！請問：想了解中世紀的人生觀，可以忽略但丁與薄伽丘嗎？文藝復興的佩脫拉克與米蘭德拉如何倡導人文主義？宗教改革之前的伊拉斯謨與湯瑪斯‧摩爾，如何獻身於其理想？法國的蒙田與英國的培根，皆為哲理散文的高手，他們寫作的靈感由何而來？歌德與杜斯妥也夫斯基，在作品中涵蘊了多深的人生智慧？然後，可以錯過美國的愛默生、梭羅、杜威與桑塔亞納等人，別開生面的觀點嗎？這些人也是西方的愛智一族，在哲學史課堂上，可能被一筆帶過，但卻是我個人想要多加了解的。

有一些匆忙，但更多的是興奮，我把握所有的空閒時間，循序漸進的展開這門西方哲學課。這是個音頻課程，每週五集，每集大約十二分鐘，全年兩百六十集，再加上每週回答聽友的提問。一年下來訂戶超過四萬人。文字稿整理出來，經修訂而成本書。這是一本哲普作品，所介紹的是西方哲學家的愛智成果。這也是一本西方哲學簡史，描述了從古希臘與羅馬時期，經過中世紀與近代的演變，直到現代的發展過程。這更是一本認識西方核心理念的文化手冊，展示了西方「宇宙觀、人生觀、價值觀」如何形成、調適、變

遷及走向。

　　在敘述哲學家的思想時，會依其重要性分配適量的章節，文字求其清楚通順。另外，還有三點特色：一是在每一節結束之處，附上「學習心得」，便於讀者複習重點；二是列出「問題思考」，讓讀者跟著哲學家的觀念，就自己的處境進行省思，看看能否迸出心靈火花，同時也逐步建立自己的觀點；三是「補充說明」，這是根據聽友提問所做的答覆，其中論及不少關鍵概念，如：「自由、良心、罪惡、痛苦、死亡、真理、幸福、人性」等。我在討論時，也加入自己研究儒家與道家的心得，或許有助於讀者在對照比較中，既可欣賞西方哲學，又能覺悟中國哲學的特色與價值。

（四）半世紀的心願

　　要完成這樣一本三大冊的書，確實得力於許多朋友的慷慨協助，若非「得到」平臺的信任與邀請，我不會有堅定的決心與實踐的勇氣。作業流程大致如下。

　　首先，我認真預備每一集要講的材料，接著是初稿錄音。然後由三位志工葉蓮芬、宋寶珠、林碧蓮，把音頻整理成文字稿，我再稍加修訂。修訂稿經過「得到」編輯部的同意之後，就可以正式錄音了。我在書房錄音時，難免受到噪音干擾，像鳥鳴、犬吠、車聲、喇叭、門鈴、電話等，更多的是我自己的聲音品質不佳，以致經常需要重複一些語句。以音頻來講課的話，這些都造成很大的障礙。在我迫切需要救援助手時，女兒琪媗上場了。她曾在美國主修電影配樂，掌握了有關潤飾聲音的各項技術，現在小試身手，讓我在這方面完全沒有後顧之憂。琪媗修飾妥當之後的音頻，再由王喆先生整理成附在音頻之後的正式文稿。王喆先生也幫忙校訂及補充不少資料，使本書更為完善。

　　我自一九六八年開始念哲學，到二〇一八年講述西方哲學，正好半個世紀。活在平凡而安靜的年代，沒有動亂也沒有戰爭，以一介書生，能為好學的朋友提供一本關於西方世界的哲普作品、哲學簡史、文化手冊，我為此深感榮幸與喜悅。這本《西方哲學之旅》將成為我自己的案頭良伴，它代表的不只是個人五十年治學的心路歷程，也是我獻給同代華人最真摯的禮物。

導論

極簡哲學史

導論-1　古代哲學核心

　　在正式介紹西方哲學之前，我們將用四節的篇幅來介紹西方哲學史的重點。西方哲學至今已有兩千六百多年的歷史，可以分為四個階段：古代、中世紀、近代和現代。首先要介紹的是古代哲學，即古希臘哲學。

　　對於古希臘哲學，先要記住一句話：蘇格拉底（Socrates, 469-399 B.C.）是古希臘哲學的核心，他的魅力直到今天仍無法阻擋。蘋果電腦創辦人賈伯斯（Steve Jobs, 1955-2011）曾說：「我願意用一生的成就與財富，換取同蘇格拉底共處一個下午。」

　　關於古希臘哲學，需要了解以下三點：

　　第一，古希臘哲學的時空背景。

　　第二，為什麼說蘇格拉底是古希臘哲學的核心？

　　第三，古希臘哲學在西方哲學史上留下哪些寶貴財富？

（一）古希臘哲學的時空背景

　　古希臘哲學在時間上較為簡單，它發源於西元前六世紀，綿延發展至西元二世紀，相當於中國的春秋時代中葉到東漢初期。在空間上則較為複雜。一般人提到希臘，就會想到雅典，雅典當然非常重要，不過它在哲學的發展上是第三站。古希臘哲學以愛奧尼亞（Ionia）為其發源地，經由義大利南部，最後在雅典開花結果。蘇格拉底就是雅典人。

（二）蘇格拉底是古希臘哲學的核心

　　為什麼說蘇格拉底是古希臘哲學的核心？在蘇格拉底之前，其實已經出現好幾位哲學家，可分為兩大派別——自然學派與辯士學派（the Sophists）。

　　自然學派的研究焦點是自然界，試圖探究萬物的來源及其演化規律。他們將宇宙的起源歸結為水、氣、火、土，甚至歸結為數字；然而這些說法都得不到充分的驗證，所以很難取得共識。自然學派的主張很容易流於「獨斷論」，亦即只給出答案，而缺乏充分的理由。

　　另一方面，辯士學派的哲學家喜歡到處旅行，由此發現，各個城邦的風俗習慣、法律規章和宗教信仰都有所不同。他們由此認定：天下沒有普遍的、共同的規範，一切判斷都是相對的。他們教導年輕人透過辯論、修辭來取得現實的利益。但問題是：如果所有的價值都是相對的，那麼人應該如何生活？所以，辯士學派很容易陷入「懷疑論」的困境。

　　不管是「獨斷論」還是「懷疑論」，對思想的發展都會造成致命的傷害。在這個關鍵時刻，蘇格拉底出現了，他的兩句話顯示他超越了前面兩大派別。

1. 我的朋友不是城外的樹木，而是城內的居民

　　無論在城外觀察天象還是對自然界展開研究，都不能忽略人類生命的實際需要。人必須尋找規則來妥善安排自己的生活。

2. 未經反省檢查的人生，是不值得活的

　　一般人的生活，大都遵從父母的安排、社會的習俗和祖先的信仰，而沒有經過自己的認真反省。這樣的人生可有可無。

　　蘇格拉底在這樣的關鍵時刻挺身而出，覺察整個時代的困境，

雅典學院，此畫繪於羅馬聖彼得大教堂梵蒂岡皇宮，以古希臘哲學家柏拉圖所建的雅典學院為主題。（圖片來源：Shutterstock）

並設法探尋新的方向。蘇格拉底之後，古希臘哲學在雅典開花結果。蘇格拉底沒有寫下片紙隻字，沒有留下任何著作，卻被視為重要的哲學家，這主要歸因於他教出一位傑出的學生 —— 柏拉圖（Plato, 427-347 B.C.）。柏拉圖在他的著作《對話錄》介紹及推展蘇格拉底的思想。柏拉圖自己也教出一位同樣傑出的學生 —— 亞里斯多德（Aristotle, 384-322 B.C.）。亞氏著述甚豐，是古代最有學問的人。

（三）古希臘哲學留下的寶貴財富

　　想要了解柏拉圖與亞里斯多德，最好的方法就是透過拉斐爾（Raphael, 1483-1520）的名畫「雅典學院」。在一座富麗堂皇的學院門前，匯聚著眾多學者，或獨自沉思、或激烈辯論。畫的中間站著兩位男子，左邊的男子年紀較大，他左手拿書，右手指向天空，

書名是《迪美吾斯篇》（*Timaeus*），旨在探討宇宙及萬物的來源。右邊的男子較為年輕，他左手拿書，右手指向地面，書名是《倫理學》。年長者是柏拉圖，年輕者是亞里斯多德。

　　柏拉圖重視理性思考，認為真正重要的是永不變動的形式，那一定高居上界，所以他用手指向天空；亞里斯多德重視經驗，對現實人生的問題更為關注，所以他用手指向地面。偏重理性還是偏重經驗，這兩種不同的探討途徑形成後代西方哲學的兩大陣營。每個人在現實人生中也需要思考：要偏重理性還是偏重經驗？或者兩者各取所長，配合使用？

收穫與啟發

　　蘇格拉底是古希臘哲學的核心與分界線，在他之前有自然學派與辯士學派，在他之後出現了柏拉圖與亞里斯多德。

　　古希臘哲學留下的寶貴財富可以概括為三點：

1. 以蘇格拉底為分界，在他之後，雅典成為西方哲學的神聖殿堂。
2. 從蘇格拉底開始，哲學家須同時關注宇宙觀、人生觀與價值觀。
3. 蘇氏的弟子柏拉圖與再傳弟子亞里斯多德，兩人各申己見，留下豐富的著作，形成理性至上與經驗優先兩大系統，影響及啟發西方哲學直到今天。

課後思考

　　西方第一本完整的哲學著作是柏拉圖的《對話錄》，在此之前的哲學家只留下斷簡殘篇與少數語錄。如果不經提示，你能想起幾位先於蘇格拉底時期的哲學家？你對他們有多少了解？

導論 -2　中世紀哲學核心

接著要介紹的是中世紀哲學的核心觀念。

中世紀哲學從西元二世紀橫跨到十五世紀，綿延發展一千三百多年。中世紀哲學有兩點特色：1. 時間最長。西方哲學史一共兩千六百多年，中世紀約占整個西方哲學史一半的時間。2. 創見最少。中世紀哲學對於宇宙、人生和價值等問題都預先給了答案，很難再有個人的特殊看法。

想要了解中世紀哲學，一定要知道一個宗教和兩位代表人物。一個宗教是指天主教，兩位代表人物是指奧古斯丁（Augustine, 354-430）與多瑪斯·阿奎那（Thomas Aquinas, 1225-1274）。兩人都信仰天主教，分別代表中世紀前期的教父哲學（Patristic philosophy）和後期的經院哲學（Scholastic philosophy）。

本節要介紹以下三點：

第一，什麼是基督宗教的「一教三系」？

第二，教父學派與經院學派。

第三，中世紀是黑暗時代嗎？

（一）基督宗教的一教三系 ── 天主教、東正教與基督教

天主教（Catholic）本來是猶太社會的一個宗教團體，創始人是耶穌（Jesus, 4 B.C.-29 A.D.）。猶太人是一個宗教性的民族，自古以來就相信自己是上帝的選民，受到上帝的特別照顧。他們雖然飽經憂患，甚至遭受國家滅亡的災難，但仍然相信會有救世主來拯

義大利藝術家李奧納多‧達文西創作的「最後的晚餐」。（圖片來源：Shutterstock）

救他們。猶太人稱救世主為「彌撒亞」或「基督」。耶穌是猶太人，很多人相信他就是救世主，於是就稱他為「耶穌基督」。凡是相信耶穌是基督的人，統稱為「基督徒」。在今天的世界上，基督徒人數眾多。

　　如果想了解天主教開始是怎麼回事，最好去看看由達文西創作的「最後的晚餐」。位於畫面中間的人就是耶穌，左右兩邊是他的十二個門徒。這次晚餐之後，耶穌就被其中一位名叫猶大（Judas）的門徒出賣給猶太人的當權派。猶太人當時被羅馬帝國統治，猶太人當權派排擠耶穌，便把他交給羅馬當局。耶穌最終被判了死刑，並於當晚過世。這個故事對西方人的影響很大，因為當時是十三個人在星期五晚上共餐，所以後來如果某月十三日恰逢星期五，對西方人來說便成了非常兇險的日子。

　　在這幅畫中，位於耶穌右手邊第二位的是他的大弟子彼得（Petrus）。耶穌過世後，彼得召集所有的門徒開始傳揚耶穌的宗

教，稱為天主教。彼得後來被天主教奉為第一任主教，也稱為教宗。今天位於羅馬梵蒂岡的教會，就是從彼得傳教開始，至今一脈相承的天主教。

　　天主教成立初期，教徒遭到羅馬帝國的迫害。西元 313 年，羅馬皇帝君士坦丁大帝（Constantinus I Magnus, 272-337）宣布皈依天主教。從此天主教變得有權、有勢、有錢，發展得非常順利。羅馬帝國分裂後，西羅馬帝國於西元 476 年滅亡，整個西歐隨即陷入混亂。當時掌握西歐政權的都是文明尚未開化的蠻族，正是依靠天主教，才使得社會人心得以安定。

　　1054 年，以君士坦丁堡為中心的教會同羅馬天主教分裂，他們自居正統，自稱為 Orthodox（意為正統的）。由於君士坦丁堡位於羅馬的東部，所以中文翻譯為東正教。它的影響範圍從希臘半島經過東歐，發展到俄羅斯。

　　1517 年，馬丁・路德（Martin Luther, 1483-1546）對天主教內部的腐化狀況忍無可忍，於是著手進行宗教改革，這時才出現中文翻譯所謂的基督教（Protestant）這個詞，這個詞的原意是「反對派」或「更正宗」，即更正天主教的錯誤。因此，今天不能說「中世紀的基督教」，因為中世紀只有天主教，當時基督教尚未出現。

　　可見，在歷史發展的過程中，由最初的天主教逐漸演化出東正教與基督教，這三大系統可統稱為「基督宗教」（Christianity），三者的共同之處在於：都相信同一本《聖經》、同一位上帝、同一位耶穌。如此一教三系，便不易引起誤會。

（二）教父學派與經院學派

　　基督宗教在一開始的階段，只有天主教一個系統，主要分為兩個學派：

1. 教父學派

首先出現的是教父學派。教父就是包括主教、神父在內的宗教領袖。他們之中有些人很有學問，便努力做一件事情：先學習古希臘哲學，再設法使之與宗教的教義相結合。他們認為，古希臘哲學雖然卓越，像柏拉圖和亞里斯多德都建構出完美的哲學系統，但最後都沒有出路；他們強調存在著一個最高的力量，但都沒有說清楚那到底是什麼，究竟是一種最高的形式還是一種最高的原理？

教父學派認為，他們的宗教可以提供答案，答案就是上帝。從前透過哲學找到的最高原理無法與人溝通，但宗教裡的神具有人格性，你可以放心的與神溝通，對於生前死後的種種問題，神都會予以解決。教父學派努力證明神的存在，但這種證明有沒有效果呢？你如果相信，則不必證明；如果不信，聽了之後也不見得會接受。

這樣一來，哲學的意義何在？在古希臘時代，哲學被界定為「愛好智慧」。到了中世紀則認為「敬畏上帝是智慧的開始」。這意味哲學只能為神學服務，宗教才是主人，哲學只能幫助宗教證明教義的正確性與合理性。哲學失去自身的獨立地位，人類的理性思考也就逐漸變得黯淡無光。

2. 經院學派

經院學派出現於九世紀。聽到「經院學派」一詞，就知道它和大學差不多。中世紀的教育掌握在教會手中，教育的目標是要培養傳教士，透過學習哲學推動宗教的傳播。

經院學派在學習中遵照一套嚴謹的程序：第一，提出問題，譬如人生下來是否有原罪？上帝存在嗎？第二，正方和反方提出各自的觀點；第三，逐條加以辯論；第四，得到結論。經過上述四步之後，才能證明上帝真的存在。

這樣的論辯過程有正反兩方面的效果。首先，所有的證明看起

來就像是虛構的故事，既然早就知道答案，又何必證明？但不能否認的是，在證明過程中，大腦開始思考和運作。中世紀的經院哲學又被稱為「繁瑣哲學」，但它也能幫助每個人進行細緻的思考，使思維更加周延而沒有漏洞，因此效果有利有弊。

經院哲學以多瑪斯・阿奎那為代表，他著述甚豐，內容包羅萬象。根據他的著作，一方面可以建構起整個宗教的神學，另一方面也可以為宗教的哲學立場加以辯護。

對於中世紀哲學，如果對一個宗教、兩大哲學系統、兩位代表人物都能了解的話，就可以掌握本節的重點。

（三）中世紀是黑暗時代嗎？

很多人認為中世紀是「黑暗時代」，就人的理性沒有得到自由思考的機會、百姓沒有得到適當的教育來說，中世紀確實是黑暗時代。但如果沒有宗教信仰，情況恐怕會更加複雜。

如果今天去英國或愛爾蘭旅遊，會發現牛津大學、劍橋大學、都柏林大學裡都有「三一學院」。在歐洲很多地方都會看到「三一」，什麼是「三一」？「三一」是天主教重要的神學觀念，指上帝「三位一體」（Trinity）。「三位」是指父、子與靈，「一體」是指只有一個神而不是三個神。基督徒相信「神就是愛」，任何愛一定有「能愛」與「所愛」，只有在兩個主體之間才能相愛，而父子之愛是人間最親密的情感；同時，由父子之愛產生的某種力量被稱為「靈」。這樣的解釋聽起來也有一定的合理性。

歐洲有很多歷史悠久的大教堂都保存大量的藝術精品，包括建築、雕塑和繪畫等。譬如，羅馬梵蒂岡的西斯汀教堂保存著米開朗基羅、拉斐爾和達文西的許多曠世名作，這些作品都與宗教的背景有關。另外，近代歐洲偉大的音樂家幾乎都創作過耶誕歌曲。可

見，對於中世紀，不能簡單的用「黑暗」二字將其一筆抹殺。我們不見得要接受中世紀哲學的結論，但其思考過程和辯論程序仍然值得參考。

收穫與啟發

1. 中世紀哲學的時間最為漫長，長達一千三百多年，占整個西方哲學史一半的時間。宗教信仰安頓了當時民眾的心靈，在很大程度上維持社會的穩定。以此為基礎，才有了近代西方民族、國家和整個現代化的發展。

2. 中世紀哲學是為宗教服務的，對此只要記住一句話：「敬畏上帝是智慧的開始。」當宗教遇上哲學，難免會有一番辯論。中世紀哲學有兩個發展階段：教父哲學強調要為宗教信仰辯護；經院哲學則把重點放在理性論證的過程上。

3. 中世紀哲學並非一無是處。它上承古希臘的柏拉圖和亞里斯多德，使兩大哲學家的思想得以傳承；對後續的近代西方哲學，它提供許多重要的哲學概念，如本質、存在、質料、性質、共相等；同時，近代許多學者探討問題的方法也受到中世紀經院學派的影響。

4. 宗教消除當時一般百姓對於痛苦、罪惡和死亡的疑慮。

因此，中世紀哲學雖然創見不多，但對於整個西方哲學來說，它仍是不可或缺的一環。

課後思考

中世紀哲學家奧古斯丁說：「有多少力量就有多少愛。」

你贊成這句話嗎？或者可以反過來說：「有多少愛就有多少力量。」你認為哪一種說法比較合理？

導論-3　近代哲學核心

　　本節要介紹近代西方哲學的核心。近代哲學的時間是從十五世紀中葉橫跨到十九世紀中葉，在這四百年間出現四大社會思潮和兩大哲學陣營。

　　近代西方有兩點特色：1.科學取代宗教，成為知識的權威；2.人的理性和經驗取代神學，成為了解宇宙和人生的主要依據。這已經很接近今天的情況了。現在簡單說明西方是如何從中世紀的「黑暗時代」，逐步變成接近現代的想法。

　　本節內容包括以下兩點：

　　第一，近代西方的四大社會思潮是什麼？

　　第二，近代西方的兩大哲學陣營又是什麼？

（一）近代西方的四大社會思潮

1. 文藝復興運動（十五世紀）

　　歐洲在十五世紀出現文藝復興運動。「復興」二字是專門針對古希臘和羅馬初期來說的。中世紀哲學「以神為本」，以宗教為其主導力量。文藝復興則要恢復和發揚古希臘和羅馬初期「以人為本」的精神。這一時期最重要的趨勢就是人文主義的興起。

　　文藝復興時期的人文主義以米蘭德拉（Mirandola, 1463-1494）為代表。他在二十三歲時蒐集了當時的各種問題，計劃邀請歐洲所有學者進行公開辯論，後來因為教會反對而作罷。他為此編寫《論人的尊嚴》一書，強調：上帝是造了人，但上帝並沒有給人一種固

定的性質，而是給人可貴的自由；人可以自由的改造自己，既可以達到像神一樣的高貴，也可以墮落成像禽獸一樣的可憐，這完全取決於人自己的決定。一般就把這篇文章當做文藝復興的宣言。

2. 宗教改革運動（十六世紀）

歐洲在十六世紀發生宗教改革運動。馬丁‧路德是天主教神父，並擔任神學教授，是一位神學權威。他發現天主教出現各種複雜的問題，令人無法忍受，主要有以下三點：

(1) 天主教的教會組織錯綜複雜，許多信徒根本不知道自己所信的是什麼，只能接觸到傳教士。

(2) 天主教的宗教儀式過於瑣碎複雜，許多信徒都忘了宗教最需要的是真誠之心。

(3) 天主教強調要有善行才能得救，善行包括向教會捐款。梵蒂岡的聖彼得大教堂的部分興建經費，就是靠販賣贖罪券來支應的。

馬丁‧路德對這些現象忍無可忍，於是倡導宗教改革。他的改革強調三個重點：

(1) 只要相信就可得救（faith only）。這是信仰的原則。

(2) 只要恩典就可得救（grace only）。得救不是因為個人的功勞，不是因為你做了好事，而是要靠神的恩典。

(3) 只要《聖經》就可得救（scripture only）。得救完全依賴於《聖經》。

此前的《聖經》只有拉丁文版本，馬丁‧路德和其他各國學者開始將《聖經》翻譯為本國語言。

馬丁‧路德將《聖經》譯為德文，對後來德國文學的發展產生深遠的影響。這時才出現中文所謂的「基督教」，按西方文字直譯應為「反對派」或「更正宗」。

3. 科學革命（十七世紀）

第三大社會思潮是科學革命。科學革命的歷程長達一百多年，始於哥白尼（Nicolaus Copernicus, 1473-1543）提出「日心說」，認為地球繞著太陽旋轉，地球並非宇宙的中心。一百多年後，牛頓（Isaac Newton, 1643-1727）才正式確立整個古典物理學的原則。牛頓提出的萬有引力定律和運動三大定律，清楚解釋地球在繞太陽公轉的同時，本身還在自轉。科學革命讓西方人感到天翻地覆，眼界大開。在這個時期，西方人透過航海發現美洲新大陸。與此同時，西方哲學也有了蓬勃的發展。

4. 啟蒙運動（十八世紀）

第四大社會思潮是啟蒙運動。啟蒙運動對於西方來說非常重要。這一階段出現許多傑出的思想家，從休謨（David Hume, 1711-1776）、盧梭（Jean-Jacques Rousseau, 1712-1778）、伏爾泰（Voltaire, 1694-1778）一路下來，都能夠針砭時弊，力圖擺脫傳統王權的控制和宗教信仰的禁錮。只有擺脫政治和宗教的干擾，世人才有自由思考的空間。

想要了解近代西方哲學的核心，就要先了解上述四大社會思潮──十五世紀的文藝復興、十六世紀的宗教改革、十七世紀的科學革命與十八世紀的啟蒙運動。啟蒙運動最後引發 1789 年的法國大革命，它開創歐洲的全新格局，但過程亦十分慘烈。

（二）近代西方的兩大哲學陣營

近代西方哲學有什麼特色？隨著十七世紀科學革命的突破，西方哲學也有了蓬勃的發展。近代哲學分為兩大陣營：一派是位於歐洲大陸的理性論（Rationalism），始於笛卡兒（René Descartes, 1596-1650）；另一派是位於英倫三島的經驗論（Empiricism），

始於培根（Francis Bacon, 1561-1626），經過洛克（Locke, 1632-1704）發展而成。

　　哲學為什麼會分成兩大陣營？理性論和經驗論爭執的焦點何在？在追求真理的過程中，首先要確保知識的可靠性。知識來自於先天還是後天？理性論認為知識來自於先天，人與生俱來的觀念，這樣才能確保知識具有普遍性。經驗論則認為知識來自於後天，人依靠後天的印象形成觀念，再逐漸累積構成知識，這樣才能確保知識具有擴展性。

　　理性論的問題在於，「天生本具的觀念」雖然可以確保知識具有普遍性，卻無法用後天的經驗來擴充知識的範圍。經驗論的問題在於，如果知識全部來自於後天經驗，那麼只能採用歸納法，從許多個案中歸納出共同的原則，其有效性只能到此為止，而無法把握未來的情況，這樣建構的知識顯然缺乏普遍性。

　　在理性論和經驗論的爭論中，開始占主導地位的是理性論的代表笛卡兒。笛卡兒被譽為「近代西方哲學之父」，他二十三歲時為了能夠外出旅行、增廣見聞而從軍，期間連續三個晚上夢到自己這一生具有特殊的使命——以理性探討真理。這句話今天聽起來很平常，但在當時，真理通常是由宗教界所決定，「以理性探討真理」代表要擺脫一切束縛。

　　笛卡兒說：「每一個人在一生之中，至少要有一次，要去懷疑所有能被懷疑之物。」

　　這句話到今天依然適用。譬如，我現在可以懷疑：

1. 這個世界真的存在嗎？世界可能是假的，它與我做夢看到的世界不同，夢裡的世界未必更虛幻。
2. 我真的存在嗎？我以為我存在，事實上我可能是在做夢。
3. 上帝存在嗎？上帝也可能是假的。

笛卡兒說，我懷疑一切，最後發現我不能懷疑那個正在懷疑的自己，否則是誰在懷疑呢？他由此斷言：「我懷疑，所以我存在。」他接著指出，懷疑屬於思想的作用之一，思想還包括肯定、猜測、感受、喜悅等。因此，笛卡兒修正自己的說法，說出一句至今所有人提到笛卡兒都會引用的名言。

笛卡兒用拉丁文說：

Cogito, ergo sum. —— 我思故我在。

另一方面，經驗論的代表培根，在其代表作《新工具》中指出，要用嚴謹的歸納法來找到真理。西方的思想自此分為兩大派。事實上，從柏拉圖和亞里斯多德就已經有了這樣的區分。對近代西方哲學影響較大的則是笛卡兒這一派。理性論一路發展，影響到康德的思想。

康德（Immanuel Kant, 1724-1804）建構完整的唯心論（Idealism）系統，隨後便出現唯心論與唯物論的對峙。康德之後的黑格爾（G. W. F. Hegel, 1770-1831）建構了絕對唯心論，費爾巴哈（L. A. Feuerbach, 1804-1872）針鋒相對的提出唯物論，馬克思（Karl Marx, 1818-1883）則進一步提出辯證唯物論。西方哲學由此進入烽火連天的局面，各種觀點紛紛出現，每種觀點都有可取之處，也都有些漏洞。這在近代西方哲學的發展過程中是很普遍的現象。如果以西方化或現代化做為今天生活的參考，可以說，近代西方的每一次運動都深深影響著二十一世紀的人類。

收穫與啟發

近代西方的重大變革可以概括為兩點：
1. 科學取代宗教，成為知識的權威。
2. 人的理性和經驗取代神學，成為了解宇宙和人生的主要依據。

課後思考

　　康德說：「你不能只以別人為手段，而不同時以他為目的。」

　　他的意思是說，我們不可避免的會把別人當成手段，但同時也要尊重對方是一個人。你對此有什麼看法？

導論-4　現代哲學核心

　　接著，要介紹現代哲學的核心。現代西方哲學從十九世紀後期至今不過一百多年，但可謂百家爭鳴，流派眾多。若想了解當前西方哲學的大致情況，要掌握以下三點：

　　第一，上帝死了。

　　第二，尋找根源。

　　第三，人類如何自處？

（一）上帝死了

　　西方哲學史流傳一則笑話：「尼采說上帝死了，上帝說尼采瘋了。」上帝是否死了我們不知道，直到今天還是很多人信仰上帝；但尼采確實瘋了。尼采（F. W. Nietzsche, 1844-1900）是天才，二十五歲尚未獲得博士學位，就被瑞士巴塞爾大學聘為希臘古典文教授，三十五歲因病退休，四十五歲精神失常，五十六歲過世。

　　尼采為何要說「上帝死了」？他到底想表達什麼？事實上，西方經過中世紀發展到近代，上帝除了在少數信徒心中還有牢固的地位，在知識界已經岌岌可危。從中世紀開始，整個西方社會的道德觀、價值觀均建立在宗教信仰之上；但到了尼采生活的時代，西方社會已經相當墮落，很多人陽奉陰違，只有在星期日是虔誠的信徒，平常則肆意妄為，巧取豪奪，口是心非，相互傷害。

　　尼采毫不客氣的說「上帝死了」，他的意思是：你們信仰的上帝已被你們這些信徒殺害了，上帝名存實亡。很多人以宗教信仰做

為道德的基礎，但他們的道德出了很大問題，這代表宗教信仰已經失效。因此，「上帝死了」並不是說有一個叫「上帝」的神因衰老而死亡，而是說上帝被這些人用不道德的行為謀殺了。大家口口聲聲說自己是上帝的信徒，但行為並沒有比非信徒更好。

尼采提醒當時的歐洲人重新界定價值的系統。人活在世界上，要採取什麼樣的道德觀、審美觀和價值觀，不能再以宗教做為藉口、以傳統做為根據，必須自己面對新的挑戰。可見尼采具有大無畏的精神和令人震撼的魄力。尼采後來提出「超人哲學」：上帝死了，我們要成為超人。西方人不能再以上帝為藉口來滿足個人的私欲，這也包括巧取豪奪的殖民主義和帝國主義。

（二）尋找根源

現代西方哲學的第二個方向是尋找根源。有一件事值得參考。二戰後，1946 年夏天，德國哲學家海德格（Martin Heidegger, 1889-1976）在德國南部的森木市場巧遇中國學者蕭師毅先生，兩人聊得很投機。海德格崇拜老子，讀過各種版本的《老子》翻譯本，他總覺得自己懂老子，而現有的翻譯都不理想。此時碰到一位可以直接閱讀原文的中國學者，當然很高興，他決定每週六下午邀請蕭教授到他家，兩人相對而坐，重新開始翻譯《老子》。

從第一章〈道，可道，非常道〉開始，到第八章〈上善若水〉，兩人因為意見不合而發生爭吵。海德格年紀稍長，有點倚老賣老，他指著蕭教授說：「你不懂老子。」蕭教授不甘示弱，也指著海德格說：「你不懂中文。」其實，懂中文不一定懂老子，而懂老子也不一定非要懂中文不可。

海德格為何如此崇拜老子？因為他發現，老子所說的「道」是對古希臘時代探討的「存在本身」（Being）的最佳描述。海德格

認為，從古希臘時代以來，西方學者早就遺忘什麼是存在本身，他們用「存在的東西」（beings）來代替存在本身，但這兩者是完全不同的。存在本身是根源，存在的東西是個體。個體充滿變化，生生滅滅；存在本身則像老子所說的「道」一樣，永遠不會變化或消失。海德格透過各種翻譯本了解《老子》的思想後，簡直喜出望外，遂決定將《老子》再度翻譯成德文，可惜此事未能成功。

由此可知，西方人在尋找根源時，通常會考慮以下幾個方面：

1. 原始的少數民族未經現代化的汙染，保存某些原始的智慧。
2. 從古代的宗教或神話中尋找靈感。
3. 從其他民族的智慧中尋找材料。對西方人來說，老子的《道德經》就屬於東方民族的偉大智慧。

（三）人類如何自處

人類在二十世紀經歷兩次世界大戰，人類的未來應該何去何從？因此，要把焦點拉回到人類如何自處。關於這個問題，有個小故事很有代表性。

二戰期間，德軍占領包括巴黎在內的法國大部分地區。有一天，在巴黎一家咖啡館的沙龍裡，法國哲學家沙特（Jean-Paul Sartre, 1905-1980）和卡繆（Albert Camus, 1913-1960）辯論「人有無絕對自由」。沙特主張人有絕對自由，卡繆則認為沒有。兩人都是哲學系的畢業生，口才和學識均屬一流，辯論不分勝負。

最後，較為年輕的卡繆因為失去耐心而使出「殺手鐧」，他說：「沙特先生，如果人有絕對自由，請問你能否向納粹檢舉我是地下抗德份子？」沙特沉吟良久，然後說：「不行，我做不出這樣的事。」卡繆說：「因此，人沒有絕對自由。」可見，自由至少應該以朋友間的道義做為底線。如果人與人相處完全沒有底線，如果

我不能尊重別人也像我一樣是個主體，這個世界會變成什麼樣子？他們辯論的話題就是有關人與人應該如何相處的問題。

　　現代西方哲學已經開始轉向：由以前形上學的思辨——到底存在本身是什麼，上帝是否存在，人性的本質如何，轉到人的存在處境；由以前知識論的討論——人到底能夠認識什麼，觀念是先天的還是後天的，你所認識的能否禁得起檢證，轉到人的生命需求。傳統西方哲學重視形上學與知識論，現代西方哲學則轉而重視倫理學，就是要問：人活在世界上，什麼是善？什麼是惡？應該如何行善避惡？為什麼要行善避惡？理由何在？

　　哲學研究的焦點轉向人與人之間。不要把別人當做「他」——「他」是不在現場的；而要把別人當做「你」——「你」是在我對面、與我平等互動的。再進一步，不要把別人當做另外一個「我」，而要把別人當做「他者」。

　　「他者」像我一樣具有位格，是某一位先生或女士，有獨立的人格與思維。他者與我不同，不是我的複製品，不是另一個我。他者的面貌對我來說可能千變萬化，每一種變化對我都是一種啟發，我由此也可以了解自己的生命，因為我對別人來說也是一個他者。我與他者該如何相處，也牽涉到我與自己該如何相處。這樣就使問題變得更加複雜而深刻。

　　西方許多學者都在探討這一類問題，其中發展得最為充分和完整的就是存在主義，它對現代世界產生廣泛的影響。「存在」是指用真誠的態度選擇成為自己，承擔自己的命運與挑戰。這不正是我們今天所面臨的處境嗎？

　　存在主義人才輩出，前面談到的卡繆和沙特都曾獲得諾貝爾文學獎。卡繆的《異鄉人》和沙特的《作嘔》這兩部小說，使一代人都感受到世界有多麼荒謬。《麥田捕手》也影響整整一代人，它描

繪主角無比苦悶、彷徨，直到精神崩潰的整個過程。

　　存在主義影響世界半個多世紀，直到今天仍發揮作用。無論小說、電影還是其他藝術形式，都不停講述現代人的荒謬處境。然而，在荒謬中能否找到未來？向上尋求宗教，它已與人產生了隔閡；向下尋求科學文明的發展，它與人隔閡更深。那就從人與人之間的關係去尋找吧！當你與別人來往時就要問：我和他的關係是什麼？因此，現代哲學發展到最後，特別強調「我」與「他者」的關係。

收穫與啟發

　　關於現代哲學，要記住三句話：

1. 上帝死了。人類不能再繼續依靠上帝或宗教的啟發，來解決人間的價值觀問題。
2. 回到過去，尋找根源。人類的終極答案可能要到古希臘、原初民族或東方哲學裡去尋找。
3. 影響現代文學、電影、藝術最深刻的哲學觀點是存在主義。

　　現代哲學仍在發展之中，可以從多方面加以欣賞，譬如：

1. 重視方法論的，可以參考現象學與詮釋學。
2. 關心社會現狀的，可以注意批判理論與正義理論。
3. 志在尋找根源的，可以研究結構主義與初民存有學（最初的原始部落或少數民族的存有學）。
4. 強調人際相處的，可以探討生命哲學與存在主義。

課後思考

　　針對現代哲學的三個方向，你覺得哪一項比較重要？或者哪一項是今日社會最需要的？

Part 5

理性發出光芒

第十六章

文藝復興正式上場

16-1　文藝復興是怎麼出現的？

　　本章的主題是：文藝復興正式上場。本節的主題是：文藝復興是怎麼出現的？從中世紀過渡到文藝復興階段，宇宙觀、人生觀、價值觀方面有哪些明顯的改變？

　　在宇宙觀方面，從地心說轉成日心說。地球不再是宇宙中心，太陽也不再繞地球轉動。這看似貶低地球和人的地位，實則讓人能從太陽的角度觀察新的宇宙，因而眼界大開，從而推動了科學發展。

　　在人生觀方面，從神本轉到人本。在長達一千三百多年的中世紀裡，宗教籠罩一切，掌握了人的生前死後與生死之間的整個過程。現在，生前死後仍由宗教掌管，但是一個人從生到死的過程逐漸獨立。宗教逐漸變成人生的背景圖案，人文主義開始浮現，人類生命的價值和人格尊嚴開始受到重視。

　　在價值觀方面，人在求真（追求真理）、審美（品味人生）和行善（有獨立自主人格）三方面逐漸獨立，個人生命價值得到肯定。

　　接著將介紹文藝復興是如何出現的，內容包括以下三點：

第一，天災使人覺悟。

第二，人禍使人痛心。

第三，文藝復興從義大利開始。

（一）天災使人覺悟

　　歐洲在 1347 年至 1351 這四年中發生大瘟疫，死亡人數超過居民總數的三分之一。世人發現宗教信仰對此無能為力，很多神職人

員如主教、神父、修女也染病而死，更不要說一般百姓了。

　　人口大量死亡後，倖存者的財富自然增加了，他們覺悟到不能只靠信仰，還要發展人的理性，開展大學的教育與研究。當時的大學很少，只有義大利的波隆那大學、帕多瓦大學和法國的巴黎大學這幾所著名學校。自從天災之後，各國開始設立新的大學。

（二）人禍使人痛心

　　人禍是指天主教的腐化。當時的天主教一教獨大，從 1378 年至 1417 年短短的四十年中，竟然有三位教宗同時存在，分別得到不同政治勢力的支援。這是個混亂的時代，道德瓦解，為達目的不擇手段，以暴力奪取權力。譬如，有樞機主教在參加教宗加冕儀式時，由於害怕被下毒，居然要自己帶酒和酒杯。

　　民間的情況可以從薄伽丘（Giovanni Boccaccio, 1313-1375）的代表作《十日談》中略知一二：瘟疫爆發之際，很多人從佛羅倫斯（Florence）逃了出來，有三男七女共十人逃到附近的一座農莊裡住了下來。因為閒來無事，大家便約定，每個人每天都要講一段故事。《十日談》就是由十天共一百個故事彙編而成，它的中心思想是：要把握當下的歡樂，快樂總是有價值的。

　　其中有一個故事最為發人深省。當時大多數人都信奉天主教，有個人勸他的猶太人朋友說：「你不如改信天主教，這樣做生意各方面都比較方便。」這個猶太人說：「我可以改信，但我要到天主教的總部梵蒂岡去看一看，再決定要不要信。」梵蒂岡恰好是天主教最腐化的地方，大家都勸他不要去，但他非要去。一個多月後，猶太人回來了，對朋友說他決定信仰天主教。朋友大吃一驚，問他：「你去梵蒂岡看到了天主教內部的情況，為什麼還要相信呢？」猶太人說：「我到梵蒂岡發現天主教確實嚴重腐化，但即使

如此，它居然沒有崩潰消失，代表一定有上帝在加持這個宗教。」
這顯然很反諷，但在《十日談》中，諸如此類的故事不可計數，說
明當時的宗教腐化已經到了幾乎無可救藥的地步。

（三）文藝復興從義大利開始

　　文藝復興為何會從義大利開始？義大利原是羅馬帝國的總部，
當時各個城市分別獨立，就像小的諸侯國一樣。這些城市的人口雖
然不多——從兩萬到十幾萬人，但其內部有穩定的階層，各類組織
分工合作。各個城市在經濟上保持獨立，在軍事上結成聯盟，在政
治上鈎心鬥角。只有少數人受過教育，由他們來開展各種學習及探
討的工作。研究文藝復興的學者一致同意，沒有城市就沒有文藝復
興。這就是義大利當時的情況。

　　中世紀與文藝復興之間並沒有明顯的斷裂。文藝復興時代依然
使用拉丁文，這種文字已經使用了上千年；羅馬法律仍然被使用，
在數學與天文學方面也都與中世紀一脈相承；天主教仍是大家共同
的生活背景。

　　文藝復興時代與中世紀的差別在於：世人開始認為古希臘與羅
馬初期也是有價值並且獨立的文明，應該重新去欣賞它。文藝復興
（Renaissance）是由兩個法文字組合而成，一個是重生（renaitre），
一個是誕生（naissance）。這意味著要讓過去的美好時代得以重
生，而真正誕生的是一種人文主義的新思潮，它特別關注人性的價
值與人格的尊嚴。

　　文藝復興屬於個人主義。它既不是一種信條，也沒有特定的哲
學體系；它既不代表任何利益集團，也不想組織成為某種運動。它
只是以受過教育的少數人為對象，在人數有限的城市中和貴族精英
一起來推動。這種鬆散的組織雖有一些共識，但是根本禁不起有組

織的打擊。這種打擊先是來自於天主教的壓力，在宗教改革之後則來自於基督教（新教）的壓力。

　　文藝復興首先興起於義大利，從十四世紀中葉開始陸續發展，經過將近一百年才傳到歐洲北方的國家。文藝復興最大的特色是把中世紀當做「黑暗時代」，要恢復古典文明的光榮。下一節將要介紹「文藝復興第一人」——佩脫拉克的做法和基本構想。

收穫與啟發

1. 文藝復興出現的背景是歐洲發生了天災。大瘟疫致使許多人喪命，由此大幅降低宗教信仰的力量，人的理性開始受到重視，廣設大學，用理性來研究自然界，包括醫學在內的各門學科都得到了長足的發展。

2. 文藝復興的另一個背景是宗教嚴重腐化。曠日持久的十字軍東征結束還不到一百年，宗教腐化的情況已經令人憂心忡忡，天主教內部的革新力量在努力呼籲變革，外部則逐漸醞釀為後來的宗教改革運動。

3. 文藝復興首先在義大利開花結果，成就輝煌。我於 1997 年在荷蘭教書，當時正在籌備成立歐盟，為了讓最初的發起國增進彼此的了解，於是向百姓發放調查問卷，其中一個問題是：你最崇拜哪一國人？結果荷蘭人最崇拜法國人，而法國人最崇拜義大利人，因為文藝復興首先是在義大利出現的。

課後思考

　　你有沒有受到某一學科或某一部作品的啟發，而走出沮喪或沉淪的經驗？

16-2　文藝復興第一人

　　本節的主題是：文藝復興第一人 —— 佩脫拉克。前文曾介紹過但丁，但丁開始創作《神曲》之際，佩脫拉克誕生了。但丁的《神曲》反映中世紀經院哲學的宇宙觀、人生觀與價值觀；現在，佩脫拉克則要開創新的時代風潮。

　　本節包括以下三個重點：

第一，轉向人類。

第二，翻轉歷史。

第三，肯定古典。

（一）轉向人類

　　佩脫拉克（Petrarch, 1304-1374）在三十三歲時第一次參訪羅馬古城，對於羅馬建築的遺址大加讚嘆。他回顧歷史，認為在古羅馬帝國衰亡後的一千多年裡，人性受到壓抑而逐漸萎縮，文學與道德水準下降，那是一個黑暗的時代。

　　他開始思考，希臘、羅馬文明有自己的光榮，為何一定要用後來的基督宗教來代表一切文明的成果？他批判當時流行的經院哲學（Scholastic philosophy），認為經院哲學只把重點放在邏輯、形上學等抽象思維上，脫離了人的現實生活，過於忽略人性。他強調，一個人對自然界和上帝的認識永遠無法達到很高的程度，甚至根本不可能有充分的理解；因此，人應該轉而探索自身的經驗，要關注人的本性、人生目的等與人密切相關的問題。

　　他寫過一本書，探討兩百五十種可能引起絕望或快樂的情況，告訴眾人該如何應付生活中的感情危機，這在當時屬於創新的手筆。他的做法使我們想到古希臘時代的蘇格拉底（Socrates, 469-399 B.C.），他說：「我的朋友不再是城外的樹木，而是城內的居民。」蘇格拉底要轉向人的世界，佩脫拉克則要把人的關懷從天上拉回到人間。

（二）翻轉歷史

　　一千多年以來，西方人普遍相信：自從基督宗教出現之後，世間一片光明，各種非基督宗教的傳統都是異教徒，都代表黑暗。這裡的「異教」一詞，只是用來形容與基督宗教不同的傳統，沒有任何貶義。

　　佩脫拉克翻轉這種說法，他強調羅馬共和國與羅馬帝國代表一個輝煌的時代，而基督宗教的羅馬反而處在黑暗之中。不過，他並沒有改革宗教的想法，只是把流行一千多年的基督宗教當做生活的框架與背景來加以批評。

　　佩脫拉克是第一個使用「中世紀」一詞，並把「黑暗時代」加於其上的學者。正因為如此，才需要復興古典的思想。所謂「古典」是指從古希臘到羅馬初期的階段。

　　世人通常會把文藝復興與「人文主義」連在一起。當時所謂的「人文主義」特別是指與古典學問復活有關的新的態度與新的信念。從那時起直至十五世紀末期，義大利學生習慣把古典語文老師稱為「人文主義者」。

　　佩脫拉克對歷史的翻轉十分徹底，他寫了一本書叫做《論名人》，書中完全忽略中世紀的聖徒與殉教者，而是從古代的異教英雄中尋找代表。

（三）肯定古典

　　佩脫拉克認為古代經典無需基督宗教的修正或補充，它們本身就有豐富的價值，此刻需要喚起大眾對它們的記憶。他除了宣導大家學習荷馬與柏拉圖（Plato, 427-347 B.C.）之外，對於羅馬初期的作家也相當重視。他依序談到西塞羅（Marcus Tullius Cicero, 106-43 B.C.）、盧克萊修（Titus Lucretius Carus, 約 99 B.C.-55 B.C.）、維吉爾（Virgil, 70 B.C.-19 B.C.）、賀拉斯（Horace, 65 B.C.-8 B.C.）以及李維（Livy, 59 B.C.-17）等人。這些作家不談宗教，但他們的人生體驗自有其高度與深度，以下每人各舉一句話來說明。

　　西塞羅說：「只有等性格與年齡變得成熟而穩定時，才能對友誼做出完整的判斷。」

　　盧克萊修說：「想要的東西得不到，那它就比什麼都好；想要的東西到了手，那就想要另一樣，人的欲望即是如此。」

　　維吉爾說：「大地上的一切生物，像鳥獸蟲魚以及人類，無不撲向愛情之火，任它焚燒。」

　　賀拉斯說：「把照亮你的每一天當做最後一天，讚美它賜給你意外的恩惠與時間。」

　　李維說：「誰若不向污穢屈服，就會成為祭獻時的犧牲品。」

　　佩脫拉克非常熟悉這些人的作品，他要對歐洲實行再教育，讓人除了理性之外，還要注意到情感與想像。人生中存在著衝突與幻想，因而要重視詩歌、修辭、寫作風格、雄辯術等學問。他特別強調文學，認為文學作品所彰顯的優美與明亮，反映了靈魂的優美與明亮。他也注意到心理學、人文思潮以及審美的各種表現。

　　佩脫拉克的最高理想是「有學問的虔誠」。「學問」來自於對古典的認識，而「虔誠」就是基督宗教所說的指向上帝。這兩者並

不矛盾，反而使人生變得更加多元和豐富。他因此被稱為「文藝復興運動第一人」。他要並列希臘、羅馬的經典與基督宗教的《聖經》，他認為：西塞羅雖然生於耶穌之前，但他照樣肯定上帝是萬物唯一的創造者與統治者，並且西塞羅說話的語氣和內容，與耶穌的使徒沒什麼分別。

　　佩脫拉克的思想顯示出人文主義的特色，他經常提醒眾人要思考。當時有兩個問題最常見。

　　1. 請你比較一下積極活躍的生活與沉思冥想的生活孰優孰劣？譬如，義大利各個城市中有許多商人在忙碌的工作，這是積極活躍的生活；也有許多宗教修行者在修道院裡無所事事，過著沉思冥想的生活。你認為這兩者哪個更好呢？你要進一步問自己：是否應該把公民對城邦的服務當做至高的美德？這樣就出現了人文主義的觀念。

　　2. 如何面對兩種力量的衝突？一個是無常的命運，另一個是人拒絕命運的力量。佩脫拉克認為人有膽量，可以拒絕命運的安排。從此之後，世人開始對個人的個性產生興趣，個人的自我意識顯著提高，湧現出愈來愈多的畫像與自畫像、傳記與自傳，成為文藝復興運動的明顯標誌。

　　當時另一位重要的人文學者阿伯提（Leon Battista Alberti, 1404-1472）呼應佩脫拉克說：「只要不是完全懶惰或頭腦遲鈍的人，大自然都給他注入了迫切得到讚美與榮耀的願望。」事實確實如此，那麼就讓我們把目光拉回到人間吧。

收穫與啟發

　　1. 佩脫拉克做為文藝復興第一人，他讓我們把注意力的焦點轉向人，不要再把哲學當做神學的女僕，也不要在經院哲學裡從事

思維的遊戲，而要轉向人的實際生命，注意到人類除了理性之外，還有情感、意願、想像、感覺等，如此才是完整的人。

2. 他要翻轉歷史，把此前一千多年基督宗教統治的時代稱做「中世紀」，把基督宗教用來描寫其他異教民族的「黑暗」一詞反過來加在中世紀身上，從而使「人文主義」這一概念有了全新的生命。

3. 他的方法是肯定古典，透過充分探討古希臘與羅馬初期作家的作品，使他們的精神價值得以重新展現。

╭─────────╮
│ 課後思考 │
╰─────────╯

　　有哪些名人名言對你很有啟發，可以讓你付諸實踐，甚至改善生命的品質？

16-3　文藝復興的豐富內涵

　　本節的主題是：文藝復興的豐富內涵。文藝復興運動大約從 1350 年興起，一直綿延發展到 1600 年，後期與宗教改革運動相重疊。文藝復興起源於義大利，經過一百年之後才在歐洲北部地區繼續發展。

　　本節要介紹以下三個重點：

　　第一，對個人看法的改變。

　　第二，自然科技的進展。

　　第三，思想界的衝突。

（一）對個人看法的改變

　　與中世紀相比，文藝復興時期對於個人的看法有了明顯的改變。中世紀以「類型」為主，按共性去認識一個人，譬如一個人是罪人還是正直的人，是俗人還是教會人士。這是用粗糙的分類、刻板的原型去界定一個人，而不是透過一個人的內心生活對其加以認識，沒有把一個人視為有機的個體。

　　中世紀的道德判斷也流於表面，只注重外在的標準而完全忽略個人的特點，個人形同木偶，不具備統一的人格，個人內在的複雜性亦被忽略了。當時並沒有「自主的個人」這樣的觀念，個人並非一個主體，只有在社會的集體結構中才能意識到自己的存在。個人好像具有「離心力」，將自我投射到周圍世界中，個性則被周圍世界所吸收。

　　中世紀自我肯定的方法是自我貶低與自我否定。如果一個人有個性的話，反而不容易被他人了解。譬如，十二世紀初期的法國哲學家阿貝拉德（Peter Abelard, 1079-1142）就很有個性，他過世之後，朋友們在他的墓碑上刻了一句話：「只有他知道自己是什麼樣的人。」阿貝拉德很難被歸為某一類人，以致無法被準確定位。

　　文藝復興時期對個人的看法有了明顯的轉變，這一時期所有嶄露頭角的代表人物都顯示出他們的個性，個人逐漸具有「向心力」，要把周圍的世界拉向自己。

（二）自然科技的進展

　　十五世紀中葉，西方自然科學領域最重要的進展是發明了印刷術，活字印刷術被用於出版《古騰堡聖經》（*Gutenberg Bible*）。當時有四大發明：

1. 指南針

　　指南針在航海中的應用，使得哥倫布在 1492 年發現了美洲新大陸。哥倫布原本想找印度，結果歪打正著發現了美洲「新」大陸；其實當地所謂的「少數民族」，早已在美洲居住了千年之久。

2. 火藥

　　火藥的發明使封建城堡與傳統武力漸趨瓦解，國家主義從此有了發展的機會。

3. 印刷術

　　除了印製《聖經》以外，許多古代經典與當時的作品也被印刷出版，由此打破神職人員長期壟斷學問與教育的格局。

4. 機械鐘

　　它大大改善了人與時間、與自然界、與勞動的關係，使生活更有效率。

　　然而，當時的科學家無不受到宗教界的巨大壓力。以哥白尼（Nicolaus Copernicus, 1473-1543）為例，他是天主教內一位德高望重的神父，後來發現地球並非宇宙的中心，而是圍繞太陽轉動；他發現這一真相後，過了整整三十年，直到臨終前才有勇氣出版《天體運行論》。

（三）思想界的衝突

　　文藝復興時期，思想界的衝突愈來愈明顯，主要體現在以下四個方面：

1. 猶太教與希臘文化的對立。這種對立引發當時很多人做深入思考。猶太教是歷史悠久的一神論宗教，又是基督宗教的源頭，猶太教的《聖經》（《舊約》前五篇）早已廣為人知；而古希臘文化從《荷馬史詩》開始，也是源遠流長的文化傳統。這顯然是兩種不同的文化。

2. 經院哲學與人文主義的對照。經院哲學在十三世紀由多瑪斯・阿奎那（Thomas Aquinas, 1225-1274）達到頂峰之後，逐漸成為官方哲學；而文藝復興時期出現的人文主義則要翻轉我們對人性的認識。看待「人」有三種不同的角度：一是超自然的角度，把焦點放在上帝身上，人只是受造物之一；二是自然的角度，把人當做自然界的一份子，隨著我們對自然界觀念的改變而增進對人的了解；三是人文主義的角度，以人的經驗為出發點去了解人類自己，進而了解自然界以及上帝。經院哲學與人文主義的對照呈現出緊張的狀態。

3. 哲學界柏拉圖主義與亞里斯多德（Aristotle, 384-322 B.C.）主義的對照。在中世紀後期，亞里斯多德主義在經院哲學中取得主導地位，在但丁的《神曲》中，直接用「哲學家」來

指稱亞里斯多德，並說他的身後站著兩個人 —— 蘇格拉底與柏拉圖，亞里斯多德在當時的重要地位由此可見一斑。但是現在柏拉圖主義開始復興，下一節就會談到這一點。

4. 異教神話與《聖經》啟示之間的對立。異教神話具有豐富的內涵，而《聖經》的啟示是一個獨特的系統，兩者之間的對照也愈來愈明顯。事實上，文藝復興時期在藝術方面的表現是兼容並蓄的，很多教堂在設計、繪畫與雕刻方面，同時接受《聖經》的啟示和異教神話。像上帝創造世界、摩西、大衛王都成為雕塑的題材，而我們熟知的古希臘神話也紛紛成為雕刻與繪畫的主題。

收穫與啟發

1. 文藝復興具有豐富的內涵，對個人的看法與中世紀分道揚鑣。雖然當時的人照樣信仰基督宗教，但是已經開始展現不同的眼界，不再以信仰做為人生唯一的要求，或道德方面唯一的指導原則。

2. 自然科學的進展主要包括指南針、火藥、印刷術和機械鐘的發明，對文藝復興的全面推展大有助益。

3. 思想界的衝突始終在潛滋暗長、不斷醞釀發展之中。

課後思考

我們用「離心力」與「向心力」來描寫個人生命的特色：離心力是把個人發生的一切推給社會，在社會中尋找個人生命的定位；向心力是把外界的一切拉回自己身上，由自己來決定一切遭遇的價值與意義。這兩者在你身上是如何搭配的？是離心力多一些，還是向心力多一些？

補充說明

　　「離心力」代表用社會上的各種現象來理解自己；「向心力」則是以自己為中心來決定外在事物的意義。在文藝復興時期，人要從「類型」中走出來，體現個人生命的特色，發展人文主義。我們可以借助「離心力」與「向心力」這兩個詞，來反思自己的生命。

　　一個人從小到老的發展過程基本上是兩個相反的方向。小時候受教育，就是要讓你社會化，將來步入社會時能取得自己的角色，承擔自己的責任，使社會繼續發展。一旦進入社會，你就要設法個人化，亦即要尋找自我。因此，年輕時離心，年老時向心，這兩者要互相配合，不能割裂，很多時候只是比例上或態度上的問題。

　　印度社會有一個傳統觀念：年輕時要充分發揮自己的潛能，設法取得各種社會成就，成為一個人物，英文叫做 somebody；年老時，尤其是退休後要返璞歸真，設法讓自己回到生命的原始狀態，成為 nobody。

　　這是一個大的趨向。如果人活到老，還不能從離心轉為向心的狀態，不能從社會回歸自我、回歸大自然或生命的根源，那麼他很可能遺忘了生命的核心。就像演員在舞臺上演戲，久而久之便忘了那是一個舞臺，忘了人還是要回到真實生活，做真正的自己。

16-4 重新界定人的尊嚴

　　本節的主題是：重新界定人的尊嚴。如果對西方的文藝復興稍有認識，就知道它的推手是義大利的佩脫拉克。在他的號召之下，當時義大利的貴族和教會都努力搜尋古代學者、哲學家、作家的手稿，然後加以校對、編輯，並翻譯成當時可以閱讀的拉丁文。這些資料為人文主義提供可靠的基礎。

　　在東方的拜占庭世界，東羅馬帝國於 1453 年滅亡，那裡保存了古希臘的眾多遺產。在土耳其入侵的威脅下，許多學者紛紛離開君士坦丁堡，來到西方。這些學者都是希臘文專家，對於柏拉圖與新柏拉圖主義的普羅提諾都做過深入的研究。

　　在重新界定人的尊嚴時，有以下兩個重點：

　　第一，柏拉圖哲學的復興。

　　第二，米蘭德拉的宣言。

（一）柏拉圖哲學的復興

　　柏拉圖哲學是如何復興的？十五世紀中葉，佛羅倫斯的統治者是梅迪奇家族（Medici），在這個家族的大力支持之下建立了柏拉圖學院，由當時的柏拉圖專家費奇諾（M. Ficino, 1433-1499）來負責。費奇諾在 1484 年把《柏拉圖全集》翻譯成拉丁文，此後柏拉圖思想給當時的社會帶來很大的啟發。

　　柏拉圖的學說為當時的人文主義者提供一種哲學基礎，既適合理性思考的習慣，也配合人心的願望與需要。它本身更具有想像的

深度與精神的高度，與經院哲學的形式化、教條化大為不同。在探討存在本身的問題時，美也是一個基本的成分，想像力與邏輯一樣重要；人可以直接認識神聖的領域，如理型世界。此外，柏拉圖《對話錄》本身就是精緻的文學作品，不像亞里斯多德與經院哲學那樣，都是枯燥的論文表達方式。

　　柏拉圖哲學在柏拉圖學院中得到了振興，他們發現一個不屬於基督宗教的精神傳統，它在宗教的啟發方面與道德的高度方面，並不遜於基督宗教，並且由此重新提出一套關於人、自然界以及上帝的觀念。

　　此時的柏拉圖哲學已經結合了新柏拉圖主義，亦即普羅提諾（Plotinus, 204-269）的流衍論。流衍論強調神性滲透於自然界之中，萬物都有它神祕的一面，人也有神聖的活力，可以在自己身上發現上帝的形象。

　　費奇諾強調，人的能力無異於「上帝的代理人」，而人的智力幾乎與創造天空者一樣具有天才。他還讚揚人的靈魂，「憑著靈魂的理智與意志，就像是柏拉圖所說的一雙翅膀，人能夠在某種程度上成就一切事物，甚至成為一個小的神」。

　　在歷史觀方面，他們採用的是希臘與羅馬的循環歷史觀。古希臘的赫拉克利特曾認為會出現週期性的宇宙大火，如今這樣的觀念再度出現，這與中世紀的猶太教與基督宗教的直線歷史觀大不相同。中世紀的「末世觀」認為歷史將會結束；文藝復興時代的人則認為自己返回輝煌的古代，如今是另一個黃金時代的開端，是繼中世紀黑暗時代之後的更新與再生。

　　費奇諾的柏拉圖學院培養出眾多人才，其中有一位高材生叫做米蘭德拉（Mirandola, 1463-1494）。另外，著名藝術家米開朗基羅（Michelangelo, 1475-1564）也是費奇諾的學生。

（二）米蘭德拉的宣言

米蘭德拉是一位意氣風發的年輕學者，在 1486 年，他年僅二十三歲時，就計劃從希臘文、拉丁文、希伯來文、阿拉伯文的著作中整理出九百個問題，邀請全歐洲的學者來羅馬進行公開辯論。後來天主教的審查小組認為這會給宗教帶來威脅，禁止舉辦。

既然無法開會，米蘭德拉就寫了本書叫做《論人的尊嚴》（*Oratio de hominis dignitate*），這本書堪稱文藝復興時期人文主義的宣言。米蘭德拉以《舊約·創世紀》與柏拉圖的《迪美吾斯篇》（*Timaeus*）做為素材來鋪陳自己的觀念。

我們曾介紹過拉斐爾（Raphael, 1483-1520）的名畫《雅典學院》，站在學院門口的是柏拉圖與亞里斯多德這兩位大哲學家，柏拉圖一隻手指向天空，另一隻手握著一本書，那就是《迪美吾斯篇》，講述了世界創生的過程。

米蘭德拉在《論人的尊嚴》中並列《舊約·創世紀》與柏拉圖的《迪美吾斯篇》。上帝創造世界，最後才考慮要造人，此時具有專門能力的原型已經用完了，所以上帝對亞當說：

「啊，亞當，沒有一個確定的位置，也沒有一種形式單獨屬於你，我也沒有賦予你任何特殊的功能；因此，你也許可以按照你的願望與判斷，獲得與擁有你要的無論什麼位置、形式與功能。其他生物的性質已經被確定，它們被限制於我所規定的範圍；你沒有被限制，你將依照你自己的自由意志確定你自己的性質。

「我把你放在世界的中心，因此，從那裡你可以更容易的審視世界上的任何東西。我既沒有使你成為天上的，也沒有使你成為地上的生物；既不是注定要死亡的，也不是注定不死的。因此，做為你自己的更自由的與更體面的塑造者，你可以按照你所喜愛的無論

何種形式去改變自己。你將能夠下降到低級的野獸之間，你也將能由於自己靈魂的判斷而再生於高級的、神聖的存在者中間。」

這段話肯定了上帝給人自由選擇的機會與自我改造的能力，也肯定了古希臘時代對生而為人的榮耀感，提高人的精神向度與理智能力，且未受到《聖經》中原罪的汙染，西方人心中開始湧現出「新的人」這樣的觀念。

米蘭德拉將不同傳統的優點巧妙融為一爐，使柏拉圖學說變成新的福音書。這樣的人文主義給人以新的尊嚴，給自然以新的意義，給基督宗教以新的視野，使其不再絕對化。

由於佛羅倫斯梅迪奇家族的努力，他們成功的打進教皇的權力圈，用教會的財力購買大量文藝復興時代的藝術傑作。此時的教宗也醉心於新的文化運動，由此造成各種矛盾的現象。基督宗教原本是一教獨大的思想，它把人當做受造物，人生的目的就是好好信仰上帝，拯救自己，死後設法進入天堂，它認為人間所有的一切都有負面的誘惑。現在，新的觀念出現，自然界有它的神性，人也有某種神性，各種重視感官享受的異教多神論紛紛出現，甚至開始肯定多元化的宗教觀。這些思潮與基督宗教的思想發生衝突，是激起後來宗教改革的重要因素。

收穫與啟發

1. 純粹從哲學的角度來看，文藝復興時代是柏拉圖哲學的重振階段。此時在佛羅倫斯設立了柏拉圖學院，《柏拉圖全集》被翻譯成拉丁文，成為許多人學習、研究的材料。柏拉圖哲學的完整系統在此顯示出無法抵擋的魅力。

2. 柏拉圖學院出現一位天才者米蘭德拉，他得年僅三十一歲；但他在二十三歲時就有這樣的魄力，要彙集當時所能找到的九

百個重要問題，計劃邀請歐洲學者進行公開辯論，並因而寫成
《論人的尊嚴》，成為人文主義的宣言。這種「新的人」的觀
念在中世紀是難以想像的。

課後思考

義大利的米蘭德拉肯定人的尊嚴，重視人性正面、光明而偉大
的潛能，讓人印象深刻。請你依照自己的經驗，對米蘭德拉的人
性論提出一些評論或想法。

補充說明

關於人的尊嚴是什麼，在此做一些補充說明。

「人的尊嚴」這個說法聽起來有點抽象，其實它要肯定的是：
每個人都有自我，每個人都是平等的，不能把個人當做群體的一
員或眾人之一，而要肯定每個人都有獨立自主的人格，在求知、
審美、行善這三方面，每個人都有自己的自由。

人的尊嚴有兩個方面：消極方面，每個人都不能被當做純粹的
工具來利用；積極方面，每個人都有追求生存的權利，以及選擇
如何活下去的權利。肯定人的尊嚴之後，再進一步宣導人的自
由。但是，人有了自由要如何選擇呢？只有透過良好的教育和正
確的輿論，才知道怎樣選擇既能對得起自己，又能符合社會需要
的生活。

從上述角度思考人的尊嚴會比較完整。

16-5　人文主義的發展

　　本節的主題是：人文主義的發展。歐洲北方各國的文藝復興運動開始較晚，不久又與宗教改革運動糾纏在一起，變得錯綜複雜。北方文藝復興的代表有兩位，一位是荷蘭的伊拉斯謨（Erasmus, 1466-1536），一位是英國的湯瑪斯・摩爾（Thomas More, 1478-1535）。

　　本節要介紹以下三點：

　　第一，湯瑪斯・摩爾的《烏托邦》在說什麼？

　　第二，伊拉斯謨的《愚人禮讚》主要在表達什麼？

　　第三，人文主義與宗教改革的分裂。

（一）湯瑪斯・摩爾的《烏托邦》在說什麼？

　　伊拉斯謨與湯瑪斯・摩爾兩人都鄙視經院哲學，他們希望在天主教內部進行改革，從未想過要從事外在的革命。他們是馬丁・路德（Martin Luther, 1483-1546）之前最著名的人文主義學者與思想界領袖，但最後湯瑪斯・摩爾殉道而死，伊拉斯謨抑鬱以終。

　　湯瑪斯・摩爾的代表作《烏托邦》在後世廣為流傳。書中描述在南太平洋上有一座小島，島上一切都安排得很理想；有一個航海者發現了它，在島上住了五年後返回歐洲，然後根據自己的經歷寫成了這本書。

　　《烏托邦》共分為五十四個市政區，居民的生活有何特色呢？一是完全共產，人人平等；二是每個人住的房子都一樣，且每十年輪換一次，連服裝也是一致的；三是勞動方面完全平等，每人每天

工作六小時，午前三小時，午後三小時；四是整個社會採用民主管理，且人人都有信仰。他們的信仰有兩個特點：第一是肯定上帝的存在，但上帝就是自然界本身；第二是相信人的靈魂不死，但即使不相信也不會受到懲罰。湯瑪斯・摩爾之所以有烏托邦這樣的理想，是因為他年輕時喜歡閱讀柏拉圖的《理想國》，對其中提到的共產思想深為著迷。

他後來在英國政界發展得很好，成為高官，但他對原則問題絕不妥協。英國國王亨利八世（Henry VIII, 1491-1547）要與王后（西班牙公主）離婚，另娶宮女安・博林，摩爾對此表示反對，並辭去大法官的職位。當時的天主教不允許離婚，亨利八世於是脫離羅馬教會，獨立為英國國教。湯瑪斯・摩爾拒絕簽署《至尊法案》，不承認君權勝過教會的神權，並拒絕出席安・博林皇后的加冕典禮，於是遭到報復，以大逆不道的罪名被判斬首。湯瑪斯・摩爾堅守原則，最後不幸殉道。

他的烏托邦能否實現呢？羅素（Bertrand Russell, 1872-1970）在《西方哲學史》中指出，就算真有這樣的烏托邦也是枯燥乏味的，人生的快樂就在於有各種變化的可能。

（二）伊拉斯謨的《愚人禮讚》主要在表達什麼？

伊拉斯謨是當時最博學的人文學者。當時的人文主義者大多仍信仰天主教，他們認為這是理所當然的，並不覺得自己對古典文化的熱情與宗教信仰有什麼矛盾衝突。

有些人則對此深感困惑。此時有兩種選擇：一是接受新柏拉圖主義的啟發，強調和諧平衡是宇宙的根本法則，人應該多做沉思冥想，這與基督宗教比較接近；第二種選擇是《聖經》人文主義，伊拉斯謨就採取了這樣的路線。

　　伊拉斯謨把人文主義的治學方法用在《聖經》上，結合宗教訓練與古典文字研究。拉丁文是當時的國際語言，伊拉斯謨的希臘文與拉丁文在當時是第一流的，他把許多希臘文、拉丁文的格言彙編成書，勸人多閱讀從柏拉圖到奧古斯丁（Augustine, 354-430）的著作。他出版希臘文的《新約評注本》和拉丁文的《聖經新譯本》。他的翻譯使原有拉丁文譯本的權威性受到質疑，並為新教的改革家提供重要武器。伊拉斯謨的初衷是希望恢復基督宗教的本來面目，但事與願違，既得利益階級不可能接受他的建議。

　　他的代表作《愚人禮讚》對天主教的教條主義、形式主義大加批判。這是一本「正言若反」的書，充滿了反諷的語氣。什麼是愚蠢的人？從正面來看，人如果有智慧，就會鄙視金錢，不會為了賺錢而做可恥的事，這種智慧在一般人看來就是愚蠢。如果一個商人在做偽證時猶豫不決，在說謊而被捕時漲紅了臉，在盜竊與重利盤剝時覺得尷尬，又怎麼能賺大錢？

　　他接著把焦點轉向基督宗教，認為基督宗教就是一種愚蠢與瘋狂。一個人信教之後就施捨錢財，被人欺騙，不分敵我，寬恕別人的罪過，棄絕各種快樂，飽嘗饑餓、失眠、辛勞與斥責之苦，惡生戀死，對日常生活感覺麻木不仁。這不是愚蠢和瘋狂，又是什麼？許多教徒不關心身體，視金錢如糞土，不屑一顧，輕視可見之物卻重視不可見之物，嚮往永恆、不可見的精神境界。他說：「一個心靈渴望離開身體，不再運用他的器官，追求精神的快樂勝過身體的快樂，以為這樣可以品嘗未來的幸福。請問，這種宗教信徒在一般人眼中不是愚蠢是什麼？不是瘋狂又是什麼？」伊拉斯謨以反諷的方式寫作，目的是要說明：基督徒雖然在別人眼中看起來很愚蠢，但身為基督徒要接受這個事實，堅持自己的信仰。

　　當時的天主教確實相當腐化。他在書中提到，信徒要定期辦告

解，神父們可以代表上帝加以赦免。但是神父們從告解中得知了很多祕密，又經常在喝醉酒時不慎洩密，信徒們還以為告解之後罪過都被赦免，從此可以重新做人了。

伊拉斯謨批判了許多問題。譬如，天主教對聖母與聖徒的過度崇拜是沒有必要的，「三位一體」或「復活節」的爭論沒有太大意義。他對耶穌在彌撒裡化身為餅和酒一事提出質疑，對於經院哲學更是公開駁斥。

他對天主教的統治階級（如教宗、樞機主教、主教等）提出各種質疑。他認為教宗應該要向耶穌學習謙虛與貧窮，教宗唯一的武器應該只屬於精神方面，要與世俗的政治與權力脫鉤。很多教宗對上帝無所畏懼，只是在惡毒的試圖蔑視並傷害聖彼得所遺留下來的教產。聖彼得是耶穌第一個門徒，第一位羅馬主教，負責掌管天堂的鑰匙。

他也批判許多修會組織，說他們心中沒有宗教，他們喜歡禮拜儀式只是為了自己的幸福，他們規定各種細節，完全成為形式主義。宗教應該來自於心靈，而不是來自於頭腦的思考，所有分析精微的神學觀念都是多餘的。

（三）人文主義與宗教改革的分裂

由此可見，伊拉斯謨對天主教提出了許多善意的批評，用各種方式來刺激宗教界的人士，但是他無論如何也不願走上馬丁‧路德的宗教改革路線。荷蘭哲學家很少見，談到荷蘭哲學家，一般首先想到的是年代較晚的史賓諾莎（B. Spinoza, 1632-1677），然後才會想到伊拉斯謨。

伊拉斯謨的思想基本上是以人文主義為主，對天主教進行了內部的批判。

收穫與啟發

1. 湯瑪斯‧摩爾寫的《烏托邦》有點類似於陶淵明的《桃花源記》，但如果一切都安排得很好，也會讓人覺得枯燥乏味。
2. 伊拉斯謨是人文主義的進一步發展，屬於「聖經人文主義」這一派。他雖然肯定天主教的信仰，但也開始對它進行批判，只是不敢採取過激的行動。
3. 當宗教改革浮出水面時，文藝復興啟發的人文主義就逐漸銷聲匿跡了。後面即將出現對傳統宗教和社會制度更大的挑戰。

課後思考

當朋友陷入困境時，你會勸他從內部思想上改造自己，還是從外在環境上改變生活習慣？

補充說明

如果自己遇到困境，我會怎麼做？

面對困境，我要評估自己承受困境的能力有多大。西方心理學在提出智商之後，又提出情緒智商（簡稱情商）以及逆境智商（簡稱逆商）。人有認知能力，所以提出智商；人有情緒反應，所以提出情商；人有意志，要在困境當中堅持下去，所以提出逆境智商。

可以從以下四方面來看：

1. 我對這個困境或挫折有多少控制能力？要讓這個挫折到此為止，不要再惡化。
2. 分析困境的起因和責任歸屬？困境也許是別人造成的，也許是時代環境的因素，但既然是我遇到了困境，責任歸屬肯定與自

己有關。譬如我失業了，這可能與經濟的景氣程度有關，但也可能是我自己的條件不夠，我還是要負某種責任，應當設法改善。如果起因是外來的，就不用太責怪自己，否則容易喪失奮鬥的動力。

3. 困境影響的範圍有多廣？這件事是否會使我的生命徹底改變？特別要注意的是，不能因為某種困境，就讓自己的整個生命蒙上陰影，從此放棄了奮鬥。

4. 困境會持續多久？要設法盡早從困境中走出來，重新踏上自己的人生之路。

第十七章

宗教改革試圖
回歸原始理想

17-1 《君王論》對宗教與社會的反思

本章的主題是：宗教改革試圖回歸原始理想。在介紹宗教改革之前，首先要將義大利文藝復興運動做一個簡單總結。本節的主題是：《君王論》對宗教與社會的反思，要介紹馬基維利所著的《君王論》（*The Prince*）的核心觀念。

本節內容包括以下三個方面：

第一，擺脫宗教干擾。

第二，《君王論》的內容。

第三，從《君王論》所引申出的思想。

（一）擺脫宗教干擾

義大利文藝復興的基調是人文主義，要藉由恢復古希臘與羅馬的異教自由精神，把人由中世紀的神本思想中解放出來。基督宗教主導了中世紀社會一千多年的發展，文藝復興只是解放的開端而已。文藝復興從義大利開始，佩脫拉克為了文學的理由而翻轉歷史，把基督宗教主導的時期稱為「黑暗時代」。時隔一百多年，文藝復興結束階段由馬基維利（Machiavelli, 1469-1527）出手，他為了政治的理由，認為古代重視代表光明的理性，而中世紀的信仰則淪為迷信，應該予以批判。

馬基維利對基督宗教提出質疑，他認為基督宗教把謙卑、節制、輕視世俗生活當成人類最高的德行，結果把世界雙手奉送給壞人。在羅馬共和時代還能頌揚公民的德行，有助於維護政治上的自

由；基督宗教卻頌揚謙卑忍讓之人，反而使國家、社會陷入腐敗。
為此，馬基維利提出國家觀，旨在擺脫神學的束縛。

　　馬基維利是使政治學獨立的第一人，並因而成為西方近代政治
學的奠基者，被稱為文藝復興時期的「巨人」之一。他認為自己是
在開拓一條無人走過的道路，他對於權力方面的大膽觀點可謂前無
古人。他根據自己的觀察和經驗，寫成《君王論》這本代表作，他
認為當時的義大利需要這樣的思想。他把這部書獻給佛羅倫斯城的
梅迪奇家族，希望受到重用，卻未能如願以償。

（二）《君王論》的內容

　　馬基維利在《君王論》中強調君王應該具有以下三種品質：

1. 吝嗇比慷慨更重要

　　書中指出，慷慨，或是用自己的錢或是用別人的錢。你如果用
自己的錢去慷慨，很快就會耗盡財富，結果只好橫徵暴斂而被人民
痛恨；若是不徵稅，自己就沒有錢，也就沒有人會尊重你。換言
之，如果用自己的錢去慷慨，要不是被仇視，就是被輕視；如果不
慷慨，別人會說你吝嗇，但根本不必介意，因為兩害相權取其輕。

　　如果用別人的錢慷慨就沒有問題，等於是慷他人之慨。譬如，
戰爭時掠奪許多名貴珠寶，這時可以盡量慷慨以得到百姓的感激。
綜上所述，他認為吝嗇比慷慨更重要。

2. 殘酷比仁慈更必要

　　殘酷靠懲罰使人畏懼，結果會讓自己更安全，並且是由君王的
意志來決定何去何從。仁慈則要靠恩情來維持臣民的愛戴，但能否
獲得愛戴是由臣民的意志來決定，決定權在別人手中。

　　人性是惡劣的，你如果殘酷的話，別人至少不會憎恨你，反而
會害怕你。馬基維利甚至說：「人忘記父親的死亡，比忘記遺產的

喪失更快一些。」這句話非常直白，雖然聽來刺耳，卻也反映了一部分實情。

3. 不守信用更可取

馬基維利認為，是否守信要依情況而定。他特別指出：一個君王必須要像狐狸一樣狡猾，可以認識陷阱；同時還要像獅子一樣兇猛，可以讓豺狼害怕。這個比喻由他首先提出，後來被一再引用和轉述。

他要強調的是：只要有好的目的，就可以採取任何手段；尤其做為統治者，只要能讓社會安定、國家富強，可以不擇手段、放手去做。這要靠對人的了解和運用宣傳的手法。

他接著談到，君王要避免受人蔑視與憎恨，而要設法受人敬重；在選擇大臣的時候要明智，並且要避開諂媚者。這些觀點比較易於理解。

（三）從《君王論》所引申出的思想

從《君王論》的內容可以引申出兩方面的思想：第一是性惡論；第二是目的可以使手段合理，亦即身為君王，為達目的可以不擇手段。

1. 性惡論

馬基維利認為：人的本性都是自私自利的，人性天生就是惡的，總是表現出對財富和權力的欲望；因此，君王只有靠惡劣的行為才能保住國家。這是明顯的「性惡論」。

從另一個角度來看，他認為人性也很容易上當受騙。他說：「人總是很單純，隨時屈從目前的需要。一個騙子總會發現很多自甘受騙的人。因此，一個君王完全不需要一般的品德，但需要『看起來』有這些品德，並且『看起來』篤信宗教，因為品德和宗教都

是宣傳的利器。」

　　他強調：「在宣傳中你要顯得比敵人更有品德，那些使自己看起來有品德的方法本身也是一種品德。」這些都是非常超前的觀念，與現代社會重視宣傳的潮流不謀而合。

2. 目的可以使手段合理

　　他認為，身為君王，為達目的可以不擇手段。馬基維利說：「一位有力的君王必須學會如何不做好人，最重要的是持續掌權。為了達到這一點，幾乎任何做法都是可以接受的。」這種觀點使此書自 1532 年出版以來一直惡名昭彰。有人認為這本書很邪惡，充其量只是一本幫派份子的實用手冊，更多人則認為這本書精確陳述了實際發生的政治狀況。

　　今天有許多政治人物會讀這本書，但很少有人會承認自己在實踐書中所說的觀點。

　　馬基維利提出這樣的思想，主要是因為當時的義大利四分五裂為許多小的公國，無法統一成完整的國家。統一最主要的障礙是天主教。馬基維利批評宗教說：「宗教在國家中占有優越地位，並不是因為它代表真理，而是因為它可以凝聚人心。」義大利當時教會腐敗，神職人員的惡行破壞了信仰，教宗對權力的欲望阻礙了義大利的統一。他甚至公開說：「人愈接近教會，對宗教的信仰就愈淺薄，宗教的崩解與受困為期不遠了。我們義大利人變得無信仰、變得邪惡，這應該歸咎於羅馬教會的主教和神父們，他們是使國家分裂的禍首。」

　　直到二十世紀的八〇年代，羅馬教宗才正式宣布天主教不再做為義大利的國教。既然天主教並沒有使人民的道德更為高尚，那就不要再互相牽扯了。馬基維利早在四百多年之前，就已經具有這樣的觀念。

（收穫與啟發）

1. 馬基維利在文藝復興後期提出《君王論》，目的是希望完全擺脫宗教的干擾，使義大利走向統一的局面。

2. 《君王論》強調為達目的可以不擇手段，他的目的是國家統一和社會安定。

3. 《君王論》引發我們進一步思考：把人性當做惡的是否妥當？目的真的可以使手段合理嗎？

（課後思考）

　　目的與手段的關係是哲學界長期討論的焦點。目的真的可以使手段合理嗎？假設你有一個好的目的，就可以不擇手段嗎？

（補充說明）

　　談到目的和手段的問題，首先，你要達成任何目的，都要採取某些手段。進一步思考：是誰決定了這個目的？又是誰在選擇這種手段？你的這個目的能否讓大家都了解？如果只有你自己了解目的，當你使用各種手段時，別人恐怕會無法接受。在此，我們要詳細分析一下目的和手段。

1. 對目的的判斷

　　從時間上看，可以分為短期、中期、長期，甚至整個人生；從涉及的範圍來看，可以涉及個人、群體、國家，甚至整個人類。對於短期的、影響個人的目的，與對於長期的、影響整個人類的目的，我們顯然會有不一樣的考慮，對事後效果的判斷也不一樣。

2. 對手段的選擇

　　我們的問題是：目的可以使手段合理嗎？這個問題本身就假設

這種手段不太合理，我因為有好的目的，我的手段就被合理化了。你要問：為什麼這個手段在目前情況下不合理呢？我能否選擇一個大家都認為合理的手段？

這個世界在不斷變化和進步之中，做為一名決策者，必須要有通盤的思考。人生的事情都是相對的，有一些手段造成的後果在事後還能補救，有一些則是永遠無法補救的，像戰爭會使很多人犧牲，無可挽回。

對目的和手段的看法都可能隨著生命的過程而不斷改變。你對目的的判斷從短期來看是對的，從長期來看則未必正確。你選擇的手段也許目前只影響少數人，但未來可能影響到很多人。因此，你要問一個問題：有什麼是不會改變的？那就是自己的良心這把尺。良心經常會陷於掙扎和衝突之中。很多人在做出決策之後，受不了良心的譴責，到最後可能會精神失常。

除了要對得起自己的良心之外，我們還要對身邊的人負責。因此，「己所不欲，勿施於人」這句話具有普世意義，雖然很多人把它當做「銀律」，但是它的作用可能勝過「金律」。「金律」是「己之所欲，施之於人」，你想要別人怎麼對你，你就怎麼對別人。這種做法有時候會造成誤會，讓別人倍感壓力，顯得過於自我中心。

對於目的和手段這一類問題，並沒有什麼標準答案，我們要避免做出過於簡單的回答，而要從上述幾個角度進行深入的思考。

17-2　宗教法庭的恐怖

　　本章以宗教改革為主題，以下三節要先介紹宗教法庭的恐怖，再探討贖罪券的荒謬，最後聚焦於宗教改革家馬丁・路德和喀爾文。

　　本節要介紹宗教法庭如何摧毀思想自由，內容包括以下三點：

第一，宗教法庭的審判方式。

第二，布魯諾的泛神論。

第三，寬容問題。

（一）宗教法庭的審判方式

　　天主教統治西方的一千多年被稱做「黑暗時代」。在這一漫長的歷史階段中，自然科學被忽略，普遍教育被壓制，神職人員成為了既得利益階級，整個社會停滯不前。這是我們一般的印象。

　　在十一世紀之後，東正教於 1054 年與羅馬天主教分裂，天主教的壓力愈來愈大。天主教原本是統一的整體，最怕內部出現「異端邪說」而造成內在的分化。然而，自從四世紀天主教成為羅馬帝國的國教之後，這樣的「異端邪說」就一直存在。天主教成立之初曾飽受羅馬帝國的迫害，他們當時最大的願望是得到別人的寬容，讓他們可以自由的選擇信仰。但荒謬的是，等他們成為國教、大權在握之後，對不同信仰的人卻沒有絲毫寬容的態度。

　　天主教的教宗在 1233 年成立宗教法庭，又稱為異端裁判所（Inquisition），此後延續發展了四百多年。當時有兩個最大的宗教法庭：一個是西班牙的皇家宗教法庭，另一個就是羅馬的聖宗教

法庭。宗教法庭專門審查別人的思想，以致於互相告密成為高尚的
宗教行為，而它採用的原則是：證明無罪的責任全在被告身上。

　　成千上萬與世無爭的平民百姓，僅僅由於跟鄰居多說了幾句或
道聽塗說，半夜就被逮捕而送入宗教法庭。沒有人對他說罪名是什
麼、指控的內容如何、證人是誰，也不許他與親屬聯繫或請律師。
如果他堅持無罪，很可能被打斷四肢；如果最後無奈認罪，就會被
交給當地政府的法庭。宗教法庭宣稱自己從未殺過人，但當地政府
法庭如果不把這些人定為死罪，就會受到宗教法庭很大的壓迫。

　　不但活人有此威脅，連入土五六十年的人也可能被控告，要接
受死後的審判，後代還會被剝奪財產。可以想像的是，許多人會在
暗中打探，藉機搜刮民脂民膏。有關宗教法庭審判最有名的兩個案
例，一個是北方的聖女貞德，另一個是南方的哲學家布魯諾。北方
是指英、法等地，南方是指義大利。

　　聖女貞德（Jeanne d'Arc, 1412-1431）僅僅活了十九歲，她的故
事後來還被拍成電影。她在英法百年戰爭期間，號召法國人抵抗英
軍、保衛國家。她是一位民族英雄，但英法兩國交戰不分勝負，雙
方講和後就把聖女貞德送上宗教法庭，誣告她是女巫。中世紀的女
性只要有深刻的思想與明確的觀念，並且敢於表達，通常都會被誣
告為女巫而死於非命。聖女貞德就這樣白白犧牲了。

（二）布魯諾的泛神論

　　布魯諾（Giordano Bruno, 1548-1600）是義大利研究自然科學
的哲學家，接受新柏拉圖主義的思想，認為世界是上帝的流衍與反
映。他最初強調上帝的超越性和不可理解性，後來逐漸轉向強調上
帝的內存性，肯定世界靈魂就是普遍的知性，世界萬物也是無限的。

　　他在歷史上第一次把神分為兩個側面來談，一面是「能產自

然」，另一面是「所產自然」。「能產」就是能夠生產的，「所產」就是所生產出來的。在能產的自然裡，神是無限的、獨特的、超越的，與他所彰顯的萬物有所不同；但在所產的自然裡，萬物就是神的自我顯現。「能產」、「所產」這兩個詞後來成為近代哲學家史賓諾莎經常使用的術語。

布魯諾受到哥白尼的啟發，他反對地球中心說，也反對以人類為中心的宇宙觀。他公然否定某些重要教義，強調應該有雙重真理，即除了啟示方面的真理外，還應該有理性方面的真理。

他的思想逐漸走向泛神論與一元論。他認為宇宙是統一的、無限的、不動的，宇宙就是一切，就是「太一」。他說宇宙是「不是界限的界限，不是形式的形式，不是物質的物質，不是靈魂的靈魂」。他採用既肯定又否定的方式，旨在表達宇宙是某種界限、形式、物質、靈魂，但並非一般人所理解的那些概念。

最後的結論是：宇宙是無差異的，一切都在統一的整體中，宇宙就是太一。這很明顯具有泛神論的傾向，布魯諾因此被指控為異端，被迫到處流亡。後來他在返回義大利時不幸被捕，在 1600 年受火刑而死。

布魯諾是在宗教法庭裡犧牲的最重要也是最著名的一位哲學家。這也驗證了哲學家為了追求真理而有可能犧牲生命。

（三）寬容問題

有關寬容的問題，可以參考美國學者房龍（H. W. Van Loon, 1882-1944）所著的《寬容》（*Tolerance*）一書，裡面有很多例子都反映了這一時期及宗教改革之後的情況。他特別強調，不寬容主要有三種可能：

1. 由於懶惰，安於現狀，懶得改變自己，懶得了解別人，所以

對別人無法寬容；

2. 由於無知，根本不知道世界另一端的情況，沒有做過別人所做的研究，就質疑別人居心叵測；

3. 由於自私自利，既然是既得利益者，為什麼要容忍不同的說法和做法？

房龍的分析可以幫助我們進一步認識宗教法庭的恐怖。

收穫與啟發

1. 為了對付異端邪說，天主教在 1233 年成立宗教法庭，其後發展令人難以想像。今日審判普遍採用「無罪推定原則」，除非有充分的證據，否則應該先假定被告是無罪的。但中世紀後期的宗教法庭採用的是「有罪推定原則」，只要一個人被告就有罪，證明無罪是被告的責任，告他的人無須列舉有效證據。這不但反理性，也是反自由。宗教以這種方法來對付有不同見解的人，實在令人感到遺憾。在天主教成立伊始，基督徒曾受到恐怖鎮壓，但他們顯然忘了應該「己所不欲，勿施於人」。

2. 布魯諾因為具有泛神論傾向而被宗教法庭審判，最後受刑而死。因為思想而受死的，他不是第一位；但到了 1600 年還用火刑來對付愛好智慧、喜歡自由思考的學者，實在令人痛心。

3. 「寬容」這個課題永遠值得我們去思考。

課後思考

宗教法庭的情況當然不會重現，但是寬容問題仍然值得我們思考。借用美國學者房龍的觀點，請你想一想，一個人對別人無法寬容，是出於懶惰、出於無知還是出於自私自利？你認為哪一種最常見？

補充說明

怎樣去思考懶惰、無知與自私自利這三點呢？

首先，寬容別人是行善，無法寬容就是為惡。那麼問題就變成：一個人為什麼要為惡呢？

1. 因為無知

蘇格拉底一再強調「知」與「德」的關係，他甚至說：「無知是一切罪惡中最大的。」因為你根本不知道自己做的事對別人造成多大傷害。當耶穌被釘在十字架上的時候，他向天父禱告說：「原諒他們吧，因為這些人不知道他們做的是什麼。」當時的人只知道他們處死了一個猶太人裡面的異端份子，他們根本不知道耶穌是誰。最可怕的是群體性的無知，今天網路上的論戰，大多數與此有關。

2. 因為懶惰

懶惰代表已經知道了，卻知而不行。王陽明的思想之所以受到大家的重視，一個重要的原因就是他提出「知行合一」。懶惰是一種消極的不作為。譬如，當我聽到別人批評張三，我保持沉默，懶得替他辯護，這等於我認同了別人的批評。由於我的懶惰而使別人的惡行不斷延伸下去，這也是一種不寬容。

3. 因為自私自利

你既不是無知，也不是懶惰，而是認為如果自己寬容，就會損害自己的利益。當時的宗教法庭確實如此，為了保障自己的權益，不惜犧牲法國的聖女貞德、義大利的布魯諾這些正直、偉大的人。由自私自利造成的不寬容是無可救藥的。

你對別人能否寬容，其實也反映出你對世界的態度。愈能寬容別人，心胸就愈開闊。法國作家雨果說：「比陸地更寬廣的是海

洋，比海洋更寬廣的是天空，比天空還寬廣的是人的心靈。」

　　我們在學習中，可能無法接受某些哲學家的理論，我自己就有類似的經驗。哲學家性格各異，說法不一，我們很自然就會喜歡某些哲學家，而討厭另外一些。譬如，很多人讀過羅素的《西方哲學史》，羅素的不寬容是很明顯的，他毫不隱瞞自己的看法，對於喜歡的人就全面推崇，對於不喜歡的人則大加批判，其中難免有許多個人的偏見。羅素也許認為，做為西方人，他有特權可以「接著講」。我們就要退一步。

　　我在介紹西方哲學時，一直秉承一個原則，就是「照著講」。就算照著講，我也只能盡力而為，不敢說自己達成了這個目標。所以要設法練習寬容，尊重別人表達意見的權利。

　　當我覺得某些觀點無法接受時，第一步我就想：也許是因為自己無知。我就設法多知道一些。知道之後，如果還是無法接受，第二步我就想：也許是因為自己懶惰，沒有換位思考，他的說法也許在某些方面是正確的。第三步，反思自己是否自私自利，這方面倒不至於，因為介紹西方哲學跟我沒有直接的利害關係。深入思考過寬容之後，就要設法用在自己的生活和工作上，這才是我們學習哲學的目的所在。

17-3　贖罪券的荒謬

　　本節的主題是：贖罪券的荒謬，需要討論的問題是：人的罪惡可以透過花錢來消除嗎？

　　本節包括以下三個重點：

　　第一，贖罪券是如何開始的？

　　第二，它是怎樣演變的？有什麼後果？

　　第三，對贖罪券做哲學的與宗教的反省。

（一）贖罪券是如何開始的？

　　贖罪券（indulgence）的興起最早可以追溯到羅馬教宗英諾森三世（Innocent III, 1160-1216）。他曾發動過好幾次十字軍東征。反諷的是，他的名字 Innocent 的原意是指無辜的。

　　從十一世紀後期到十三世紀後期的兩百年內，天主教至少發動過九到十次十字軍東征。有時打到耶路撒冷，對付伊斯蘭教徒；有時打到君士坦丁堡，對付東正教教徒。軍隊每到一處就燒殺擄掠，假宗教之名，行侵略之實，滿足許多人的貪婪欲望。

　　後來，法國的普羅旺斯（現在是觀光勝地）出現了一些異端，他們在某些重要觀點與天主教的正統觀念不同，於是英諾森三世召集一支十字軍去攻打普羅旺斯。他特別宣布：只要在四十天之內志願加入遠征軍，他們的欠債可以免交利息，過去及未來的一切罪孽都可以得到赦免，在某段時間內犯罪不會受到一般法庭的審判。這就是贖罪券的開始。

他原本希望藉此解除遠征軍的後顧之憂，讓他們不必擔心戰死，但是此舉卻讓軍人完全無所顧忌、為所欲為。譬如，在一次戰役中，士兵抓獲了一些百姓，隨即請示隨軍教宗代表該如何處置，代表居然說：「孩子們，殺吧！把他們都殺死，上帝知道誰是良民。」這實在是冷血之至，哪裡還有一點宗教的愛心？

（二）贖罪券的演變及其後果

贖罪券是如何演變的？天主教的階級統治逐漸發展為政治上的世俗主義，他們非常俗化，重視利害關係、人情親疏，一切都以經濟利益為考量。他們讓信徒用金錢抵免某些懲罰，由最初免除坐牢等身體懲罰，逐漸擴展到支援聖戰、建教堂、蓋醫院；由最初只適用於免除一個人在世時受到的懲罰，到馬丁·路德時代則演變為可免除來世的懲罰。

譬如，一個人本來要在煉獄中待十年，因為他買過贖罪券，就可以提前離開煉獄，升入天堂。這種觀念嚴重削弱宗教的精神性，使信仰變成一種商業行為。

教會由此聚斂大量錢財，文藝復興時期的許多建築與藝術精品都與此相關。譬如，聖彼得大教堂的一部分就是靠販賣贖罪券蓋成的。當時這樣宣傳：當投入捐獻箱的銀幣發出響聲時，你已過世的親人的靈魂以及你自己死後的靈魂就可以擺脫懲罰，升入天堂。

今天到梵蒂岡會看到大量美輪美奐的建築以及繪畫、雕刻等藝術精品，這些作品中有許多是由第一流的天才人物（如米開朗基羅、拉斐爾、達文西等）在這一時期完成的。如果說這些偉大的藝術品與贖罪券有關，我們不必太過驚訝，世界上有許多美好的事物，它們未必都有一個美好的開始；許多事出於良善的動機，最後的結果也不一定是完美的。

（三）對贖罪券進行哲學與宗教的反省

從哲學上來看，犯罪與否是「質」的問題，捐錢多少是「量」的問題，如果用「量」來取代「質」，這樣的「質」有何意義？這樣的信仰有何價值？

換個角度來看，犯罪是精神領域的事，捐錢是物質世界的事。如果說金錢可以介入人的靈性生活，或是捐錢多少可以決定死後靈魂的處境，這實在是荒謬之至。如果一個人採用巧取豪奪等不正當手段來賺錢，不管他犯了什麼罪，都可以用賺到的錢購買贖罪券來贖罪，這豈不是很荒唐嗎？

如果一個人因為有錢就可以肆無忌憚的犯罪，而窮人沒錢買贖罪券，因此連犯罪的機會都沒有，我們無法想像這是什麼樣的世界。這樣的宗教信仰儼然淪為一種交易，而不再具有任何價值。

再從宗教上來看。「有錢就可以買到一切」這句話在世俗世界或許有一定道理；但是如果把它放在精神世界裡，尤其放在宗教信仰的領域來看，這完全背離了宗教的精神。整個《聖經‧新約》的精神可以用一句話來概括，就是耶穌所說的「我喜歡仁愛勝於祭獻」。祭獻需要殺羊、殺牛，花費大量金錢，但上帝看重的是一個人的愛心。

耶穌為此做過一次見證，他在猶太人的安息日（星期六）帶著門徒在猶太人的會堂外觀察，先看到一個財主捐了大筆錢財，又看到一個寡婦只投了兩文錢。耶穌就說：「我實話告訴你們，這個寡婦比所有人投的都多。」別人捐的都是他們多餘的錢，而這個寡婦所捐的是她全部的生活費用。

天主教教會是既得利益階級，許多神職人員犯罪、犯錯已經成為習慣，他們不僅在社會上、經濟上擁有特權，更可怕的是他們還

有赦罪的權力。只要信徒告解，罪過就能得到赦免；這些神職人員也可以互相告解、互相赦罪。天主教已變得完全形式化、教條化與空洞化，這些都是最直接的證據。

在這種情況下，宗教改革勢在必行。宗教改革有兩種途徑：北方的國家配合當地的政治權力和經濟利益，進行外部的改革；而南方的國家則比較重視宗教內部的改革。譬如曾介紹過的伊拉斯謨，他認為要在天主教內部從事革新，結果他的立場兩邊都不討好。宗教改革最有名的代表是馬丁・路德與喀爾文，我們下一節再做介紹。

收穫與啟發

1. 本節介紹宗教改革前夕，天主教販賣贖罪券的荒謬行徑是如何開始、如何演變的，又造成了何種結果。
2. 販賣贖罪券的收入有一部分用於藝術與建築方面，使文藝復興時期許多重要的文化資產得以實現與保存，不失為一種貢獻；但相較於天主教失去純正的宗教精神，這樣做顯然得不償失。
3. 對贖罪券進行哲學反省就會發現，在宗教領域沒有比用金錢購買贖罪券更荒謬的事。從宗教的角度來看，更是完全違背宗教的精神。

課後思考

哲學家認為販賣贖罪券是荒謬的，你認為在現代社會中，對某一類違法行為處以罰金是合理的嗎？

17-4　宗教改革的重大意義

　　本節的主題是：馬丁‧路德宗教改革的重大意義。1517 年，馬丁‧路德（Martin Luther, 1483-1546）在德國威登堡教堂門上貼出九十五個問題，對天主教提出質疑。這一舉動標誌著文藝復興以來一百多年的寬容時代的結束。

　　文藝復興與宗教改革這兩個運動宣稱追求同樣的目的，但採取的手段不同。兩者目的都是要肯定一個人擁有自主權和新的自由，文藝復興要追求歷史上的美好之物，而宗教改革則要追求得救之途。然而，新的自由有時會比已往的束縛更讓人難受，因為是非黑白並不能一刀切，自由往往令人無所適從。

　　文藝復興時期的人文主義比較溫和，具有寬容的特色，伊拉斯謨可以做為代表；而宗教改革顯然要嚴厲得多。馬丁‧路德的宗教改革主要強調的是：回歸原始基督宗教的理想。

　　本節要介紹以下三點：

　　第一，宗教改革的大趨勢。

　　第二，馬丁‧路德與喀爾文。

　　第三，對宗教改革的反省。

（一）宗教改革的大趨勢

　　馬丁‧路德認為天主教的腐化已經無可救藥。前文介紹了宗教法庭的恐怖與贖罪券的荒謬，這些都是客觀事實，這樣的天主教顯然需要改革。

　　但要從內部改革還是從外部革命呢？從內部改革不但曠日持久，而且可能無疾而終。馬丁·路德於是被迫走上外部革命的道路，對天主教直接加以批判和改革，表現為一種新教的運動。

　　馬丁·路德批判天主教的傳統習俗與信念，他甚至走到與教會決裂的極端。此時恰逢北方民族國家逐漸興起，他得到日爾曼王侯的支持。馬丁·路德強調，人的罪惡本性沒有希望得到改善，只有依靠神的恩寵才能得救，最重要的是：教會並非必要的機構。他要完全否定天主教教會的權威性。

　　宗教改革的代表人物除了馬丁·路德與喀爾文之外，還包括英王亨利八世，他在 1534 年由於個人婚姻問題而促成英國國教的獨立。前文在介紹湯瑪斯·摩爾時曾提到過這一點。

（二）馬丁·路德與喀爾文的宗教改革

　　馬丁·路德的宗教改革與他個人的宗教體驗有關。他長期體驗到自己在上帝之前有強烈的疏遠與恐懼感，整個人都是腐敗的，需要上帝的寬恕，個人的罪惡無法經由教會來赦免。他也強調，人不可能藉著行善、告解或其他儀式得到贖罪，更不用說購買贖罪券了；只有耶穌基督能夠拯救整個的人，只有人對上帝的信仰能在上帝之前為自己贖罪。他曾引述保羅在《羅馬書》中的話：「人自己並未取得救贖，而是上帝自動把它賜給那些信仰他的人。」

　　馬丁·路德是如何覺悟的？據說他在誦讀《聖經》中的一句話「我信罪過的赦免」（現在稱為《信經》）時受到啟發，由此改變他的一生。後來由這句話衍生出「只要相信，就可以得救」的觀點。

　　信仰的泉源在於《聖經》，只有在《聖經》裡，信徒才能找到救援。對基督的信仰絕對勝過對教會學說的信仰，亦即不能將教會置於上帝與信徒之間。《聖經》是唯一權威，信徒可以直接並自由

的體驗上帝的恩寵。

馬丁‧路德認為真正的基督宗教有三點原則：全靠信仰，全靠恩寵，全靠《聖經》。

1.「全靠信仰」後來演變為「信耶穌得永生」，信就得救。

2.「全靠恩寵」強調人沒有能力自己得救，不要幻想著多做好事就能得救，得救全靠上帝的恩寵。

3.「全靠《聖經》」則強調不需要任何中介機構或人物，信徒可以從《聖經》中直接受到啟發。所有信徒本身就是牧師，要按照各人的良心去閱讀《聖經》。良心是自由的，不是某個機構可以擺布的。

馬丁‧路德相信，人的拯救全靠上帝的恩寵，人在精神上是孤立無援的，教會機構早已道德淪喪，所以《聖經》是唯一的權威。

馬丁‧路德原來是天主教神父、奧古斯丁修會的重要成員，是一位神學專家，他的重要觀點可以概括如下：他要消除教會的權力，消除煉獄的說法，他否認死者的靈魂可以經由彌撒而從煉獄中得到解救，也否定贖罪券的效益。他強調個人主義，不願屈從於教宗與國王。他還主張宿命論，亦即一個人能否得救完全由神決定，人所能掌握的根本沒什麼用處。

他屬於奧古斯丁教派，但只承認奧古斯丁有關靈魂與上帝關係的說法，不接受他對於教會的說法。他反對羅馬天主教千年以來增加的內容，如教會的儀式、複雜的組織結構、神職人員的等級制度與精神上的權威、經院哲學家的自然神學、對煉獄的信仰，尤其反對教宗的一貫正確之說（教宗無誤論）。他也反對神職人員保持獨身，為此他和一位修女結婚，這是基督教牧師與天主教神父的不同之處。他認為，耶穌在聖餐裡化身為餅和酒的說法不可信，人的功德不可能由累積而產生某種效果。此外，對於聖母瑪利亞的崇拜，

他也不能苟同。

　　新教另外一位重要人物是法國的喀爾文（John Calvin, 1509-1564）。喀爾文本來是一位律師，後來成為神學專家。他為人熱情專注，極有說服力，信徒們對他的說法堅信不疑，甚至在他們遭受迫害時，臨死前還要祝福讓自己致死的人。

　　喀爾文生活非常嚴肅，他認為人活著就有神聖的職責，要盡全力對自己、對上帝誠實。他一生只有一個信念，就是要認清《聖經》中所體現的真正的上帝，這成為他活動的強大推力。他一直在思考這些問題，一旦有結論就全力奉行，毫不考慮結果。

　　他在 1543 年與天主教決裂後，動身前往瑞士日內瓦，結果使該地區的居民全部改信新教（喀爾文教派）。新的居民必須宣誓效忠新教才可以留下來，如果有人不接受他的教導，則必須在二十四小時之內離開日內瓦。

　　喀爾文去世時，天主教的教宗說道：「這個異教徒的力量在於他對金錢的冷漠。」喀爾文以他的信仰做為生命的支撐，對於世間財富不屑一顧。

　　談到宗教改革，我們也要注意到天主教內部的動向。在此期間出現一位西班牙教士羅耀拉（Loyola, 1491-1556），他創辦耶穌會，成為天主教內部反宗教改革的代表。羅耀拉原來是一名軍人，他創辦的耶穌會按照軍隊的組織進行管理，會員對會長要絕對的服從，並要從事反對異教的鬥爭。他們有紀律、有能力，而且致力於教育。明朝時來到中國的利瑪竇（Matteo Ricci, 1552-1610）就是耶穌會的會士。

　　由於羅耀拉的努力，新教的發展受挫，此後又出現了宗教戰爭。當時的西班牙國勢鼎盛，參與許多這樣的戰爭，法國內部也存在著嚴重的宗教對峙。

（三）對宗教改革的反思

對於宗教改革的反思主要有兩點：

1. 天主教原本是一個完整的、大得像監獄一樣的組織，現在分裂為兩個監獄，彼此對立，對另一方毫不留情；
2. 新教因為與民族國家相結合而顯得較為弱勢，必須尊重王權。到目前為止，天主教仍是統一的團體，而基督教新教則分了又分，僅在美國登記註冊的就超過了兩千派，不同的派別各有各的主張。

收穫與啟發

1. 宗教改革的大趨勢是無法避免的。
2. 馬丁‧路德與喀爾文是宗教改革的重要代表人物。由於馬丁‧路德提出對人性的看法，對信仰的分析也比較完整，所以通常以馬丁‧路德做為宗教改革的代表。
3. 宗教改革之後，在天主教內部出現反改革運動，並且引發宗教戰爭，綿延上百年，由此導致民族國家的興起，造成政治與宗教之間錯綜複雜的局面。演變的結果是：天主教依然保持統一完整的體系，而宗教改革之後的新教（也稱做抗議教，Protestant）則分裂成許多不同的派別。基督宗教的「一教三系」是指天主教、東正教以及宗教改革之後出現的新教，新教的中文翻譯就是基督教。

課後思考

按照馬丁‧路德所説，一個人做錯事或贖罪時，完全以他對上帝的信仰為準，以此來衡量他做了什麼錯事、要如何贖罪。請

問，你在意識到自己犯錯時所依照的判斷標準是什麼？是個人良心、別人的責怪、法律、社會公德還是某種宗教戒律？

　　在分析類似問題的時候，可以簡單分成兩組：第一組就是個人良心，它由內而發；第二組包括別人的責怪、法律、社會公德或宗教戒律，這些都是外來的。所以，當你要判斷自己是否做錯事時，要問：標準是由內而發還是由外而來的？

　　到底良心是怎麼形成的？良心有什麼內涵呢？簡單來說，有以下五方面可以考慮。

1. 我們從小所得知的「應該」，這很接近佛洛伊德心理學所說的「超我」。佛洛伊德（Sigmund Freud, 1856-1939）認為，人有本我、自我和超我。「本我」相當於本能的欲望；「自我」在本我與超我之間起協調作用；「超我」則是從小學到的「應該」、「不應該」的問題。「超我」就成為良心的基礎。

2. 由個人的經驗教訓所得到的。譬如王陽明在貴州龍場悟道，他在百死千難之中，在痛苦和災難裡面才覺悟出：良心到底是怎麼回事，本身是否圓滿具足，換了聖人在這個處境會怎樣做。

3. 由學習得知的。我們可以學習別人的人生觀、價值觀，並取法乎上，向上看齊，這也是一種良心的表現。

4. 由信仰得到的啟發。每一種正派的信仰都會讓人覺悟，使你的內心發出高於一般法律和道德水準的要求。

5. 最後，整合上述四個方面，形成「十字打開」的格局。所謂「十字打開」就是有橫的側面和縱的側面。橫的側面是我與別人的關係，從近到遠、由親到疏。對你最重要的人，你可以用生命保護他；有些人是互相尊重、有緣相聚而已；對於關係更

遠的人，你有能力就盡量幫忙。這些都是橫的側面，屬於人的世界。縱的側面則上升到祖先、神明，以及宗教信仰中的至上神。

十字打開的格局有什麼意義？譬如孟子曾轉述曾參引用孔子的話：「自反而縮，雖千萬人吾往矣。」意即我反省自己，發現自己是對的，就算有千人萬人反對我，我照樣向前走去。這裡的「千萬人」就代表橫的側面—整個社會。我為什麼還能照樣堅持下去呢？因為我反省自己，發現自己是正確的，這就是縱的側面，代表我的良心裡有明確的信念—要對得起祖先、神明以及自己做為一個人的原則。

上述五點就是良心的基本內涵。

對於「良心」一詞，中國人更喜歡說「良知」，這一說法出自於《孟子》，它的原意是說，就算從小沒有人教導，人也自然懂得要孝順父母和友愛兄弟姊妹，這是最基本、最親密的人與人的關係，不用學就知道該怎麼做。「良」代表本來的，「知」就是能夠有某種覺知。

關於良知的運作，要特別強調兩點：

1. 良知是對善的要求，它要求你去行善，但良知本身不是善的。所以，當我們說「每個人都有良知」的時候，並不意味著「每個人都是好人」，這兩句話的意思不同。

2. 儒家對善有明確的定義：善就是我與別人之間適當關係的實現。我之外的都是別人，我和他們之間有某種「適當關係」，我應該盡我的責任，把這些關係做到完善。

總之，良知的內容可以不斷擴充完善；良知是對善的要求，它要求你與別人之間建立適當的關係。

17-5　哲學是如何影響科學的

　　在介紹宗教改革之後，本節將簡要說明科學革命的問題。本節的主題是：哲學是如何影響科學的，要介紹以下三點：

　　第一，從柏拉圖哲學到哥白尼。

　　第二，伽利略的遭遇。

　　第三，達文西的天才。

（一）從柏拉圖哲學到哥白尼

　　西方文藝復興時期有一個關鍵事件，就是在佛羅倫斯成立柏拉圖學院。《柏拉圖全集》被翻譯為拉丁文後，受到廣泛閱讀。柏拉圖哲學裡有一個永恆的層次叫做「理型世界」，位於最高層的是「善的理型」，柏拉圖形容它「像太陽一樣照亮一切」。新柏拉圖主義進一步提出「流衍論」，認為從「太一」逐層流衍，最後形成萬物，其中使用的比喻也是太陽。太陽從此成為神聖的象徵，它反映「神」這個中心，其他星球（如地球）都圍繞它而轉動。柏拉圖哲學的宇宙觀深刻啟發了哥白尼。

　　哥白尼（Nicolaus Copernicus, 1473-1543）是波蘭神父，他曾到義大利學習法律，後來被教宗挽留下來改造曆法。不過，他思考的始終都是有關自然界的問題：自然界是單純的，為什麼行星的軌道如此複雜？他認為，這是由於人從地球觀察行星的緣故。那麼可否從別的角度觀察？柏拉圖哲學認為太陽是光體，普照萬物，這啟發哥白尼以太陽做為另一個觀察點。

　　這種觀點一開始並不是透過理性的分析提出的，它帶有一定的感情色彩，受到文藝復興時期思想的顯著影響。哥白尼在《天體運行論》中指出，地球在不斷自轉的同時也在繞日公轉。這就是「日心說」，他的觀點被稱為「天文學的革命」。「革命」的英文 revolution 本意是「旋轉」，表示地球繞太陽旋轉；但這種觀念造成「天翻地覆」的局面，從此 revolution 便有了「革命」的意思。

　　事實上，天主教直到 1616 年仍然禁止「太陽不動，位居天體中央；地球非但不是天體的中心，還進行著雙重運動（自轉和繞太陽公轉）」的說法。哥白尼提出新觀點後，一直不敢出版著作。直到他臨終前，《天體運行論》一書才得以問世，他看了一眼封面就與世長辭了。

（二）伽利略的遭遇

　　接著介紹伽利略（Galileo Galilei, 1564-1642）的思想。天主教按照《聖經》的記載，認為地球是宇宙的中心，在西元前 4004 年 4 月 23 日早上 9 點，上帝在地球上創造了人類。這種說法是沒有根據的猜測，在當時卻被奉為真理。

　　談到科學革命，普遍認為有四位重要的代表：哥白尼、克卜勒（Johannes Kepler, 1571-1630）、伽利略以及牛頓（Isaac Newton, 1643-1727）。牛頓最後完成了整個古典物理學的革命。伽利略比哥白尼晚九十餘年，很早就發現哥白尼可能是對的。他與天主教當權派的關係非常好，但他同樣受到威脅。後來宗教法庭還對他進行了審判，警告他不要為哥白尼辯護。

　　伽利略認為，對實質問題的討論不能以《聖經》的經文做為權威，而要依靠感官的經驗與必要的觀察；神顯示在自然活動中並不少於顯示在《聖經》的經文中。然而無奈的是，他的著作《偉大世

界體系的對話錄》也被列入天主教禁書名單長達兩百年。伽利略被迫放棄自己的主張，甚至受到軟禁。天主教施加於科學家的壓力，切斷了地中海的科學命脈，科學研究逐漸轉移到歐洲北部。

（三）達文西的天才

達文西（Leonardo da Vinci, 1452-1519）是比哥白尼還要早的一位學者，他也是一位偉大的藝術家，他的兩幅代表作《最後的晚餐》與《蒙娜麗莎》都是傳世巨作。達文西在哥白尼之前四十年就已經指出「太陽並不移動，地球不是太陽軌道的中心，也不是宇宙的中心」。他在牛頓之前兩百年，就已經寫下「所有重量最後會以最短的方式朝中心落下，每個沉重的物質都往下壓迫，無法一直往上舉，所以整個地球必定是個球體」。他在達爾文之前四百年，就已經指出「人類與猴子、猩猩同類，除了偶發事物之外，人與動物並無不同」。

達文西是佛羅倫斯當權派極力支持的藝術家，他六十歲到了羅馬，但當時的教宗已經重用了比他小二十三歲的米開朗基羅，以及比他小三十一歲的拉斐爾。幸好達文西得到了法蘭西國王的贊助。

教會為何不重用達文西這個天才呢？因為他的宇宙觀對當時的教會來說是一個威脅。據說達文西是在法國國王的懷抱中過世的，死前充滿懊惱，他向上帝及世人道歉，因為他留下太多未完成的作品。他傳世的作品只有十七幅，其餘大部分作品都是計畫中而尚未完成的。

有人說達文西是失敗者，這種說法就像說「哥倫布沒有發現印度，卻發現美洲新大陸」一樣（哥倫布比達文西早一年出生）。換言之，達文西絕不是失敗者，他一生都在追求真與美。他總是隨身攜帶一本筆記本，隨時記下自己的靈感，他的筆記有七千多頁。

也有許多人把達文西當做哲學家，因為他提出了一些明確的觀點。他強調，人不能一味「掉書袋」、紙上談兵，還應注意到經驗科學。有人認為，他從事的繪畫和雕塑都難登大雅之堂。其實，達文西也積極從事許多研究工作，對於天文學、地質學、解剖學、植物學均有涉獵，在飛行機器與軍事領域有各種發明，取得相當突出的成績。

達文西特別強調經驗，他說：「感覺經驗是知識的唯一來源，智慧也是經驗的產品，學問只有手工操作才能完成。經驗本身沒有錯誤，犯錯的是理性判斷，它會讓經驗去做一些超出能力範圍的事。科學必須是經驗與理性的結合。理性探討要從最根本的原理出發，靠著經驗不斷向前推展。」

他認為：「最大的不幸就是理論脫離了實驗。同時，只要實驗而不要理論的人，就像水手上了沒有舵與羅盤的船，拿不準該往哪裡航行。實驗永遠建立在正確的理論上。」譬如他指出：「透視學就是正確的理論嚮導；沒有它，你將在繪畫上一事無成。」達文西的這些看法體現他在創作中的心得，反映了他對經驗的重視。

收穫與啟發

1. 科學革命在展開過程中，受到天主教與基督教的強烈質疑。此處所謂的「科學革命」是指從「地心說」到「日心說」的觀念飛躍。哥白尼在發現這個事實三十年後，直到去世前才有勇氣出版《天體運行論》，他為此承受天主教的巨大壓力。與此同時，才脫離天主教不久的基督教對於科學家更不寬容，他們認為《聖經》是絕對權威，人的理性怎麼能對《聖經》妄加質疑？馬丁‧路德稱哥白尼是「傲慢的占星家」，哥白尼想要推翻整個天文學，實在是太過愚蠢，也明顯違反《聖經》的記

載。喀爾文還質問：「誰敢把哥白尼的權威置於《聖經》的權威之上？」

2. 科學的發展不可遏止。哥白尼之後，接著上場的還有克卜勒、伽利略和牛頓。伽利略與天主教當權派的關係非常好，他曾與當時的教宗深談過六次，但依然無法說服宗教裡的保守勢力。

3. 當時不但是科學界，就連藝術界從事技術發明的人物也都融入了科學革命的大潮之中，達文西是其中最有代表性的人物。從文藝復興到宗教改革的整個過程中，科學革命從未停止過前進的腳步。

課後思考

達文西說，實驗要建立在正確的理論之上；譬如，沒有透視學理論，人類在繪畫上將受到極大限制。這顯示出他在強調經驗時不會忽略理論。請問，你是否從日常的生活經驗中形成一套自己的理論？

補充說明

我經常會問自己兩個問題：第一，我現在在哪裡，處境如何，每天在忙什麼事？第二，我要去哪裡？第二個問題針對未來，顯然更加重要。真正困難的是：怎樣區分緊急的與重要的？「緊急的」就是每天都要做的事；「重要的」就是長遠目標，甚至一生的規畫。

為了讓自己能勝任教學這項專業工作，我每天都要花時間學習。從 1995 年開始的二十多年時間裡，我都盡量收斂自己，形成一套自己的生活原則——四不一沒有。「四不」就是：不碰政治、不上電視、不應酬、不用電腦。「一沒有」就是沒有手機。

1. 不碰政治。人到了一定年齡，在社會上會有一定的身分，很容易就會關心政治或者被政治所關心。我不碰政治，與政治人物保持距離，彼此互相尊重。

2. 不上電視。在電視上經常曝光，會失去個人生活的空間，也不容易專心學習。

3. 不應酬。別人找我基本上只有兩件事：演講或寫作。其他諸如吃飯之類的應酬，我都盡量婉言推辭。

4. 不用電腦。電腦太複雜，東西太多，我還是習慣用傳統的方法，花很多時間找資料和思考。

5. 沒有手機。我有一支座機，別人找我就用電話留言，我有空再回覆。

　　另外，對於請我掛名當顧問的，我幾乎都婉拒了。我一向比較務實，不喜歡名實不符。如果不能對別人有實質性的幫助，我就不願只是掛名當顧問。

　　從三十歲開始，我每十年就給自己定一個座右銘。這樣一來，我就知道在這十年之內，生活上要以什麼做為修行的目標。

第十八章

蒙田與培根

愛智之樂

18-1　哲學又貼近了人生 ——
　　認識蒙田

　　本章的主題是：蒙田（Michel de Montaigne, 1533-1592）與培根（Bacon, 1561-1626）的愛智之樂。本節的主題是：哲學又貼近了人生 —— 認識蒙田。

　　我高中時曾在圖書館看到過一本很厚的書，書名也很特別，叫做《尼采、柏拉圖、蒙田》。尼采（F. W. Nietzsche, 1844-1900）是十九世紀的哲學家，柏拉圖是西元前第五至第四世紀的哲學家，而蒙田是十六世紀的哲學家，為什麼蒙田能與尼采、柏拉圖並列呢？由於當時課業很繁重，我沒有深入閱讀此書，但是從此對蒙田產生了興趣。

　　本節要對蒙田做初步的介紹，主要包括以下三點：

　　第一，蒙田開創了法國精神主義的傳統。

　　第二，蒙田在思想上如何承先啟後？

　　第三，蒙田恢復了蘇格拉底的愛智作風。

（一）蒙田開創了法國精神主義的傳統

　　談到蒙田，一般都會把他視為西方文藝復興時期最後一位人文主義者，他開創了法國精神主義的傳統，確立了法國文化的基調。「精神」一詞與「心靈」可以通用。「精神主義」肯定對心靈生活的嚮往，表現為廣泛學習而少下定論，具有自信又能包容多元的想

法，重視實際生活超過抽象的理論，以輕鬆態度面對及享受人生。

蒙田最有名的代表作是《隨筆集》。《隨筆集》的法文是 *Essais*，英文是 *Essays*。英文 Essay 現在常被譯為「散文」，而法文 Essais 的原意是「嘗試」，就是嘗試了解自己，進而了解人類。蒙田稱這本書是閒話家常，發抒內心的感受。該書內容可以簡單分為以下三個方面：

1. 蒙田批判當時知識界的權威 —— 經院哲學。這種批判的態度很像十八世紀啟蒙運動的學者。

2. 蒙田冷靜、深入的分析人的本性和欲望。這一點很像佛洛伊德之後的心理分析專家。佛洛伊德也承認蒙田對他很有啟發。譬如，蒙田和佛洛伊德都指出夢與童年時期習慣的重要性。蒙田說：「我們的壞習慣在嬰兒時期就已形成，我們教育中最重要的部分掌握在奶媽手中。」蒙田對於人的言行表現做出合理說明，為自己的心理狀況找到適當藉口，給自己的行為加上高尚的動機。這些都與心理分析有關。

3. 蒙田收集並描述遠方少數民族的風尚、習性與價值觀，就像後來的人類學家所做的田野考察。

蒙田是法國上層社會的人，三十八歲辭去法官的職務。在當時的法國，四十歲年紀就算很大了。退休之後，他繼承父親的城堡，這座城堡有一千冊人文方面的藏書。他專注於學習和研究，撰寫《隨筆集》。蒙田到晚年時，也出來做過一些行政工作。

（二）蒙田在思想上如何承先啟後？

許多人認為蒙田是懷疑主義者，其實他不能算是懷疑主義，只是具有懷疑的心態。他的學習方法是承先啟後，大量引述並發揮古希臘和羅馬的名人語錄。他不是系統的哲學家，也無心做一位系統

哲學家。相反的，他以曖昧而反諷的手法大量引用古人的名句。

他效法義大利柏拉圖學院的院長費奇諾的做法，在書房裡寫下許多重要的格言。蒙田在書齋的梁上刻了五十七句名言，其中有二十五句是希臘文，三十二句是拉丁文，內容包括文學、哲學、歷史以及《聖經》。他尤其喜歡羅馬戲劇家泰倫斯（Terentius, 約 195 B.C.-159 B.C.）的一句話，「我是人，沒有任何與人有關的事對我而言是陌生的。」這句話堪稱人文主義的格言。他的散文經常點綴拉丁文的諺語。蒙田是法國人，他在父親的教導下以拉丁文做為母語，在六歲之前只講拉丁語。他的《隨筆集》總共引述了一千兩百六十四句諺語。

他喜愛的作家很多，尤其鍾愛羅馬時期的作家。他經常引用的作家包括：盧克萊修、塞內卡（Seneca, 3 B.C.-65 A.D.）、柏拉圖、賀拉斯、西塞羅、普魯塔克（Plutarch, 約 46-119）、希羅多德（Herodotus, 約 484-425 B.C.）、維吉爾等等，有十數位之多。

（三）蒙田恢復了蘇格拉底的愛智作風

蒙田最推崇的人是蘇格拉底，他說蘇格拉底是他所知最完美的人。他也受到伊拉斯謨的影響，專門批評那些書呆子。蘇格拉底強調要「認識你自己」，蒙田對自己有何認識呢？他說：「我從未造成任何人的痛苦與破產，我沒有仇恨的人與報復的心，我不曾觸犯法律，從未煽動變革與動亂，從不侵占別人的產業與錢財，從不食言，一向自食其力。」在當時的法國，如果你擁有貴族背景和固定產業，這些事其實是容易做到的。

做為一位人文主義者，蒙田希望當時宗教戰爭的雙方能夠和解，以免造成更大傷害。他對自己的定位是有產階級的知識份子，顯示出溫和而理性的態度。他還將自己的座右銘刻成一方印章，上

面寫的是法文 Que sais-je，意為「我知道什麼」。後來一家出版社就以 *Que sais-je* 做為一套叢書的名稱。

　　蒙田認為凡事皆未定，因而從不下斷語，這種心態使哲學重新貼近人生。中世紀的哲學一直被當做神學的女僕，後來又發展成學院式的討論，與一般人的生活完全脫節。蒙田在《隨筆集》中旁徵博引，靈活運用蘇格拉底的反諷方式，對人生問題進行深入反思。他使哲學重新煥發了活力。

　　後來的法國哲學家大都受到蒙田的影響，由此形成法國精神主義的傳統。這種傳統兼顧哲學與文學，擅長以文學方式來表達哲學思想。譬如，法國有三位哲學家獲得諾貝爾文學獎，包括柏格森（Henri Bergson, 1859-1941）、卡繆（Albert Camus, 1913-1960）與沙特（Jean-Paul Sartre, 1905-1980），他們都是哲學兼文學的高手。而德國哲學家則沒有獲得過諾貝爾獎，因為他們始終與文學保持一定的距離。

　　此後的法國教育對於哲學特別重視。從小學開始，教育的內容就包含哲學的素材和思維方法，而大學入學考試中一定會有一個哲學題目讓學生自由發揮。題目的範圍非常廣泛，也沒有所謂的標準答案。譬如，考題可能會問：「你認為死亡值得害怕嗎？」

收穫與啟發

1. 蒙田是文藝復興時期最後一位人文主義者，他開創了法國精神主義的傳統。他的思考涵蓋人生的全部歷程，也涉及到生前死後的各種問題。他使哲學再次貼近了人生。

2. 蒙田的學習方法可謂「承先啟後」。所謂「承先」，就是他大量引用古代希臘與羅馬初期作家的資料。他不在乎別人說他只會引用古人的文句，因為他自己也做過深刻反省。事實上，他

引用的材料過多，有時反倒不容易釐清自己的立場。但是蒙田的做法啟發了後人，要借重古人的智慧來闡述自己的觀念。

3. 蒙田重振蘇格拉底的作風，哲學就是愛智慧，首先要從認識自己開始。

課後思考

「認識你自己」是古希臘德爾菲神殿所刻的一句話，蘇格拉底曾多次引用這句話，強調人應該認識自己。蒙田學會了這種想法，也要認識他自己。請問，如果讓你認識自己，你能用三到五句話闡明自己的基本觀念嗎？

18-2　如何面對死亡

　　本節的主題是：如何面對死亡？主要介紹蒙田對死亡的觀點。近代西方人對死亡的看法基本上有兩種：一是基督宗教的觀點；另外就是蒙田的觀點，即死亡就像常識所見的，它是完全的消解。

　　本節要介紹以下三點：

　　第一，蒙田前期的思想接近斯多亞學派。

　　第二，蒙田後期顯示了人文主義的觀點。

　　第三，宗教對蒙田的幫助很有限。

（一）蒙田前期的思想接近斯多亞學派

　　蒙田在《隨筆集》中承認，自己長期以來都害怕死亡，並為此所苦，即使正值壯年時也不例外。他的思想中充滿死亡必然來到、人生必然消逝的念頭，這使他幾乎崩潰。他熟知古代的作家，於是就從裡面尋找出路，初步的結論是：人必須學習與這種觀念共生。他相信哲學可以教人怎樣不害怕死亡，為此他引用西塞羅的話：「從事哲學思考，就是學習如何死亡。」

　　在這一階段，蒙田重複許多斯多亞學者的說法，指出不用害怕死亡，死亡只是一瞬間的事，並且是最自然的事。他說：「你的死亡是宇宙秩序的一部分，那是你存在於世的條件，是你的一部分。」換言之，死亡是你生命的目標。這明顯是斯多亞學派的觀點。的確，如果你對於一百年前自己不存在這件事不覺得困擾，又何必為一百年後自己不存在而不高興呢？一般人只會壓抑死亡的念

頭，而哲學家明察死亡，知道死亡可能在任何地方等著他。

蒙田引述一個有名的故事。希臘第一位悲劇家愛斯奇勒士（Aeschylus, 526-456 B.C.）很早就知道自己會在某年某月某日被壓死。到了那一天，他發現自己的房子搖搖欲墜，便立刻從房間逃到曠野上，心想：這樣就沒事了吧！就在此時，有一隻老鷹抓著一隻烏龜從天上飛過，本想把烏龜丟在岩石上摔碎；但這隻烏龜太大，老鷹實在抓不住烏龜，只好鬆開爪子，烏龜掉下來就把愛斯奇勒士砸死了。

蒙田引述塞內卡的建議，要經常不停的想著死亡，這是克服死亡恐懼的最好方法。你要讓自己對死亡感到熟悉，熟悉的東西就不會那麼讓人害怕。同時，人要練習捨棄一切，對任何事情都不要看得太重。常穿著鞋，時間一到就離開。這聽起來很像斯多亞學派的瀟灑態度。

蒙田很清楚，接受死亡會給我們帶來哪些好處。知道如何面對死亡，才知道人生是怎麼回事，才能擺脫奴役與束縛，知道如何享受生命。但是蒙田逐漸明白，這種經常準備死亡的心態並不能真正解決問題，人不可能一直活在警惕之中。如果想以這種方式擺脫死亡念頭的壓力，反而會讓自己更受制於這樣的念頭。

（二）蒙田後期顯示了人文主義的觀點

蒙田的觀念在 1580 年之後發生轉變，他後期顯示出人文主義的觀點。蒙田有幾個女兒在嬰兒期就夭折了，此時法國內戰已經打到他的住所附近，與此同時還發生瘟疫，死亡真的近在眼前，成為一種非常具體的危險。

他說：「關注死亡，使生活成為困擾；但是，關注生活，使死亡成為困擾。」他開始覺悟：為了準備死亡而造成的困擾，竟然比

死亡本身還要多。他開始觀察一般人對死亡的態度，結果讓他大為震撼。他說：「人直接面對死亡，並沒有特別的擔心，就算他們知道自己當天晚上或明天可能會死掉，他們照樣顯示出平靜的面容，好像他們與死亡已經和解，並且明白這個普遍而無法避免的事件是必然會來的。」

他在 1595 年版的《隨筆集》中補充了一段話：「哲學讓我們常把死亡放在眼前，要預先看到它，在它來到之前反省它，並且給我們一些規則，讓這樣的思想不至於傷害我們。但是，如果我們真正知道如何生活的話，就不應該再教我們如何去死了。」

蒙田以前一直認為死亡是生命的目標，他後來則認為死亡只是生命的結束。他過去曾明確的說：「我們這一生追求的最後目標就是死亡，所以我們要對死亡做一個完善的計畫。」現在他則說：「死亡其實就是生命的結束，而不是生命的目標。死亡是生命的終結，而不是我們需要針對的重要對象。」他觀察到，一般百姓在活著的時候，盡量不去想死亡的問題。你認為這很愚蠢嗎？即使你整天想到死亡，又能為此做些什麼呢？又能改變什麼事實呢？

蒙田起初覺得，人生因為有期限，所以會失去它的價值；但他後來發現，正因為人生有期限，所以人生有其內在的價值。試想一下，如果生命沒有期限，可以一直活下去，那麼人生根本沒有任何東西值得追求。因為怎麼輪都會輪到你，又何必去追求呢？

問題在於，人的理智無法接受生命是有限的這個事實。人總在想像某種純粹的概念，試圖否定生命的有限，希望自己永遠活下去。事實上，這種對永恆的要求極不合理，它會讓一個人忽略生命這件禮物。每個人的生命都是一件禮物，只有他自己可以決定這件禮物的價值。人雖然終究會死，但絕不能因此貶低生命的價值。從來沒有人擁有不死的、永不滅亡的生命，所以何必抱有不切實際的

幻想？這是理性最野蠻的疾病，它讓一個人背叛真實的自我，輕視真實的自我。

　　蒙田主張，人應該接受生命、熱愛生命，並盡量使用生命。生命的價值不在於活了多久，而在於如何使用。蒙田強調：「我要比凡人享受多一倍的人生，我發現我的生命受到時間的限制，那我就要在重量上（即品質上）延伸它。為了趕上時間飛逝的速度，我要更快速的把握人生，全力把它活出來。生命短暫，所以我要讓自己活得更深刻、更充實。」

　　這就是文藝復興時代的新精神，它讓你去欣賞奇妙無比又令人振奮的世界，感覺到生命是一種愉悅，值得用心品味。

　　人生不是要忍耐或受苦，而是可以按照個人的計畫，活得有強度、有熱度。這種觀點已預先顯示出尼采的生命特色。後來尼采說：「活得有如冒險犯難。」每天的生活都好像冒險一樣，這樣的生命才有特殊的價值。這種新生活觀是本身自足的，既不像文藝復興初期的米蘭德拉，讓人活得像神的形象一樣；也不像基督徒那樣，相信死後的永生。

　　蒙田認為，人應該按人的處境來安排此生。最後他強調，知道如何忠實的善度此生，就是絕對完美的人，接近神聖的境界。他說：「我們如果知道如何適當平靜的生活，也會知道以同樣的方式去面對死亡。」結論就是：要按人的本性來善度此生。

（三）宗教信仰對蒙田的幫助不大

　　經過一千多年的中世紀，西方人覺得宗教信仰就像空氣一樣自然。當時在法國，天主教與基督教的喀爾文教派一直處於競爭之中，到最後雙方只好握手言和。蒙田和他的父親都信仰天主教，但他的弟弟和妹妹都信仰喀爾文教派。

　　蒙田一生重視理性，為何還會保持天主教的信仰？因為他認為，人的理智和經驗都不太可靠。他反對獨斷主義，也反對人的理智過度膨脹。他認為，人活在世界上，最好能依照傳統，採取比較保守的態度，好好珍惜活著的時光，努力追求真理，品味人生。

　　蒙田的立場一般被稱做「唯信主義」，亦即把理智與信仰分開，認為理性不可靠，人只靠信心便可皈依宗教，在上帝的協助下，可以超越人性的各種困難。蒙田反對自然神學，認為僅憑理性知道有神存在是無濟於事的。但他也認為：人不應該妄自尊大，自以為了解神的旨意；對某些施行巫術的巫師，不應該隨便將其處死，應該給他解藥而不是毒藥，因為他們是病人而不是罪人。

　　蒙田雖然信仰天主教，但他並不認同許多正統的看法。1572年 8 月，天主教教宗下令殺死三千名法國新教徒，蒙田從此便與天主教保持距離，在心理上與它分道揚鑣。不過，他並沒有改信別的宗教，而是一再呼籲寬容。他無法容忍法國的宗教內戰，他強調，這次內戰是訓練人民背信棄義、恐怖殘暴和盜匪行徑的學校。

　　蒙田對於宗教的態度大體上非常溫和，但他有知識份子的立場。在「死亡」這個問題上，充分顯示了他的信仰的特色。

収穫與啟發

1. 蒙田關心人的根本問題，尤其是死亡問題。對於死亡的看法，他原先接受斯多亞學派的觀點，認為死亡只是宇宙秩序中的一環，人生下來就注定會結束。他以這種觀念設法面對或逃避對死亡的關懷。

2. 後來他的思想發生轉變，認為死亡對生命的限制未必是壞事，反而能使生命顯示出特殊的價值。蒙田把人生當做禮物，這是非常積極的觀點。同時，要按照人的本性所允許的範圍，盡量

活得充實和愉快。

3. 雖然蒙田終身信仰天主教，但他與宗教保持了適當的距離。在對「死亡」等關鍵問題的探討中，他對宗教敬而遠之，從來不去發揮死後審判的道理。

（課後思考）

學習了蒙田對死亡的態度之後，你認為死亡值得害怕嗎？

（補充說明）

這裡要說明兩點：

1. 害怕死亡的四種原因

一個人害怕死亡，一般有四種可能的原因：

(1) 害怕死亡之前的痛苦。人到老的時候，尤其是生病的時候，明顯會有痛苦，讓人看了就害怕。但是，不見得每個人都遭遇同樣的痛苦，且每個人對痛苦的態度也不同。

(2) 有宗教信仰的人害怕死後的報應。目前世界上各大宗教對於死後報應大致有兩種說法：第一是輪迴，第二是審判。講輪迴的話，還有下一次機會；講審判的話，一次就決定了。所以，這兩種宗教信仰會帶來對死亡的不同態度。你如果害怕不好的報應，立刻就會走上人生的正路。

(3) 害怕死後一片虛無。對虛無的恐懼可以化解，譬如羅素說：「死亡像江河入大海一樣。」我的老師方東美先生在病危之際寫過一首詩，前兩句是：「我自空中來，還向空中去。」即生前沒有我們，死後也沒有我們。這樣想就比較容易看得開。

(4) 害怕這一生建構的許多「我們」的關係要統統瓦解了。「我

們」的關係因為我的消失而逐漸瓦解，這實在很令人傷感。

2. 對死亡的四種比喻說明

對死亡有四個比較恰當的比喻：

(1) 人生好比赴宴，死亡代表宴會的結束。你已經用過餐，現在應該讓座，讓別人來享用。

(2) 人生就像在舞臺上表演，表演結束後，就請你瀟灑的下臺吧！方東美先生說他年輕時最佩服一句話：「乾坤一劇場，生命一悲劇。」乾坤就是天地。整個天地之間是一齣戲劇的演出場所，而人的生命就是一齣悲劇。「悲劇」指希臘式悲劇，與悲哀沒什麼關係。

(3) 人生如同旅行，我們都是過客，而不是歸人。如果一開始就把人生當做一次旅行，對死亡就比較容易看得開。

(4) 從宗教的角度來看，人生就是一種修練的過程。你或者像基督徒一樣，背上十字架來減輕自己的罪惡；或者像佛教徒一樣，認為眾生皆苦，要由智慧來得到解脫。

這四種比喻都值得參考：死亡像宴會的結束、像表演的下臺、像旅行到了終點，要修練自己這一生，以便有不一樣的來世。

還有一種說法也很好：「死亡像太陽一樣。」你不可能直視太陽，只能從側面看，瞇著眼看；同樣，人也不可能完全直視死亡。

前文提到良知，本節談到死亡，這些問題在哲學上都不會有定論。我們要盡可能思考得完整，然後採取自己的立場，為自己的這一生負責。沒有人可以給你標準答案，你要自己用心思考：這到底是怎麼回事？我是否已經得到充分的資訊，可以做出完整而根本的反省？我是否找到自己的原則和立場，並且可以用生命來實踐它？

18-3　回歸政治與人性

　　本節繼續介紹蒙田的思想，主題是：回歸政治與人性。蒙田關於政治與人性的觀點在西方產生深遠的影響。

　　本節包括以下三個重點：

　　第一，蒙田主張對政治保持平常心。

　　第二，蒙田反對西方人的基督徒中心主義。

　　第三，蒙田要打破人類中心的觀念。

（一）蒙田主張對政治保持平常心

　　西方的君主政治由來已久，到了蒙田的時代，人民仍然相信許多迷信的說法。譬如，許多法國人相信國王可以行奇蹟，能治好某些疑難雜症或做出一些不可思議的事情，因而認為國王是神聖不可侵犯的。蒙田不以為然，但他的個性比較溫和，這一點從他的文筆就可以看出，他並不想推翻君主政體，只是要去除不必要的幻想。

　　他認為君王的權力有兩個可能的來源：第一來自於人民；第二來自於上帝，也就是君權神授。如果君權來自於人民，人民就可以反抗暴君；如果君權來自於上帝，那麼君權就是絕對的，人民沒有反抗的權力。

　　十六世紀，宗教陷入分裂，君王要與天主教爭奪最高權力。如此一來，君主本身也失去了君權神授的根據。這讓蒙田左右為難，他說：「對保皇黨而言，我是教宗黨；對教宗黨而言，我是保皇黨。」要支持本國君主，還是支持宗教領袖？可見，蒙田做為人文

主義者，很難拿捏自己的立場。

　　蒙田又說：「我才念完兩本討論君主本質的書，但立場正好相反。贊成民主的人把君主的地位看得比車夫還低，贊成君主的人則把國王的權力看得比上帝還高。」

　　這兩種極端的看法不斷衝突，直到法國的啟蒙運動才得以徹底解決，最後的結果就是爆發法國大革命。

　　蒙田指出，人民崇拜君主有時是透過莊嚴的儀式。他說：「儀式是使人民臣服的藥物。」這句話讓我們想到後來馬克思（Karl Marx, 1818-1883）所說的「宗教是人民的鴉片」。

　　蒙田說：「為什麼人尊敬外表而不尊敬一個人的本身呢？皇帝在大眾面前的華貴使人目眩神迷，但在幕後看，他也只是一個平凡的人。」他指出：「從宗教的眼光來看，皇帝與鞋匠的靈魂是同一個模子印出來的。即使一個人坐在世界上最高貴的寶座上，還是用自己的屁股坐在上面。」

　　他提出許多類似的觀念，希望世人能分辨君王與真正的愛智者。他說：「我可以想像蘇格拉底處於亞歷山大大帝的地位，卻無法想像亞歷山大大帝處於蘇格拉底的地位。如果問亞歷山大大帝：你能做什麼？他的回答是：征服世界。如果問蘇格拉底能做什麼，答案是：按照人的自然狀態，過人的生活。後者更有普遍意義，更合情理，也是更艱難的學問。」換句話說，一個人精神上的價值不在於爬得高，而在於行得正。

（二）蒙田反對西方人的基督徒中心主義

　　蒙田要打破西方人的基督徒中心的觀念。他說：「1492 年 10 月 12 日，哥倫布在巴哈馬群島登陸的時候，見到當地的印第安人。印第安人一絲不掛，並且沒有聽說過耶穌基督，哥倫布就覺得

這些人不可思議。」後來陸續出現西方人中心主義，甚至是基督宗教中心主義。

　　蒙田寫道：「西班牙人與葡萄牙人認為，當地的少數民族或土著與動物差不多。天主教徒形容這些少數民族是有著人類面孔的野獸，而基督教喀爾文教派的牧師形容這些少數民族沒有道德觀念。西方的醫生診斷五名巴西的婦女，斷言她們沒有月經，所以不屬於人類。」這些都是西方人主觀的偏差想法。

　　西方人認為自己是正常人，不把美洲的原住民當做人類來看。結果在四十二年之內，阿茲特克帝國與印加帝國全都被摧毀，人民被販賣為奴或殺害。白人的殘暴造成許多土著被殺或自殺。在接下來的五十年之中，美洲地區的原住民從八千多萬銳減到一千多萬。這就是西方帝國主義所造成的災難。

　　事實上，人與人的價值觀確實不同。以審美觀來說，在祕魯，耳朵大才是美，所以女孩要設法把耳朵拉長；在墨西哥，女生前額低就是美，所以要用頭髮遮住前額。巴西有一個少數民族，一見到河水就洗澡，以致於每天洗澡多達十二次，並且每六個月就要遷移村落。這些情況都是西方人不能理解的，但這並不代表美洲原住民比較原始或落後，也不代表西方人比較先進或高尚。

（三）蒙田要打破人類中心的觀念

　　蒙田還要打破人類中心的觀念。他說：「生而為人，與動物相比，動物靠本能就可以醫治好自己。」譬如，「山羊受傷時，能夠從一千種植物中找出白仙草來治療；烏龜被毒蛇咬傷時，會自動尋找牛至屬的植物來治療；而人類只能依賴收費極高的庸醫。」最有趣的例子是，懷疑主義者皮羅（Pyrrho of Elis, 約 360-270 B.C.）有一次乘船遇到暴風雨，乘客全都驚慌失措，只有豬處變不驚，皮羅

就要大家向豬看齊。

人有理性可以思考就比較優越嗎？希臘悲劇家索福克勒斯（Sophocles, 496-406 B.C.）說過：「沒有思想的人是最快樂的。」羅馬哲學家西塞羅雖然頌揚理性，但他也發現大多數學者都不快樂，他們反而有各種苦惱。蒙田說：「我見過許多工匠與農夫，他們比大學校長更有智慧，也更快樂。我真希望像他們一樣。」換句話說，如果眾人過度依賴理性，非但不能解決問題，反而會製造更多困擾。

《博物志》的作者普林尼（Pliny the Elder, 23-79）曾說：「除了『不確定』，沒有什麼事情是可以確定的，而且沒有什麼是比人更可悲，又更自傲的。」前半句就像我們常說的「除了變化，沒有什麼是不變的」。人的理性真的這麼偉大、這麼有用嗎？如果你對理性有錯誤的信賴，那就是愚昧的開始。

蒙田宣導一種新的哲學觀念，就是要重新認識人類。他在這一方面有些悲觀，認為人類大體上是歇斯底里、瘋狂粗鄙、浮躁的生物，動物反而可以成為人類學習的模範。許多人常常因為一頓飯，就改變了對人生的看法，蒙田也承認自己在飯前與飯後完全變了一個人。

最後，蒙田強調：「一個人如果聰明的話，應該根據客觀事物對人生的用處與適當性來衡量它真正的價值。一個人有沒有學問，不是看他會不會拉丁文、希臘文。你怎麼知道一個人有智慧呢？他有品德，並且活得快樂，他能變得更善良、也更聰明，說的話能讓每個人都聽得懂。重要的不是引述誰說的話，而是我想說什麼、我做了什麼判斷，以及我在做什麼。」他的這些說法有點替自己辯護的味道。蒙田雖然引述古人的話超過一千次，不過他所說的都是自己的心得。

收穫與啟發

1. 蒙田建議當時的人要對政治保持平常心，這樣才能把焦點拉回到自己身上。

2. 雖然要將焦點拉回到自己身上，但不能以少數西方人或基督徒做為一切價值的判斷標準，並以此衡量遠方的少數民族。

3. 要避免人類中心主義。動物憑本能就可以實現生存和發展，過著無憂無慮的生活。人雖有理性，卻不見得更快樂，也未必更優越。蒙田要我們重新認識人，要了解人性、人應該如何妥善安排自己的生活。

課後思考

蒙田想要打破權力中心、宗教中心以及人類中心，這三個觀點中你贊同或不贊同哪一個？

補充說明

權力中心、宗教中心和人類中心都有一種唯我獨尊的心態。事實上，今天的情況已經不同，這三種中心即使沒有被打破，也受到很大挑戰。譬如，權力中心已經分散了，今天並沒有傳統意義上的貴族來壟斷權力；宗教中心已經瓦解，宗教多元化成為很普遍的現象；人類中心也淡化，大家普遍比較重視環保和生態。

今天比較大的問題反而是自我中心這個觀念。值得注意的是，我們不可能完全去掉中心，要去除的是排他性。尤其是人類中心，去除的可能性不大，只能使之緩解。萬物與人類共同享有這個地球，我們要尊重其他生命，讓它們可以跟人類共存共榮。

18-4　知識就是力量

　　本節的主題是：知識就是力量，要介紹英國哲學家培根的思想。英國哲學以經驗論為主軸，培根對此發揮了關鍵作用。培根（Francis Bacon, 1561-1626）是一位早熟的天才，十二歲進入劍橋大學，一路發展順遂，五十七歲受封為公爵。他有顯赫的家世背景，在政治方面也有很大成就，他當過法官，又是著名作家，有些人甚至猜測他就是莎士比亞。

　　培根的散文確實值得一讀，他寫的《培根隨筆》（*The Essays of Bacon*）無論在任何時代，無論從任何角度來看，都是哲理散文的極致表現。他的散文有兩個特色：一是大量引述古代哲人的言行，但文章本身卻能形成有機的整體；二是作者本人的觀點可以毫無滯礙的展開。他的寫作方式顯然受到蒙田的啟發。

　　培根做為哲學家有兩大貢獻：第一，他對傳統科學與哲學研究進行批判；第二，他認為，要建構有效的知識，要先打破四種假象。

　　本節內容包括以下三個重點：
　　第一，培根批判從前的研究。
　　第二，培根的比喻使人深思。
　　第三，培根認為知識就是力量。

（一）培根批判從前的研究

　　培根認為，傳統科學研究的成果很有限，問題出在研究方法上。培根的代表作《新工具》（*Novum Organum*）主要探討歸納法

的相關問題。自從古希臘的亞里斯多德以來，早就有歸納法的應用，但培根認為從前的歸納法不夠嚴謹。

培根用生動的比喻來批判從前的研究。他說：「時間有如大河，把輕浮的、膨脹的東西傳到我們手裡，而沉重的、結實的東西全都沉了下去。所以，我們現在所接觸到的傳承下來的科學都是浮在水面上的，價值不高。」

他又說：「對於從前的專家，不論是科學家或哲學家，我們對一個作者很難既稱讚他又超越他。知識像水一樣，水一旦流到低處，是不會上升到它原來的高度之上的。既然如此，對於從前的學者就要加以批判了。」

培根強調：「我們的科學要來一次偉大的復興。」他有一本書就叫做《偉大的復興》。他認為，自從古希臘時代以來，科學的發展一代不如一代。

（二）培根的比喻使人深思

培根關於做學問的比喻相當生動。他說：「向來研究科學的人只有兩種，一種偏重經驗，一種偏重理性。偏重經驗的人像螞蟻一樣，只知道搜集資料來使用；重視理性的人像蜘蛛一樣，由自己內在把網子造出來。但是，做學問應該像蜜蜂一樣，取中間的道路，由花裡面採集材料，再以自己的力量來改變、消化這些材料。」換句話說，做學問要重視經驗，理性只能對經驗做深入的研究考察，而不能太過獨斷，自己想出太多主觀的東西。真正的哲學工作也一樣，實踐與理性要密切結合。

培根認為尋找真理有兩條路：一條是從感覺及個別的事物直接飛躍到最普遍的公理；另一條是從感覺及個別事物引申出公理，再逐步上升，最後才達到最普遍的公理。他認為後者才是正確的道

路，但是在他以前還沒人嘗試過。透過以上說法，能看出培根對於傳統的基本態度，他並不是要做完全的革新，而是強調要掌握正確的、適當的方法。

培根認為研究的方法是邏輯，邏輯是人的思維法則。他說：「從前的邏輯只適用於人事，可以用來言談、發表意見；但用在自然界方面就不夠嚴謹、不夠精確，以致於許多錯誤和謬論流傳下來。宇宙在人類眼中就像迷宮一樣複雜，連自命為嚮導的那些哲學家也是暈頭轉向的。」

他接著大力批判亞里斯多德的「四因說」。「四因說」認為，任何東西的存在都有四種原因：質料因、形式因、動力因與目的因。培根說：「目的因除了涉及人的行動之外，不能推進任何科學的發展，只會破壞科學。先設定了目的，科學研究怎能客觀呢？」他接著說：「質料因與動力因只注意到表面現象，對科學沒有什麼貢獻。」他特別強調「四因」中的「形式因」，他說：「形式因抓住了個別事物的統一性。如果兼顧經驗觀察與理性思維，就會採用適當的歸納法，從而發現自然界的規律。」這是他的信念。

事實上，西方近代科學主要關注「四因」中的其中兩因──質料因與動力因，主要研究世界由哪些質料（物質）構成的，動力是如何運作的，由此形成了機械論的宇宙觀；目的因與形式因則被擱置一旁。

（三）培根認為知識就是力量

培根在《新工具》一書的開頭，有一句名言：「知識就是力量。」他強調：「人對於自然現象要努力觀察。人的手需要工具的輔助才能製作許多器物，人的心也需要工具才能向理智提供指點或警告。」

　　「知識就是力量」這句話原本的說法是：「人的知識與人的力量合而為一。只要不知道原因，就不可能產生結果。你必須對原因有所認識，才能透過你的力量產生結果，才能算是有力量。」要命令自然，就必須服從自然；要先知道自然的規律，才能加以安排。同時，在思考中做為原因的，也就是在行動中做為規則的。在思考中做為原因的是邏輯，它在行動中才能做為真正的規則。所以，科學的任務在於發現自然的規律。培根為了強調「科學需要偉大的復興」而提出上述觀點。

收穫與啟發

1. 在中世紀的一千多年裡，哲學長期被當做思考的工具來輔助神學，現在則要回到哲學本身，以人的理性來了解自然界及萬物。這顯然需要一個轉折的過程，培根就是其中的關鍵人物。在許多專家看來，培根的《新工具》與傳統邏輯中的歸納法在本質上並沒有太大差別；培根提出的方法雖然比較嚴謹，但還達不到可被實際應用的程度。

   培根不能算是科學家，他主要是文學家、法官和作家。他的背景使他在討論哲學時，一方面像散文作家，採用類似蒙田的筆法；另一方面又像法官斷案，有時難免流於主觀。他說「知識就是力量」，是為了讓我們客觀的認識世界。他說：「過去研究的各種問題，若要超越它們，就必須在方法上有新的工具。」也就是要提出更嚴謹的歸納法。

2. 培根關於做學問的比喻很生動，螞蟻收集材料，蜘蛛自己吐絲，都比不上蜜蜂釀蜜。要把理性與經驗結合起來，從外界經驗獲得材料，用理性的方法展開研究，將材料轉化為成果，最後達到普遍的公理。

3. 培根所謂「知識就是力量」，是指人的知識與力量合而為一。
這句話普遍適用。譬如，如果你不知道怎樣開車，就算你有再好的車也無濟於事。知識可以讓你在某一方面顯示出能力，同時可以發號施令。又譬如，一個人如果知道人生的正確方向，就可以朝目標一直前進，就算走得慢，最終也會抵達目標；另一個人不知道人生的正確方向，即使跑得再快，也只會離目標愈來愈遠。

（課後思考）

　　對於培根所說的螞蟻、蜘蛛、蜜蜂這三種探討問題的態度，你有什麼看法？你有類似的經驗嗎？

（補充說明）

　　我的老師方東美先生借鑑培根的想法，提出做學問的三種態度：螞蟻搬家、蜜蜂釀蜜、老鷹搏雲。「鷲」就是「鷹」，「搏雲」就是在雲朵間飛翔玩耍。

1. 螞蟻搬家

　　我們年輕時都是如此，買來一本書，要劃重點，寫眉批，勤做筆記，儲存各種資源，增加知識儲量。我們可以向孔子的學生子夏學習，他說：「日知其所亡，月無忘其所能，可謂好學也已矣。」即每天知道一點新東西，每個月不要忘記前面所學的，這樣就算是好學了。

2. 蜜蜂釀蜜

　　要逐漸把不同學者的想法融會貫通，形成自己的觀點。也就是要消化之後有自己的心得，最好的檢驗方法就是用自己的話再說一遍。如果有同學對我說「我學過《論語》」，我會請他把《論

語》的重點簡單說一下，這時再翻書是來不及的。所以，你要練習清楚表達自己的心得。

3. 老鷹搏雲

這就像老鷹在天上跟雲朵玩耍，沒有任何特別的目的，只是把豐富的知識變成心靈逍遙的憑藉，讓自己品味到真正的樂趣。

孔子也說過：「知之者不如好之者，好之者不如樂之者。」代表學習有三個階段──知之、好之、樂之。「知之」類似於螞蟻搬家的階段，透過學習，知道很多東西。「好之」類似於蜜蜂釀蜜的階段，喜歡它、欣賞它，自然也會實踐它。「樂之」類似於老鷹搏雲的階段，可以返本歸真，優遊其中。

我在美國耶魯大學讀書期間，校長在某屆畢業典禮時說了三句勸勉的話：「你們到大學裡來要做三件事：來學習、來理解、來品味。」他用了三個詞：

1. 學習，大學是知識的殿堂，有豐富的藏書和師資。
2. 理解，把所學知識徹底消化理解之後，才算是你自己的東西。
3. 品味（enjoy），也可譯為享受。換句話說，知識是為了讓人可以去品味及享受的。

學習了特定知識後，有了自己的心得體會，言行方面自然會隨之調整，整個生命便會有不同的表現。

方老師的說法比培根所說的要更落實一點。為什麼方老師省略掉「蜘蛛吐絲」這一步？因為「蜘蛛吐絲」原本是用來形容理性主義的學者的，他們先在自己心裡建構出一個系統，再把它套在這個世界上，最後很容易變成獨斷主義。「老鷹搏雲」則展現了開闊的境界，使你樂在其中，在智慧的天地裡逍遙自在。

18-5　打破四種假象

　　本節的主題是：打破四種假象。透過本節的學習，你的觀念將會變得更加清晰，同時也會知道許多錯誤的觀念是如何產生的。

　　培根強調「科學需要復興」，他所謂的「科學」也包括哲學在內，他就把自己視為哲學家。哲學在中世紀被長期誤用，它的角色已經變得模糊，很難對人生有所啟發。此時若要重建合理的哲學思維，首先就要去除一些阻礙。

　　培根認為人的理智有許多阻礙，最大障礙就是感官的遲鈍無力與容易受騙。眼睛看不到的地方，思維也停滯下來。感覺容易帶來錯誤，它並不可靠，所以思想不應受感官的影響。

　　培根又說：「人的理智也容易受到感情與意志的干擾。你盼望為真的東西，就容易相信它；你拒絕困難的東西，是因為你沒有耐心去研究；你拒絕明顯的東西，是因為它們限制了希望。因此，人由於粗暴與驕傲而拒絕經驗之光。同時，由於對熟悉朋友的意見表示尊重，結果接受了一般人都不相信的東西。」可見，理智也容易被感情和意志所干擾。

　　培根指出，擾亂人心的「假象」（idols）有四種。Idols 原意為「偶像」，但譯為「假象」更合適。

　　所以本節就要探討以下四個重點：

　　第一，種族假象。

　　第二，洞穴假象。

　　第三，市場假象。

　　第四，劇場假象。

（一）種族假象（idola tribus）

什麼是種族假象？所謂「種族」是指「人」這個種族。種族假象源自人類的天性，是由人類這個種族所造成的問題。古希臘時代普羅塔哥拉（Protagoras, 481-411 B.C.）曾說：「人是萬物的尺度。」我們所知的一切，不論是感官方面還是心靈方面，都是以人的尺度為依據，而不是以宇宙的尺度為依據。

人的理智好像一面不平的鏡子，它不規則的接受光線，把事物的性質與自己的性質攪混在一起，使事物的性質受到扭曲。換言之，人類所見的就是萬物的真相嗎？這其中有很多都是人類自身的成見，這一點在價值觀方面表現得最明顯。以人做為衡量萬物價值的唯一標準，對萬物來說是一種扭曲，也是明顯的不公平。

（二）洞穴假象（idola specus）

洞穴假象認為，每個人都生活在自己的洞穴裡。這一說法來自於柏拉圖的「洞穴比喻」：人類愚昧無知，就像生活在洞穴中一樣，雙手雙腳被綁，只能坐在椅子上，看到前面牆壁上映現出的道具的影子。

培根所謂的「洞穴」包括哪些方面？他說：「每個人都有自己的天性、後天所受的教育以及與他人交往的經驗，並從他所念的書、所崇拜的權威那裡得到一些啟發，再加上個人的印象與成見，這些都是構成個人洞穴的重要材料。」

換句話說，人的精神狀態是一種變化不定的東西，很容易受到各種機會的支配。什麼先來、什麼後到，完全看機會和運氣而已。人很容易先入為主。譬如，有些人從小就聽說人性是善的或惡的，可能一輩子都很難擺脫這樣的觀念。

（三）市場假象（idola fori）

　　市場是購買東西的地方。大家在市場中交流互動，總是透過言談而來往。但是，言談所使用語詞的意義是根據一般人的了解來確定的，這就是所謂的「約定俗成」。這些語詞在強制及統治我們的理智，讓一切陷於混亂之中，也讓人陷於無數空洞的爭辯與無聊的幻想中。

　　前文介紹過蘇格拉底的反詰法，他在對話中總是先讓對方澄清概念，否則就會造成培根所說的市場假象。市場中有各種傳聞，開始可能只是小誤會，最後變成天大的笑話。市場中經常會以訛傳訛，由此造成的困擾不勝枚舉。

（四）劇場假象（idola theatri）

　　劇場就像電影院一樣，別人演戲，我們來看。在培根看來，許多哲學教條是由錯誤的證明方式移植到眾人心中的。古往今來，許多流行的學說與體系只不過是舞臺上的戲劇而已，哲學家只是根據一種不真實的布景，來表現他們自己創造的虛幻世界罷了。除了學說體系之外，各種傳說以及科學中的許多原理與公理都是如此。這些都屬於劇場假象。

　　培根特別指出三種最主要的劇場假象：

1. 亞里斯多德的哲學

　　許多近代西方哲學家都批判亞里斯多德，主要的原因是亞里斯多德的哲學在經院哲學中取得了主導地位，這是一種「物極必反」的現象。

　　培根說：「亞里斯多德的自然學中，除了邏輯學之外，你幾乎聽不到任何東西。亞氏只談一些邏輯的語言，而沒有實際的觀察。

亞里斯多德的形上學則是以一個更莊嚴的名義，再加上唯實論者，而非唯名論者的身分，重新把邏輯處理了一次。」

培根認為亞里斯多德是「唯實論」（Realism），即亞氏認為概念本身（共相）有客觀實在性，這當然是培根個人的理解。「唯名論」最有名的代表是奧卡姆（William of Ockham, 1290-1349），他也是英國人。唯名論主張，我們對事物的概念純粹只是人想出來的，它只是一個名稱而已，並不代表我們能清楚的掌握外在事物。培根還強調，亞里斯多德在《論動物》裡面經常提到實驗，但那些實驗都是先有了結論才進行推論的。

培根最後得出的結論是：亞里斯多德比中世紀經院哲學家的罪過更大。

2. 重視經驗的學派

培根說：「許多人雖然重視經驗，但只是把他們的理論建立在少數狹隘的、曖昧的實驗上。煉金術士就是很好的例子。」培根本人也很重視經驗，但他認為他的實驗更符合歸納法的要求。

3. 將迷信與神學相混合的說法

他特別點明，古希臘的畢達哥拉斯與柏拉圖就造成了這樣的假象。畢達哥拉斯相信靈魂輪迴，講得活靈活現，但是能夠證實嗎？有很多地方聽起來就是迷信。

柏拉圖提出「理型」的世界，想以此說明我們認知的對象，但他說「人在出生之前，靈魂就已經知道了理型」，這樣的系統再完美也難以被證實。

由此可見，培根對於古代哲學家有一種批判的精神，好像要推倒這些偉大的人物，或者要推倒他心中想像的高牆。全部推倒之後，才能在一個穩定的地面重新建構起科學的大廈。培根所舉的例子不一定完全恰當，但是他打破假象的精神值得肯定。

收穫與啟發

1. 我們生而為人，難免有種族假象，總是以人的判斷做為萬物價值的基礎，而忽略了對萬物做客觀的觀察與理解。

2. 洞穴假像其實最常見。每個人都生活在自己的小天地裡，就像蒙田批判的西方人或基督徒，他們很難理解其他民族的風俗和信仰，不知道這些人如何面對人生的問題，如何面對死亡的壓力，這就是標準的洞穴假象。

3. 市場假象就是人云亦云，大家依靠話術來造成某種效果，讓自己經營的東西得到更多人的青睞。事實上，這只是一些空洞的爭辯與無聊的幻想而已。

4. 劇場假象就像在劇場上演一齣完整的戲，讓你看到人生從生到死的整個過程。其實那都是出於主觀的假設或預先設計的內容，有很多地方禁不起檢驗，與實際的人生脫節。

課後思考

培根要打破四種假象，你認為哪種假象會對人類社會或個人的愛智慧造成最大的傷害？

補充說明

在我看來，對愛智慧傷害最大的是洞穴假象。

先看種族假像。因為我們是人類，所以會不知不覺從人的角度進行思考。可見，種族假象相當普遍。既然普遍，它的影響就不會太明顯，也不會造成太大的問題。

市場假象主要是指人云亦云，捕風捉影，資訊時常改變。但正因為資訊每天都在改變，所以市場假象不會造成長期的固定影

響，因而傷害也是有限的。

　　劇場假象至少有一套劇本，你完全照搬的話，可能會在現實中碰壁，但畢竟還是可以修改和調整的。

　　這三種假象造成的傷害都不能跟洞穴假象相比，因此每個人都要問自己：我是否受到周圍人群、所受教育或個人遭遇等方面的影響，而讓自己一直處在洞穴裡？人最怕坐井觀天。

第十九章

笛卡兒

我思故我在

19-1　笛卡兒為什麼要戴上面具？

　　本章的主題是：笛卡兒的「我思故我在」。本節的主題是：笛卡兒為什麼要戴上面具？

　　學習西方哲學，到了近代哲學的笛卡兒，會有一種撥雲見日的感覺，就像後來黑格爾（G. W. F. Hegel, 1770-1831）所說的：「整個西方哲學經歷了漫長的中世紀，最後看到了笛卡兒，就像在海上航行很久的人看到陸地一樣，不禁要大聲喊出：『陸地！陸地！』」由此可見黑格爾對笛卡兒的評價之高。

　　但是哲學史上還有另外一句話是「笛卡兒戴上面具」，這是什麼意思？又是誰說的呢？這是笛卡兒自己說的，他描寫自己「好像演員戴著面具，使臉上的害羞不顯露出來」，他說：「我就是這樣戴著面具踏上了世界舞臺。」笛卡兒為何要戴面具呢？他為何擔心別人認出他的真面目呢？

　　笛卡兒與同時代的人有許多書信往來，他經常在信件中澄清他的觀念與立場，使別人覺得他有點捉摸不定。世人對他的評價有很大分歧，稱讚他的人覺得他簡直就像《聖經》中的摩西，可以帶領猶太人走出埃及；批評他的人則公開抱怨他毫無信仰，是無神論者。他的著作被基督教的某些教會學校視為禁書，天主教更是把他的書列於禁書名單之中。這些都說明笛卡兒的形象是相當複雜的。

　　本節要介紹以下三點：

第一，笛卡兒的生平簡介。

第二，笛卡兒如何隱藏自己？

第三，笛卡兒的一生是如何結束的？

（一）笛卡兒的生平

　　笛卡兒（René Descartes, 1596-1650）是法國人。他的父親原本是律師，後來當了議員，說明他的家境屬於中上層次。他從小身體不好，母親在他出生後不到兩個月就過世了，他靠保姆的細心呵護才僥倖存活。笛卡兒的名字 René 就是「重生」的意思。

　　笛卡兒非常聰明，父親常稱他為「我的小哲學家」。他十歲進入當時最好的公學，這是由天主教耶穌會創辦的九年制學校，前六年學習人文方面的思想，後三年則專門學習哲學。笛卡兒是學校的模範生，但他非常厭惡自己所學的經院哲學，連帶對整個自古希臘以來的哲學都採取質疑的態度。他畢業後繼續攻讀法律，得到碩士學位。他的數學特別好，他發明了解析幾何，是著名的數學家。他曾經打算全力研究大自然的規律以推展醫學，但他最顯著的成就還是在哲學方面。

　　二十三歲是他一生的轉捩點。他不想再讀別人寫的書，而希望讀上帝所寫的書——自然界，他要透過遊歷來增廣見聞，於是加入志願軍，因為當時參軍可以到處旅遊觀光。他在這一年年底連續做了三個夢，夢中有人告訴他，他的使命是要「以理智探討真理」，他便以此做為終身的志業。「以理智探討真理」如今聽來非常普通，好像本該如此，但在笛卡兒的時代則是很大的挑戰。

　　當時宗教勢力依舊籠罩整個社會，不是天主教就是基督教，整個歐洲仍不能擺脫宗教的束縛。對宗教來說，真理就在《聖經》裡，人不用多費腦筋；哲學只能替神學服務，只是用來幫助證明神學的說法而已。

　　笛卡兒才智過人，他有許多新的觀念需要表達，於是開始著書立說，設法以理智追求真理。他認為在他之前的古代哲學全都有問

題，更不要說經院哲學了。像柏拉圖、亞里斯多德、斯多亞學派、伊比鳩魯學派以及整個中世紀哲學，幾乎都被笛卡兒擱在一邊。

（二）笛卡兒如何隱藏自己？

笛卡兒三十二歲時移居荷蘭，整個壯年階段有二十一年都住在荷蘭，直到臨死前一年。當時的荷蘭相對比較安全和自由，而他在法國熟人太多，容易敵友不分，可能被人指認為異端，面臨各種危險。1633 年，伽利略受到天主教公開譴責，而笛卡兒說：「我的哲學就是要證明『日心說』。」他後來說：「善於隱藏者，乃善於生活。」可見，他是為了實踐自己的想法才長期隱居荷蘭的。

他並沒有迴避當時的重要問題。他有一本代表作叫做《沉思錄》，全名是《第一哲學沉思集》，副標題是「證明上帝存在以及人的靈魂不死」。從這個副標題來看，可以說完全配合宗教的需要；但笛卡兒的證明方式與宗教完全無關，他所謂的「上帝」就是我們常說的「哲學家的上帝」。宗教界把他的說法視為異端邪說，因此他才需要戴上面具，隱藏自己。

（三）笛卡兒的一生是如何結束的？

笛卡兒的著作出版後引發許多討論。1649 年，他過世的前一年，瑞典女王克莉絲蒂娜‧奧古斯塔（Kristina Augusta, 1626-1689）正式邀請笛卡兒到瑞典去講學。這位瑞典女王對哲學很感興趣，她也和笛卡兒透過信，此時就派了一艘軍艦去接他。當時法國駐瑞典的一位公使是笛卡兒的朋友，他也一再敦促笛卡兒接受瑞典女王的邀請，笛卡兒於是動身前往瑞典。

但問題隨之而來。笛卡兒從小體弱多病，一向晚睡晚起，他在公學念書時，學校就特許他比別人晚一點起床。現在，瑞典女王日

理萬機，只有一大清早有空，且她每週要上三次課。北歐十分寒冷，笛卡兒要在清晨五點冒著嚴寒去給女王上課。上了一個多月，笛卡兒的好朋友，這位法國公使先染上了肺炎，笛卡兒去探望他時也被感染。1650 年春，笛卡兒年僅五十四歲便與世長辭。

笛卡兒的過世並沒有引起太多注意，只有瑞典的一家報紙寫了短短的一句話：「在瑞典死了一個瘋子，他以為人愛活多久就活多久。」笛卡兒認為人的靈魂不死，而人的身體是另外一種實體，它也是實存的，沒有死亡的問題。所以，很多人從表面上看，認為笛卡兒的話根本不知所云。

笛卡兒的確隱藏得很好，他去世時很少有人去送葬。後來，笛卡兒的影響力愈來愈大，直到一百多年後的 1819 年，才得以歸葬祖國——法國。他墓碑上寫著一句話：「笛卡兒，歐洲文藝復興以來，第一個為人類爭取並且保證理性權利的人。」這句話可謂是當時所有人的共識。笛卡兒本人要爭取理性的權利，他還要保證每個人都能這樣做，這樣的評價對笛卡兒來說還算公允。

黑格爾強調：「笛卡兒的確是一位英雄，是現代哲學的宣導者，為哲學奠定了穩固的基礎。一百多年後的今天，我們仍然要回溯他的理論。」黑格爾的說法很有代表性。笛卡兒當時確實要隱藏自己的許多想法，所以他自我解嘲是「戴著面具踏上世界舞臺」。

收穫與啟發

1. 本節介紹笛卡兒的生平，說明他在那個時代為何必須戴上面具。
2. 笛卡兒善於隱藏自己。他壯年的大部分時間隱居在荷蘭，避免在法國受到太多注意而帶來危險。他早就認定「日心說」，但鑑於伽利略的遭遇而無法公開說明。他的幾本著作也長期被天主教列為禁書。

3. 笛卡兒之死非常令人惋惜。現在還有誰記得瑞典女王呢？但為了給這位愛好哲學的女王上課，被譽為「近代哲學之父」的笛卡兒不幸染病去世，令人深感遺憾。

課後思考

　　笛卡兒在他那個時代戴上了面具，請問在現代社會中，我們做哪些事情也需要戴上面具？或者現在和以前不同，做哪些事情不再需要戴上面具呢？

補充說明

　　前文介紹過中世紀初期有位學者叫德爾都良，他首先使用「面具」（拉丁文 persona）一詞來代表人的特質，後來就演變為「位格」。「位格」一詞強調，面對不同的人，我們會相應調整自己的角色，就像戴上不同的面具，這樣才能與別人良性互動。

　　現代人為何要戴面具？最主要是為了隱藏自己，讓自己安全自在。隱藏自己需要智慧的判斷，隱藏也是一種修養方法。

　　可見，面具有兩種作用：一方面，你面對不同的人要調整自己的角色，就像戴上面具，「面具」代表人格的特質；另一方面，有時戴上面具是為了讓自己在人群中活得自在。

　　有這樣一件弄巧成拙之事。有一位前輩作家寫作時用「無名氏」做筆名。他成名後，遇到別人就會說「我就是無名氏」。「無名氏」不是一個專名，譬如我要捐錢，但不想讓別人知道我行善，就會寫無名氏。他以「無名氏」做為筆名，本想戴上面具、隱藏自己，成名後卻又不甘心，結果讓人哭笑不得。

　　由此可見，戴面具有時是為了互相尊重或個人修養，有時則體現出智慧的判斷。

19-2 方法實在太重要了

　　本節的主題是：方法實在太重要了。笛卡兒的第一本代表作是《方法導論》，副標題是「為正確引導自己的理智，並在科學中尋求真理」，他把科學的真理與自己的理智合在一起思考。笛卡兒是著名的數學家，在科學上顯然有發言權。重要的是，他認為引導自己的理智是一種普遍的要求。他為什麼會有這種想法？

　　本節內容包括以下三點：

　　第一，傳統哲學大有問題。

　　第二，為什麼方法那麼重要？

　　第三，《方法導論》的四條規則。

（一）傳統哲學大有問題

　　笛卡兒有很大的氣魄，他在分析西方傳統哲學之後說：「我找不到一個人，他的意見比別人的更為可取，所以我必須採取引導自己的方法。」傳統哲學由學校講授，笛卡兒就讀的是當時最好的公學，老師都是一時之選，他接受了六年的人文教育和三年的哲學教育。他的許多同學都很有才華，在各方面嶄露頭角，但笛卡兒還是覺得充滿疑惑，他愈學愈覺得自己是無知的。

　　他開始對「理智的作用」進行思考。他認為每個人都有的、最公平的東西就是「理智」，他有時也把「理智」稱為「良知」，就是指正確的判斷能力、讓人可以分辨真偽的天性。他說：「人與人意見分歧，不是誰比誰更理智，而是因為各自有不同的途徑引導自

己的思想。」他認為，找到正確的路慢慢走，要勝過遠離正路而快速狂奔的人。

學校教育能給人提供正確的道路嗎？答案是不行。笛卡兒認為學校教育遠遠不夠，它的優點在於教授你語言、古代經典、歷史事實以及各種寓言故事。但是笛卡兒說：「該學的都學了，包括寓言、詩歌、歷史、雄辯術、數學、神學、法律、醫學等。」這些學科都有特定的目的和局限性。

當時哲學教育的主要內容就是辯證法。笛卡兒說：「哲學教你以逼真的方式談論一切事物。」「逼真的方式」代表並非真的如此，而是說得像真的一樣，可以讓那些才疏學淺的人對你的說法感到驚嘆。笛卡兒說：「我學習哲學，到現在還找不到一個沒有爭議的、沒有任何疑惑的共識。」

笛卡兒批判斯多亞學派：「他們標榜德行，自以為是世間唯一自由的人，不受情緒影響，也沒有同情心；必要時，連自殺與殺人都可以找到理由，說自己符合宇宙的規律。」他也批判伊比鳩魯學派只重視個人的感覺經驗。譬如，伊比鳩魯曾經肯定太陽就像我們看到的那麼大。就連柏拉圖與亞里斯多德也受到笛卡兒的批判，笛卡兒說：「柏拉圖什麼都要懷疑，最後建構了『理型論』，更值得懷疑；而亞里斯多德什麼都不懷疑，什麼都接受，最後根本找不到普遍的原理。」

（二）為什麼方法那麼重要？

為什麼方法那麼重要？笛卡兒透過舉例說明：「由許多工匠合作，讓一座城市每隔一段時間就改善一次市容，還不如由一個人做全盤的設計更好。」他又說：「有些半開化的民族接受外人所定的法律，還不如由本民族一開始就定好自己全部的法律。」最後他

說：「從書本裡面搜集許多意見，還不如一個人自己考察自己。」

　　他要改變自己的思想，找到思考的規則。他二十三歲參加志願軍，在遊歷各地時就已經想清楚了，他說：「今後，我不再研究這些書本裡的東西，只研究自己的經驗以及宇宙這本大書。」

（三）《方法導論》的四條規則

　　笛卡兒在認真研究了傳統邏輯、解析幾何、代數等學問之後，綜合其中的優點，提出方法上的四條規則：第一，自明律；第二，分析律；第三，綜合律；第四，枚舉律。

1. 自明律

　　自明律就是：「絕不承認任何事物為真，除非我自明的認識它是如此。」換句話說，任何東西自己呈現得很清楚，又能讓我直接認識它，它才是真的。為了避免倉促的判斷和錯誤的成見，笛卡兒只承認清晰、明白的呈現於自己心智前面而無可置疑的東西。就像數學裡的直觀，$1+1=2$，$2+2=3+1$，我知道它的內容，也知道自己知道它的內容。

　　自明律的關鍵在於什麼是「清晰而明白」（clara et distincta），笛卡兒後來經常使用這兩個詞。所謂「清晰」，就是它本身清楚，一個觀念在理智中呈現自己，毫無隱瞞。所謂「明白」，就是一個觀念與其他觀念有明確的分別，亦即它的內涵與別的觀念完全不同。所以，「清晰」就是一個觀念本身很清楚，「明白」就是一個觀念可與別的觀念明顯區分開來。

2. 分析律

　　分析律較為容易。「將我所要檢查的每一難題，盡可能分解成許多細小的部分，小到非常單純，一眼就能看出來是怎麼回事，使我能順利解決這些難題。」譬如，有人在一片草地上丟一塊銅板讓

學生去找，只要把草地分為一百份，大家按順序去找，很快就能找到。這就是分析律的應用。

3. 綜合律

分析到最小的單元之後，還要把它還原，這時就要用到綜合律。「要順序引導我的思想，由最簡單最容易認識的對象開始，一步步上升，直到最複雜的知識。」這是笛卡兒從數學中學來的方法，就是先確定定義和公理，再用幾何形式的證明程式，最後建構複雜的知識。

4. 枚舉律

枚舉律就是「處處做周全的核算與普遍的檢查，直到足以保證沒有任何的遺漏」。這樣才能讓你在原則中看出結論，在結論中看出原則，把直觀和演繹配合起來。

笛卡兒在方法上採用上述四條規則。他特別強調自明律的重要，他說：「在沒有達到明顯之前，不做判斷；不要根據成見來判斷。」判斷的時候不要超過自明的範圍，一檔歸一檔。不要因為證明了這一點，就以為自己證明了另外一點。他說：「真正的知識是自明的，與猜測是對立的。」

所謂「自明的」，就是直接呈現在意識之前，使我單純而直接的認識它，這就是直觀。一個人在直觀中，可以得到「清晰而明白」的單純觀念。譬如，一個物體有形狀、廣延、可動性；一個心靈（精神體）有思想、意志、懷疑的能力。不管是物體還是心靈，兩者共同具備的特性是：存在、統一、持續。這些都屬於「清晰而明白」的單純觀念。可見，笛卡兒的方法不只是說說而已，還有具體的內容。

笛卡兒簡要說明了「直觀」的三個特點：

1. 直觀是純思想的運作，不涉及感覺、推理或演繹；

2. 直觀是不會錯誤的，但是感覺可能受騙，推理或演繹可能發
生錯誤；

3. 直觀適用於一切單純的思想活動。

笛卡兒後來提出「我思故我在」，就像三角形有三條邊或
「2+2=3+1」一樣，都是靠直觀就可以立刻掌握的。

收穫與啟發

1. 笛卡兒認為傳統哲學大有問題，問題就出在方法上。傳統的方
法不是從一個絕對不能懷疑的定點出發，而是先去研究外物是
怎麼回事，結果錯誤百出。並且，傳統教育也缺乏參考價值。

2. 為什麼方法如此重要？笛卡兒舉例說明，由一個工匠設計一座
城市，絕對勝過由許多工匠拼湊而建設的城市。所以，笛卡兒
要採取引導自己的方法。

3. 笛卡兒的代表作《方法導論》提出四條規則，一個好的方法必
須符合這四點要求：自明律、分析律、綜合律、枚舉律。這四
種方法值得我們深入了解。

課後思考

我們常說「集思廣益」，似乎很多人一起想就能獲得比較完整
的理解或者找到妥善的方法。但是笛卡兒認為，在思考方面，必
須按照自己的經驗，找到一條正確的道路。你認為這兩者哪一種
比較合理，或者兩者有不同的應用範圍？

19-3　進行我思之前的準備

本節的主題是，進行我思之前的準備。介紹以下三點：

第一，暫時的倫理規則。

第二，從知識到哲學。

第三，哲學像一棵樹。

（一）暫時的倫理規則

為什麼要談暫時的倫理規則？笛卡兒在從事思想之旅前，他很清楚：人的理智要求真，對於虛偽的、或然的知識都要加以排除，沒有商量的餘地，真就是真，假就是假；人的意志要求善，而真正的善或至善往往是未知的，因此不能輕易揚棄或然的善。人每天都在生活，當然需要有行為規範。就像古希臘時代的蘇格拉底，他雖然從事思想的活動，但他強調對於祖先傳下來的宗教和城邦既有的法律，大家只能接受，以其做為上限與下限。人先要在這兩者之間穩定的生活，然後再進行質疑，亦即「沒有經過反省檢查的人生是不值得活的」。

笛卡兒強調他不是懷疑論者，他說：「我不是效法懷疑論者，他們只是為了懷疑而懷疑，並且自詡為懷疑而不做決定的人。相反的，我的整個計畫是要設法保證我自己拋棄流動的泥土與沙地，尋找岩石與黏土。」為此，必須要有一些暫時的倫理規則。笛卡兒在《方法導論》中強調三點：第一，尊重傳統；第二，堅定意志；第三，改善自我。

1. 尊重傳統

所謂「傳統」包括法律、風俗和宗教。笛卡兒認為，大多數人的平安生活都要靠這些傳統，所有極端的作為通常都是不好的。換句話說，你要與別人一起過社會生活，使社會能夠維持穩定並持續不斷發展。

2. 堅定意志

所謂「堅定意志」，就是當你選擇了一條路線或一個目標，就要堅持下去。人生就像旅行，如果你在森林中迷路了該怎麼辦？如果東轉轉西轉轉，恐怕永遠也找不到出路。你要選定一個方向一直走下去，最後總能找到出路。

3. 改善自我

笛卡兒說：「克服自己勝過克服命運；改變自我的欲望，勝過改變世界的秩序。一定要先確定，除了思想之外，沒有任何東西完全屬於我的掌握之中。這是非常關鍵的念頭。」譬如，生病的時候，不要幻想自己是健康的人；坐牢的時候，不要幻想自己是自由的人；平常不要幻想自己有金剛不壞之身，或是幻想可以像鳥一樣飛翔。不去胡思亂想，只知改善自我，有這樣的念頭，就已經勝過許多人。

笛卡兒隱居荷蘭二十一年之久，就是為了可以自由沉思、尋求真理。他先靠暫時的倫理規則在社會上立足，然後再去追求自己的人生目標。

（二）從知識到哲學

笛卡兒強調，一般人的知識不外乎以下四種，而哲學則是他要探討的第五種知識。一般人的知識是哪四種呢？

1. 一個人本身具有的不思而得的觀念。譬如，每個人都知道自

己與別人不同，可以進行思考活動。

2. 由感官經驗所得的知識。用眼睛看、用耳朵聽、去外面多接觸，就可以用感官獲得許多經驗。

3. 由別人的談話中學到的知識。像學校上課時老師教的內容，或者與朋友聊天時聽到別人講述的內容。

4. 由閱讀所得的知識。閱讀一本書就是同作者進行一次對話，聽他介紹某些專業知識。

笛卡兒認為以上四種知識都有問題。他甚至說：「如果你一開始就研究古代的哲學，那就很難正確的了解真理了。」他非常自負的說：「直到今天，我還不知道有誰完成了追求真理的工作。」口氣真大！

笛卡兒如何表現自己的特色？他認為，要尋找第五種知識，也就是哲學方面的知識；要尋找「第一因」，也就是真正的原理，由這個原理可以演繹出一切知識。這才是真正哲學家所要做的。

笛卡兒認為，哲學就是要探討智慧，這與古希臘時代的愛智慧沒什麼差別。智慧不僅是處理事情的機智，也是一個人在修身、維持健康與藝術創作三方面所應該具有的知識。這樣的知識必須是從第一因（第一個原因、最初的原因）引申而來的。「第一因」就是最根本的原理，必須具有兩個條件：

1. 它本身清晰而明白，不可置疑；

2. 由這個原理可以引申出其他一切知識。

不過，人就只能逐漸的接近智慧，完全的知識是神明才能擁有的特權。

笛卡兒進一步強調哲學的功能。他認為，哲學包括心靈所能知道的一切，我們與野蠻人（文明尚未開化的人）的不同之處就在於我們有哲學。一個國家文化的盛衰也要看哲學。一個國家擁有幾位

真正的哲學家，是這個國家至高無上的榮幸。笛卡兒對哲學有很清楚的界定：愛智慧是學問之母，是一個國家文化發展的方向。

（三）哲學像一棵樹

笛卡兒把哲學比喻為一棵樹，這個比喻很有名。他說：「樹根是形上學，樹幹是自然學。」許多人把「自然學」翻譯成「物理學」，用當代物理學的概念來理解笛卡兒，顯然太過局限了。從古希臘時代以來，所謂的「自然學」就是研究「有形可見、充滿變化」的萬物，而形上學研究的是「無形可見、永不變化」的本體。後來自然學才細分為三門學問——物理學、化學和生物學，三者都屬於笛卡兒所謂「自然學」的範疇。以形上學做為樹根，以自然學做為樹幹，我們看不到「無形可見、永不變化」的本體，就像我們看不到樹根；我們能看到大自然，就像樹幹清楚的呈現在我們面前。如果這樣去理解這個比喻，就十分貼切了。

笛卡兒接著說：「由這個樹幹生出了各種枝葉，即生出一切科學，最重要的是以下三種：第一種是機械學，可用來製造工具，幫助我們突破自然的限制；第二種是醫學，可以保持人的健康，延長人的壽命，幫助我們保養身體；第三種是倫理學，可以調節人的性情，幫助人抵達幸福的境界。」

從自然學開花結果，可以延伸出機械學、醫學、倫理學，這種觀點非常合理。如果我們把「自然學」譯成「物理學」則不太妥當，因為物理學也許可以延伸出機械學或某一部分醫學，但它很難涵蓋倫理學。

此外，笛卡兒認為，世間最好的職業就是哲學家，因為他們每天都可以發現一些新的真理，那是最大的快樂。笛卡兒對其他一切事物都無動於衷，他專注於哲學，取得了令人矚目的成就。

收穫與啟發

1.「我思」之前的準備工作，最主要的是接受一套暫時的倫理規則。倫理規則做為有效的知識，也需要從基礎逐步建構起來。如果你一定要先找到一套完備的、普遍的倫理規則才開始生活的話，那是不可思議的。人活在世界上，在一個特定的歷史階段和社會結構裡，對於現存的一切傳統（包括法律、風俗與宗教）都要暫時接受。笛卡兒一生信仰天主教，在宗教信仰上沒有太大改變。

2. 從知識到哲學。笛卡兒認為，一般人具有的四種知識都有局限性，而第五種知識就是哲學。哲學就是要尋找第一因，尋找真正的原理，再由這個原理演繹出一切知識，這才是哲學家應該做的事。

　笛卡兒的名言「我思故我在」之所以受到肯定，就是因為他以這句話做為第一因和思考的出發點。

3. 笛卡兒將哲學比喻為一棵樹，形上學是樹根，自然學是樹幹，再引申出三種重要的學問——機械學、醫學和倫理學。這一比喻至今仍被廣泛引述。

課後思考

　笛卡兒有一句座右銘是：「讓我的欲望不要超過我的能力範圍。」你覺得這句話適用於人生的每一方面嗎？

補充說明

　首先要分析「欲望」到底指什麼，要從生命的三個層次（身、心、靈）分別來看。

1.「身」的層次

能力對欲望的限制很明顯。你想要飛起來，或是跳多遠、跑多快，這些都不是有欲望就可以實現的。「身」的層次也包括有形可見、可以量化的東西，譬如你賺的錢或社會上的成就。因此，在身的層次，不要讓欲望超越能力的範圍，否則會很辛苦。

2.「心」的層次

包括知、情、意，即認知能力、情感表現與意願抉擇，這三方面都可以改善或提升。但最怕兩點：

(1) 分散注意力。譬如在一段時間內想學的東西太多，到最後可能會失去焦點，以致於心得不深；

(2) 無恆，即沒有恆心。王船山（王夫之）曾說：「人與動物最大的差別就在於人有恆心。」

如果能做到這兩方面，你的欲望可以隨著能力自然發展，不會有「欲望超過能力」的問題。

3.「靈」的層次

「靈」的層次，提升永無止境。王陽明十一歲時就問老師：「什麼是第一等事？」老師回答說：「讀書登第。」王陽明卻說：「恐怕並非如此，應該是讀書做聖賢。」志向和欲望不同。欲望是我現在想要什麼，比較具體；志向或理想則是對整個人生的規畫。所以在靈的層次，你要有一生的目標，那不叫欲望，而是一種比欲望更深刻的、對於整個人生的定位。你朝著那個方向不斷前進，不知不覺之中，五年、十年、二十年之後，便會有脫胎換骨的效果。

我在大學教書四十年，我認為大學四年是人生中很重要的階段，它會讓你脫胎換骨，完成一次生命的蛻變。這並不是說你大學畢業之後立刻就會成為人才，而是說你將成為一個有人生目標

和正確志向的人，你能充分發揮自己的潛能，實現各種重要的價值，使生命的意義更加豐富。

　　笛卡兒的這句話其實並沒有超過古希臘德爾菲神殿上的那兩句話──認識你自己，凡事勿過度。將兩句話合而觀之：

1.「認識你自己」，要了解自己有多少能力、有哪些欲望；

2.「凡事勿過度」，在行為上要自我收斂，讓欲望隨著能力而逐漸開展。

　　「欲望在能力範圍之內」可以讓你活得單純而愉快，正如老子所說的「知足不辱，知止不殆」。你知道滿足，就不會使自己陷於屈辱；知道什麼時候停止，就不會使自己陷於危險。所以，「讓自己的欲望在能力範圍之內」做為生活的基本原則是沒錯的，但一定要分辨欲望和整個人生的理想或志向。

19-4　我思故我在

　　本節要討論「我思故我在」的說法。由笛卡兒這個說法往前推一千兩百多年，奧古斯丁曾說：「若我受騙，則我存在。因為如果我不存在，而我以為自己存在，代表我受騙了；但我必須存在才能受騙。」這句話成為奧古斯丁的名言，表明人無法由外在現象肯定自己的存在，只能由自己本身思想的自覺特質來肯定自己的存在。

　　在笛卡兒的《方法導論》中有一篇形上學的提綱，闡述「我思故我在」的整個思辨過程。「我思故我在」被譯成中文後，常常被視為很淺顯的觀點，變成一句口頭禪，就像現代人常說的「要刷一下存在感」，有人甚至戲稱「我吃飯故我存在」、「我唱歌故我存在」。事實上，你必須先存在才能吃飯或唱歌，而且你存在時不一定在思考；但是你思考時就非存在不可，否則是誰在思考呢？

　　本節要介紹以下三點：

　　第一，要從懷疑開始。

　　第二，「我思故我在」究竟在說什麼？

　　第三，這句話影響深遠。

（一）要從懷疑開始

　　笛卡兒強調，要從懷疑開始，才能慢慢找到一切知識最可靠的基礎。為了探求真理，我們要懷疑一切能夠被懷疑的東西。譬如，我可以自由想像，但我的想像中有可疑的成分，就算是很輕微的，我也要毅然揚棄。只有設法懷疑我所能懷疑的一切，才能進一步了

解是否有完全不可懷疑的東西存在。笛卡兒從幾個角度展開思考：

首先，感官經常欺騙我們，所以由感官而來的對象沒有一樣是真實的。這樣一來，懷疑的範圍就很廣了，幾乎包括整個有形可見的世界。由感官獲得的知識有三種。

1. 對存在的判斷。譬如，我看到一張桌子，就要問：這張桌子真的存在嗎？
2. 對屬性的判斷。譬如，我看到一張桌子是白色的，有三公尺寬，就要問：它真的是白色的嗎？真的有三公尺寬嗎？
3. 對關係的判斷。譬如，這張桌子比那張椅子更高，比那個櫃子更低。感官經驗可以讓你得到存在的判斷、屬性的判斷、關係的判斷；但這些統統有問題，因為它們來自於感官，都值得懷疑，要放在括弧裡面。

其次，推理也不可靠。當時，一般人都認為知識的來源就是感官與推理。笛卡兒認為，很多人都在推理中犯了錯誤，連求解最簡單的幾何問題也難免出錯；所以要揚棄先前認為無需證明的各種說法和理論，就像揚棄謬論一樣。

再者，我們的理智也可能從直觀得到知識，但可能有一個能力強大的魔鬼讓我們在直觀時陷入錯誤。

把感官、理智、直觀全部排除之後，笛卡兒進一步思考，他說：「做夢的時候，可能出現我們在清醒時所看到的、所想的一切。這樣一來，我心靈裡面的一切也要全部加以懷疑，因為它與做夢時出現的東西是類似的。」

笛卡兒繼續思考：「當我正在懷疑這一切都是虛幻的，此時我立刻察覺，這個在懷疑一切的我必須是真實存在的。」所以，笛卡兒說：「我懷疑，所以我存在。」懷疑是思想的一種作用，而思想作用的範圍非常廣，因此笛卡兒說：「我思故我在。」這是一個真

理，它非常確實，連一切最荒唐的懷疑都無法動搖它，笛卡兒於是接受「我思故我在」做為他哲學的第一原則。

（二）「我思故我在」究竟在說什麼？

笛卡兒所謂的「思」不是單純的思想而已，它包括我直接意識到的一切行動，即我的認知、意志、想像、感受。只要不是推理的過程，都屬於我思想的範圍。

對「我思故我在」的理解有以下三個重點：

1. 「我思故我在」不是一個假設命題。奧古斯丁說：「若我受騙，則我存在。」（Si fallor, sum.）而笛卡兒則直接說：「我思故我在。」（Cogito, ergo sum.）這兩種說法的拉丁文表述有明顯的區別。奧古斯丁的說法有一個「假如」，「假如我受騙，則我存在」。笛卡兒的說法沒有「假如」，他直接說「我思故我在」。

2. 「我思故我在」也不是一個推理命題。不是說「因為我思考，所以我存在」。

3. 「我思故我在」是意識的直接作用。它由我的意識直接加以肯定。

因此，要把「我思故我在」理解為「我思等於我在」。「我思故我在」是自明的直接判斷，是意識的直接作用。它直接肯定「我」是思想的主體，是對我自身存在的意識。

再進一步，「我等於思」。「我」就是思想，「我」就是知道自己存在的思想。笛卡兒這句話旨在說明「我」是什麼。他說：「我可以設想我沒有身體，可以設想宇宙不存在，也可以設想周圍的一切都不存在，但不能同樣設想我自己不存在。然而，我一旦停止思想，就算其他事物都存在，我也沒有理由相信我存在。」因此，我

知道我全部的本質或本性只是思想而已；而「我」是一個實體，這意味我本身可以肯定我的存在，不需要依附於身體或外在世界。

思想是靈魂的作用，或者可以直接說「思想就是靈魂」。因為「我」就是思想，而靈魂就是我思想的主體，所以靈魂就是我之所以為我的理由，它與身體沒有什麼關係。這就是笛卡兒「我思故我在」的真正意思。

因此，不能說「我在故我思」，因為我存在，但我不見得都在思想。但我「思」的一剎那，我如果不存在，則不可能進行這樣的思。當然也不能說「我吃飯故我在」、「我笑故我在」，因為吃飯或笑都可能是幻覺。

（三）「我思故我在」影響深遠

笛卡兒「我思故我在」的說法影響非常深遠。笛卡兒肯定了「我」就是思想，是知道自己存在的思想，而人的靈魂就等於思想。只要是靈魂，一定藏在思想中，就好像只要是光，一定藏在照耀中。不可能有靈魂而不在思想的，就好像有熱總在溫暖中，就算沒有人取暖，還是有它的溫暖。靈魂的本質就是思想。為什麼有時靈魂沒有在思想呢？笛卡兒認為那是受到身體的影響而分心的緣故。他強調，思想或靈魂與身體完全不同。

笛卡兒對西方哲學最大的影響，就是把一個人的靈魂和身體分開了。靈魂就是思想作用的本身。笛卡兒甚至強調：「我是第一個認為『思想』就是非物質實體的主要屬性，而『擴展』是物質實體的主要屬性。」由笛卡兒開始分辨什麼是實體（substance），什麼是屬性（attribute）。這兩個詞是中世紀用過的詞，笛卡兒重新加以使用，並產生很大影響。笛卡兒把人的存在分為思想與擴展，亦即心靈與身體兩個層次，這是明顯的二元論。

　　從笛卡兒開始，西方哲學界出現了立場鮮明的理性主義，強調人有「天生本具的觀念」（innate ideas），以保障知識的普遍性。人類的知識由觀念所建構，觀念的來源可以推到人有天生本具的觀念。譬如，一個小孩子知道自己有自明真理的觀念，也知道上帝是什麼。這個孩子一旦能夠思想，立刻就可以發現這些。如果沒有天生本具的觀念，則無法建構普遍的知識。因為後天的經驗只能透過歸納的方式來掌握，而歸納法是沒有普遍性的。

　　笛卡兒的思想與中世紀的經院哲學分道揚鑣。中世紀哲學受到亞里斯多德的啟發，在談到人類知識的來源時，會強調：凡不先存在於感官者，就不存在於理智中。換句話說，先由感官得到某些經驗或印象，再由理智加以抽象，才能成為我們的觀念，由此才能建構知識。但是笛卡兒認為，思想的對象是觀念，思想不需要借助於外在事物，只要在自己內心裡觀看就夠了。

　　有關靈魂與身體的關係，傳統哲學認為：靈魂是身體的形式，所謂「認識」是靈魂受外界事物的影響而產生的結果。但笛卡兒把身體和靈魂區分為兩種不同的實體，由此產生的困難就要等待後續的學者來解決了。

收穫與啟發

1. 為了追求第一原理，找到一切知識最可靠的基礎，笛卡兒以懷疑為方法，而不是以懷疑為目的。他從懷疑開始，要懷疑一切可被懷疑之物。

2. 笛卡兒認為，當我懷疑一切時，會發現我不能懷疑那個正在懷疑的自己。懷疑是思想的一種作用，因此他說「我思故我在」。「我思故我在」有三個重點：第一，它不是一個假設，不是「假如我思考，則我存在」；第二，它不是一個推理，不是「因

為我思考，所以我存在」；第三，它是意識的直接作用，我思等於我在，我等於思，我就是我的思想，也就是我的靈魂。這樣一來，就把人的心（靈魂）與身體嚴格區分為二。這兩者如何整合呢？這正是後續理性主義學者需要面對的問題。

（課後思考）

當你了解笛卡兒的「我思故我在」的內涵之後，將來如果有機會再使用這句話，你會聯想到哪些相關的問題？

（補充說明）

如果我就是思想，跟我的身體沒有什麼直接關係的話，思想又是建立在什麼基礎上？

可以這樣回答：如果繼續問下去，就有點像循環論證了。人有思考能力，自然就要追問什麼是真的、不可懷疑的。笛卡兒認為，我可以懷疑一切，但最後不能懷疑正在懷疑的自己，所以說「我思故我在」，這樣就把「我」與「思」的關係建構起來了。至於身體和外在世界，並不是我能夠肯定或否定的東西。因此，笛卡兒被稱做二元論。如果人沒有思考能力，則根本沒有「存在」或「真理」之類的問題。

其次，物質和意識（物與心）哪個是第一性的？

如果沒有人類的話，萬物並非不存在，而是沒有存在的問題。人類出現之後，發現萬物充滿變化，所以才會進一步追問：什麼才是真正的存在？

物質和意識哪個是第一性？這個問題只是對人來說才有意義，因為人在思考，才會問什麼是第一性。這樣一來，我們就必須接受笛卡兒所說的「我等於思」了。

19-5　笛卡兒怎麼說明上帝的存在？

本節的主題是：笛卡兒怎麼說明上帝的存在？
本節內容包括以下三點：
第一，我要探求我的根源。
第二，有關上帝存在的論證。
第三，人的生命的具體處境。

（一）我要探求我的根源

笛卡兒認為人的觀念有三個來源：第一是天生的，第二是外來的，第三是捏造的。

1. 天生的觀念

所謂「天生的觀念」，是指人生下來就有某種傾向，不是後天學來的；而且，思想有它的習慣，天生的觀念也不是人自己主動想出來的。譬如，笛卡兒提到了同一律，簡單說來就是「A＝A」，這輛車就是這輛車。這不需要學習，每個人天生就知道，否則不可能使用語言。第二，因果律也是天生具備的。當然，包括英國哲學家休謨（Hume, 1711-1776）在內，有很多人都認為因果律有問題，我們後文再做說明。第三，部分小於全體，這不用教也會。另外，笛卡兒認為，自我的存在、上帝的存在等觀念都是天生的。

許多人對上述說法提出質疑，笛卡兒回應說：「一個人需要有某些經驗，經驗代表機會，當這樣的機會出現時，你天生的觀念就會隨之出現。」換句話說，我們尚未碰到合適的機緣，因此許多天

生的觀念還未出現。當遇到某些事情、看到某些東西而機緣成熟時，天生的觀念就會隨之呈現。

笛卡兒被稱為西方理性主義第一人，由他開啟了歐陸理性論；與之對立的是英國或英倫三島的經驗主義（或經驗論）。兩者的分歧主要在於觀念的來源是什麼：理性主義認為人有天生本具的觀念，經驗主義則認為所有觀念都來自於經驗。

2. 外來的觀念

我們透過感官，從外面得到的一切觀念都屬於外來的觀念，比如我們對自然界的認識。這比較容易理解。

3. 捏造的觀念

第三種是捏造的觀念。譬如，小說、故事、神話、童話等都是人想出來的，都屬於捏造的觀念。

笛卡兒為何要探求「我」的根源？上述三種觀念都是由「我」而來的——或是我天生具備的，或是我從外面得到的，或是由我捏造的；只有「上帝」這個觀念不是由我創造的。因為原因要比結果更優越，所以無限的「上帝」觀念不能來自於有限的「我」的思想。它不可能是我無中生有想出來的，而應該有個來源。

（二）有關上帝存在的論證

笛卡兒提出四個有關上帝存在的論證。

1. 第一個論證：我本身不完美，需要一個完美者做為我的基礎

笛卡兒整個思想的基礎是：當我懷疑一切時，發現正在懷疑的「我」不能被否認，因此由「我懷疑」肯定了「我存在」。但因為我會懷疑，就代表我不是完美的；既然如此，就應該有一個完美者做為我的基礎，否則一個不完美的「我」怎能存在？我又怎能確知自己的存在？用笛卡兒的話來說，就是「我存在，所以上帝存在」。

笛卡兒從《方法導論》到他的最後一本著作《哲學原理》，一直在反覆強調這個重點。他的《沉思錄》原名為《第一哲學沉思集》。所謂的「第一哲學」，就是要找到哲學的第一個原理，以做為一切思考的出發點。這本書的副標題就是「證明上帝存在以及靈魂不死」。

2. 第二個論證：我是有限的，卻有至善的觀念

我能夠了解什麼是至善，而我本身不是至善的，說明這個至善的觀念不是我自己編造出來的，因為較低層次不能產生較高層次的觀念。因此，一定有至善之物存在，它是我至善觀念的來源。

由於我是由身與心組合而成的，所以會做夢，夢中的一切都可能是假的，可見，身心的組合有明顯的缺陷。但上帝本身不是組合的，而是完美的。人會懷疑，會因為一切都是無常的而感到悲哀，這些與上帝完全無關。笛卡兒從「一個有限的人為何會有至善的觀念」出發，認為至善的觀念必須有其來源，它來自於至善者本身，所以上帝存在。

3. 第三個論證：至善觀念本身已經包含「存在」

這個論證接近「本體論證」。以幾何學來說，三角形的觀念已經包含「三內角的和等於兩個直角的和」的觀念，但不能因此保證世界上有三角形存在。至善的觀念已經包含「存在」在內，但與幾何學不同的是：至善的觀念存在，則至善者一定存在。因為「我」不是至善的，但「我」現在真正存在，所以「至善者」也必然存在，否則它就不是「至善」的。

笛卡兒從至善的觀念直接跳到至善的存在，這是把中世紀後期經院哲學家安瑟姆（Anselm, 1033-1109）的本體論證換了一種方式呈現出來。安瑟姆把上帝界定為「那不能設想有比他更偉大的存在者」，既然不能設想有比他更偉大的，那麼他就必須存在，否則他

就談不上偉大。

換言之，上帝的本質包含存在。「本質」與「存在」這兩個哲學術語也是從中世紀傳下來的。本質就是我們對一樣東西的根本觀念。你了解一樣東西的本質，並不代表它同時也存在。譬如，今天很多人都知道恐龍的外形特徵和習性，但知道恐龍的本質並不代表恐龍現在真的存在。

我們可以對世間萬物做各種理解與描述，但萬物的本質並不包含存在。它可能過去存在，現在已經不在了；或者現在存在，將來可能不存在：這就是世間萬物的特色。

同樣的，人的本質也不包含存在。人的本質就是人的定義，即人是有理性的動物。你可以對人的本質有基本的認識，但世界上也可能沒有人存在。而上帝的本質包含存在，他沒有時間的問題，他是永遠存在的。

宗教的上帝與哲學的上帝截然不同，但有類似的作用，都要做為萬物的來源與歸宿。宗教的上帝是用一種比喻的、神話的方式來加以說明，有許多擬人化的事蹟。而哲學只告訴你，如果認真思考，最後就會發現像柏拉圖所謂的「善的理型」，亞里斯多德所謂的「第一個本身不動的推動者」。經過中世紀一千三百多年的潛移默化，西方人對於基督宗教的上帝有了明確的認識，但在哲學研究中就要把他暫時擱置，回到理性思維的方向，最後找到「上帝的本質包含存在」這個觀念。

4. 第四個論證：上帝是一切真理的基礎

第四個論證就是把前面幾點綜合起來。笛卡兒說：「凡是我們清晰、明白設想到的東西都是真的。」這句話為什麼可靠？就是因為有上帝的存在可以做為保證。上帝本身是完美的存在，一切都由上帝而來，上帝不會欺騙人類；世間的混淆、虛偽等現象，都是因

為我們自己不完美的緣故。

最後的結論是：上帝是一切真理的基礎。笛卡兒從《方法導論》到《哲學原理》反覆強調上帝存在，因為「本質包含存在」的上帝是一切真理的基礎。

（三）人的生命的具體處境

從笛卡兒的角度看，人的身體與心靈是分裂的。我就是我的思想，就是我的靈魂或心靈，它本身是一個完整的實體，只有思考的作用，並且無時不在思考之中。身體有擴展性，因此與心靈完全不同。這就變成了身心二元論，身與心不能統合。

古希臘柏拉圖的哲學中存在著「上下二界分立」的現象，後來新柏拉圖主義的普羅提諾要設法把上下二界整合為一元的系統。整個中世紀由於受到宗教的影響，變成天堂和人間的分立。譬如，奧古斯丁就認為有兩個城：一個是地上之城，一個是天上之城。可見，從古希臘到中世紀，一直都有上下二元分立的觀念。近代哲學從笛卡兒開始，已經由「上下二元分立」變成「內外二元的區分」。「內」代表人的心靈，「外」代表人的身體以及具有擴展性的物質世界。

笛卡兒進一步認為，人的身與心都是實體，而實體是不會毀滅的，因而都是永恆的。他在瑞典病逝的時候，當地的報紙形容他：「這是一個瘋子，他以為人可以愛活多久就活多久。」他之所以受到指摘，就是因為他的這一觀點。

人的身體與心靈是不同的實體，而實體代表永遠存在，不會毀滅，因此人就變成身心二元分裂的局面。後續的理性主義學者史賓諾莎與萊布尼茲（Leibniz, 1646-1716）就從這一立場出發，試圖解決笛卡兒留下的問題。

收穫與啟發

1. 哲學一定要探本求源，找到最後的真實，亦即萬物的根源。我本身會懷疑、有缺點而不夠完美，所以一定有一個比我更完美的至善者做為我的基礎。

2. 至善者就是上帝。我有至善的觀念，這個觀念不能來自於我自己，因為層次低的不能產生層次高的觀念。我本身的有限使我知道，一定有一個至善者做為根源。同時，從「至善」這一觀念可以直接肯定上帝的存在。上帝是一切真理的基礎，否則人不可能具有清晰而明白的、真實的觀念。

3. 從笛卡兒之後，人的問題陷入身心二元分裂的局面。如何協調身心關係？後續的理性主義學者會進一步加以討論。

課後思考

笛卡兒說「我在故上帝在」。你如果了解哲學家的「上帝」是指萬物的來源與歸宿，那麼對於笛卡兒的說法還會感到疑惑嗎？

補充說明

有人會想：為什麼完美的上帝會造出不完美的人呢？

我的回答是：世界上有三種惡：

1. 身體上的生老病死；

2. 形上學的惡，存在是善，虛無就是惡；

3. 道德上的惡，人有自由意志，所以要行善避惡。

完美的上帝造出不完美的人，這裡所謂的「不完美」屬於形上學的惡，亦即虛無。人是受造的，所以不可能完美。這不是上帝的能力問題，而是人的本質問題。

第二十章

帕斯卡

用賭注論證勸人

20-1　帕斯卡對哲學的質疑

　　本章的主題是：帕斯卡：用賭注論證勸人。主要介紹法國哲學家帕斯卡（Blaise Pascal, 1623-1662）與荷蘭哲學家史賓諾莎。本節的主題是：帕斯卡對哲學的質疑。

　　西方近代哲學有兩大陣營：歐洲大陸的理性主義（Rationalism）與英倫三島的經驗主義（Empiricism）。雙方各有三位代表：理性主義代表是笛卡兒、史賓諾莎與萊布尼茲；經驗主義的代表是洛克（Locke, 1632-1704）、貝克萊（George Berkeley, 1685-1753）與休謨。

　　在介紹歐陸理性主義時，為何要穿插介紹帕斯卡呢？因為在西方哲學史上一再出現質疑的聲音，如果把人界定為有理性的動物，那麼就要問兩個問題：第一，理性在愛智慧的路上可以走多遠？理性是一種推論的思考，而智慧則牽涉到人的生命整體，包括實踐的部分；第二，除了理性之外，愛智慧還有其他途徑嗎？很多學者都會提出類似的質疑，帕斯卡在其中很有代表性，他以個人的生命經驗呼籲：人還是要有某種宗教信仰。

　　本節要介紹以下三點：

　　第一，帕斯卡的背景。

　　第二，帕斯卡批判古人權威與異教美德。

　　第三，帕斯卡認為人性已經敗壞。

（一）帕斯卡的背景

　　帕斯卡的健康狀況不佳，他三歲時母親過世，父親是律師，親

自教他希臘文、拉丁文、數學和科學。帕斯卡是數學天才，十二歲時就自己推演出畢氏定理，十九歲時為了幫助父親處理客戶的財務問題，發明了可以用來計算的機器。

　　帕斯卡在三十一歲時得到一次密契經驗，感受到與上帝合而為一的喜悅，這使他的思想出現重大轉折。那時笛卡兒的著作已經流行，笛卡兒採用不同於傳統的思考模式，在哲學史上被稱為「笛卡兒的革命」。當時愛好智慧的人都會閱讀笛卡兒的書，帕斯卡也不例外，但是他說：「我不能原諒笛卡兒，他在他的哲學中本來不想談論上帝，卻又不得不請上帝出來推動一下，讓宇宙運轉，然後又把上帝擱在一邊了。」

　　這句話反映了近代哲學的整體氛圍。為了解釋宇宙的運動，就讓上帝出來推動一下，讓宇宙運轉，再把上帝請回保險箱。這種立場稱為「自然神論」（Deism），亦即人要靠自己的理性來面對世界，探討智慧。帕斯卡對此不能苟同，他批評笛卡兒說：「一個人如果只是幾何學家，我不認為他與能幹的工匠有多大差別。」

（二）帕斯卡批判古人權威與異教美德

　　從文藝復興的人文主義一路發展下來，都是盲目崇拜古人的權威。帕斯卡強調，盲目崇拜古人權威會阻礙知識的進步。同時，帕斯卡也批判異教（非基督宗教）的美德。當時的人以蘇格拉底做為異教美德的典範，希望藉此調節異教徒與基督徒之間的關係。世人稱蘇格拉底為「名義上的基督徒」，類似於現在所謂的「榮譽市民」；或稱他為「希臘的摩西」，因為摩西曾帶領猶太人走出埃及。

　　基督徒相信，人類已經生而腐敗，只有依靠神的恩寵才有能力行善。帕斯卡認為，如果推崇異教美德，那麼基督宗教的意義何在？帕斯卡特別批評兩位代表人物：一位是法國學者蒙田，他

的年代比帕斯卡早約一個世紀；另一位是羅馬哲學家愛比克泰德
（Epictetus, 50-138），他是斯多亞學派的代表，主張節制欲望。蒙
田與愛比克泰德的思想對當時的上流社會很有吸引力。

　　帕斯卡批評蒙田只看到人在道德上的無能，卻沒有看到人的責
任，使人變得怯弱；而愛比克泰德只看到人的責任，沒有看到人在
道德上的無能，使人變得自負。

　　蒙田認為，人的罪惡在於傲慢，人類在理性上很難得到共識，
而感官又經常阻礙我們獲得真相，所以人要揚棄傲慢，保持謙虛的
態度。蒙田的思想容易讓人苟且偷生、老於世故，甚至對人間之事
漠不關心。蒙田認為，理性根本找不到道德上的真理，因而他主張
將理性與信仰完全分開。帕斯卡反對這種說法，他批評蒙田的「唯
信主義」。

　　愛比克泰德則展現了斯多亞學派的自信，他認為：理性是人的
尊嚴，一個人可以透過自我節制，過一種高尚的生活。斯多亞學者
從表面看來近似基督徒，但兩者在根本上是不相容的。帕斯卡指
出，愛比克泰德將觀念推演得太過頭了，他就像伊甸園裡的那條
蛇，告訴眾人：「只要運用理性，就可以擁有類似於上帝的智慧與
美德。」其實那只是一種傲慢。

　　帕斯卡對人性的看法顯然受到宗教的啟發，在《聖經‧啟示
錄》裡提到：「想做而不能做的人是不幸的，人類希望擁有幸福並
肯定某些真理，但是他既沒有能力去了解，也不想去了解，他甚至
不能去懷疑。」這代表人有雙重能力：一是本能，一是理智。本能
與身體一起出現，憑感覺做出決定；理智則可以思考，可以計較。

　　帕斯卡認為，本能離真理太遠，它只是身體這部機器的習慣
性、機械式的運作，受到什麼刺激就有什麼反應，甚至對於苦樂的
判斷都是相對的。人的理智亦有所不足，它想由自然秩序這個結果

推到第一因（上帝）的存在，最後當然會歸於失敗，因為只靠理智去證明上帝是不可能的。

（三）帕斯卡認為人性已經敗壞

帕斯卡認為人的天性有問題，這與教父哲學（Patristic philosophy）的代表奧古斯丁所說的類似：「人性已經無可救藥的腐敗了，在人的身上有可憐的成分，但是也不能忽略它偉大的成分。」奧古斯丁在其代表作《懺悔錄》中特別提醒我們：人是不幸的，因為人總是在追求幸福。但問題是：幸福與不幸，哪一種是人的自然狀態？人覺察到自己的不安、厭倦和焦慮，人無法免於生老病死，也無法避開必然的命運，這些都說明人是不幸的。

帕斯卡在著作中大量引述蒙田的說法，他認為，蒙田以為自己可以過一種安定自足的生活，逃到無知、怠惰的領域裡，事實上那是不可能的。帕斯卡與蒙田共同開創法國精神主義的傳統，他們都關懷人的生命走向何方，只是見解有所不同。

帕斯卡的代表作叫做《思想錄》，有時也譯為《沉思錄》，但容易與笛卡兒的《沉思錄》相混淆。其實，這兩本書的書名是不同的：笛卡兒的書名是拉丁文 Meditationes，譯為《沉思錄》是正確的；而帕斯卡的書名是法文 Pensées，譯為《思想錄》比較適合。

帕斯卡原本計劃要寫一本大部頭的著作，書名是《為基督宗教辯護》，結果未能完成，只寫了二十八章，一般稱之為《思想錄》。他的寫作風格受到奧古斯丁《懺悔錄》和蒙田《隨筆集》的影響，其中也涉及到笛卡兒《沉思錄》的重點。但是，帕斯卡的作品自成體系。

人的不幸與可憐是客觀事實，但人還是有希望的。帕斯卡認為，人除了身體的感覺與理智的思想之外，還有一種「直觀」的能

力。這就要依靠個人的體驗，屬於心靈的層次。譬如，一個人只要真誠，就會產生與別人相通的同理心，或產生與神相通的信仰。帕斯卡把生命分為三個層次，除了身體與理智的層次之外，向上還有心靈的層次。

收穫與啟發

1. 帕斯卡是笛卡兒之後重要的法國哲學家，他對笛卡兒的思想提出批評和反思。帕斯卡與笛卡兒一樣，都是數學方面的天才；但是由於他有過密契經驗，所以他認為，除了笛卡兒所強調的理性之外，愛智慧應該還有別的途徑。
2. 當時整個知識界都崇拜古人的權威（古希臘與羅馬時代的作家），同時推崇異教美德（非基督宗教人物的德行）。帕斯卡對這兩點都提出批評。
3. 做為一名基督徒，帕斯卡認為人性已經腐敗，愛好智慧當然不能僅憑感覺，理智也有很大限制，因此還需要發揮「直觀」的作用，借助心靈這一層次的力量。

課後思考

帕斯卡認為：蒙田肯定人的無能，結果會使人怯弱；愛比克泰德肯定人的責任，結果會使人自負。在這兩者之間，有沒有比較中庸的路線？

20-2　為什麼帕斯卡會提出不如放棄哲學？

　　本節的主題是：為什麼帕斯卡會提出不如放棄哲學？帕斯卡雖然質疑人的理智能否得到智慧，但他從未否定理智的作用。當他思考與寫作時，顯然是在運用理智。然而，理智並不是尋找智慧最重要的或唯一的方法。他在《思想錄》中有一句話常被引用：「人只是一枝蘆葦，是自然界裡最脆弱的東西；但人是會思想的蘆葦。」他還強調，人是為了思考才被創造出來的。因此，人的全部尊嚴就在於人的思想。

　　本節要介紹以下三點：

　　第一，人處在兩個無限之間。

　　第二，消遣無濟於事。

　　第三，不如放棄哲學。

（一）人處在兩個無限之間

　　人的處境究竟如何？可以從兩個角度來看。

　　從大的角度來看，地球只是一個點，太陽也只是一個點，只要與更大的東西相比，這些都不過是很小的點。我們的思想如果探討地球、太陽，最後一定會消失於無限之中，成為純粹的虛無。所以與無限大相比，一切都是虛無。

　　從小的角度來看，最小的生物也有組成它的各個部分，即使分

析到原子，其內部也像宇宙一樣無窮無盡，最後也會歸於虛無，無法達到「究竟」的真相。人的思想也必然消失在這奇妙的景觀之中。

換句話說，萬物都來自於空無，消失於無限。我們從來都不曾了解事物的真正本質，只是看到它在某一階段的表象而已。結論是：除了黑暗，人什麼都看不到。

（二）消遣無濟於事

帕斯卡觀察當時的法國社會，尤其是中上層的人物，喜歡從事各種消遣活動，譬如打獵、打球、跳舞或賣力的工作。他們打獵不是為了獵取兔子，賭博也不是為了撈取財物，他們消遣玩樂的目的就是消遣玩樂本身。當時的人相信，無論身分高低，只要會消遣就是幸福。

帕斯卡進一步思考後發現：一個人消遣最根本的原因是害怕孤獨。他說：「世界上所有的不快樂，都來自於人類沒有明白要安靜的待在房間裡。孤獨之所以帶來恐懼，是因為人在孤獨中必須面對赤裸裸的自我。因此，人類不斷找尋各種引人著迷的活動，藉此逃避對自身的思考，企圖努力遺忘自己。」

人類為何無法忍受對自身的思考？帕斯卡直接回答：「因為人類在這裡看到自身存在的絕望，像無聊、憂鬱、悲傷、愁苦、惱怒、絕望等等，在你單獨存在的一剎那全都清晰呈現，人會感覺到自身的空無、孤獨、依賴、軟弱、欠缺，知道有一種深沉的威脅重重的壓在人的身上，因為人最終無法逃避死亡的命運。」

人所知道的一切就是自己將來一定會死，但對於無法逃避的死亡，所知又非常有限。結論是：人類的生命是世界上最脆弱的東西，就像「會思想的蘆葦」。人必須漫不經心的奔向死亡的深淵，所以只好以這類消遣的方式改變注意力的焦點。在法文中，「消

遣」意思就是「轉移你的目標」。你心有旁鶩，就不用再去面對這個嚴肅的問題。

帕斯卡的思想有一種辯證的觀念，他認為，人不是只有悲慘而已，人還有偉大的一面。他說：「人類之所以偉大，就在於知道自己的悲慘、愁苦，一棵樹不知道自己的悲慘，而人類的偉大是因為知道自己是悲慘的。」「人類既非天使，亦非野獸。不幸的是，任何一心想扮演天使的人，都表現得像野獸一樣。」「人類想要成為偉大，卻看到自己的渺小；想要快樂，卻看到自己的不幸；想要圓滿無缺，卻看到自己的極度不完美。」

換句話說，人的一生都處在不確定之中，隨時可能犯錯。這種錯誤是與生俱來的，無法根除。所以，帕斯卡認為：「人類根本看不到真理。人類是一種奇妙的組合，他是宇宙的光輝，也是宇宙的渣滓。」

帕斯卡進一步說，人在思想方面似乎只有兩種選擇：一種是「懷疑論」，認為一切都是不確定的，甚至連懷疑論這個命題本身也是不確定的；另一種是「獨斷論」，也就是沒有任何的根據，找不到可靠的理由，只能妄下斷語。真不知道是誰把人類置於這般處境的！

帕斯卡最後發現，如果沒有上帝，人類只會存在於不確定之中。上帝的福音可以解開人類的存在之謎與人類存在的各種矛盾。因此，人只有兩個選擇，或是選擇上帝，或是選擇虛無。這是標準的基督宗教思想家的觀點。帕斯卡所謂的「上帝」，當然是指他所信仰的基督宗教的上帝；如果是指「哲學家的上帝」，那麼有很多哲學家已經做過示範了。

帕斯卡說：「就像我不知道我從何處而來，我也不知道我將向何處去。我只知道，當我離開這個世界時，不是落入虛無之中，就

是落入上帝手中。但是我不能確定，在這兩條可能的出路中，哪一條將永遠成為我的一部分。這就是我的存在處境，是完全的無力感與不確定。」

《思想錄》一書展現了帕斯卡的思維模式，他在思考與寫作的過程當中，始終具有「三層次」的觀念。人有感覺與理智，但是這兩者都有問題，所以一定會有第三個層次，帕斯卡稱之為「心靈」。他有一句世人廣為傳頌的名言：「心靈有它的理由，但非理性所能理解。」

「心靈」這個詞很難說清楚，它的作用可以稱為人的直觀、直覺、直接體驗或慈悲善良的心，它可以提供理智所無法提供的第一原理。若勉強從外文來看，英文的 courage（勇氣）一詞來自於法文的 coeur，coeur 就是人的心。這就是帕斯卡所強調的人在感覺與理智之外的一種特殊能力。

換句話說，你看不到、聽不到，這是感覺方面的限制；你想不通、懂不了，這屬於理智方面的限制；但是你又能直接體驗到所有這一切應該有一個最後的根源。

你是如何體驗到的呢？我們稱之為「心」的作用。它向上可以接近慈悲之心或精神界，向下也可以接近欲望與身體的要求。心靈的不同傾向會左右理智的運作。理智的本質已經腐壞，只有受到恩寵的感召，才可以回歸正途。

（三）不如放棄哲學

對帕斯卡來說，哲學的首要任務就是為信仰鋪路。帕斯卡的時代已經經過了文藝復興運動，宗教對思想界的壓力已經不再強烈。他認為：「只有在理性上謙遜、臣服，我們才有可能真正認識自己。由於理性的徹底失敗，使理智必須自我揚棄。」這些話很接近

中世紀教父哲學的口吻，似乎是用哲學來替神學辯護。但帕斯卡並非預設了某一種宗教才這樣說的。他了解西方哲學的發展和人的現實情況，他透過自己的沉思，才得到這樣的體會。

最後，帕斯卡說：「人的理智只能了解：我們在自身中無法找到真理，無法發現幸福。雖然許多哲學家允諾過這些，他們卻無法兌現這個諾言。所以，放棄哲學是哲學思維的合法終結，嘲諷哲學就是真正的哲學思維。」

這些話聽起來非常刺耳，但如果你有像帕斯卡一樣的生命經驗與深刻反省，可能也會有類似的想法。西方學者在介紹帕斯卡時用過一個標題——「被釘在十字架上的理性」，代表理性失去應有的作用而被釘在十字架上。

收穫與啟發

1. 人的生命處在兩個無限之間。從大的方面來看，可以看到無限大；從小的方面來看，也可以看到無限小。人最後只能陷入虛無之中。

2. 很多人試圖忽略自己的處境，忙著從事各種娛樂與消遣，企圖轉移注意力，卻未必能如願以償。人為什麼要消遣？因為畏懼獨處，知道自己必然死亡，又看不到真理，所以乾脆過一天算一天，消遣度日。

3. 帕斯卡建議我們要從哲學轉到信仰。我們不一定非要接受帕斯卡的信仰，但我們可以思考：信仰對人來說究竟有何意義？

課後思考

每個人都有自己的消遣活動，你是否想過自己為什麼要從事這些消遣活動呢？

補充說明

　　先簡單思考為何要愛智慧。人有理性，自然想了解更根本的東西。換言之，愛智慧是人的天性。不過，人通常需要經過時間的累積，才能對智慧有所體悟。

　　以學習道家為例，我經常講三種人適合學道家。第一種是很老的人，像老子，他說的很多話都是由一生的心得所總結出的格言。第二種是很失意的人，像莊子，一直處在困頓失意之中，就比較容易覺悟。可見，他們之所以能展現出深刻的智慧，是因為他們自身有特殊的遭遇或歷練。第三種則是聰明的人。

　　我們不需要很老或很失意，也可以去學習中國和西方的哲學，那是許多哲學家根據個人的心路歷程提煉出來的核心觀念。開始學習時難免會走馬觀花，表面看來好像爭吵不休，說法不一，似乎都有些道理，又不是完全有道理。這是很自然的情況。

　　我們要有強大的心理能量，對不同的觀念，能夠從了解到接受，再到欣賞。你不一定以之做為自己實踐的原則，但都要用心思考。世界上有這麼多人努力探索智慧，他們的心得當然值得參考。別人的智慧對我而言都是文字上的知識，我要設法使它重新鮮活起來，並且取精用宏，以之改善我的生命品質，這就是我們要面對的挑戰。

　　當初不探索智慧會不會比現在更好？這不太好說。有些人學哲學，學到最後活都活不下去了。譬如，叔本華（Arthur Schopenhauer, 1788-1860）是有名的悲觀哲學家，你如果只聽叔本華的說法，會覺得他的話很有道理，那你怎麼活得下去呢？

　　我們後文會介紹一些比較特別的哲學家，由於個人的特殊遭遇，使其生命經驗體現出人類經驗的某些極端表現，那時就要看

你自身的包容力夠不夠了。智慧是一種完整而根本的思考，我們不必排斥任何觀念，但要慢慢養成完整而根本的思考習慣。

其次，關於「消遣」這個問題，我們要區分「消遣」和「休閒」這兩個觀念。

1. 關於消遣

消遣可以簡單理解為「殺時間」，特色是：注意力是向外的。老子有一句話說得很好：「樂與餌，過客止。」好的音樂與好的美食可以讓經過的人停下來。我們四處旅遊，不就是為了讓眼睛看到好的風景，讓耳朵聽到好的音樂，同時還可以享受美食嗎？

我們在安排消遣活動時，要運用思想的架構，從人的身、心、靈三個層次來考慮：

(1) 在「身」的層次，我可以運動、健身或旅遊，讓身體得以活動。

(2) 在「心」的層次，有知、情、意三個方面，所以消遣的內容非常豐富。我可以求知，譬如參加讀書俱樂部，與別人一起分享知識；也可以發展情感，譬如交友、審美、唱歌、跳舞，可以讓我心情愉悅；我也可以參加行善的團體，因為助人為快樂之本。

不過，消遣有個特點，它不太可能提升到「靈」的層次。我們在身、心兩方面消遣，打發時間，然後繼續工作。但一段時間之後，又要重複這些消遣活動。

2. 關於休閒

休閒與消遣不同。尤瑟夫・皮柏（Josef Pieper, 1904-1997）是20世紀德國的著名學者，他有一本代表作叫做《閒暇：文化的基礎》。他認為「休閒」和「消遣」的基本差別是：消遣是打發時間，休閒則是要再創活力。

　　兩者的相同之處在於：沒有工作壓力，都有一些從容的時間。兩者的不同之處在於：在消遣的整個過程中，注意力始終是向外的，消遣之後，自身的情況並未得到太大改善，所以要不斷重複類似的活動；休閒時注意力主要是向內的，可以讓人回到自己的生命，休閒過後會覺得生命恢復完整性，整個人充滿活力，可以繼續往上提升。

　　皮柏提到休閒有三個重點，可以概括為：靜、慶、全。

(1) 靜，就是安靜下來。安靜不僅是外在沒有聲音，也包括內心平靜、不起波瀾。只有讓自己靜下來，才能做比較深刻的思考。

(2) 慶，就是慶祝活動。具有深厚文化傳統的地方，休閒通常會與節慶相結合。這些慶典活動可能是按照季節來設計的，背後既有人文的意義，也有自然的意義，讓你產生一種回到生命最初階段的喜悅。宗教的禮拜天被稱為 holiday（假日），holiday 的字首原來是 holy，意為神聖的或完整的。

(3) 全，就是完全。人的生命在工作時往往是分散的，要利用自己的專業技能，把自己當做專業的機器，以取得社會生活所需的條件。但在休閒時，從安靜到慶祝到完全，我又成了一個完整的人，重新恢復完整的生命。

　　因此，將消遣與休閒對照，我們會有更多的啟發或心得。

20-3　賭注論證有效嗎？

　　本章的主題是：用賭注論證勸人。而本節的主題則是：賭注論
證有效嗎？帕斯卡希望用賭注論證勸人信仰基督宗教。帕斯卡的代
表作是《思想錄》，他在三十一歲時有過一次密契經驗，這使他對
於許多問題都有自己的明確立場。

　　本節要介紹以下三點：

　　第一，人是被投入到世間的。

　　第二，人只有一個方向，就是要超越人類。

　　第三，賭注論證是什麼？它有效嗎？

（一）人是被投入到世間的

　　人是被投入到世間的，這是西方哲學界廣泛認同的觀點。人終
其一生都在不斷尋找人生的意義，要設法理解人生是怎麼回事，為
什麼我們要過這樣的一生。人有理性可以思考，有意志可以做出選
擇；但每一個選擇都是在冒險，你永遠不能保證自己選的一定是正
確的，不管你是否心存善念或知識淵博。

　　帕斯卡撰寫《思想錄》本來是要討論有關神蹟的，即理性無法
理解的神祕事蹟或奇蹟。帕斯卡有一位姪女因為患病而失明，醫生
對此束手無策，後來她因為去朝聖而痊癒。這件事給帕斯卡留下深
刻印象，這顯然是與宗教信仰有關的一個奇蹟。

　　從《舊約》到《新約》，關於神蹟的記載屢見不鮮。神蹟有兩
個特色：第一，非常少見，並非每個人都能以同樣的方式得到同樣

的結果。第二，與宗教信仰有直接關係。你可以把「信仰」理解為個人內心的信念，就像現代身心醫學所說的，一個人內心的能量可以改變身體的狀況；你也可以把「神蹟」理解為某種超越的力量產生了作用。

（二）人只有一個方向，就是要超越人類

對帕斯卡來說，人的生命處在兩個極限之間：一邊是上帝，一邊是虛無。帕斯卡是一名基督徒，基督宗教的上帝觀念在他心中根深柢固。他認為：「關於上帝，我們既不知道他的存在，也不知道他的性質；但是憑著信仰，我們知道他的存在，憑著恩寵，我們知道他的性質。」換句話說，如果不信仰這樣的宗教，就只能像一般哲學家那樣，把上帝當做一個最後的解釋原理而已。

帕斯卡說：「不論人生這齣戲其他部分的內容如何美好，最後一幕都是血腥的——眾人在你頭上蓋一把土，一切就結束了。」人的死亡是一個客觀事實，帕斯卡對此採取明確立場，他說：「了解靈魂是否不死，將影響人的整個生命。」身體注定會死亡，如果靈魂也隨著身體而死亡，你這一生該怎麼過？一切都是虛無的。你只有一個辦法，就是發現真相，相信上帝，如此一來就能超越人類身心方面的限制。否則，你將被禁錮在人類這個有界限的牢獄之中，無法擺脫。

（三）賭注論證是什麼，它有效嗎？

為了勸人接受基督宗教的信仰，帕斯卡提出著名的「賭注論證」。他說：「既然理性的證據不足以證明上帝存在，但對於生命中最重要的問題——譬如，如果上帝存在的話，靈魂才有不死的可能——是不能避而不談的，避而不談是違反理性的。所以就要賭一

賭，看你丟出去的錢幣最後翻出來是正面還是反面。」

　　換言之，理性無法肯定也無法否定上帝的存在，但是上帝的存在對我們來說又是極其重要的，與人生的抉擇息息相關，所以人有權利也有責任下賭注。有些人反對賭博，但拒絕去賭也是一種選擇，等於拒絕追尋結果，那跟你選擇不信神沒什麼區別。他說：「如果因為我不能證明也不能否定，就採取『不可知論』的立場；但是，『不可知論』不是一個選項。」

　　帕斯卡說：「在輸贏機會均等的情況下，所輸的有限，就是輸去這一生有限的幾十年；但所贏的彩金是無限的，你可以得到永生。在這場博弈中，就算只為自身的利益，也值得放手一搏。」賭注論證的關鍵是：你選擇了上帝，如果輸的話，輸去的僅是有限的享受；如果贏的話，則贏得永恆的生命。況且你努力進行德行的修練，可以使自己更為高尚，這並不能算是一種損失。

　　帕斯卡繼續推論：如果有人說我是被迫去賭的，那我就是不自由的；如果我堅持不改變立場，因為我天生就不信上帝，那怎麼辦？帕斯卡說：「這話說的沒錯，但你至少要想一想，假設你無法相信上帝，多半是感情在作祟，因為理智要求你相信上帝。你不這樣做，那怎麼辦？設法讓自己馴服吧！好好訓練自己。你要是選擇這條途徑，會有什麼『壞處』呢？你會變得誠實、謙虛，心中充滿感激，常常去做善事，成為一個誠懇而真摯的朋友。這也許可以稱為『壞處』，因為這讓你犧牲了很多享樂；但最後會讓你改善個性和提高生命的品質。」

　　帕斯卡強調：「假如我的話讓你感到愉快，讓你覺得中肯有理，你就必須知道，說這話的人在這之前、之後都跪下來向那個無限的、不可分割的存在本身禱告。」帕斯卡在三十一歲時（1654年11月23日深夜）獲得密契經驗，他寫下兩句話：一句話是「喜

悅！喜悅！喜悅的眼淚」；另一句話是「這是亞伯拉罕、以撒、雅各的上帝，不是哲學家與學者的上帝」。

另一方面，帕斯卡也承認宗教的多元性。他強調，真正的上帝是隱匿自己的上帝。世人給他起了很多不同的名稱，哲學家就說那是「善的理型」、「第一個本身不動的推動者」等等。帕斯卡認為，只有經由耶穌基督，才能了解那是愛與慰藉的上帝。人的生命若想達到真正的和諧，就要讓身體與理智都跟隨心靈的指示，做出正確的選擇。

收穫與啟發

1. 人的處境是被投入到世界上，人是會思想的蘆葦，因而必須做出選擇。

2. 人是一種矛盾的生物，人的本能代表無限的欲望，給人帶來不幸；但是理智可以思考，又顯示了人的偉大。然而我們終究不能忽略，人的生命是相對的。人生只有一條出路，那就是信仰。所以要做出選擇，讓自己超越人類，也就是接受信仰，分享神的恩寵。

3. 帕斯卡提出「賭注論證」。你要下賭注去選擇信或不信上帝，如果選擇信的話，你會犧牲世間的各種享樂，但可能因而贏得永恆；如果不信的話，你也許可以在世間盡情享樂，但最後可能會失去永恆的生命。

我們在學習西方哲學時，首先要客觀認識哲學家的論述，然後再進行反省與批評，不要急於判斷對錯。我們要相信，每一位哲學家在著述時都是真誠的，他們表述的都是自己發現的或體驗到的真理。如果你認為他說的不對，至少要考慮以下兩點：

1. 他的論述是否合乎邏輯？當他的說法與我們的生命經驗不相契

合時，我們要知道人生本來就是多元化的選擇。

2. 學習不同的想法可以使思考的邊界不斷向外擴張，使自己的心胸更加開闊，但是這並不代表我們要改變或者是放棄自己的原有立場。

　　如果把像帕斯卡這樣的哲學家全部排除的話，剩下的只有一些比較枯燥、乏味的思想，談到最後你會發現：幾乎都是在原地踏步。

　　哲學家思想的材料有很多是相同的，但是方法卻不盡相同。某些哲學家具有獨特的個人體驗，這些都是建構思想時必須參考的依據。譬如，後文將介紹存在主義的創始人齊克果（S. Kierkegaard, 1813-1855）的思想，他對個人信仰也做了很多深刻的反省。這些哲學家的思想在整個西方哲學史上有不可替代的作用。

（課後思考）

　　賭注論證的最大問題是：它假定一個人不信上帝就不會培養德行或行善避惡，甚至會放縱自己的各種欲望。請問：這種假定有什麼問題？

（補充說明）

　　沒有信仰而道德高的情況特別值得我們注意。很多人認為中國有儒家、道家的思想，許多中國人並沒有特定的信仰，尤其是不信基督宗教，道德照樣高。這種說法基本上沒錯。但是我們還是要做進一步的思考。

1. 人為什麼要行善？

　　一般來說，行善很辛苦，要花時間、力氣和金錢來幫助別人，行善就是損己利人。一個人行善一般有三個理由：

(1) 外在的規範或社會的要求。這是從外而來的。你行善，別
　　人稱讚你；你為惡，別人批評你。

(2) 行善是因為信仰某種宗教。

(3) 行善是因為良心的要求。人的良心非常敏銳，會要求自己
　　去行善。

行善到最後，你會碰到兩個問題：

(1) 行善要到什麼程度，需要犧牲生命嗎？這是最根本的問
　　題。如果你說：「我可以盡量行善，但絕不能犧牲生命或
　　犧牲太多。」那麼這種行善可能只是某種手段，因為你不
　　能以生命做為驗證。

(2) 行善之後是否有善惡報應？這才是很多人思考的重點。康
　　德（Immanuel Kant, 1724-1804）到最後如何證明他的上帝
　　存在？他設法從道德上來證明。如果人死後就什麼都沒有
　　了，那他行善還是為惡又有什麼差別？所以，這就需要人
　　的靈魂在死後繼續存在，並由上帝做出公正的裁決，如此
　　才能達到圓滿的善 —— 德福一致。

2. 沒有信仰而道德高，這只看到了表面

　　你也許認為，很多人沒有信仰而道德也很高。其實，你可能只
看到表面。關於良心的形成，要展現為「十字打開」的格局。除
了橫的側面，還有縱的側面，即往上提升的側面。這裡的「上」
就是指所謂的「超越界」，亦即信仰的對象。

　　所以，當你發現有些人有道德而沒有信仰，你要問：他們真的
沒有信仰嗎？中國人普遍接受「敬天法祖」的觀念，這也是一種
信仰。孔子、孟子真的沒有信仰嗎？對此我們不要太快下結論。

　　以道家為例，老子、莊子沒有信仰嗎？如果沒有信仰的話，他
們為何要談「道」？「道」當然不像耶穌基督那樣，成為宗教裡

的一個特定角色。但千萬不要以為：「道」只是哲學家的上帝，它只是做為萬物的來源和歸宿，跟我的關係不大。《莊子·天下篇》描述莊子「上與造物者遊」，可見「造物者」一詞並不是由外文翻譯而來的。對莊子來說，「造物者」具有位格，可以跟他互動、互通，並非僅僅做為一種解釋的原理而已。

為什麼帕斯卡談道德一定要談基督宗教呢？因為基督宗教有一個最特別的地方——他們相信耶穌基督死而復活。死而復活代表人的生命在來世還將繼續存在，使你這一生的德行與福報達到圓滿的一致。不過，這一點恰恰也是最大的障礙。

除了基督宗教之外，沒有任何宗教談到死而復活。這是基督宗教非常神祕的一種說法，很難說得透徹，也很難取信於人；但這正是基督宗教信仰的特色所在。我們當然可以選擇不信，但是帕斯卡認為：你如果相信基督宗教，整個人生就會非常清楚。一般談到這個問題，通常都會模糊帶過，說反正信仰是個人的選擇，或者所有的信仰都相差無幾。其實並非如此，這屬於宗教哲學所探討的問題。

20-4　被開除教籍的猶太人

本節的主題是：被開除教籍的猶太人，主要介紹猶太裔荷蘭籍哲學家史賓諾莎（B. Spinoza, 1632-1677）。

帕斯卡與史賓諾莎的立場可謂南轅北轍，但兩人都以個人的生命經驗做為出發點，並以一種完全真誠的態度來表達自己的見解。很多人都覺得帕斯卡過於執著於當時的基督宗教，史賓諾莎則完全沒有這方面的問題。不過，在整個西方哲學史上，最常被人辱罵的哲學家就是史賓諾莎。這是怎麼回事？

本節要討論以下三點：

第一，史賓諾莎的生平簡介。

第二，史賓諾莎追求真理，堅持思想自由。

第三，史賓諾莎如何受人謾罵？

（一）史賓諾莎的生平簡介

史賓諾莎是猶太人，祖先從葡萄牙移民到荷蘭。他從小聰明過人，好學不倦，很早就熟讀《聖經・舊約》；但對於其中不合邏輯的事件和荒唐無稽的言論，他無法認同。譬如，上帝為了幫助摩西出埃及，就在埃及降下十大災難；上帝為了幫助猶太人對付某一支部落，就把他們整個消滅。史賓諾莎無法接受《聖經》的每一部分都是絕對真理。

史賓諾莎在二十四歲時讀到笛卡兒的著作，從此把「以理性追求真理」當做自己的原則。猶太教的長老本來對他寄予厚望，但後

來大失所望。他們曾經想要說服他、收買他，但都沒有成功；甚至有虔誠的猶太人想要謀殺他，最後也以失敗告終。同年，他被猶太教開除教籍。身為猶太人而被開除教籍，等於變成全世界的孤兒，但這注定史賓諾莎不屬於猶太人而屬於全世界。

　　史賓諾莎被開除教籍時，教會還舉行了專門的儀式。猶太人聚集在會堂，公開詛咒他：對於史賓諾莎，不分白天晚上都受到詛咒；在睡夢中或是清醒時都受到詛咒；出門在外、居家生活都受到詛咒；上帝絕不會寬恕他，要對他施以憤怒的烈火；他的名字在天國中已被刪除。他們還規定：任何人都不准同史賓諾莎交談或通信，不准對他表示友好，不准與他共處一室，不准接近他四尺之內，也不准閱讀他的文章。

　　如此一來，史賓諾莎就被完全隔絕了，他的個性也變得愈來愈孤僻。他曾經只靠房東的支援，在長達三個月的時間裡足不出戶。他靠磨鏡片為生，唯一的享受就是抽抽菸斗。在西方哲學史上，像他這樣生活儉樸、思想高貴的哲學家是非常罕見的。

（二）史賓諾莎追求真理，堅持思想自由

　　史賓諾莎習慣於在孤獨中進行深刻的思考，即使受到批評和謾罵也從不回應。他唯一的武器就是保持沉默、不與人爭。他只臣服於自己發現的真理，不擔心可能的後果，不害怕別人的批評。就此而論，史賓諾莎是一位真正的哲學家，是愛智者的典型。

　　對史賓諾莎而言，所謂「真理」就是他真心相信為真的事物。他學習笛卡兒的思想——從「我思故我在」到「我在故上帝在」。他經過深入思考後發現，傳統的上帝與哲學家的上帝完全是兩回事，他對於自己領悟的真理堅信不疑。

　　他宣導思想自由，但這種自由遠遠超過當時社會所能容忍的程

度。他認為：「追求真理不應受制於官方的宗教，一個國家的責任就是要保障人民的自由。」他對自由有一套完整而深刻的理論，他說：「如果自由可以被壓迫，人類可以被限制，在沒有獲得有權力者的許可之前不敢活動，人類就只能停留在思考別人要他們思考的事物，永遠無法進一步思考自己想要的事物。這樣會導致一種後果：大家所說的並非他們所想的。這樣會使得對國家的忠誠與信仰完全沉淪、墮落，令人鄙棄的虛偽與陰險因而滋長，也會助長詐欺的風氣，敗壞善良的風俗。對國家而言，這是更大的不幸。」

史賓諾莎在世時出版的著作只有兩本，較為知名的是《神學政治論》。此書一出版，就被大學、教會和政府查禁，無論是天主教還是基督教，對此書都採取相同的態度。荷蘭地方當局嚴禁印刷及傳播這本書，認為這是一本褻瀆上帝與腐敗靈魂的書，是毫無根據、充滿危險並駭人聽聞的書。當時有一本虛構的圖書目錄，甚至說這本書是「一個背叛的猶太人與魔鬼在地獄裡寫出來的」。可見，當時的社會依然封閉，宗教的勢力依然強大，政治尚未考慮保障人的思想自由。不過，被禁的書籍往往也會引起更多人的注意。

（三）史賓諾莎如何受人謾罵？

在西方哲學史上，最常受人辱罵的哲學家就是史賓諾莎，眾人罵他是騙子、無賴、畜生、魔鬼、被魔鬼收買、從事摧毀上帝與人類正義的人，說他寫的書是有史以來最無可救藥的等等。世人習慣於原有的生活方式和信仰內容，因為懶惰而無法寬容。

史賓諾莎在哲學界也飽受批評。伏爾泰（Voltaire, 1697-1778）說：「史賓諾莎嚴重的濫用了形上學。」萊布尼茲批評他的書是「放肆的作品，讓人無法忍受的一本可怕的書」。康德的一位朋友哈曼（Hamann, 1730-1788）說：「這本書對於正常的理性與科

學，無異於一個搶劫犯或殺人兇手。」

　　這些學者為何如此激烈的批評史賓諾莎？因為史賓諾莎把傳統西方哲學所設定的各種形上的觀念，尤其是上帝的觀念，完全擱置一旁。他重新開始思考，他的思考有基礎、有層次，使那些在觀念上先入為主的人完全無法忍受。譬如，史賓諾莎並非不談上帝，但他認為「上帝就是實體，也就是自然界」，這不是明顯的泛神論嗎？但史賓諾莎有一套完整的解釋，可以說明他在根本上超越了泛神論的範疇。

　　有批評他的人，就有欣賞他的人。很多人受到史賓諾莎啟發，在哲學上開闢新的道路。他們意識到：應該從基礎開始，從頭建構思想的大廈。德國學者萊辛（Theodor Lessing, 1872-1933）說：「除了史賓諾莎的哲學以外，沒有其他的哲學，因為他的哲學完全建立在人的理性思考上面。」史賓諾莎與帕斯卡在理性這一點上分道揚鑣，史賓諾莎以理性做為唯一標準，由此得到很多人認同。

　　德國文學家赫德（Herder, 1744-1803）說：「史賓諾莎的哲學讓我感到無比喜悅而心曠神怡。」德國文豪歌德（J. W. von Goethe, 1749-1832）說：「我覺得自己與史賓諾莎非常接近，但他的思想更為深邃，更為純淨。」連德國著名的神學家席萊爾馬赫（F. D. E. Schleiermacher, 1768-1834）也說：「史賓諾莎是充滿宗教的，充滿聖靈的。」

　　史賓諾莎到底是一位無神論者，還是一位聖徒？他是受到魔鬼的唆使，還是得到上帝的啟示？這些都令人好奇。

收穫與啟發

　　1. 史賓諾莎是被開除教籍的猶太人，長期過著獨居的生活。
　　2. 他只臣服於自己發現的真理，未經理性思考的內容就被擱置一

旁。他思考的結果對於傳統的宗教，不論是猶太教、天主教還是基督教，都構成極大威脅；他的思想對於傳統的哲學也形成很大挑戰。同時，史賓諾莎堅持思想自由，他的看法非常精準：如果沒有思想自由，一個人不可能活得像一個真正的人。

3. 史賓諾莎飽受批評，但也啟發了很多人。德國哲學家黑格爾曾說：「如果你從頭到尾一字不漏的讀一遍史賓諾莎所寫的《倫理學》，你不可能不愛上哲學。」

史賓諾莎堅持思想自由，可以用他晚年的一個故事來說明。隨著史賓諾莎的思想開始流傳，他的名聲也逐漸為人所知。一位德國權貴問他，是否願意到海德堡大學擔任教授，並同意他可以完全自由的探討哲學，但附加了一句話：相信他不會濫用自由而擾亂公眾認可的宗教。史賓諾莎質疑：這種界限何在？他無法保證自由的探討不會擾亂公眾的宗教。結果他以眷戀眼前不受干擾的生活為由，婉拒了這個機會。他的代表作《倫理學》在他過世之後才得以出版，後文將對《倫理學》做專門的介紹。

課後思考

如果要為自己所領悟的真理做出犧牲，你可以犧牲到什麼程度？

補充說明

對於這個問題，我們可以從兩方面來考慮。第一，所謂「為真理而犧牲」到底在說什麼？第二，如何與別人探討真理？

1.「為真理而犧牲」在說什麼？

帕斯卡和史賓諾莎這兩位哲學家都體驗到對自己來說最重要的真理，但他們的表現可謂大相徑庭。

帕斯卡做為基督徒，因為有過密契經驗，所以寫了《思想

錄》，他的各種表現都是以信仰做為生命中最重要的事情，為此犧牲了其他東西。史賓諾莎則發現，上帝就是自然界，所以他把信仰放在一邊，純粹用理性來思考人生的問題。

兩個人各有各的考慮，這是很常見的情況，因為人生本來就是不斷選擇的過程。選擇一樣東西，可能要放棄十樣，難免會有所犧牲，所以一定要先想清楚優先順序。

我們要問：什麼是真理？在科學、人文、社會、人生的各個方面，都可能發現某些真理；但在宗教裡所顯示的真理往往是最根本的，因為它牽涉到生前死後的問題。

帕斯卡是虔誠的基督徒，他提出賭注論證，受到很多人的批評與訕笑，但是他照樣堅信不疑，為了真理甚至不惜犧牲生命。史賓諾莎為真理所做的犧牲更大。他是猶太人出身，在這個世界上，很少有人比猶太人更了解什麼是上帝。世界上有所謂的「三大一神教」，包括猶太教、基督宗教（一教三系）以及伊斯蘭教，都是以猶太教的上帝做為基礎。史賓諾莎從傳統的信仰中走出來，說「上帝就是實體，也就是自然界」，他為此被開除教籍，終身孤苦。

因此，人生就是選擇，你選擇這個，就要放棄其他。我們為真理可以犧牲到什麼程度？孔子說：「朝聞道，夕死可矣。」這裡的「道」就是孔子認定的人生最高真理，孔子為它不惜犧牲生命。

真理不是一句口號，它一定要與自己的生命經驗相配合。王陽明在貴州龍場，於百死千難中才覺悟「致良知」，他不願意對別人一語道破。如此艱辛才體會到的真理，一句話就講完了，別人聽起來就是一句格言，不會有太大感覺。所以，真理一定與主體的實踐和體驗有關。

對於真理，要如何檢驗？過幾年之後，萬一反悔了該怎麼辦？

那前面的犧牲不是很可惜嗎？檢驗只有一個辦法，就是王陽明所說的「知行合一」。要親自去實踐，實踐之後覺得心安理得，心中有一種真正的安定和愉悅，能夠對自己滿意，就是最好的檢驗。

2. 如何與別人探討真理？

自己認定的真理在別人眼中未必如此。那麼真理的標準何在？談到標準，一定要保持開放的心態，要常常想：我可能弄錯了，我可以再改善嗎？假如我現在發現了一個真理，我在與別人爭論時要注意以下幾步：

第一步，我跟他所談的是同一個問題、同一件事情嗎？這時要考慮到語言的問題。哲學首先要澄清概念。如果概念沒弄清楚，雙方都是在浪費時間，無法達到溝通的效果。

第二步，如果我們談的是同一個問題，那麼我們依據的是同樣的材料和資料嗎？也許他有不同的材料或資料。

第三步，如果根據是相同的，那麼推論的過程是否符合邏輯？這是學哲學最重要的用處。所謂「邏輯」就是前後不能矛盾，從前提推到結論的過程中，要注意哪些是事實的材料，哪些是思考的步驟。

第四步，如果推論過程合乎邏輯，但雙方仍無法取得共識，這時就要想：我一定要跟他爭論嗎？我一定要去喚醒他嗎？也許他在自己的世界裡過得很愉快，我何必去打擾他呢？

第五步，真理往往無法在當時就得到別人認同，那就自己好好實踐吧。所有的真理到最後都是要由自己負責的。

20-5　為了哲學而放棄一切

　　本節的主題是：史賓諾莎為了哲學而放棄一切。史賓諾莎放棄了他的宗教，遠離了他的族人，投入到追求真理的行列。他付出重大代價，究竟得到了什麼？

　　本節要介紹以下三點：

　　第一，要給宗教畫下界限。

　　第二，愛智慧的準備工作。

　　第三，《倫理學》在說些什麼？

（一）要給宗教畫下界限

　　史賓諾莎是猶太人，從小就非常熟悉猶太教的《聖經》，即《舊約》的前五篇。他在《神學政治論》中談到宗教與國家的關係，他說：「在《聖經》裡，上帝被描述為一位立法者、君王、正義、慈悲者等等，這些說法都是遷就大家的了解，遷就大家有限的知識。事實上，上帝的活動是由他『本性的必然性』表現出來的，上帝的命令就是永恆的真理。」「本性的必然性」是史賓諾莎的專用術語。換句話說，上帝有什麼樣的本性，就會有什麼樣的表現。

　　《聖經》的寫作採用比喻的方式，目的是遷就人類有限的認識。後來的基督宗教雖然宣揚慈悲愛人，但迫害猶太人時從不手軟，這反而使猶太人更加團結。基督宗教與猶太教為何不能和平共處？

　　史賓諾莎思想開明，不像一般猶太人對耶穌抱有成見，他肯定耶穌是人類裡最特別的，耶穌用比喻教導人，耶穌說的話幾乎等

於智慧。史賓諾莎認為，猶太教與基督宗教是可以溝通的。他宣導
「要以理性之愛去愛神」，這裡的「神」指由宇宙萬物構成的整體。

（二）愛智慧的準備工作

　　史賓諾莎認為自己發現了真理，但他有個學生後來改信天主
教，他寫信給史賓諾莎，提出十分尖銳的問題：「你以為自己找到
了真正的哲學，但是你怎麼知道你的哲學是過去、現在、未來所有
哲學之中最好的？不但如此，在印度及世界各地都有哲學，就算你
大致研究過，又怎麼知道你已經選擇了最好的部分？現在你竟敢宣
揚你的這一套哲學，顯然是太過驕傲並且妄下判斷了。」

　　史賓諾莎這次毫不客氣，顯示出他個性中堅強的一面，他回信
說：「你自以為找到了最好的宗教與最好的老師，你決定完全信任
他們，你怎麼知道他們是過去、現在、未來所有的老師裡面最好
的？古今所有的宗教你都研究過了嗎？就算你都研究過，怎麼知道
你已經選擇了最好的？」兩人的書信往來有點像抬槓。

　　的確，沒有人可以回答這個問題。如果一定要把一切哲學、宗
教全部研究過才做選擇，這一生的時間肯定不夠用。

　　為何史賓諾莎願意為了哲學放棄一切？因為他要憑藉自己的理
性與良知去追求真理。什麼是真理？你不斷探索，當你最終發現它
時，自然就會覺悟，但你無法用一種簡單的方式來形容它。

　　史賓諾莎認為，自己的一生就是為了探索什麼是真正的善，而真
正的善就是人生的幸福所在。真正的善並不是富貴或名聲，而是透過
理性，認識自己與自然界是合而為一的。理性認識的程度愈高，就愈
了解自己的力量和自然界的秩序。這兩種認識要互相配合：愈知道自
己的力量，就愈能指導自己定下生活準則；愈知道自然界的秩序，
就愈能從無用的事物中解放出來。換句話說，知道自己的力量，就

能自主安排人生；了解自然界的規律，就不會再去追求無用的東西。所以，只有知識是權力（這裡的「權力」是指能力或力量）和自由，唯一永恆的快樂就是對知識的追求和理解時的愉悅。

史賓諾莎強調，哲學家也是人，同樣需要生活準則。如同笛卡兒說的「要有暫時性的倫理規則」。史賓諾莎認為生活準則有三點：

1. 說話要讓別人更容易了解；對於別人的事，只要不妨礙我達成目標，我都可以替他服務。值得注意的是，我們與別人交往，不能妨礙自己本身目標的達成，因為每個人都要為自己的生命負責；而且，與別人溝通要盡量淺顯易懂。

2. 只享受為了維持健康所需要的感官樂趣。包括欣賞大自然的風景、聽聽有益身心的音樂等。

3. 只賺取為了維持生活與健康所需要的金錢，並遵循與我的追求沒有衝突的習俗。史賓諾莎以磨鏡片為生，待遇還不錯，但他只要賺夠當月的生活費，就不再多磨一片。後來法國皇帝路易十四要送他一大筆錢，條件是要他寫一本書獻給法國皇帝，史賓諾莎當然委婉的拒絕了。

（三）《倫理學》在說些什麼？

史賓諾莎最重要的代表作是《倫理學》。這個書名聽起來很普通，古希臘哲學家亞里斯多德就寫過兩部《倫理學》。後代也有很多人談到類似題材，內容不外乎如何分辨善惡、人為何要行善避惡、如何進行德行的修練等。但史賓諾莎的《倫理學》卻有個出人意料的副標題——「以幾何學方式證明」，他把人的思想與情緒反應都視為幾何學裡的點、線、面、體來加以研究。

這本書內容分為五章：第一章，論神（上帝）；第二章，討論心靈的性質與起源；第三章，討論情感的起源與性質；第四章，討

論人的奴役或情感的力量；第五章，討論理智的力量或人的自由。

　　這本書探討心靈、情感、人的奴役、人的自由等問題，稱其為《倫理學》很貼切。不過，它最主要的特色在於第一章〈論神〉，代表史賓諾莎是在形上學的基礎上，建構了倫理學的基本觀念。

　　什麼是「以幾何學方式證明」？《倫理學》每一章的開頭都用「定義」來說明這一章要討論的重要觀念；接著提出「公則」，即公開制定的規則；然後是一個接一個的「命題」，這是全書的主要部分。命題環環相扣，裡面有證明、演繹、再證明，還有附錄、附釋等等，體例非常嚴謹。在哲學著作中，從未見過這樣的書。

　　對於此書，很多哲學家都建議要慢慢閱讀，稍有疏忽就會銜接不上。重讀時要像讀一本新書一樣認真。仔細讀完第二遍之後，你自然就會愛上哲學。史賓諾莎這本書不是讓人流覽的，而是讓人深思的。下一節將介紹這本書的詳細內容。

收穫與啟發

1. 史賓諾莎給宗教畫下界限：對於人生的全面思考與反省，宗教不必再提供任何預定的答案。

2. 愛好智慧、探討哲學需要做一些準備工作。哲學要探討人生最高的幸福，即認識到自己與自然界是合而為一的。探討過程中要遵守三條生活準則：一、說話要清楚易懂，在不妨礙達成自己的目標的前提下，可以盡量幫助別人；二、只享受維持健康所需要的感官樂趣；三、只賺取維持生活與健康所需要的金錢，不要與其他人的生活習俗發生衝突。

3. 《倫理學》一書的副標題是「以幾何學方式證明」。當時的歐洲學術界普遍認為，要用數學、幾何學這樣嚴謹的程式，才能得出令人信服的論證。

（課後思考）

　　史賓諾莎可以為了哲學而放棄一切，你有過這麼極端的想法嗎？你會為了什麼而放棄一切？

（補充說明）

　　哲學就是愛智慧。你如果為了哲學而放棄一切，這非但不是放棄，反而可以讓生命得到完全的實現。

　　我們這一生從年輕到年老，重心會慢慢轉移。年輕時，比較重視與別人的關係，重視道義；中年時，通常會考慮個人的理想；晚年時，以孔子來說，他「五十而知天命」，代表要對自己這一生的使命負責，這就牽涉到宗教信仰的層次。

　　所謂「智慧」，就是對生命有「完整」而「根本」的覺悟。人生需要恢復完整，人生需要找到根本。只有掌握住這兩點，我們才能說：我這一生對得起自己，對得起做為一個人的存在。

　　為了愛智慧而做出的犧牲是有限的，但你會因此得到難以想像的快樂，得到對人生完整而根本的理解，充分了解人生的意義。然而，由於語言文字的隔閡與社會背景的差異，我們在學習西方哲學的過程可能壓力很大，快樂並不多；且每個西方哲學家都勇於發言，結果眾說紛紜，莫衷一是，這更增加了理解的困難。

　　不過，這正好提醒我們：要對自己充分負責，要設法對事情做出自己的判斷，並用自己的話來論述，從而展現出自己的人生觀與價值觀；同時，還要用親身實踐來驗證自己的觀念。這是人生中最有趣、最深刻的挑戰。表面看來風平浪靜，沒什麼特別，但內心中卻波瀾壯闊，不斷受到強烈的震撼。

　　此外，在價值的排列上，有一首廣為人知的詩：「生命誠可

貴，愛情價更高，若為自由故，兩者皆可拋」，這句話把自由排在最高的層次。在古代或專制時代，自由當然令人嚮往。但是，自由的問題很複雜。所謂「自由」，就是你能否自由做自己，選擇自己真正的理想去實現。這是關於「自由」的一個最簡單、能被廣泛認可的定義。

如果說自由最重要，為了自由可以拋棄生命，我們要問：自由是為了生命的自由，結果你為了自由而犧牲生命，這是否本末倒置？如果為了後代的幸福而犧牲，當然沒問題，但「自由」這個概念確實難以掌握。譬如，法國大革命期間，法國的羅蘭夫人曾說：「自由，自由！多少罪惡假汝之名以行之。」羅蘭夫人非常不幸，1789 年法國大革命之後，隔了四年，她也被判了死刑。這代表自由往往只是狂妄的衝動而已，並非真正的自由。

自由的人首先必須要有思想上的自由，他必須很理性的思考自己與別人的各種關係，知道該如何與人互動。同時，絕不能讓別人為了我的自由而做出犧牲。所以，不能輕易就說「為了自由，什麼都可以拋棄」。擁有自由之後要做什麼，顯然更重要。

當代美國心理學家佛洛姆（Erich Fromm, 1900-1980）寫過一本書，叫做《逃避自由》。現代人為什麼要逃避自由？因為選擇太難，責任太重。現代人的自由幾乎毫無限制，但你會發現，選擇一樣就要放棄十樣甚至更多，那麼究竟該如何選擇？並且責任太重，選擇之後就要自己負責。譬如，很多中學生填報大學志願時，寧可讓父母來選。如果自己選，怎麼知道自己這一生的目標何在？怎麼了解將來有何發展呢？自己選就要自己負責。如果父母替他選，將來就可以把責任推到父母身上。這種事屢見不鮮。

所以，現代人有時會逃避自由，不希望自己做選擇，或者選擇之後不希望承擔責任。這就使自由的問題變得更加複雜。

第二十一章

史賓諾莎與萊布尼茲

理性主義

21-1　史賓諾莎的《倫理學》

　　本章的主題是：從史賓諾莎到萊布尼茲。近代西方哲學分為兩大陣營：一個是歐陸的理性主義，一個是英倫三島的經驗主義。兩大陣營的主要分歧在於知識的來源問題，即人是如何建構有效的知識。有效的知識須兼顧普遍性與擴展性兩方面，才能日趨完善。

　　由笛卡兒開啟的歐陸理性主義強調，人生來就具有某些先天觀念，由於不涉及後天經驗，因而保障了知識的普遍性。經驗主義則強調，人沒有先天觀念，只能靠後天經驗得到印象，再抽象出觀念來建構知識，因而保障了知識的擴展性。經驗主義主要採用歸納法，但歸納法的問題在於缺乏普遍性。這就是雙方最大的分歧。

　　本節繼續介紹史賓諾莎的《倫理學》一書。該書內容十分豐富，採用幾何學證明的方式寫作，有定義、公則和諸多命題，並逐一加以證實，從而建構出完整的哲學系統。這本書在西方哲學史上是有名的難讀的書。

　　本節要介紹以下三個重點：

　　第一，要去除一切謬誤。

　　第二，上帝與自然界的關係。

　　第三，人是什麼？

（一）要去除一切謬誤

　　史賓諾莎認為，謬誤的根源在於人把人性的各種目的、願望或標準投射到自然界上。善惡是人確立的，涉及人的興趣與目的，上

帝超越於人類的善惡之外。譬如一首樂曲對煩悶的人是善的，對悲傷的人可能是惡的，對死人則無所謂善惡。善惡如此，美醜亦然。

把神當做人則是更主觀的想法。上帝若有人的位格，則一定有性別，那上帝是男還是女呢？古希臘的色諾芬尼（Xenophanes, 約570-475 B.C.）曾說：「如果馬、牛、獅子可以繪畫或雕塑，牠們畫出或雕刻出的上帝一定長得和牠們一樣。」史賓諾莎的說法更誇張：「一個三角形如果能說話，它會說上帝是三角形的；一個圓形如果能說話，就會說上帝是圓形的。」換言之，任何東西都會把自己的屬性歸之於上帝。

史賓諾莎認為，探討哲學之前先要去除一切謬誤，要把主觀想法、願望、情感完全放在一邊。他對此很有自信，要在《倫理學》這本書裡，把人的各種元素當做數學中的點、線、面、體來處理。

（二）上帝與自然界的關係

史賓諾莎在討論任何問題之前，都要先給出定義。《倫理學》第一篇以「神」為主題，史賓諾莎把「神」定義為「自因」，即自己是自己的原因，如此定義的神必定是永遠存在的。

史賓諾莎關於上帝與自然界關係的看法使他飽受批評，他說：「神就是實體，也是自然界。」我們所見的自然界比人類大無數倍，若非要解釋自然界是如何形成，很可能過於主觀而出現謬誤；不如接受現狀，從理性的角度來看，會肯定自然界本身是存在的。如果自然界不是自因的，那有誰知道它的完整內容和邊界呢？還不如直接說自然界就是上帝。

為了解釋自然界為何會不斷變化，史賓諾莎借用了哲學家布魯諾的觀念。布魯諾在 1600 年被宗教法庭判為有罪並受火刑而死，他提出一對重要的哲學術語 —— 能產自然（Natura naturans）與所

產自然（Natura naturata）。「能產自然」代表生生不息的原動力，「所產自然」代表產生出來的自然界。自然界有「能產」與「所產」兩面：「能產」的一面就是上帝，也就是實體；「所產」的一面就是自然界，也就是實體的「樣式」。簡而言之，能產就是實體，所產就是樣式。

史賓諾莎認為，上帝是萬物的內在原因而非外來原因，一切都在上帝之中，沒有所謂「超越」的問題。上帝的永恆命令與自然界的普遍規律是同一件事。因為上帝具有無限的本性，所以才有萬物。譬如，因為有三角形的本性 —— 三內角的和等於兩個直角，所以才有三角形。上帝是萬物的內在原因，是萬物背後恆存的規則；自然界是上帝展現出來的那一部分。

什麼叫做「實體」？「實體」是中世紀哲學廣泛使用的概念，最早可以追溯到亞里斯多德的哲學。亞里斯多德「十大範疇」的第一個是「自立體」，後來也被稱為「實體」，拉丁文是 substantia，英文是 substance，意為「站在底下的東西」。一樣東西除了表面的現象之外，底下還有真正的基礎。譬如，黑板是一個實體，黑板的顏色、形狀都是黑板這個實體所顯示的特性，它們不能脫離黑板而存在。人也是一個實體。

但是，黑板和人顯然都不是自因的，它們有開始、有結束，因而只是相對的實體。自因的實體只有一個，就是上帝，它是自然界底下真正的基礎。你可以把上帝看成各種因果關係的聯結、潛藏於萬物背後的條件，或自然界的規則與結構。世界好比一座橋，由它的結構與規則所支撐，這一切都在上帝的掌握之中。

上帝的意志就等於自然界的規律，一切事件都由機械的規律所支配。不必再把上帝想像成不負責任的專制帝王 —— 由於他變幻莫測的念頭，造成人間各種光怪陸離的事件。

（三）人是什麼？

史賓諾莎使用實體、屬性與樣式這三個概念。實體是站在底下的、做為基礎的東西；樣式是實體顯示出來的各種形態，也就是萬物；能被人的理性所了解的實體的本質，就稱為屬性。實體本身有無限多的屬性，能被人的理性所了解的只有兩種：心與物（思維與廣延）。心就是人的思想，物就是人的身體。人是心與物的組合，因而只能從這兩個角度去理解實體是什麼。

這裡體現了史賓諾莎與笛卡兒的差別。笛卡兒認為心靈是一個實體，身體也是一個實體，再加上背後的上帝，就變成三個實體。為了解決這個問題，史賓諾莎把笛卡兒的心與物從兩個實體降格為兩個屬性。真正的實體只有上帝，他有無限多的屬性；但是人的理性能夠理解的只有兩個屬性，就是心與物。

這樣就形成了兩個世界——觀念的世界和事物的世界。觀念的世界有它的秩序與聯繫，事物的世界也有它的秩序與聯繫，這兩者是同一的，是一個整體所顯示出來的兩面。譬如，一個人的心中有怎樣的思想和感受，身體就會起相應的變化；對於身體所遭遇的一切，心也會有所覺知。

人的心包括理智和意志兩個方面，兩者看似可以區分，實際上是同一件事。理智是一連串的觀念，意志則是一連串的意願與動作。意志在觀念中就等同一個人的欲望。人以為是自己在做出選擇，其實未必如此，那可能只是一種本能反應。

凡存在之物皆追求繼續存在，這是它的本能。快樂與痛苦只是本能可以順利發展或受到阻礙的結果，並沒有真正的苦樂問題。史賓諾莎關於苦樂的說法非常精準，他說：「並非一樣東西給我快樂，所以我欲求它；而是因為我欲求它，所以它給我快樂。」為什

麼我要欲求它呢？這是因為我具有人的本能，不得不如此。

　　因此，人是沒有自由意志的，人類由生存所需決定了本能，而本能決定了欲望，欲望再決定思想與行為。人的意願是由一個原因所決定的，這個原因又被另外一個原因所決定，由此，可以追溯到整個宇宙。

　　人以為自己是自由的，只覺察到自己的意願與欲望，卻不清楚自己被引入這個意願與欲望的原因。他舉例說：「人的意志好像是一顆被拋出去的石塊，在劃過空中時，這個石塊以為是自己在決定這個拋物線，可以選擇在什麼時候、什麼地方落下來。事實上它是完全被拋出來的。」

　　就像幾何學的規則一樣，人類行為所依照的也是固定的規則。史賓諾莎對於人類的行為不嘲諷、不悲哀、不詛咒，只求理解。因此，不能把人類的各種激情當做人性的罪惡，而要視之為人類自身的性質，就像冷、熱、雷、雨等天氣的性質一樣。史賓諾莎說：「不要哭，不要笑，要理解。」這句話從此被廣為傳誦。

收穫與啟發

1. 如果要探討宇宙萬物的本質，首先要去除各種不必要的謬誤，不再把人類的想法、情感或願望投射到整個宇宙中。
2. 自然界是唯一的實體、唯一的神，因為它是自因的。
3. 做為萬物之一，人類最大的特色是有理性，可以從心與物這兩個屬性的角度，看到宇宙萬物是一個整體。人並沒有自由意志。

課後思考

　　史賓諾莎說：「不要哭，不要笑，要理解。」請你想一想，這句話可以用在生活的哪些方面？

補充說明

　　「不要哭，不要笑，要理解」這句話屬於史賓諾莎哲學的應用。哭和笑皆屬於情緒，理解屬於理性的認識。人不可能沒有情緒，情緒在適當的時候表現出來是很自然的；但重要的是要理解，要知道這一切的原因，了解這是怎麼回事。那麼這句話可以用在什麼地方呢？

　　首先，可以用於反省自己過去的遭遇。從現在看過去就像一齣戲，如果能充分理解，就會有一種通透的感覺。自己在哪些方面表現得不錯？哪些方面有待改善？我們要善於反思。

　　比較重要的是，可以將這句話用於眼前正在發生的事。你目前遇到什麼成敗得失，先不要有情緒反應，要用理性想清楚。除了史賓諾莎提到的哭和笑，我們還會出現其他各種情緒。如果我們一直跟著情緒走，就會給自己造成更大的困擾。我們要問：古人或前輩遇到類似情況時，他們是如何面對的？我現在的遭遇是否合乎常理？

　　孟子有一句話說得很明確：「莫非命也，順受其正。」意即，發生在我身上的一切遭遇都是命運，我只有順著情理去接受它正當的部分。關鍵在於「順受其正」四個字。因此，我們要分辨「命」（遭遇）是正命還是非正命。如果我的遭遇是合理的，歷史上發生過，別人也可能碰上，那就把它當做正命。譬如，做生意當然可能失敗，做官當然可能被貶抑，交朋友當然可能交錯朋友，這些都是所謂「合理」的情況。對於不合理的，要堅持自己的立場，這樣一來，就能探知什麼是自己不能讓步的紅線。

　　史賓諾莎的話可用於調節情緒，要盡量用理性去看待自己的遭遇。其實生活的各個方面都可以應用這句話。

21-2　從理性走向自由

　　本節的主題是：從理性走向自由，要介紹史賓諾莎如何從形上學建構出一套「以幾何學方式證明的」倫理學。史賓諾莎認為：上帝等於實體，等於自然界。這是一種「一元論」，有如一張天羅地網，身陷其中的人還有自由可言嗎？

　　本節要介紹以下三點：

　　第一，分辨三種知識。

　　第二，設法認識自己。

　　第三，從理性走向自由。

（一）分辨三種知識

　　史賓諾莎認為，人的知識有三種：

1. 由感官知覺得到的知識；
2. 科學的知識；
3. 直觀的知識，亦即由於明白上帝的某些屬性，因而可以直接看到萬物的本質。

　　直觀不涉及情感與意願，而是使用理性的一種能力，「從永恆的形式下觀看」萬物。「從永恆的形式下觀看」是史賓諾莎特別使用的術語。如此一來，你將會看到：發生的一切都是必然的，一切都像處於一張巨大的因果網中。正如老子所說的「天網恢恢，疏而不失」，沒有任何東西是偶然的或可以遺漏的，萬物的必然性等於神的永恆本性的必然性。

（二）設法認識自己

接著把焦點轉向認識自己。「認識你自己」是古希臘德爾菲神殿上刻的一句話。

史賓諾莎認為：「人的本能就是要保存自己的存在，你愈能取得對自己的存在有益的一切，德行就愈高。」換言之，德行就是力量，是一種活動的權力。人的本能一定是利己的，沒有人不追求自己認為好的東西，除非你希望獲得更大的善而放棄眼前較小的善。譬如，一個人行善而有所犧牲，他可能是希望得到好的名聲或某種更大的快樂。

史賓諾莎的倫理學既不建立在性善或利他的觀念上，也不建立在性惡或自私的觀念上，而是建立在必然而正當的利己觀念上。利己與自私不同。

史賓諾莎認為，德行的基礎是要努力維持自己的存在，而幸福就在於擁有繼續存在的權力。

由此引申到快樂與痛苦。人生的幸福，就是獲得快樂，人生的目的，就是擁有快樂而沒有痛苦。快樂是因為人的完美程度較高，權力增加了；痛苦則是因為人的完美程度較低，權力減少了。所以，情緒的善惡不在於它本身，而在於我的權力是增加還是減少。這裡的「權力」並不是指政治上的權力，而是指讓自己活下去的能力與力量。

史賓諾莎對情緒的基本看法是：一個人若要追求德行，只有一條路可以走：對情緒有清楚的觀念，用理智和知識來超越情緒。他提出的建議相當深刻：「不用去恨別人，恨別人是承認自己的懼怕與卑劣，因為我們不會去恨那些我們自信能勝過的人。」因此，要設法化解情緒。

（三）從理性走向自由

史賓諾莎的「一元論」系統顯示了一種「決定論」，現在的問題是：人有自由嗎？史賓諾莎認為，人唯一的自由就是憑藉理性與想像，把經驗化為先見之明。你能理解過去發生的一切，就不會為它所困，你不再是過去的奴隸，而成為未來的主宰。

如果行為出於情緒，則是被動的作為，將給自己造成桎梏；如果行為出於理性，則是主動的作為，人就是自由的。所以，人的偉大不在於統治別人，而在於統治自己，使自己不受欲望所困。這與老子所說的「勝人者有力，自勝者強」非常相似。

因此，自由只有一種，就是了解人的必然性。這顯然是一種決定論的思想，難免讓人覺得悲觀。但史賓諾莎認為：一切都是被決定的，人類的各種言行表現都是如此。這種決定論會帶來一種更好的道德生活，它會使我們對別人不藐視、不譏笑、不生氣。因為一切都是被決定的，所以每個人都是無辜的。譬如，當看到別人做壞事時，你如果知道他是被決定的，你對他的態度就會不同。史賓諾莎很在乎社會的安定，他說：「要嚴懲不法之徒，但不要心懷怨恨，要原諒他們自己也不了解自己的行為。」

《倫理學》的最後一部分討論人的自由。史賓諾莎說：「一個被動的情感，只要我們對它形成清晰而明白的觀念，它就立即停止做為被動的情感。」所謂被動的情感，就是由混淆的觀念所帶來的身不由己的情緒反應。譬如，別人的批評會讓我生氣，但我一旦了解別人為什麼批評我（可能是誤會，也可能自己確實有錯），就會發現根本沒有發洩情緒的必要。

史賓諾莎說：「只要心靈能夠理解一切事物都是必然的，那麼它控制情感的力量就愈大；心靈控制情感的力量愈大，感受到情感

的痛苦就愈小。」譬如，即使別人誇你書念得好、表現傑出，你也不會沾沾自喜，因為你知道前因後果，明白自己為此付出多少代價。簡言之，人要用理性的力量，以認知的方式克服情感，這樣才能獲享心靈的自由。

史賓諾莎對此懷有定見，他認為，所有發生的事情都是神的永恆命令，也就是自然界的規律。對上帝的理性之愛，就是要了解上帝的永恆命令，然後接受它、愛慕它。

如果你了解萬物都是被決定的，就不再有抱怨的心理。你會覺悟，自己的不幸在整個體系中並非偶然，在整個宇宙永恆的秩序結構中，你會找到合理的說明。由此就可以從無常的情緒提升到全面的覺悟，可以微笑著直面死神。

史賓諾莎明顯影響了尼采的思想。尼采說：「凡是必然的，都不會傷害我。愛命運就是我的基本立場。」史賓諾莎說：「一個自由人最不在意的就是死亡，他們的智慧不是對死的思維，而是對生的思維。你如果從永恆的角度來看一切，萬物是一個整體，是同一個靈魂的表現。」這些話聽起來很像泛神論，但是史賓諾莎認為並非如此。

《倫理學》的最後一個命題強調：福不是德的報酬，德本身就是福。一般人行善積德是為了將來有福報，而史賓諾莎認為「德行本身就是福」，這種思想可以再做很多延伸。

史賓諾莎最後強調：「哲學家由於了解永恆的必然性，覺察到自己與上帝、萬物是一個整體，因此永遠不會失落他的生命與存在，而常常覺得心靈非常滿足。這條路很難找到，因為所有高貴的東西都很稀少、很難得。」

史賓諾莎的思想對後代產生重大影響。黑格爾說：「沒有史賓諾莎就沒有哲學。你想成為哲學家，必須先是個史賓諾莎主義

者。」在史賓諾莎去世後約兩百年，眾多學者召開了一次紀念大會，並於 1882 年在海牙樹立一尊銅像。

有位學者在致辭中說：「這個人在他的大理石之座上，將為一切人指出他所發現的幸福之路。從此以後，不管過一百年還是一千年，只要受過教育的人經過此地，都將在心中默默說道：上帝最真實的啟示或許就在這裡。」

收穫與啟發

1. 史賓諾莎認為知識有三種。前兩種知識分別來自於感官經驗和理性思維，最重要的是第三種知識，它來自於直觀。人排除各種雜念之後，將看到整個自然界就是一切，所以不必再尋找超自然的精神實體。自然界等於上帝，等於唯一的實體，這三者是同一的，都是自因的。

2. 要認識人的情況。人的本能是利己的，每個人都要維持自己的存在。一個人愈有能力或權力維持自身的存在，他就愈幸福。真正的德行不能脫離理性。如果我們的理性對情緒有正確的觀念，就能化解情緒的干擾。人的自由是指，在了解人的本性的必然性之後，從中得到解脫的快樂。一切都是被決定的，但這種決定論並不影響人的道德生活。

3. 從理性可以走向自由。要了解一切都是一個整體，並學習「從永恆的形式下觀看」萬物，這樣就可以用理性之愛去愛神。這個神就是實體，也就是自然界。

課後思考

史賓諾莎從決定論的觀點來肯定人的道德生活的意義，請你想一想，如果一切都是被決定的，道德生活還能有何種意義？

　　「從永恆的形相下觀看」是史賓諾莎的一句格言。「形相」就是「形式」的意思。史賓諾莎認為，人只有一種自由，就是理解。從永恆的形式下觀看，會有一種直觀整體的效果。究竟什麼叫做「從永恆的形式下觀看」？可以從以下三方面來看：

1. 沒有時間性，沒有過去、現在和未來。比如你從一百年之後回頭看今天的情況，就不會再有任何情緒反應。因此，從永恆的角度來看，你很容易把自己放空，不再會有什麼執著。對於當下要做的事，就按照自己的理性去做，不用考慮太多。

2. 得失成敗很容易化解。很多文學家也表達出這一點，像蘇東坡的「大江東去，浪淘盡，千古風流人物」。當時叱吒風雲的人物，後來都如過往雲煙。

3. 這樣的人生會不會太消極？史賓諾莎是決定論，好人認為自己是被決定的，就繼續做好事。但壞人是否會以之為藉口，說自己注定要做壞事？其實，如果理性未被充分發揮，人不可能得到真正的解脫。說人是被決定的，聽上去好像很消極。但如果你知道自己如何被本能、欲望和人性的狀態所決定，你就會問：理性也是人的本能，我們為什麼不能充分發揮呢？

　　史賓諾莎選擇如此嚴謹的生活，放棄各種外在享受或一般意義上的成功，他為何能夠放棄？因為他了解什麼才是最根本的。從永恆的角度來看，就會發現自己是一個有理性的生物，理性可以讓我理解所有發生的事情。看得破並不等於放得下，你放不下的是自己做為人的責任。如果壞人以決定論為藉口，把做壞事當做被決定的，就代表他真的被決定了。所以，人只有一種可能的自由，就是思想上的自由。

21-3 萊布尼茲居然對《易經》很佩服

歐陸理性論是近代哲學的重要流派，有三位代表人物：笛卡兒、史賓諾莎與萊布尼茲。笛卡兒認為心與物是兩個實體，但只有上帝是嚴格意義的實體。史賓諾莎為了解決笛卡兒留下的問題，便把心與物當做上帝的兩個屬性，成為一元論。萊布尼茲則提出非常特別的「單子論」（Monadology）。單子論是一種多元論，但它又具有內在的統一性。這是怎麼回事呢？

本節的主題是萊布尼茲居然對《易經》感到很佩服，主要介紹以下三點：

第一，萊布尼茲的生平簡介。

第二，萊布尼茲的學術及社會活動。

第三，萊布尼茲對《易經》的認識。

（一）萊布尼茲的生平簡介

與帕斯卡一樣，萊布尼茲（Leibniz, 1646-1716）是西方少見的神童。他八歲時自修拉丁文，後來又學會了希臘文，十五歲就進入大學研習法律。但他很快就碰上了哲學問題：要接受亞里斯多德的目的論還是笛卡兒的機械論？

亞里斯多德認為，宇宙萬物充滿變化，都是從潛能走向實現的過程。實現就是它的目的，最高的實現是「第一個本身不動的推動

者」。笛卡兒主張的機械論則是近代哲學的基本背景，一切都在機械的因果過程中發展，並沒有所謂的「最高目的」可言。萊布尼茲想協調這兩種思想，但並不是很成功。

萊布尼茲是德國人，他才華卓越，好學不倦，學術活動與社會活動很豐富，年輕時在巴黎、維也納、柏林、慕尼黑等地從事不少外交工作，與他往來的都是當時的達官顯貴。他留下的信件超過一萬封。萊布尼茲始終希望均衡各方勢力，使天主教與基督教、東正教之間可以和諧共處，使德國與其他民族之間能保持和平。

他曾受託為威爾芬王室撰寫歷史。他認為，要研究王室的歷史，必須考慮它所轄土地的歷史，所以要先研究地質學；王室的土地是地球的一部分，所以必須先研究地球形成的歷史。最後他顯然沒有完成這項工作。王侯所關心的是王室的聲譽，而非地球形成的歷史，但萊布尼茲是哲學家，一定要設法探究最後的根源。

一位傳記作家這樣描述萊布尼茲的晚年：「他埋首閱讀，幾乎整天都不離開椅子。他右腿受過傷，導致行動不便，他的最後幾年幾乎都是躺在床上進行思考和寫作的。」

萊布尼茲堪稱當時最出色的人物，許多達官顯貴都保護過他、支持過他，但他到了晚年居然被人遺忘。他去世時，只有他的私人祕書等極少數人去悼念他，學術界紀念他的只有法蘭西學術院而已。一位參加他喪禮的人說：「萊布尼茲如同一個盜賊般草草被人埋葬。」事實上，他是他祖國的光榮，但柏林科學院對他的過世卻沒有任何表示。

（二）萊布尼茲的學術及社會活動

在學術方面，由萊布尼茲倡議的柏林科學協會於 1700 年正式成立，並推選他為第一任主席（院長），該學會就是普魯士科學院

的前身。萊布尼茲著述頗豐，從亞里斯多德以來沒有人可以超越，在他之後恐怕也無人能及。腓特烈大帝在論及萊布尼茲時說：「他自己就是一所完整的學術院。」

萊布尼茲的研究領域十分廣泛，包括數學、物理學、機械學、地質學、礦物學、法律、國民經濟學、語言學、歷史學、神學與哲學等等，他都能以同樣的熱忱投入研究。他的弟子沃爾夫（Christian Wolff, 1679-1754）編訂了幾本哲學教科書，釐清許多哲學專用術語，由此主導後續的德國哲學；直到康德出版《純粹理性批判》，情況才有所改變。羅素認為：「是萊布尼茲使德國哲學變得迂腐而乏味。」在德國之外，萊布尼茲的影響很小。

萊布尼茲在數學領域也有特別的貢獻，他與牛頓一起確立了牛頓－萊布尼茲公式（Newton-Leibniz formula），即微積分定理。關於誰最先發明這個定理，至今仍有爭議。正因為如此，英國人特別討厭萊布尼茲，因為他們當然都支持牛頓。另外，萊布尼茲還設計過計算器與潛水艇。

萊布尼茲真正的成就是在哲學方面提出「單子論」。在西方哲學史上，只要提到單子論，就知道是萊布尼茲的傑作。簡單來說，他由邏輯直接推出形上學，由語言邏輯推出非語言的事實。前文介紹過古希臘時代的巴門尼德，他說：「能被思想的才是存在，思想與存在是一致的。」萊布尼茲就是要設法支持和延伸這種觀點。

（三）萊布尼茲對《易經》的認識

在萊布尼茲的時代，有許多西方傳教士來到中國，他們發現中國具有悠久的歷史和文化，於是著手翻譯包括《易經》在內的中國經典。《易經》被翻譯成拉丁文傳到歐洲之後，像萊布尼茲這樣好學的人當然要先睹為快。

　　《易經》是由陽爻和陰爻兩個基本單位所構成。每一卦有六爻，2 的 6 次方是 64，因此《易經》共六十四卦，三百八十四爻。六十四卦代表宇宙萬物的六十四種基本格局，三百八十四爻代表三百八十四個位置，由此形成一套預測未來的完整系統。正是因為中國古代有《易經》，才使得華夏民族可以在競爭中勝過其他民族，贏得生存和發展的機會。

　　萊布尼茲讀了《易經》之後大為驚訝，他認為：陽爻代表 1，陰爻代表 0，《易經》只用兩個基本單位就能推演出六十四卦，令人讚嘆。他於 1703 年在法國皇家科學院的院刊發表一篇論文，標題是〈二進位算術的闡述——關於只用 0 與 1，兼論它的用處以及伏羲氏所用數字的意義〉。伏羲氏就是《易經》六十四卦的發明者，他是比神農氏和黃帝更早的部落領袖。

　　萊布尼茲曾透過外交官與傳教士向中國政府申請，希望能到中國遊學。但當時是清朝康熙年間，還沒有國際學術交流的概念，因此未能成行。

　　另外，萊布尼茲認為，中國古代相信上帝的存在，但它和基督宗教的系統不同，沒有「以耶穌基督做為上帝之子」之類的說法。他也討論過中國古代「自然神論」的思想，即上帝創造了一切，後續就讓人類自行發展。至於如何發展，則與西方了解的未必相同。

　　萊布尼茲主要留給後代兩套哲學思想：一個是由他原創的「單子論」，屬於他思想的形上學部分；另一個是「神義論」，主要討論神的正義，替宗教的神明辯護。後文會重點介紹這兩點。

（ 收穫與啟發 ）

　　1. 萊布尼茲從小才華過人，樂於與王公貴族來往。他在外交上、
　　　在宗教界都宣導合作，並取得一定成績。他最初的學術目標是

　　希望協調亞里斯多德的目的論與笛卡兒的機械論，結果發展出
別具一格的「單子論」。

2. 萊布尼茲的學術和社會活動很多。他推廣學術活動可謂不遺餘
力，最重要的成就是倡議成立柏林科學協會（後來成為普魯士
科學院），並任第一任院長。他好學不倦，是西方自亞里斯多
德以來著作內容最多的一位學者，此後恐怕也無人能及。他在
數學和機械學研究方面也取得一定成績。

3. 萊布尼茲讀了中國的《易經》之後深受啟發，把由陽爻、陰爻
構成的《易經》符號系統與西方由 0 和 1 構成的二進位算術進
行了對比。二進位是電腦的基本原理，所以有人說電腦的發明
與中國有關。這當然是附會之詞，但也不是毫無根據，至少萊
布尼茲就很認同這一點。

課後思考

　　西方近代有很多年輕的天才，從帕斯卡到萊布尼茲，他們原本
在科學方面或其他方面都可能取得很大的成就，但他們為何都把
研究焦點轉向愛智慧的哲學呢？

補充說明

　　為什麼很多科學天才最後會轉而研究哲學？因為這是人的天
性。「人類天性渴望求知」，這是亞里斯多德《形上學》裡的第
一句話。

　　人類天性渴望求知，求知就是要求理解，但理解有不同的層
次。智慧是完整而根本的理解，這不是為了外在功利的考慮，而
是為了找到生命的意義，使生命恢復完整而根本的境界，使自己
可以成為一個真正自由的人。

　　科學的領域一般分工很細，但往往見樹不見林。即使是最優秀的科學家，最後還是要問：我生活在世界上，怎樣才能找到一種比較好的生活方式做為我的人生觀？有許多人直接信仰宗教，這當然是一個方便法門，但也可能從此就不再用心思考。

　　哲學不像科學那樣專注於某一個領域，也不像宗教那樣直接宣示最後的答案，哲學是隨著生命而展開的。我們不斷愛好智慧，讓自己的覺悟可以由生命的經驗不斷驗證，這樣的生命才更加豐富而有趣。

21-4　萊布尼茲的單子論

　　本節的主題是：萊布尼茲的單子論。哲學家愛智慧，對於宇宙萬物總希望有一個最根本的解釋：宇宙萬物到底是如何形成的？人與萬物有何關係？宇宙萬物有目的嗎？萊布尼茲最後提出他獨創的「單子論」，這也等於宣告近代歐洲理性主義的結束，因為他的思想明顯有許多獨斷的成分。但是我們在批評他之前，最好先了解他在說什麼。

　　本節要介紹以下三點：

　　第一，萬物都是由單子構成的，單子是什麼？

　　第二，單子的性質。

　　第三，上帝做為預定和諧的中心單子。

（一）單子是什麼？

　　古希臘哲學家德謨克利特曾提出「原子論」，認為萬物都是由原子與虛空所構成，原子在虛空中不斷碰撞，從而形成萬物。這是古代標準的唯物論觀點。萊布尼茲認為這種構想有其優點，宇宙萬物確實是由很小的單元所構成的。

　　但萊布尼茲是數學家，他認為原子論仍有不妥之處。原子儘管微小，但仍有體積，因而可被分割，所以原子不是真正單純的東西。構成萬物的基本單位應該是單純實體，沒有形狀和體積，不可分割，萊布尼茲稱之為「單子」。

　　單子是無形的，如何證明它的存在？萊布尼茲認為，最好的證

明就是回到人類的內在經驗，人的「自我」是單子的最好說明。我覺察到「自我」是一個精神體，是單一的、不可分割的，這不就是無形單子的模型嗎？在我身上雖有各種不同的感受，但是自我通常可以維持它的統一性或單一性，它就是無形的單子。

　　萊布尼茲使用的「單子」（monad）一詞來自於希臘文的「單一」（monas）。他認為宇宙是由無數的單子組成的，它們都類似於「自我」這個單子。

（二）單子的各種性質

　　如果單子構成宇宙萬物，那麼單子的活動是怎麼回事？宇宙萬物的活動又是怎麼回事？萊布尼茲認為，單子沒有體積、形狀、分量等特徵，但它是實體，必須具備某些性質。就像「自我」是由「知覺」與「欲求」兩個要素構成的，所有的單子都有知覺與欲求這兩種性質。這兩種性質其實也是同一個東西。

1. 單子有知覺

　　任何一個單子都擁有整個宇宙在它自身的表象。萊布尼茲認為，宇宙萬物皆有關聯，每一個單子天生就具有某種知覺程度以反映整個宇宙。所以，「單子」也被稱為「宇宙的鏡子」或「小上帝」。前文介紹過大宇宙與小宇宙的觀念，萊布尼茲顯然從中受到了啟發。

2. 單子有欲求

　　單子有一種傾向和動力，不斷從一種知覺狀態推進到新的知覺狀態。快樂與痛苦、願望與情緒等一切感覺，都可以用單子來說明。它又是第一動力，因為意志不外乎是理智光照下的欲望；並且欲望要成為行動，是按照理智表現給它的對象之可能或不可能、適合或不適合而定。

　　所以，單子有兩個特徵──知覺與欲求。事實上，欲求也蘊含在知覺裡面。因此，單子就是具有衝力或能量的知覺。單子的傾向是由模糊的知覺趨向於清晰的知覺。一切單子都要盡可能的傾向於主宰宇宙萬物的上帝。

　　單子的數目是無限的，它的性質就是知覺，可以按照知覺的程度列出等級，分為礦物、植物、動物和人的靈魂。在此之上還有一種精神單子，那就是上帝。它可以統合所有的單子，被稱為「單子的單子」。

　　單子具有活力，使得整個世界生機盎然，宛如一座花園。萊布尼茲強調，宇宙中沒有任何荒蕪之物，沒有無法繁殖之物，也沒有死的東西，因為萬物都是由充滿活力的單子構成的。

　　萊布尼茲在宮廷做客期間，曾讓宮廷的侍女們去找找看樹上是否有兩片一模一樣的樹葉。黑格爾為此嘲笑他說：「這真是形上學的美妙時光，有人可以在宮廷中致力於形上學的研究，無須費盡心力檢驗它的原理，而只須比較樹葉的異同。」

　　萊布尼茲認為，單子沒有窗戶，只有一種內在的知覺能力與動力，它完全自給自足，不受其他單子的影響。每個單子的內在深處從一開始就以一種模糊的方式，對其他單子產生想像，從而獲知整個實在界。

（三）上帝做為預定和諧的中心單子

　　單子沒有窗戶，彼此不能溝通，它們之間要如何協調，才能使世界顯得和諧有序呢？萊布尼茲以兩個方式來回答：

　　1. 每個單子從一出現就具有一種內在的法則，以規範所有涉及這個單子的事物。譬如，每個人一生的遭遇在他出生時就已經規定好了。

2. 有一種「預定的和諧」可使所有單子之間協調一致。這就像每個人手錶上顯示的時間都與標準時間保持一致，這種和諧是早就設計好的。譬如你會認識哪些人，也是從你出生時就已經安排好的。

　　預定的和諧由中心單子負責，中心單子就是上帝，萊布尼茲由此毫不懷疑肯定了上帝的存在。萊布尼茲對於上帝存在的證明，讓我們想到安瑟姆的「本體論證」。萊布尼茲說：「我必須有一個上帝觀念，或者有一個完美圓滿的本質的觀念。這個本質的觀念必須包含所有的完美圓滿，而存在是一種完美，所以這個本質是存在的。」

　　這樣一來，新的問題出現了：如果存在上帝這個中心單子，讓所有單子都保持一種和諧狀態，為何人間還會有各種災難、痛苦和罪惡？下一節將介紹萊布尼茲的「神義論」，可以看到他是如何為上帝辯護的。

收穫與啟發

1. 單子本身無形無相，具有知覺能力。從人對自我的覺察，就能知道單子的存在。自我是人的生命核心，它就是一個單子。推而廣之，宇宙萬物都是由單子構成的。單子具有知覺和動力，使得整個宇宙顯得生機盎然。

2. 單子沒有窗戶，不能互相影響。每一個單子都具有某種知覺程度以反映整個宇宙；只是知覺程度不同，有的比較模糊，有的逐漸走向清晰，由此構成了宇宙萬物的層級系統。中心單子是純粹精神的單子，它設計了「預定的和諧」，使宇宙萬物可以保持和諧的狀態。如何證明中心單子在運作？萊布尼茲接受安瑟姆的「本體論證」，認為宇宙萬物的和諧要由「上帝」這個中心單子來負責。

3. 單子論屬於標準的獨斷論（Dogmatism），只提出觀點而沒有給出充分的理由，無法令人信服。黑格爾讀了單子論之後說：「這根本是一部形上學的小説。」黑格爾認為，萊布尼茲把所有的矛盾、對立都毫不費力的統一到上帝中，好像這些矛盾都不曾真正發生過。黑格爾說：「在萊布尼茲筆下，上帝彷彿是排水溝，所有的矛盾、對立統統流到那邊去了。」

課後思考

　　萊布尼茲單子論的出發點是人對內在自我的一種體驗，他把內在自我當做一個人的生命核心，認為內在自我是統一的，沒有任何矛盾或分裂的問題。這一點受到很多人批評與反思。請問：你對於內在自我的基本體驗是什麼？它是統一的還是分裂的？或者只是表面分裂而有一個統一的基礎？

補充說明

　　關於內在自我是統一的還是分裂的，許多人都贊同佛洛伊德有關內在自我的説法。所以下面要討論兩點：第一，説清楚佛洛伊德的觀念是什麼；第二，簡要説明心理學與哲學的不同。

1. 佛洛伊德的觀念

　　佛洛伊德比萊布尼茲的年代晚兩百多年。萊布尼茲當時還沒有後來那麼豐富的材料，當時生物學革命尚未出現，因此他不可能達到後來心理學探討的層次。所以，佛洛伊德的説法確實比較先進。佛洛伊德最有名的觀念，就是將人的內在自我分成「本我、自我和超我」三個部分。

　　(1) 本我。佛洛伊德認為，每個人都有一個「本我」。「本我」其實就是天生的本能。這種本能有一種驅動力，它要求欲

望立刻得到滿足。「本我」是無意識的，你不會察覺到它的存在，但它始終在發揮作用。

(2) 自我。「自我」基本上起一種聯繫的作用，做為「本我」與外在真實世界之間的媒介。它具有調節功能，可以調節「本我」、外在世界和「超我」之間的關係，使它們減少衝突。這比較接近理性的作用。

(3) 超我。「超我」就是良心，我們在兒童時期學到的社會規範就構成了「超我」。

「本我、自我、超我」的三分法並不是平行並列的。最基本的「本我」永遠存在，但你意識不到。你能意識到的是「自我」。「自我」的作用是要把內在的「本我」（本能的衝動）與外在的世界聯繫起來，讓你可以好好與別人來往，在世界上發展。「超我」是從小學到的某些規範，它不是另外一個層次的東西，我們一般稱之為良心。良心與「自我」有時會非常緊密的結合在一起，無法把它們完全分開。

人的內在自我有時會出現協調困難：「本我」發出各種潛意識的作用，讓「自我」難以承受，甚至出現精神方面的狀況。我們今天經常看到，很多人具有多重人格；有些人認知失調，在「我是誰」與「別人怎麼看我」之間存在著很大落差。佛洛伊德已經指出：內在自我是複雜的，它不是一個統一體；它一直在變化中，在外界的刺激下，它會不斷產生各種適應能力；它可能成長，也可能萎縮。

然而，佛洛伊德對此無法給出明確的方向，他只能說「你要設法活得開心快樂一點」，因為他的宇宙觀、人生觀都是用物理和化學變化來加以解釋。只要你現在活得舒服愉快，身體覺得安適，心情未受干擾，就已經很好了。

2. 心理學與哲學的不同

　　心理學基本的思考模式都來自於假設命題。譬如我說：「如果你要快樂，就要與別人好好相處。」所以，「與別人好好相處」只是得到快樂的一個手段。再如，「假如你要去美國念書，就要把英文學好。」所以，學英文沒有強制性，如果你不去美國念書，根本不用學英文。

　　心理學命題不可能脫離假設，不可能在沒有制約的情況下，告訴你應該做什麼。因此，當你去找心理學家諮詢，他一定會先問你：「你想做什麼？有什麼願望？」你要先設法認識自己到底有什麼能力，再來分析這個願望能否達成。

　　哲學不一樣。哲學經常會被認為走上獨斷論，因為它只給答案，理由卻不夠充分。哲學的命題都是定言命題，就是要下定義。所以哲學家很喜歡直接說人性是什麼，但事實上這是無法驗證的，能夠驗證的是人類外在的行為表現。

　　為什麼康德那麼重要？康德的哲學被稱做先驗哲學，他的思考模式就是，當觀察到任何經驗時，都要先問：使這個經驗成為可能的條件是什麼？如果不具備該條件，就不可能有這種經驗。這個條件就是先驗的。所以，人為何會有善惡的表現？哲學家可以發表他的意見，說人性在先驗上是如何的。

　　心理學是假設命題，容易被人了解和應用。如果你希望達成什麼目標，就應該如何去做。但它永遠無法告訴你人生最後的趨向。心理學家一般不會對你說「你要殺身成仁，捨生取義」，除非他對「仁義」在心理學上有明確的規定。

21-5 萊布尼茲的神義論

　　本節的主題是：萊布尼茲的神義論，介紹他如何為神的正義提出辯護。「神義論」的英文是 theodicy，theo 代表神，dicy 是希臘神話中的正義女神狄刻（Dice），合起來就意為「神是正義的」。

　　本節要介紹以下三點：

　　第一，萊布尼茲的充足理由律是什麼？

　　第二，他如何面對惡這個問題？

　　第三，對萊布尼茲提出的質疑。

（一）萊布尼茲的充足理由律是什麼？

　　萊布尼茲的單子論認為，宇宙萬物都是由單子構成的。單子本身無形無相，只有兩個基本特性——知覺和欲求。單子沒有窗戶，彼此不能溝通或互相影響。上帝做為中心單子，使其他單子得以存在；並具有預定和諧的觀念和力量，使整個宇宙保持和諧。

　　做為中心單子的上帝與充滿變化的宇宙萬物之間有何關係？為了說明這一點，萊布尼茲提出著名的「充足理由律」，亦即除非有一個充足的理由做為基礎，否則沒有任何東西可能存在，也沒有任何陳述可能為真。這類似於我們一般說的「事出必有因」。但問題是：你能否把「因」說清楚？萊布尼茲認為，一切發生的事都有它的充足理由，宇宙萬物都有其充足理由。

　　萊布尼茲認為真理有兩種：一種是永恆真理，譬如數學上的真理；另一種是事實真理，與經驗事實有關。

永恆真理必然存在於神的理解中。因此，從永恆真理可以證明上帝必然存在。上帝的本質包含存在，其他萬物的本質並不包含存在。譬如，我們可以知道一樣東西的本質，但是這並不代表這樣東西真的存在，它不存在不會構成矛盾。

除了永恆真理之外，還有事實真理。宇宙萬物都是偶存的，萬物的存在都需要充足理由，該理由一定在偶存的萬物之外，那就是上帝。上帝必然存在，並且只有上帝就夠了。所以，萊布尼茲由「充足理由律」證明了上帝的存在。

萊布尼茲隨後提出一個非常著名的觀念：這個世界是所有可能的世界中最好的世界。上帝選擇創造這個世界，必然有充足的理由，上帝的一切作為都是為了實現最美好的事物。這個世界有預定的和諧，必定是所有可能的世界中最好的。上帝當然有可能創造另一個不同的世界，但從道德上來看，它只能創造出最好的世界。這就是萊布尼茲形上學的樂觀主義。

他的這種觀念飽受批評。後來叔本華還嘲笑他，認為這個世界絕對不是最好的，反而是一切可能世界中最壞的一個，因為叔本華從根本上就否定有一個仁慈的上帝存在。萊布尼茲既然認為這個世界是所有可能世界中最好的，他就應該解釋：為什麼這個世界上會有各種惡？

（二）如何面對惡的問題？

萊布尼茲在 1710 年發表《神義論》，副標題是「論上帝的善性、人的自由與惡的起源」。神是正義的嗎？從人間有各種痛苦與罪惡來看，這一觀念確實應受到質疑。萊布尼茲認為，惡可以從三個角度來看：第一，自然的角度；第二，形上的角度；第三，道德的角度。

1. 自然的惡

自然的惡，是指人在生命過程中有可能受傷、衰老，最後會死亡。萊布尼茲認為，我們應該相信，各種苦難與災難都是秩序的一部分。對於動物來說，我們沒有理由懷疑動物身上不存在痛苦，但動物身上的快樂與痛苦看起來並不像在人類身上發生的那樣劇烈。這主要是因為動物不會反省，所以對苦樂不太敏感。

萊布尼茲一再辯稱，這個世界上的善多於惡。如果我們對於生命的生老病死有基本的認識，就不會怪罪於上帝。

2. 形上的惡

形上的善是存在，形上的惡就是虛無。人是受造物，在本質上就是不完美的。為什麼上帝不造一個完美的東西？因為如果真造出來的話，那不就成了另一個上帝了嗎？

有人很喜歡在這方面提出質疑。譬如，上帝能否造出一個他自己搬不動的石頭？這說起來很有趣，但在邏輯上無法成立。人的理性不能理解「搬不動的石頭」這一說法，因為在地震時，沒有任何東西是不動的。

再如，你能否說出一句自己不理解的話？你也許會說夢話或顛倒錯亂的話，但如果你自己都聽不懂，那它還算是「話」嗎？那只是某種聲音的組合，跟鳥叫、狗叫沒什麼差別。

所以，只要是受造之物，就不可能達到真正的完美。受造物的不完美，並非神的選擇，而是取決於受造物的本性。存在就算有它的缺陷，總是比不存在來得好。因此，對於形上的惡，也沒有理由怪罪於上帝。

3. 道德上的惡

道德上的惡是指人會故意犯錯，做出錯誤的選擇。萊布尼茲接受奧古斯丁的觀念，認為惡是一種缺乏，缺乏正當的秩序就造成道

德上的惡。你應該選擇善而沒有選，結果因為缺乏善而產生了惡。換句話說，惡不是實在的東西，並沒有一種積極為惡的動力因。人有自由，所以人選擇的時候，犯錯似乎是無法避免的。

上帝並不喜歡道德惡，他只是允許它存在。如果自然的惡可能達成善的目的，譬如樹木枯萎之後，新的樹木可能長得更好；那麼人類道德上的惡也可能造成某種善的結果，譬如可以促成其他人更加堅定的行善。

道德惡是人的行為，人要對自己負責，死後會有公平的賞罰。從倫理學的角度來看，要滿足人在道德方面的願望，就必須證明上帝是明智而公義的，他一定會公平地賞善罰惡。這是倫理學的主要基礎所在。

（三）對萊布尼茲提出質疑

萊布尼茲一方面相信上帝創造人類和萬物，另一方面又把人類的罪惡歸咎於人類自己，而不歸咎於創造人類的上帝。尤其是他認為「這個世界是所有可能世界中最好的」，這種說法帶來了很大的困難。

在他過世後約四十年，他受到更直接的批評。葡萄牙里斯本於1755 年 11 月 1 日發生大地震，導致上千人死亡。當時已經進入啟蒙運動的時代，伏爾泰專門寫了一篇名為《憨第德》（*Candide*）的小說來嘲諷萊布尼茲，他說：「這個世界怎麼會是一切可能世界中最好的呢？」

除了天災之外，還有人禍。譬如，納粹在二戰中屠殺數百萬名猶太人，這又該如何為上帝辯護呢？

萊布尼茲的目的是要建構出完整的哲學系統，但很多地方都超出他所能掌控的範圍。

（收穫與啟發）

1. 為了思想系統的協調，萊布尼茲提出充足理由律。做為中心單子的上帝，安排了「預定的和諧」，使得構成萬物的單子雖然沒有窗戶，但仍然可保持一種穩定狀態。宇宙萬物的存在都需要充足理由，因此，上帝沒有理由不創造一個最完美的世界，我們現在的世界就是所有可能世界中最完美的。

2. 這個「完美的世界」為什麼會有這麼多的惡？惡代表缺陷和不完美。惡有三種：自然的、形上的、道德的。前兩種惡比較容易解釋，不必歸罪於上帝。但是道德的惡如此明顯，它很難被解釋。

   如果上帝是全能的，為什麼不造出全善的人？如果上帝是全善的，為什麼讓人可能犯錯？所以上帝或者不是全能的，或者不是全善的。這是對神義論最基本的批評。替神辯護一直都是宗教哲學家的願望，但是人類的處境並不會因此得到改善，這些只是在理性層面進行的攻防作業。

3. 笛卡兒開啟了心物二元論的立場。史賓諾莎把二元整合為一元，把心與物當做實體的兩種屬性，取消了它們實體的地位，因為實體是不滅的。萊布尼茲提出有無數的單子，變成多元論。萊布尼茲的單子論只靠一個做為中心單子的上帝，就把一切都協調起來，使世界顯示出秩序與和諧，這明顯進入獨斷論的領域。

（課後思考）

請你思考一下，人類道德上的惡應該歸咎於哪些因素？

補充說明

　　「道德的惡」一定來自於「人有自由」和「人會後悔」這兩點。如果你沒有自由，那麼後來不可能會後悔。正因為你有自由、可以選擇，卻選錯了，而且屬於道德上的明知故犯，所以才會後悔。人的自由為何會導致惡？因為人有兩個限制：

1. 理性方面的限制，使他無法知道所有的選項，究竟該如何選擇？對哪些人更好？

2. 能力方面的限制，使他無法心想事成，去照顧所有人。

　　因此，人有自由，但他所知有限，能力更少，所以他的選擇經常會出問題，由此產生道德的惡。這也牽涉到外在的制度和資源。但如果沒有進行內在修養，自身的限制就會愈來愈大。

　　人真的有自由嗎？按照史賓諾莎的說法，人根本就沒有自由。但他也承認，人可以用理性去了解自己的情感，由此擺脫情感的束縛，使自己可以自由的去理解。

　　道德的惡是一個客觀存在的事實，否則人不會有後悔的問題。這裡的「後悔」不是理財失敗之類的後悔，而是由於我讓別人受到傷害而後悔。也許我本來是好意，但因為我的認知和能力都有限制，結果陰錯陽差，反而傷害了別人。這種無意中的傷害，經常會在這個世界上出現。

　　我們要更深入了解人性，也要更加了解自己，因為人性是普遍的，而自己是獨特的。如何在人類的共性中找到自己的個性？這不是讓你放棄個性，而是要順著個性的發展，做出明確的選擇。在選擇之前，我們要有比較完整的認知，這樣才能逐漸減少犯錯和後悔。

第二十二章

霍布斯、洛克
與貝克萊

經驗主義

22-1　別人都是豺狼嗎？

本章的主題是：霍布斯（Thomas Hobbes, 1588-1679）、洛克與貝克萊：英國經驗主義（Empiricism）。本節的主題是：別人都是豺狼嗎？主要介紹霍布斯的哲學，包括以下三點：

第一，霍布斯的生平簡介。

第二，霍布斯的哲學立場是什麼？

第三，霍布斯的代表作《利維坦》。

（一）霍布斯的生平簡介

霍布斯是英國哲學家，出生於牧師家庭，牛津大學畢業，後來擔任貴族的家庭教師。他勤勉好學，曾把古希臘歷史學家修昔底德（Thucydides, 460-400 B.C.）的《伯羅奔尼薩戰爭史》譯成英文，晚年時把《荷馬史詩》譯成英文，這是他在學術上的貢獻。

霍布斯與伽利略和培根都是朋友。當時培根在英國已經產生了很大影響，他的代表作《新工具》強調要用更嚴謹的歸納法來研究學問。霍布斯也讀過比他年代稍晚的法國哲學家笛卡兒的著作，對他的觀點無法苟同。霍布斯的代表作是《利維坦》（*Leviathan*），這是一本政治哲學方面的重要著作。

（二）霍布斯的哲學立場

談到英國哲學，從中世紀後期的「奧卡姆的剃刀」到十四世紀中葉，基本上都傾向於經驗主義，主張重視經驗，透過觀察自然界

與人類社會來尋找真理。這是英國哲學的主流路線。

　　霍布斯哲學的初衷是探討「因果關係」，透過推理為人生謀得福利。所謂「因果關係」是指：對某一結果的產生過程做科學的說明，然後再從原因複製所有可能的與實用的結果。因此，哲學僅涉及運動的物體，而不必考慮上帝或神學方面的問題。換言之，先把宗教擱在一邊，僅就人類與有形可見的世界進行了解，目的是為人找到一種更安全愉快的生活方式。

　　霍布斯認為，重要的是研究動力因，因為它包含了形式因與目的因。只有動力因可以產生結果，所以因果關係是一種必然的聯繫。霍布斯的觀點是機械式的決定論，排除了人的自由。

　　霍布斯認為，人是動物之一，有兩種運動：一種是生命的運動，例如血液循環；另一種則是動物的運動，可以透過想像來表現企圖。人的企圖有欲望與厭惡兩種，演變為愛與恨。霍布斯主張善惡相對論，個人的嗜好與欲望是善惡的尺度。合乎你的嗜欲，對你而言就是善，否則是惡。每個人都由於欲求權力（包括財富、名聲、知識）而發展心智方面的能力。如此一來，人與人之間的關係變得非常緊張。他有一句名言：「人對人而言就像豺狼一樣。」（Homo homini lupus est.）

　　霍布斯認為，國家是由人的意志與協議造成的，國家的百姓稱為公民。為了了解公民的角色與責任，必須分析人的性情、愛好與行動。霍布斯稱之為倫理學。比較特別的是，霍布斯認為人也是自然物體，因此他把倫理學也當成一種對自然界的探討。

（三）霍布斯的代表作《利維坦》

　　霍布斯在 1651 年出版代表作《利維坦》，副標題是「會死的神」。「利維坦」在古代是指一種巨獸。霍布斯在這本書中討論國

家理論，這是他的哲學中較有創見、也較為深刻的部分。

霍布斯為何要寫這樣的一本書呢？他認為，戰爭是自然狀態，因為人都在追求及保存快樂，其出發點是利己。戰爭有兩個最主要的德行，就是暴力與詐欺。這讓我們想到義大利政治哲學家馬基維利在《君王論》中提出的觀念：「戰爭就是要靠暴力與詐欺，用武力來勝過別人，而且兵不厭詐。」

霍布斯認為人有兩種能力：一方面是情感與欲望，由此造成戰爭；另一方面是理性，可以讓人透過協定而約定和平條款。人的理性命令我們，制定出大家共同遵守的權利與義務。

霍布斯在《利維坦》一書中提出了十九條自然法則，重要的是前三條：

1. 每個人都應致力於和平，為了這個目的，甚至可以使用戰爭的手段。
2. 為了和平，有必要自願放棄某些權利。在這一點上人人平等，不過人不可能放棄保衛自己生命的權利。
3. 眾人應該遵守大家所制定的契約。這個契約使個人把他的權力與利益都讓渡給一個人或一個委員會，藉此形成「一個意志」，這就是國家的由來。

成立國家的目的是為了和平，讓每個人都可以過得安全、愉快。這就是「利維坦」，又叫做「會死的神」。既然談到會死的神，就代表還有「不死的神」，那就是傳統所謂的上帝。利維坦在「不死的神」（上帝）之下，給予我們安全與和平。霍布斯認為，我們不必談宗教與神學，也不必期望上帝來保護我們的現實人生，這時只有靠自救，也就是組成國家。每個人讓渡一些權利，形成契約，從而得到更大的安全保障。

霍布斯這種觀點可以說明近代國家的形成，但他沒有說明的

是：國與國之間應該如何相處？當弱國遇到強國而無法自保時，應該採取何種策略？霍布斯只是站在英國人的立場上考慮的。當時英國的國力日趨強盛，而英倫三島的地理條件也比較容易保障自己的安全。

霍布斯有兩點看法值得參考：

1. 他說：「不帶刀劍的契約不過是一紙空文，它毫無力量去保障一個人的安全。」這意味著重視目的就必須考慮手段，若沒有強大的武力做為後盾，訂立的任何契約都是無效的。

2. 他說：「當你享有反對別人的自由時，你也必須願意讓別人反對你。」這種觀點很接近十八世紀啟蒙運動的精神，正是啟蒙運動時期眾人嚮往的目標。

不過，霍布斯過於重視經驗和現實，很少談及高尚的理想。他說：「每個人都有他的偏執。一般人對某人的意見，贊成的會說它是真知灼見，反對的會說它是異端邪說。」這種現象在日常生活中、甚至在學術界裡屢見不鮮，從中可以看到赤裸裸的現實主義。

比較令人擔心的是下面兩句話。

霍布斯說：「一個人的價值，就像所有東西一樣，就是他的價格。」將人的價值等同於價格，這顯然忽略了每個人都有平等的生命尊嚴。

另一句話則顯示他根本不考慮良知問題，他說：「人對人而言就像豺狼一樣，都是在爭取自己的利益而不惜互相傷害。稍有不慎，就造成各種委屈與災難。」

這種說法也許可以反映社會上競爭的現實情況，但不能說明人與人相處的一切情況。我曾在一所醫院演講，聽眾都是護理人員，牆兩邊掛著兩行字：「愛自己的孩子是人，愛別人的孩子是神。」可見，霍布斯忽略人與人之間也可能有很深刻的善念與善行。

1. 霍布斯繼承英國重視經驗的傳統，並加以發展。在他之後，出現英國經驗主義的三位代表：洛克、貝克萊與休謨。霍布斯是一位優秀的語言專家，對希臘文、拉丁文都有很深的造詣，他翻譯了一些古希臘時代的重要作品。

2. 霍布斯的哲學立場是把人當做自然物體。如果要讓人活得比較安全、愉快，就要了解人的性情、愛好與行動，這就是他的倫理學。人的善惡觀念是相對的，以能否滿足自己的嗜好和欲望做為標準。

3. 霍布斯的代表作是《利維坦》，又名為「會死的神」，代表在它之上還有一個「不死的神」。但這樣的神或上帝太遙遠，所以就設法由「利維坦」這個巨大的怪獸（國家）來為所有人帶來安全與和平。

課後思考

　　霍布斯認為「人對人而言就像豺狼一樣」，這種說法可能過於偏激。你是否能想到一些親身的經歷，來補充或修正這句話？

22-2　心靈只是白紙

　　本節的主題是：洛克所說的「心靈只是白紙」。

　　理性主義與經驗主義是近代西方哲學的兩大系統，雙方對於知識的來源問題持完全相反的看法。笛卡兒開啟了理性主義，他提出「我思故我在」、「我等於思」，因此感官無法獲得可靠的知識，必須肯定人有先天本具的觀念。英國的洛克（Locke, 1632-1704）則開啟了經驗主義，他提出「心靈只是白紙」、「所有的觀念都來自於經驗」。兩大系統的對峙反映了西方思潮的重大轉變。

　　在古希臘時代，柏拉圖主張上下二元對立——理型界與現象界的對立，可靠的是在上面的理型界。亞里斯多德雖然肯定經驗世界，但最後也要推源於上層的「第一個本身不動的推動者」。中世紀一千多年以宗教為主導，認為人間並不完美，只有上面的天堂才是完美的，這也是一種上下二元的對立。

　　但是，西方近代以來開始重視知識的來源問題，由此出現內外二元的對立。「內」就是心，「外」就是身體及萬物，後來就演變為心物二元對峙的局面。

　　《論人的理解》（又譯為《人類理智論》〔*An Essay Concerning Human Understanding*〕）是洛克的代表作之一，該書旨在反對柏拉圖、經院哲學以及笛卡兒的思想。自從柏拉圖區分感覺與知識之後，大多數西方哲學家都認為，真正的知識不能來自於感覺或經驗。如今，洛克的經驗主義則是一項大膽的革新運動，這使他在西方哲學史上享有一定的地位。

　　本節主要介紹以下三點：

第一，心靈有如白紙。

第二，實體存在嗎？

第三，人的知識是怎麼回事？

（一）心靈有如白紙

洛克認為，人沒有先天本具的觀念。所謂「先天本具的觀念」主要指三項內容：思想的規則、實踐的原則以及某些自然的傾向。洛克逐一反駁這三點：

在思想的規則方面，譬如同一律與不矛盾律，其實就是說「一樣東西是它本身，而不是別的東西」。這種規則對於小孩或文盲沒有意義，所以不能說它是先天本具的。

在實踐的原則方面，譬如，所有人都同意某些道德原則，但那些道德原則是什麼？它們是如何取得所有人同意的？這些原則其實都是人想像出來的。

在自然的傾向方面，人確實有某些自然的傾向，譬如好逸惡勞等，但這種自然傾向與先天本具的觀念無關。

洛克認為「心靈有如白紙」，觀念來自於感官知覺和理性反省，即透過經驗產生感覺，再對其做初步反省，才能得到各種觀念。簡言之，經驗是一切觀念的來源，由簡單觀念再演變為複合觀念。

簡單觀念有四種：第一種是由感覺直接得到的，譬如，看到白色，聞到香味，看到運動和靜止，這些都是由感覺得來的；第二種是由反省感覺的材料所得到的，譬如，透過反省，你會知道某樣東西與另一樣東西不同，從而對其形成某種印象；第三種是伴隨前兩種觀念而生出的苦與樂的感受；第四種與前兩種同時出現，即由於感覺加反省，可以得知一樣東西是存在的、統一的、有某種力量

的。此外，還有整合上述四種簡單觀念而形成的複合觀念，如實體、樣式、關係等。

洛克說：「假如心靈像我們所說的是一張白紙，沒有任何特徵與任何觀念，那麼請問心靈是從哪裡得到各種材料的呢？人何以能讓它漫無邊際的想像，並在上面塗抹各種顏色？這一切理性及知識的資料是從哪裡來的呢？我可以用一句話來回答：是從經驗來的。我們的一切知識皆由此而來，經驗是知識最終極的來源。」這段話說明了經驗主義的基本立場。

（二）實體存在嗎？

「實體」是理性主義最核心的觀念。所謂實體，就是在一樣東西底下做為支撐的真實的東西，有時又稱為托體（substratum），好像在底下托住某個東西。洛克批評實體的觀念，他說：「由於我們無法想像那些簡單觀念能夠獨立存在，所以就假定有某種托體，做為它們存在的依據與產生的根源，然後稱之為實體。」換句話說，實體是我們想像出來的。

洛克認為，就算真的有實體，我們對它的認識也要區分「初性」與「次性」兩個方面。這是洛克關於實體性質的著名解釋。

「初性」就是能在我們心中產生簡單觀念的那個力量本身。譬如，在我眼前有一塊蛋糕，它是一塊而不是幾塊，代表它是統一的東西；它是圓形而不是方形，代表它有形狀；它是八寸大的，不是十二寸大的，代表它有大小。所以，一個東西的初性就是它的統一性、形狀以及大小量積等性質。

初性不能被人類掌握，能被我們掌握的是次性。譬如，這個蛋糕是粉紅色的（顏色），聞起來是香的（香味），嚐起來是甜的（甜味），摸起來是軟的（觸覺），即所謂的「色、聲、香、味、

觸」都屬於次性。次性並非對象本身所具有的，而是藉其初性在我們心中產生的各種感覺。換言之，物體中的力量作用於人的感官，就出現了次性。

次性是主觀的，依人的感覺而存在。一個人沒有眼睛就沒有顏色的問題，沒有耳朵就沒有聲音的問題。黃疸病人看一切都是黃的，戴紅色眼鏡的人看一切都是紅的。換言之，次性與物體本身沒有什麼關聯，純粹是人主觀感覺作用的結果。

簡而言之，洛克把實體的性質分為初性與次性，「初性」是實體本身的性質，「次性」是由我們的感覺所得到的實體的性質。

（三）人的知識是怎麼回事？

人的知識只與觀念有直接聯繫，而永遠達不到物體本身。換言之，人的知識只涉及觀念之間是否相合。譬如，白是白，白不是紅，你可以分辨觀念是同一的還是有差異的。在數學命題中，你可以判斷演算過程與結果是否相合，但它只涉及數學符號或觀念，而與客觀事實無關。再如，火與熱可以共存嗎？上帝觀念與真實存在物有什麼差別？這些都是觀念是否相合的問題。

這樣一來，人的知識只是在觀念世界中打轉，不能接觸到物體本身。洛克因而對自然科學持悲觀態度。任何判斷或命題只有或然性或概然性，而不可能有完全的確定性。數學並不陳述外在世界，它只是探討人類觀念的一種知識。道德知識和數學差不多，要依定義與公理來判斷真偽，而不涉及你所判斷的行為是否真正存在。

上帝怎麼辦？洛克認為「無不能生有」，所以必須有一個「無始之物」存在，它是永恆的、全能的、全知的，至於人是否稱之為「上帝」並不重要。這樣一來，經驗主義就把人的知識限定在非常具體的範圍裡面。

收穫與啟發

1. 洛克開創經驗主義。他提出「心靈有如白紙」，後天的感覺經驗可以形成印象，再透過反省而得到觀念。用觀念代表外在事物其實都隔了一層，因為一切觀念都來自於經驗，尤其是感覺經驗。有四種簡單觀念，簡單觀念可整合為複合觀念。

2. 洛克取消了實體觀念。他認為，就算有實體存在，人也無法認識，因為人所能認識的只是次性。次性來自於人的感覺能力，我有「眼耳鼻舌身」，就能感覺到「色聲香味觸」。這些「次性」只是我的感覺，不能代表外在的感覺對象。

3. 洛克強調，人的知識只能接觸到觀念，對於觀念之間是否相合可以進行判斷，但無法接觸到物體本身。自然科學只是研究人類觀念裡的東西，無法接觸外在的自然世界。因此，所有的命題只有或然性，而不可能得到確證。洛克承認上帝存在，因為人不能理解「無中生有」，所以必須要有一個本身存在的東西。至於是否稱之為「上帝」，其實並不重要。洛克就這樣建構起經驗主義的大廈。

課後思考

　　根據洛克的說法，我們只能得到主觀的觀念，而無法及於外在的客觀對象。譬如，你認識一位朋友，你對他的印象都是主觀的，你能否把這些印象連結到這個朋友本身呢？

22-3　洛克的契約理論

本節的主題是：洛克的契約理論。洛克的契約理論影響深遠，他在哲學史上有兩大身分：第一是經驗主義的創始人，第二是哲學上自由主義的創始人。

洛克的政治思想有什麼影響力？由於孟德斯鳩（Montesquieu, 1689-1755）的闡述，洛克的政治思想已經在美國憲法中得以體現，英國憲法以他的政治思想為基礎，法國 1871 年的憲法也以他的思想為藍本。

經過啟蒙運動的代表、法國的伏爾泰的推廣，洛克對於十八世紀的法國產生很大的影響。洛克也是英國 1688 年光榮革命的宣導人，這是所有革命中最溫和的，也是最成功的，實現了「國王的權力要由國會認可」這一目標。

本節要介紹以下三點：

第一，契約理論是什麼？

第二，自由主義的內容。

第三，洛克的倫理思想。

（一）洛克的契約理論

霍布斯在《利維坦》一書中，對於國家的形成與權力的來源做了初步探討，洛克在《政府二論》（*Two Treatises of Government*）中的闡述則更加完整。首先，洛克認為，人有一種自然狀態。在自然狀態中，人類天生是自由的與平等的。

但此時有三個問題：

1. 沒有共同的法律。如果人與人之間發生衝突，該怎麼辦？
2. 就算有法律，也沒有一個公正的裁判者。如果每個人都自以為是，這個社會很難和諧相處。
3. 就算有裁判仍然不夠，他還需要有權力，而且這個權力必須是大家認可的。因此，要有法律、裁判者和權力，才能保障人的自然狀態。

洛克認為，眾人按照理性而群居在一起，一開始沒有任何具有權威的上司去統治或裁決。人的理性就是自然法則，它會教導所有人：不應傷害別人的生命、健康、自由與財產。因為人都是由上帝所造的，都是平等而獨立的。並且人有良心，受到自然的道德法則的約束。

接著，洛克認為，人有自然的權利，比如財產私有權。人類結合成為國家，是為了保護人民的生命、自由與財產，這時就要訂立原始的契約。在這樣的契約中，個人放棄權利而交給大多數人來裁決，但絕不會放棄自由而淪為奴隸。這是洛克的基本原則。

前面談到的霍布斯認為人不能放棄生命，洛克則強調人不能放棄自由。

對於國家的組成，洛克認為應該「三權分立」，即立法權、行政權與聯邦權各自獨立。後來演變成今天我們所熟知的立法權、行政權與司法權的三權分立。

談到君王的權力，傳統上都認為是「君權神授」，即由上帝選定某些家族，並賦予其領導權力。因此，人民不服從君王，就是不服從上帝，根本不能有革命的念頭。洛克則認為，國家的形成基於契約，君王的權力來自於人民，國家是由人民組成的。這開啟了西方近代民主國家的觀念。

（二）自由主義的內容

洛克的自由主義基本上是要肯定理性，主張寬容。洛克本人雖是一位虔誠的信徒，但他十分重視理性，認為理性具有主導的功能。他對啟示有兩個觀點：

1. 《聖經》的啟示具有最高的確定性；
2. 啟示必須由理性來判斷，所以理性還是具有最高的主導地位。

宗教一向以啟示為主，但所有的啟示最後都要靠人來解釋，靠理性來判斷。所以，最終還是要以人的理性來決定萬物的意義。

洛克認為，人的理性有兩種作用：

1. 分辨什麼是我們確實知道的、不能再加以懷疑的東西；
2. 找出在實際上適宜接受的主張。

「適宜接受」代表這些主張具有可能性、或然性，而不具有必然性。換言之，要設法用理性去了解自己真正知道的是什麼；同時，在實際生活上，也必須弄清楚哪些主張適合讓我接受，使我可以過一種合理的生活。

因為理性有上述兩種作用，所以在知識上和其他方面就出現了所謂的「自由主義」，強調要保持寬容的態度。洛克在這方面頗有代表性。所謂「寬容的態度」有兩點內涵：

1. 沒有人是真理的判準；
2. 沒有人會輕易放棄自己的意見，所以，人與人之間必須互相尊重。

洛克說：「哪裡有這種人，他的主張都可以證明是絕對真理呢？或者凡是他所指責的缺點，都是真正的錯誤呢？」另一方面，洛克說：「我們怎能期待別人放棄他的成見，屈從於一個陌生人或反對者的權威？」的確，每個人都有自己的看法，我們不能指望他

人會放棄先入為主的想法。洛克又說：「我們有理由相信，一個人愈能教訓自己，他就會愈少強迫別人接受自己的見解。」即對自己要嚴格要求，對別人則要盡量寬容。他的寬容精神對於啟蒙運動有非常深刻的影響。

洛克顯然對於現實生活的興趣更大，對於形上學則沒有太大興趣。洛克研究了萊布尼茲的單子論後，寫信給朋友說：「我和你對於這種浪費時間的事情已經受夠了。」由此可見，英國經驗主義的實用精神。任何說法只要與現實無關，他們就認為那只是一種抽象的玄想，根本沒有必要。巧合的是，洛克出生於 1632 年，而理性主義者史賓諾莎也在同一年出生。

（三）洛克的倫理思想

一個哲學家不管是研究知識論，還是沉思形上學，最後都要落實到現實人生裡。洛克在倫理學方面的思想比較簡單，他認為自由主義的特徵就是要追求公私利益的調和，因此審慎是很重要的。他所謂的「審慎」與古希臘所謂的「明智」有點類似，明智就包括聰明與謹慎。洛克強調，一個人在道德上的過失都是因為缺乏審慎。審慎使人富有，缺乏審慎則會使人貧窮。

對於善惡問題，洛克說：「善惡只與苦樂有關。」這種主張比較接近常識，但洛克偏偏就喜歡常識，他認為常識沒什麼不對，大家長期認同的說法一定有它的道理。他強調，善惡只與苦樂有關，我們稱為善的，就是會產生或增加我們的快樂的，或是會消除我們的痛苦的。換言之，善就是讓你快樂的，惡就是讓你痛苦的。這種思想在古希臘時代就已經出現過，要批判它並不難。

另外，洛克問：「行為的欲望是什麼？」他的回答是：「幸福，只有幸福而已。」這種追求幸福的觀念同樣源遠流長。他說：

「追求幸福的需要就是一切自由的基礎，以自由做基礎才能追求幸福。」他強調：「我們所熱愛的政府就是能增加我們的自由的。」可見，洛克的倫理思想十分具體而落實。

　　關於教育，洛克說：「把子弟的幸福建立在德行與良好的教育上，才是唯一可靠的辦法。」洛克是一位虔誠的信徒，所以他並不反對上帝可以賞善罰惡。他的表現相當溫和，只要是大家常識上都接受的，他就不會刻意反對。這就是洛克對現實人生的態度。

收穫與啟發

1. 洛克在他的《政府二論》中，對西方的契約理論做出詳細說明，確實發人深省，直接影響當代民主國家的建立。
2. 洛克的自由主義肯定理性，主張寬容。他認為，要尊重每一個人，不要試圖改變別人，但我們也有權利保持自己的觀點。
3. 洛克的倫理思想相當簡單，他認為，善惡只與苦樂有關，人生就是要追求幸福，讓自己過得快樂。對於在什麼情況下要做出重大犧牲，恐怕一時難以說清楚。

課後思考

　　我們可以從洛克的寬容態度中學到什麼？如果你發現朋友在觀念或行為上有明顯的錯誤，甚至這個錯誤可能處在法律邊緣，你會想盡辦法勸導他，還是尊重他的選擇？

22-4　貝克萊在經驗主義中承先啟後

　　我們可能不太熟悉「貝克萊」這個名字，但很多人都知道柏克萊加州大學（University of California, Berkeley），這是美國一流的大學。這所大學邀請了許多在自然科學方面獲得諾貝爾獎的學者去擔任教授。這些教授有一項特權——有自己的專屬停車位。所以學生總開玩笑說，在柏克萊大學隨便丟塊石頭，都可能砸到一位諾貝爾獎得主。這當然有些誇張了。柏克萊加州大學的「柏克萊」（Berkeley）就是本節要介紹的哲學家，在哲學史上通常把他的名字譯為貝克萊，其實指的是同一個人。

　　貝克萊（George Berkeley, 1685-1753）是愛爾蘭人，畢業於都柏林三一學院，不到二十八歲就出版代表作《人類知識原理》和《對話錄》這兩本書。他年輕時事業心很強，曾到美洲考察，準備在百慕達（Bermuda）建一所大學，但沒有成功。他後來回到愛爾蘭，四十九歲時被任命為英國國教的主教。為了紀念他，美國加州的一個市就命名為柏克萊，之後便有了柏克萊加州大學。英國學術界注重實際，至於你是不是主教、是有神論還是無神論都不重要；重要的是拿出著作，闡明基本觀點，如此便能獲得肯定。

　　英國經驗主義的發展分為三個階段：首先洛克認為，我們對於外在實體只能了解它的次性，而不能了解它的初性；因此就算有實體存在，我們也不能認識它。接著是貝克萊，他認為初性與次性一樣，都是人的主觀的一種理解。這樣一來，外在物體的存在就被忽略了。最後到了休謨，認為連知覺的主體（人的自我和上帝）也是不存在的，至少是不可知的。

本節內容包括以下兩點：

第一，貝克萊在經驗主義的發展中承先啟後。

第二，對比貝克萊與中國明朝學者王陽明的思想。

（一）貝克萊在經驗主義的發展中承先啟後

貝克萊有一句名言：「存在即是被知覺。」（Esse est percipi.）譬如，眼前這張桌子存在嗎？它存在，因為它被我知覺。我是知覺的主體，具有知覺的能力。外在事物因為被我知覺，它的存在才能得到肯定。但問題是，如果沒有人在房間裡，這張桌子還存在嗎？

有人專門寫了一首詩來嘲諷貝克萊。一個年輕人說：「上帝一定覺得很奇怪，他發現這棵樹繼續存在，而當時並沒有人在園子裡，這棵樹沒有被人知覺，它為什麼還存在呢？」可見，當時許多人只從字面上理解「存在即是被知覺」的意思，便對貝克萊冷嘲熱諷。

貝克萊如何答覆呢？他說：「親愛的先生，你的驚訝很奇怪，我可是一直在園子裡啊。為什麼這棵樹依然存在？因為我一直在看著它。」落款是「你的忠實的上帝」。上帝知覺一切，一樣東西即使沒有被人知覺，上帝也能保障它的存在，這就是貝克萊的觀點。

譬如，深山裡有一朵百合花，這座山沒有人去過，請問這朵花存在嗎？這對貝克萊來說不是問題，因為他是英國國教的主教，相信上帝的存在。他會說：深山裡的這朵百合花照樣存在，因為上帝在知覺它。所以，「存在即是被知覺」可以成立。

（二）貝克萊與王陽明思想的對照

中國明朝學者王陽明（1472-1529）比貝克萊早兩百多年。王陽明的學說不僅內容豐富，而且十分精采。很多人把王陽明的「知

行合一」與蘇格拉底的「知德合一」相對照，很有啟發性。大家也
常把王陽明與貝克萊相對照。貝克萊是西方著名的主觀唯心論者，
王陽明和貝克萊所講的是同樣的東西嗎？

　　王陽明主張「天下無心外之物」。在《傳習錄》中有這樣一段
記載。有一次他和幾個朋友到南鎮遊玩，有位朋友指著岩石中一棵
開著花的樹問他：「天下無心外之物，像這樣的花樹在深山中自開
自落，與我的心有何相關？」

　　王陽明如此回答：「你還沒有看這朵花的時候，這朵花與你的
心同歸於寂（沉寂）。你來看此花時，則此花顏色一時明白起來，
便知此花不在你的心外。」這個解釋很有趣，他並沒有說「你沒看
這朵花的時候，這朵花不存在」，那樣說就和「存在即是被知覺」
完全一樣了。他只是說，你沒看這朵花的時候，它自開自落；你看
它的時候，這朵花才被你察覺，顯示出它的色彩。可見，這朵花不
在你的心外。

　　根據一些專家的研究，不一定要把王陽明的說法理解為像貝克
萊一樣的主觀唯心論，好像我的心可以決定這朵花是否存在；而要
把焦點轉向你看或沒看。王陽明重視的是心與物的感應，即我的心
與這朵花接觸後，我感應到這朵花，花的顏色就隨著我的視覺而呈
現出來。可見，王陽明並沒有強調「存在即是被知覺」，也沒有談
到「即使我不去看這朵花，上帝也一直在看」這樣的問題。

　　中國宋朝、明朝的哲學分為兩大系統，一個是理學，一個是心
學，後來還有一派叫做氣學。王陽明屬於心學，選擇的是陸象山
（1139-1193）的路線。陸象山比王陽明的年代早三百多年，與朱
熹（1130-1200）的年代接近。陸象山與朱熹兩人還進行過辯論。
陸象山曾說：「宇宙即是吾心，吾心即是宇宙。」由此開啟了心學
的傳統。

　　陸象山的意思是說，如果我的心沒有覺悟到整個宇宙，則宇宙與我完全無關；如果我的心覺悟到宇宙，代表它可以包容一切，所有東西都不能離開我的心的意識能力。因此，探尋宇宙萬物的道理不必像理學那樣向外尋找，人完全可以在自己的心裡去感應。不過，這種感應的觀念不太容易說清楚，因此顯得有些神祕。

　　貝克萊在認識論上強調「存在即是被知覺」，同時他又說「存在即是能知覺」。「被知覺」是指被人或上帝所知覺的對象，「能知覺」是指人或上帝具有一種知覺萬物的能力或力量。貝克萊的哲學旨在闡明：人類是如何掌握一樣東西的存在，以及可以掌握到何種程度。王陽明強調的則是心與物的感應，他所說的心的能力在作用上甚至超過貝克萊。貝克萊只強調認識的作用，王陽明則強調，心除了知覺之外，可能還有某種感應能力，這種能力更具主動性或能動性。

　　透過上述對照可以發現，西方哲學基本上都是經由人的理性思考來提出某些基本觀點，再進一步影響到他們在倫理學、形上學方面的觀念。

> **收穫與啟發**

1. 貝克萊在英國經驗主義中處於承先啟後的位置。洛克認為，物體的實體性不能被肯定，就算承認實體存在，人也只能接觸到次性。貝克萊則主張，不但是次性，連初性也一樣是人的觀念，要靠人的知覺才能掌握。於是，一切外在物體統統被收納在人的知覺裡。

2. 將貝克萊與王陽明進行比較：貝克萊認為，離開能知覺的主體，萬物的存在都不可知；王陽明則認為，有了能知覺的主體，萬物的樣態才得以彰顯，他強調的是相互感應。

課後思考

人有主動認識的能力，所以很容易透過自己的主觀想像去掌握外在世界。我們也強調，人與人相處時除了表達意見之外，還要能傾聽別人的意見。你是否有這樣的經驗，在與別人溝通時，傾聽反而會達到更好的溝通效果？

補充說明

如果將王陽明與西方哲學對照，大多數人都會說他是主觀唯心論，用來做對比的就是英國經驗主義的代表人物貝克萊。事實上兩者仍有不同之處。

貝克萊的觀念是「存在即是被知覺」，一樣東西的存在因為被我知覺才能得到肯定。從另一個角度來看，「存在即是能知覺」。人是能知覺的主體，身外之物被我知覺到，它才存在。所以西方哲學家把自我的意識能力當做一個探照燈：大地一片漆黑，我的探照燈照在什麼地方，就可以肯定它的存在；否則一片漆黑，沒有存不存在的問題。也就是說，主體對客體有一種主導或宰制的作用。

而王陽明所說的「我看那朵花，花的顏色與我內心一起明亮起來」，這偏重於「感應」。不管對象是人還是物，主體和客體之間有一種感應的作用，兩者同時存在，共存共榮，也同時消失。這意味著我的心進入一種「虛」的狀態，隨時準備回應萬物，就好像山谷的回音。他不是以自己為探照燈，而是在主客之間呈現出一種互動的關係。

對於本節所提出的傾聽問題，下面分別用三個層次來說明：一，人與人的層次；二，人與自然界的層次；三，人與自我的層次。

1. 人與人的層次

談到傾聽，一般都是談人與人這一層次。這時要問自己以下四個問題：

(1) 我在傾聽誰？傾聽的對象從最親密的家人，到朋友、同學、同事，再到其他人，關係愈來愈遠。如果關係太遠，你完全不了解對方的背景和他一向的想法，傾聽時就只能聽到字面的含義，而聽不到言外之意。

(2) 他與我是什麼關係？這一點非常重要。家人未必是最親密的關係，你也許有更貼心的知己。

(3) 我傾聽他是為了什麼？有何目的？如果對方只是透過聊天來發洩情緒，你就要做好心理準備，不需要提供任何意見。

(4) 傾聽的結果如何？情況是否有改善？如果傾聽變成一種定期的情緒發洩，顯然效果不理想。

人與人之間的溝通或傾聽會有以下幾種壓力：

(1) 會累。因為我有可能自顧不暇。

(2) 會擔心。我願意傾聽代表我有某種責任感，對方如此相信我，向我傾訴，我會擔心自己聽不清楚。

(3) 會煩。認識久的人跟你說話，內容往往會不斷重複。

(4) 覺得有責任。對方所講的內容可能也告訴過別人。如果將來他忘記了，可能會認為是你說出去的。

因此，傾聽的時候要先界定關係、目的，再判斷結果，才知道將來是要繼續傾聽還是要改變方式。

人與人之間的傾聽，除非是宗教告解或面對長輩，一般來說不能總是保持單向的溝通。譬如我一直傾聽張三，卻不能對他傾訴我心中的想法，這是不平等的情況。宗教告解也有風險，因為聽

的人不見得有這麼好的修養。因此在國外，當宗教逐漸複雜化之後，很多人有問題就找心理醫師，但心理醫師的風險同樣很高。所以談到人與人之間的傾聽，始終會有問題。

如果想做到善於傾聽，可以參考一個德文單詞。德文 hören 意為「聽」，還有一個單詞 gehören 意為「屬於」，所以「傾聽」就是「屬於」。在我聽你說話的這段時間內，我就屬於你，完全從你的角度來思考和設想。但這種「屬於」能撐多久呢？每個人到最後一定要問，我能否屬於我自己？因此，單向的關係不可能長久。兩個人互相「屬於」，才能變成很好的朋友。

2. 人與自然界的層次

傾聽的第二個層次是人與自然界，即傾聽大自然的聲音。《莊子・齊物論》提到了三種聲音 —— 人籟、地籟、天籟。籟是一種竹子做的中空的樂器，可以發出聲音。

人籟就是人說話時發出的聲音，也包括由人製作的各種音樂。人籟一定有壓力，因為任何話都有意義或目的，你會擔心聽不懂或聽錯了。對於音樂，如果選一首你最喜歡的歌，讓你聽一整天，沒有人受得了。所以人籟始終有它的限制。

地籟就是自然界發出的聲音。譬如雨聲、海浪聲、風吹過竹林的呼嘯聲、狗吠聲，不過這些都沒有特別的含義或目的。人聽到地籟會慢慢習慣，感受到那是自然界的一種韻律。《莊子》中提到「大塊噫氣，其名為風」，風吹的聲音就像大地在吐納呼吸一樣。

什麼是天籟？天籟就是放空自己，從而領悟到任何聲音的出現都有它的條件。你聽的時候，不要抱持著自己特定的想法，要把自己放空，一切如如 —— 一切都按照它本身的樣子出現，就不會再有喜怒哀樂等情緒反應。不要用耳朵去聽，耳朵只能聽到聲

音；不要用心去聽，心只能了解現象；要用氣去聽。「氣」是萬物共同的基礎，或稱為共同的質料。氣是相通的。「用氣去聽」相當於說：聽就是不聽，不聽就是聽。一切「有」最後都要回到「無」裡面，而「無」又生出萬「有」。這顯然到了道家比較高的層次。

3. 人與自我的層次

傾聽的第三個層次是人與自我，要傾聽自己內心的聲音。我們的耳朵很多時候都是向外，很少能夠向內。我們要練習，每隔一段時間（每個月或每星期，最好是每天）都聽一聽自己內心的聲音：我現在過的生活是自己真正想要的生活嗎？我現在做的事是自己真正認可的事嗎？我有沒有浪費我的時間和生命？

如果忘記傾聽內心的聲音，你可能在五年、十年之後，發現自己的方向出現偏差。雖然表面看起來可能有些進步或成就，但方向一旦偏差的話，永遠無法抵達原定的目標。所以，傾聽自己內心的聲音顯然是更重要的。

22-5　存在即是被知覺

本節要介紹的是貝克萊的名言「存在即是被知覺」（Esse est percipi.）。這句話聽起來相當抽象。本節內容包括以下三點：

第一，人只能知覺到性質，不能知覺到性質背後的物體。

第二，知覺屬於精神的作用。

第三，對貝克萊觀點的簡單評論。

（一）人只能知覺到性質

貝克萊在《人類知識原理》和《對話錄》裡反覆強調一個基本觀點：人只能知覺到性質，而不能知覺到物體。性質與知覺者有關，亦即人所能知覺到的性質並非物體的性質。

洛克區分物體的初性與次性，並認為次性與知覺者有關。貝克萊進一步說，物體的初性也與知覺者有關，初性也不能代表物體。除了可察覺的性質之外，並沒有所謂的外面那個東西。我們看見的是光線、顏色或形狀，聽見的是各種聲音。但是我們看不見形成某種顏色的原因，聽不見發出某種聲音的原因。因此，所謂可察覺的物體，只不過是可察覺的性質或者是性質的綜合而已。如此一來，我們要問：難道沒有物體存在嗎？這不是懷疑主義嗎？還有比這更荒謬、更違反常識的觀點嗎？

貝克萊認為，可察覺的東西存在，是由於它正在被察覺中。換言之，說一樣東西具有某種性質，那是因為它正在被你知覺。你如果沒有知覺到它，便沒有所謂「性質」的問題。

（二）知覺屬於精神的作用

「知覺」包括感官知覺，有時候也譯做「感覺」。以冷熱為例，感覺熱而覺得痛苦，這就是一種精神的作用。貝克萊提出著名的溫水理論：「假設你一隻手冷，一隻手熱，同時放進溫水中，熱的手覺得冷，冷的手覺得熱，但是水不可能同時又冷又熱。所以，冷熱只是存在於我們心靈中的知覺。」貝克萊所謂的「心靈」，與「精神」是同樣的意思。另外，味道是苦還是甜，聲音是好聽還是難聽，都是如此。

如果沒有心靈，請問物體有顏色嗎？貝克萊說：「日落時，你看它是紅色還是金黃色？你走近看一樣東西是某種顏色，事實上，它本身並沒有這樣的顏色。用望遠鏡看一樣東西與它實際的狀況不同，黃疸病人所見的世界與我們所見的也不同。另外像色盲，也是類似的例子。」換言之，並沒有所謂「真正的顏色」，有的只是我們所見的紅、藍、黃、白那些顏色的效果。可見，所有的「次性」（色、聲、香、味、觸）都是人的主觀感覺而已。

再來看「初性」。物體的形狀、運動等初性，能否不依靠我的心靈而存在？譬如，我們看到一個物體是有形狀的，但是同一個物體從遠處看很小，走近看則很大。因此，物體的形狀、大小並不取決於物體本身。再看運動。一名跑步愛好者在跑步，對專業選手來說，他跑得很慢；但對一般人來說，他跑得很快。可見，運動這種初性也取決於我的知覺，與冷熱等次性並無差別。

貝克萊在這一點上超越了洛克。洛克雖然認為人只能了解「次性」而無法認識「初性」，但至少承認外在物體的存在。貝克萊則說：「初性並不屬於外在物體，它依然屬於具有感覺能力的人，屬於我們主觀的一種覺察。」

　　如果把感覺稱做精神的作用，那麼被感覺的東西應該不是精神的吧？但貝克萊認為，不管你直接感覺到什麼，那都是一種觀念，觀念不能離開心靈而獨立存在。如果不使用觀念，無法描述任何東西。因此，外在的一切都被收納到內心的知覺能力裡面。這樣一來，外在的宇宙萬物是否存在都成了很大的問題。

　　貝克萊是一位宗教人士，他強調「存在即是被知覺」，能夠知覺的除了人類之外，當然還有上帝。當時對他學術觀點的質疑，基本上都集中在這句話上。如果物體因為被感覺才存在，那麼一棵樹在沒人看到時，難道就不再存在了嗎？貝克萊就是要強調，上帝永遠在感知一切。如果沒有上帝的話，一個物體被我們看到時，會突然從不存在變成存在，這顯然太荒謬。由於上帝感知一切，所以深山裡的花朵或岩石，才可以像我們通常假定的那樣繼續存在。貝克萊甚至認為，這也是上帝存在的有力證明。

（三）對貝克萊學說的評論

　　前面的洛克認為，有一個實體（托體）存在，我們不能了解它的初性，只能了解次性，次性完全是主觀的。這至少還保障了外界物體的存在。現在貝克萊則進一步說，物體的初性也要透過我的知覺才能被肯定。

　　對於這種說法，我們可以這樣質疑：你對一樣東西能夠產生與現在不同的知覺嗎？譬如，你聽到車聲時，能知覺到牛叫聲嗎？若不是真有車子開過去，你怎麼能知覺到車聲呢？貝克萊可能會這樣回答：「不管是什麼聲音，能知覺到聲音的是我這個主體。當我說這是什麼聲音的時候，我用來形容聲音的語詞（譬如有韻律、好聽、不好聽……）都是概念。沒有這些概念，也就無所謂有沒有聲音了。」人一思考，就要用到概念。因此，貝克萊的思想也被稱為

「主觀唯心論」，亦即人是認識的主體，他的認識能力可以判斷外在事物是怎麼回事。

　　人的感覺都是當下的，因此貝克萊花了很大篇幅來說明記憶的重要。譬如，我過去曾看到過一個高塔，它由於被我知覺到而存在。後來，當我用記憶回想起高塔時，依然可以肯定它的存在。這就把當下的知覺與過去的知覺所產生的記憶連貫起來。並且，人類整體的記憶都可以連在一起，由此構成知識的世界。

　　這樣的觀點要發展下去實在很不容易。貝克萊到了晚年，乾脆放棄哲學，轉而研究咖啡，結果對藥學做出很大貢獻。貝克萊認為，咖啡可以使人鼓舞，但又不至於讓人喝醉。

收穫與啟發

1. 貝克萊認為，存在即是被知覺。如果沒有能夠知覺的人，如果萬物沒有被人知覺，那麼是誰在肯定萬物的存在呢？萬物存在與否根本不是一個問題。不論「次性」還是「初性」，都是能被我們知覺到的性質而已。

2. 所有知覺其實都是精神的作用，是我的心靈在做出判斷。冷、熱、苦、甜、聲音、大小、顏色等一切知覺，都屬於我們精神的作用。

3. 不管你直接感覺到什麼，它都是一種觀念，觀念不能離開心靈而存在，這就是貝克萊最後的結論。他的學說是從洛克到休謨的一個中間階段。

課後思考

　　如果感覺真的如此重要，請問：你要如何提升自己的感覺能力，才能對萬物的存在有更加細緻而精準的感覺？

Part 6

啟蒙必有掙扎

第二十三章

休謨

從經驗主義走向懷疑主義

23-1　自我只是一束知覺

　　本章的主題是：休謨從經驗主義走向懷疑主義。本節的主題是：休謨所說的一句話 —— 自我只是一束知覺。

　　本節要介紹以下三點：

　　第一，對休謨的簡單介紹。

　　第二，休謨強調知識來自於經驗。

　　第三，自我只是一束知覺。

（一）休謨簡介

　　休謨（Hume, 1711-1776）生於蘇格蘭的貴族家庭，他十六歲就寫道：「我要像哲學家一樣的說話。」十八歲又寫道：「在哲學思維上，我不想順從任何權威，而是要找尋可能發現真理的新途徑。」他的新途徑就是以懷疑做為方法，但他到最後也沒有走出懷疑的世界。

　　休謨二十八歲寫成了他的第一本書 ——《人性論》，其中並沒有什麼特別的看法與論證。他本以為可以藉此得到全世界的肯定，卻並未受到特別的注意。這讓他自覺是一個孤獨的怪物，不適合與人來往。他寫道：「我是所有形上學家、邏輯學家、數學家的敵人，甚至連神學家都詛咒我。」他後來應徵大學教職也失敗了，因為他被視為主張懷疑論與無神論。

　　休謨是一位英國哲學家，但讓他成名的卻是《英格蘭的歷史》這本歷史方面的著作。他在英國沒有受到太多重視；但後來到巴黎

與法國啟蒙運動的學者來往，使他突然享有了世界級的聲譽，並周旋在許多名門仕女之間。

別人如此描寫休謨：「巴黎許多貴婦都在爭奪這個身軀龐大、笨拙的蘇格蘭人。」他的身材、長相都相當特別，有一位仰慕者這樣描寫他：「他的長相是對面相術的一個嘲諷，從他的面部特徵無法看出他卓越思想的蛛絲馬跡。他面孔寬大，身體肥胖，嘴巴也大，像是吃甲魚的市府參事，而不是素養深厚的哲學家。智慧從來不曾以如此奇特的身軀裝扮過自己。」

休謨形容自己「性情溫和，能夠自我克制，性格開朗，樂於與人相處，具有令人愉快的幽默感，感情內斂，不與人衝突。就算對文章的名聲有高度渴慕，也從未使我的性情變得乖戾。我常常失望，但並不發怒」。根據當時認識他的人說，他的這段自我描寫相當可靠。

休謨完成了英國經驗主義的發展。英國經驗主義有三位代表。第一位是洛克，他承認存在的東西有兩個：一個是自我，一個是外在的實體。自我對外在實體的初性不可知，只能知道它的次性；但洛克至少還承認外在實體的存在。到了貝克萊則認為：初性與次性都是自我的知覺而已，外界實體的存在是不可知的。到了休謨則認為：連自我也一樣不可知。洛克承認自我與外在實體的存在，貝克萊只承認自我的存在，休謨連自我的存在也要懷疑，從而進入到懷疑主義。

（二）休謨強調知識來自於經驗

休謨認為知識來自於經驗，這是英國經驗主義與歐陸理性主義的最大分別。在休謨看來，所謂的經驗就是指我們從感覺獲得的印象。他首先區分「印象」（Impression）與「觀念」（Idea）的不

同：印象是指強烈的感覺印象，而觀念是對某樣東西思考時所獲得的模糊印象。

　　人由經驗得到單純的印象，由單純的印象產生單純的觀念，單純的觀念再組合成複雜的觀念。譬如「飛馬」這個觀念，你對於「飛」和「馬」都有單純的觀念，就可以將兩者組合成複雜的觀念。沒有經驗就沒有印象和觀念。譬如，天生的盲人由於沒有視覺的經驗，就不會有顏色的印象和觀念。另外，你還需要兩種能力的配合：記憶力（能夠保留最初的印象）以及想像力。

　　這就是休謨所建構的知識理論：經驗使人得到單純印象，由此獲得單純觀念，再組成複雜觀念，另外要配合對過去的印象與觀念的記憶，然後加上想像力，這樣就構成了知識。

（三）自我只是一束知覺

　　休謨強調，自我只是一束知覺。他認為，人對自己的「自我」沒有印象，所以也就沒有對「自我」的觀念，休謨由此否定「自我」觀念。他的《人性論》這本書裡有段話常被引用：「當我直接去體會所謂的『自我』時，我總是碰到這個或那個感覺，比如冷或熱、明亮或陰暗、愛或恨、苦或樂等等。我總是無法抓住一個沒有感覺的、純粹的我自己，並且除了感覺之外，我什麼都觀察不到。」

　　換句話說，自我是許許多多的感覺以無法想像的速度互相接續著，並且一直處於流動變化之中。所以自我是感覺的集合體，或者說自我是一束知覺。這樣一來，並沒有自我的存在。只是因為許多感覺連續出現，並一直在變化中，我們就以為有一個主體叫做自我，有時候也稱它為靈魂。

　　休謨說：「靈魂一剎那也不可能維持它的同一與不變，所以心靈像是一個舞臺，在同一時間內，心靈沒有單純性；在不同時間

內，心靈沒有同一性。」所謂「單純性」，就是在當下這一剎那，你的心思單純嗎？事實上，什麼念頭都有。譬如，你現在學習西方哲學，心裡會想：「這句話在說什麼？這句話好難啊！」心裡產生了壓力，一會兒覺得冷，一會兒覺得熱，一會兒又覺得緊張，你不可能保持一種單純的心靈狀態。同時，在不同時間內，你的心靈也沒有同一性。剛才的心靈狀態跟現在的狀態不可能一樣。各種知覺在心靈這個舞臺上連續不斷的出現，你以為這就是自我。

換句話說，自我根本不可知，而不可知不等於不存在。休謨想要強調的是：自我不可能成為我們知識的一部分。這樣一來就排除了兩件事：

1. 排除以自我為一個實體。因為你根本不知道自我是怎麼回事，所以不能說自我是在我的一切知覺活動底下的托體。

2. 在神學上排除對靈魂的想像。一般人都認為自我就是靈魂，譬如笛卡兒就如此認為。

那為什麼一般人都有「自我」的觀念呢？休謨認為，那是來自於感覺的推論。因為我一直在感覺中，總認為自己的這些感覺有一個做為基礎的舞臺；事實上，舞臺只是一種比喻，並沒有所謂的舞臺存在。休謨說：「自我只是一束知覺，就像一捆稻草一樣。」你把它拆解之後，就發現全是稻草，並沒有所謂「同一的、單純的自我」做為這一捆稻草的基礎。換言之，自我只是一些感覺的聚合。

這種對自我的看法會引發「人格同一性」（Personal Identity）的問題，亦即人格沒有同一性，並沒有所謂的「我」這個人的人格。所謂「人格同一性」就好像每個人都有自己的身分證一樣，我就是我，而不是別人。

休謨認為，很多人把連續存在的、關係緊密的東西當做是同一個東西，事實上這些東西之間並沒有什麼必然的連結。我們只是習

慣把它們當做是同一個自我、或靈魂、或實體，以為這樣就可以解決我們對「自我」的模糊觀念，這混淆了同一性與關係性。事實上，除了知覺的各個部分間的關係之外，並沒有什麼不可知的、神祕的東西在聯繫著這些部分。這就是休謨對「人格同一性」非常著名的批判，他否定自我是一個實體。

收穫與啟發

1. 休謨是英國經驗論的集大成者，也是總結者與結束者。他很早就寫了《人性論》這本書，後來發現沒有人理他，使他自覺不合時宜。但他後來的歷史著作受到重視，在法國獲得很高的評價。他的思想有很強的批判性，他堅持所有的知識一定要來自於經驗，且必須是可以明確檢證的。這使得他在西方哲學史上有鮮明的立場和特殊的地位。

2. 休謨對知識的看法是：知識一定要來自於經驗，由經驗產生單純的印象，由此造成單純的觀念，然後演變成複雜的觀念，再配合記憶與想像就構成了知識。但這種知識的局限也很明顯。

3. 休謨最著名的一句話就是「自我只是一束知覺」，他認為並沒有所謂「自我」的存在。到了近代，西方對於佛教的認識愈來愈多，佛教主張要破除對自我的執著，於是有不少學者就把休謨的見解拿來與佛教思想進行對照。但他們都忽略了一點，休謨對於宗教是毫不留情的予以批判的。

課後思考

根據休謨的說法，自我只是一束知覺，你認為在感覺、情緒、想像、記憶、思考這五者之中，以哪一種知覺做為「自我」的機率較高？

23-2　因果關係只是習慣

　　本節的主題是：因果關係只是習慣。手碰到火會感覺燙，所以火是燙的原因，手覺得燙是火的結果，但有人說未必如此。太陽每天都會升起，但有人說未必如此。你一定會覺得驚訝，好像日常生活的規律都被打破了，到底是誰這樣說的？這個人就是休謨。

　　休謨已經把「人格同一性」消解了，他認為「自我」根本是不可知的，不能成為認知的對象。現在，更嚴重的則是有關「因果律」的問題。一般人都認為，這個世界上存在著因果關係，休謨卻認為未必如此。本節要介紹以下三點：

　　第一，因果關係來自經驗。

　　第二，休謨剖析並否定因果關係。

　　第三，人要如何生活？

（一）因果關係來自經驗

　　一般人認為：

1. 因果關係建立在鄰接性上，兩樣東西由於直接或間接相鄰，而被視為具有因果關係；

2. 因對果具有時間上的先在性；

3. 從因到果之間有必然的連結。

　　所以，一般所謂的因果關係具有三個特徵：鄰接性、時間上的先在性、必然的連結。

　　但休謨認為，由於一個原因可能產生許多結果，一個結果可能

由許多原因產生，所以因與果並沒有一一對應的關係。所謂的因果關係只存在於人的觀念中，是由習慣（感受加上記憶）所造成的觀念。這種習慣形成人的性向，於是建立一種根深柢固的信念。即使把眼光擴大到萬物的層面，我們要問：凡有開始之物皆有原因，真是如此嗎？休謨認為，這是無法證明的預設，因為它的反面（萬物並非如此）並不構成矛盾。

休謨分析人的思考模式，認為人類的思考有兩種。第一種是思考觀念之間的關係。譬如，「夫妻」這個觀念，有夫必有妻，但並不代表這個世界上真的有夫妻關係存在。換句話說，「夫妻」只是觀念，而觀念不等於存在。又譬如，三角形有三個角，這也是觀念之間的關係，並不代表這世界上真的有三角形存在。所以，第一種思考方式只是在觀念裡面打轉。第二種是直接思考經驗所造成的事實。這樣一來，你根本看不到事物之間有因果關係存在。

他在《人類理智研究》這本書裡面提到：什麼叫做事實上的問題？就是人的思考往往只局限在觀念的關係裡，而沒有接觸到事實。譬如，太陽明天升起或不升起，這兩者都可以被理解，它們之間沒有矛盾，並不是太陽明天非出來不可。換句話說，有關事實的理論都奠基在因果關係上；而因果關係被發現，不是靠理性，而是靠經驗。經驗造成了習慣，習慣凌駕了一切。因和果是兩個不同的東西，不可能從原因裡面得到結果。認為可以，那是來自於人的盲目與愚昧。

休謨強調因果關係來自於經驗，根據經驗而來的一切推斷都假設未來與過去是相似的，但沒有人可以證明這一點。由外表相似的原因來期待相似的結果，這樣的期待並不是推論。譬如，嬰兒碰到蠟燭的火而覺得疼痛，他就會小心以避免重蹈覆轍。請問：他的理解可靠嗎？這只是他從經驗中得到的直接反應，談不上任何認識。

（二）休謨剖析並否定因果關係

休謨認為，由甲產生乙的力量，不可能在甲和乙的觀念中找到，只能由經驗去認識原因，而不能靠思考或推理。沒有任何一個東西可以預設其他東西的存在，使我們認識因果關係的還是在於經驗。在甲的身上不能發現任何東西必然產生乙，那麼我們為什麼認為甲是乙的原因呢？因為甲和乙這兩個事件長期連結在一起。我們無法得知連結的原因何在。譬如，碰到火覺得熱，颶風時覺得冷，那是長期連結在一起的兩種經驗，並沒有什麼必然的關係。由於兩者長期連結，甲的出現就會造成眾人對乙的期待，並相信甲乙之間有必要的連結，這就是所謂的因果關係。

換句話說，因果關係是不存在的，因與果之間沒有任何必然的聯繫。因為人的經驗與觀察都與歸納法有關，而歸納法只能找到或然性，不可能產生必然性。歸納法只是到此為止有效，對於將來沒有任何解釋能力。

甲與乙的經常連結，並不意味著它們將來也必然連結。譬如，我看到一個蘋果，就會預期它的滋味不是牛肉的滋味，但這種預期未必正確，也許這個蘋果的味道跟過去的經驗不同，甚至完全出乎意料之外。因此，習慣性就變成了因果律。我們習慣上都預期太陽明天會升起，其實未必如此。

（三）人要如何生活？

如果否定所有的因果關係，人要如何生活？休謨提出簡單的方法。一方面他宣揚懷疑主義，另一方面他勸我們接受習慣的指導，對於「自然齊一性」要有信心，就是相信自然界本身有整齊、統一的運作模式。所以，我們活下去要靠習慣加上信念。

　　他說：「一切有關因果的推論都是出自習慣。我們的信念出自感覺，而非出自本能的思考。」譬如，是什麼使我相信：我現在看到的是我的身體，我的身體是存在的？這並不依賴於思考，而是依賴於信念。

　　休謨說：「對一切生活上的事，還是要保持我們的懷疑主義。」那為什麼還要有信念？他說：「我們相信火讓人溫暖、水讓人解渴，那是因為如果不這麼想，我們會有太多苦惱。如果我們是哲學家，就要守住懷疑主義、保持懷疑的傾向，這樣就可以了。」

　　休謨甚至強調：「如果放棄懷疑，我就會失去一切的快樂，這就是我的哲學的起源。」休謨的這種觀點對於科學產生嚴重衝擊，因為所有科學知識都來自於歸納法，都預設過去的事情會在將來繼續發生。

　　休謨的衝擊在十八世紀還沒有明顯的推展開來。十八世紀是啟蒙運動的時代，號稱要恢復理性的光榮，休謨的做法恰恰讓理性陷入困境。他認為，人不可能由經驗與觀察獲得知識，也沒有「合理的信念」這回事。亦即沒有任何信念可以用理性做基礎，也沒有任何行為比其他行為更合理。如此一來，理性豈不是瀕臨破產了嗎？

收穫與啟發

1. 休謨認為因果關係來自於經驗，不能把因與果這兩種觀念連起來，說有因必有果。

2. 休謨認為，因與果相連完全來自於對事實的觀察，來自於經驗；因此，根本就沒有因果關係這回事。只因為甲和乙長期前後相鄰、緊密連結，使其看似有因果關係，然後人的聯想與習慣便產生一種信念，相信甲是乙存在的原因，這就是所謂的因果關係。休謨的分析有一定道理，但是因果之間如果完全擺脫

必然關係的話，那麼人類知識的建構以及科學研究都會面臨重大挑戰，甚至寸步難行。

3. 休謨建議我們要如何生活？他說，要按照祖先的傳統，相信一些基本的信念。譬如要有「自然齊一性」的信念，相信自然界有一定的規律，聽到打雷可能就要下雨了。要按照你的習慣去生活，譬如，做這件事會有這樣的反應，說那句話會有那樣的反應。這是標準的懷疑主義的立場。但是休謨又認為，懷疑主義有解決的辦法，你可以用「擱置」與「不在乎」這兩種態度暫時治療懷疑主義的問題。只要擱置判斷，不要在乎，按照一般的生活習慣去做就好了。由此可見，休謨的懷疑主義無法說得很徹底。

課後思考

我們從小接受各種因果觀念，至少相信在行為上善有善報、惡有惡報。當我們發現善惡未必有所謂的報應時，你是否還願意行善避惡呢？

23-3　懷疑主義如何看待人生

　　休謨本人有偉大的抱負，也有自己的觀點。他批判傳統的形上學，要揭穿傳統哲學的假面具。他認為，過去所有建構在理性基礎上的學說都是虛幻的。啟蒙運動的目的是要揭穿人類知識的蒙昧，休謨因此成為啟蒙運動的代表之一，在法國受到歡迎。但是啟蒙運動還有一個重要原則 —— 對其他人和其他觀點保持寬容，休謨顯然沒有做到這一點。

　　本節要介紹休謨的懷疑主義是如何看待人生的，內容包括以下三點：

第一，有關寬容的問題。

第二，理智與情緒的關係。

第三，信仰的問題。

（一）有關寬容的問題

　　休謨宣稱自己態度溫和，容易與人相處，事實上他對許多傳統觀點都持批判態度。譬如，他主張「人格同一性」是不能被證實的。他說：「當『自我』不被考慮時，就沒有驕傲或謙卑的餘地了。」好像如果沒有「自我」，人與人之間就不會產生任何的矛盾衝突。對於宗教，休謨強調，只有破除宗教理性化的迷妄，也就是不再試圖用理性的方式來證明宗教的正確，才能彰顯信仰的本來面目。

　　休謨說：「在檢查圖書館時要如何整理呢？當我們拿到一本神學或形上學的書，不妨問一下：這本書是否涉及數與量的抽象推

理？答案是沒有。這本書是否涉及事實與存在的經驗闡述？答案是沒有。那麼我們就把它丟到火堆裡，因為這本書可能只包含了詭辯與幻覺。」他的態度相當嚴苛。休謨站在自己哲學的立場上，認為所有關於宗教與哲學的書籍都有明顯的偏差，要一一剷除。這種態度顯然不夠寬容。

（二）理智與情緒的關係

關於理智與情緒的關係，休謨也發表很多意見。休謨認為，人的自我只是一束知覺，因此不會涉及人死後靈魂繼續存在的問題。消解了自我之後，還能談道德問題嗎？

休謨認為，人的行動要遵循信念，所以理性並不重要。他直接說：「理性是，並且應該是，情緒的奴隸。不但如此，理性永遠不能假裝它負責任何其他的工作，它所要做的只是為各種情緒服務，並且服從它們。」休謨認為，道德行為完全基於道德感受，這種感受來自於情緒。

情緒包括情感與好惡，來自於強烈的反省的印象。這裡有三點值得注意：

1. 要區分情緒的對象與情緒的原因。譬如，傲慢與自卑的對象是自我，愛與恨的對象是別人。但這些情緒另外還有充分的原因，譬如，自己擁有什麼，或別人做了什麼。

2. 在區分情緒的原因時，要注意起作用的性質與性質的主體。譬如，某人以其豪華的房子而得意，其實豪華的房子與他並沒有什麼關係。

3. 情緒如果不是指涉自我，就指涉別人，兩者之間要靠聯想而連結成一切情緒。因此，道德的基礎是同情。前面提到，道德行為基於道德感受；現在說得更明白了，道德基於同情。

談道德不能忽略意志。所謂「意志」是指，當我們故意引起身體的一個新的活動，或是心智的一個新的知覺時，我們所感受到與意識到的一種內部印象。意志涉及到自由，那麼人有自由嗎？

休謨說：「自由如果是指『否定必然性』，那麼這是一種語言上的誤用。」你以為可以擺脫必然性的限制，事實上，對於什麼是「必然性」，你恐怕都沒有充分的理解。另外一方面，自由如果是指「自發性」，則可以說人有自由。不過，若只靠理性，則永遠無法對意志提供指導，因為理性永遠無法反對情緒。因此，道德的區分不是來自理性，而是來自感受。

什麼是品德？休謨認為，所謂「品德」，是指「心智的行動或性質，能使旁觀者產生愉快的讚許情緒」；相反的就是惡行。這種看法符合常識所見。休謨認為，人行善不是為了別人讚許，因為你不能保證會得到大家的讚許；但是別人的讚許確實會鼓勵人行善。這句話很符合實際的情況。

（三）有關宗教信仰的問題

休謨幼年所受的教育使他信奉新教的喀爾文教派，但他後來卻成為著名的無神論者。事實上，他的立場是不可知論。

他批判各種上帝存在的論證，認為這一類論證都有一個共同的基礎，就是相信自然界的秩序是由因果關係所建構的。但是這樣推出的因，不可能有超越果的性質。換言之，由萬物推到上帝，那個上帝不可能脫離萬物的層次。萬物是生滅變化的，本質上是零，再多的零加起來也不會等於一。

並且，也不可能由這樣的因，推出已知萬物之外的東西。因此，人無法由宗教推出任何超越世界之上的事物，也不可能推出人類行為的原則與判斷標準。這些都是無用的假設。

　　在證明上帝存在的各種論證裡面，休謨特別批判「設計論證」，即多瑪斯·阿奎那五路論證的第五路——由自然界的秩序可以證明上帝的存在，而且上帝是全能的設計者。休謨說：「宇宙的秩序是長期演變的結果。在時間的過程中，一切都會協調運轉，由此顯示有秩序的外觀。因此，即使真有原因，也可能是類似人類智力的東西，而不必聯想到所謂的上帝。」換句話說，由自然界有限的秩序與美善，不足以推論出一個無限的、完美的、永恆的、有意識的設計者存在。

　　事實上，康德後來也指出「設計論證」的限制。他說：「設計論證最多只能證明一個建築師，卻不能證明一個從虛無中創造世界的造物者。就好像鐘錶匠用已經存在的材料去製造手錶，而自然秩序的設計者則是使用早已存在的材料去實現他的計畫。」

　　休謨以自然演化來解釋宇宙秩序的說法，後來也受到很多討論與質疑。可以說，休謨的立場是不可知論，他不肯定也不否定，而是看到別人肯定就提出質疑。

　　如果把宗教放在一邊的話，人生要如何安排？休謨認為，人類一切努力的偉大目標在於獲得幸福。怎樣才算幸福？能夠支配自己的欲望，控制自己的激情，學會根據理性，對各種職業與享受做出正確的評價，這就是獲得幸福的具體方法。

　　最後我們必須承認，休謨的經驗主義已經演變成懷疑主義了。近代哲學一上場就出現理性主義與經驗主義兩大思潮。理性主義由笛卡兒的懷疑出發，肯定「心物二元論」；經過史賓諾莎以實體統合二元，成為一元論；到了萊布尼茲提出「單子論」，主張預定的和諧，形成多元論，就有些不可理喻而陷於獨斷論了。

　　而在經驗主義方面，由洛克區分「初性」與「次性」開始，還能承認實體的存在；經過貝克萊的「存在即是被知覺」，就只剩下

精神體存在了；休謨把精神體（自我與上帝）統統化為不可知之物，最後陷入懷疑主義。近代哲學在獨斷論與懷疑論的雙重困境中有沒有出路，就要等待後來的學者了。

收穫與啟發

1. 休謨雖然宣稱自己重視並尊重他人的經驗，但他對於神學與哲學方面的許多著作，卻沒有什麼寬容的態度。

2. 在理智與情緒之間，休謨以情緒做為主導，理智只是為情緒服務而已，並由此認為人其實並沒有自由，只是順著情緒去運作而已。所以，他對人生的一些說法顯得比較淺顯，有點心靈雞湯的味道。譬如，他說：「正是勞動本身構成你追求幸福的主要因素，任何不是靠辛勤努力而獲得的享受，很快就會變得枯燥無聊、索然無味。」他又說：「遇到有承認自己錯誤的機會，我是最為願意抓住的，我認為這樣一種回到真理和理性的精神，比具有最正確無誤的判斷還要光榮。」代表他自己隨時願意承認錯誤。

3. 有關宗教信仰的問題，休謨有一本代表作叫做《自然宗教對話錄》，書中對於各種上帝存在的論證展開犀利的批判。他要求朋友在他死後再出版這本書，以免引起當時宗教界的不滿。

   對於人類的生活，休謨所能提供的建議非常有限，只是讓人靠著習慣與信念去生活。

   他最後說：「整個世界是一個謎，一種無法解釋的神祕，讓人陷入懷疑和不確定。所以，放棄判斷是最敏銳、最仔細的探究所能帶領我們達到的唯一結果。」他要求我們放棄判斷，這就很接近古代皮羅的懷疑主義。一切信念或價值觀皆來自於人的經驗，所以不用談上帝、權威、宗教等等。

課後思考

　　休謨認為理性是情緒的奴隸，唯一的功能就是為情緒服務，並且服從情緒。你可以根據個人經驗做出進一步反思嗎？

補充說明

　　關於情緒和理性的關係，有以下三點值得注意：

1. 情緒在先，理性在後。任何人遇到任何狀況，一定都是先有情緒反應，接著才會做理性的思考。但是，先後關係並不等於主從關係。

2. 情緒是直接反應，理性則要經過間接的推論。在英文中常用 discursive 一詞表示理性，就是轉了個彎，要進行推論。所以情緒是直接的，理性是間接的；但是直接、間接並不代表哪一個為主。

3. 對於情緒和理性的反應，青少年與中老年有明顯的不同。一般來說，青少年易受情緒的干擾，而中老年則比較習慣用理性來做進一步的思考。這種轉變是漸進式的，轉變的關鍵在於修養或修練。

　　弄清情緒和理性的關係之後，更重要的是：誰在操縱意志？真正的行為來自於意志的抉擇，抉擇之後才有負責的問題。我們要不斷練習，開始可能情緒影響意志比較多，後面要慢慢習慣讓理性來做出決定。所以，你可以有情緒，但不要太快做出決定，最好經過理性思考之後再做決定，這樣會減少後悔的情況。

23-4　懺悔中的覺悟

　　本節的主題是：「盧梭：懺悔中的覺悟」，要介紹法語系哲學家盧梭的生平概要，以及他的代表作《懺悔錄》。

　　哲學就是愛智慧，而智慧不能脫離發現真理，否則人生的幸福便沒有著落。西方哲學通常都是靠理性去探討真理，探討的內容或是指向自然界，或是指向人類或上帝，很少有哲學家針對個人進行深入的反省。

　　其實，以個人做為人類的代表去進行反省，是西方哲學的另一個傳統。這條路線始於蘇格拉底，他雖然強調「知德合一」，但最後還是肯定：要認識自己，並按照自己所知最善的方式去生活。接著，中世紀的奧古斯丁撰寫《懺悔錄》，深入剖析個人的內心狀態，開啟哲學的新紀元。文藝復興時期，法國蒙田的《隨筆集》，和稍後帕斯卡的《思想錄》也都屬於這一傳統。

　　與奧古斯丁類似，盧梭也寫了一本《懺悔錄》。這本書是在他過世之後才出版的。如果只用理性去探討人生的智慧，則有可能忽略情感和意志的部分。而盧梭被認為是情感主義的代表，他充分展現情感的重要性。

　　盧梭（Jean-Jacques Rousseau, 1712-1778）的年代與休謨相仿，他們認識彼此，有一段時間還成為朋友。1766 年，當盧梭在歐洲大陸受到威脅時，休謨還曾邀請他到英國去。但兩人的友誼沒能維持多久，因為盧梭跟任何檯面上的人物都很難維持長期的友誼，他只能與他從小接觸的平凡大眾保持友誼。

　　盧梭所處的十八世紀是啟蒙運動的時代。所謂「啟蒙」就是要

以理性來開導人，基本上有兩個步驟：第一步，質疑甚至推開宗教的勢力；第二步，讓政治上的王權逐漸符合民意的要求。最終的結果就是 1789 年的法國大革命。

盧梭誕生於瑞士的日內瓦，那是一個以喀爾文教派為核心的城市。他出生之後不久母親便過世了；他十歲時，父親又因故離開日內瓦。他由姑母撫養了幾年，十三歲開始就要自謀生路。他做過許多工作，當過學徒、侍從、祕書，後來又對音樂產生興趣。他正是從音樂這個領域出發，才有了後來的發展。

盧梭沒有受過完整的教育，但是他也讀過一些書，並從中受到很大啟發。最早影響他的一本書是羅馬歷史家普魯塔克所寫的《希臘羅馬名人傳》，他在十歲之前讀了此書，描寫自己讀後喜極而泣，幾乎每晚都要與書中的人物對話，這本書讓他變得自重、高傲，好像與偉人生活在一起。盧梭甚至說：「我把自己想像成羅馬人或希臘人。」

本節主要介紹以下三點：

第一，承受命運的考驗。

第二，真誠的面對自我。

第三，忠於自己的信念。

（一）承受命運的考驗

盧梭如何承受命運的考驗？盧梭一生顛沛流離，為了生活，他做過許多瑣碎的事情，所以他日常的言行表現也都隨興所至，對於像偷竊、撒謊、懶惰、毀謗人，他都坦白承認。因為盧梭在音樂方面有些造詣，所以當時法國百科全書派的主編狄德羅（Denis Diderot, 1713-1784）邀請他撰寫音樂方面的專題，盧梭由此才開始

接觸到法國知識界的主流思想。

1749 年對盧梭來說是非常關鍵的一年。當時盧梭三十七歲，他得知第戎學院舉辦徵文活動，主題是：藝術與科學對人類的道德是有益還是有害。盧梭對此有許多個人的觀察與體驗。他在巴黎生活過一段時間，了解上層社會的情況，於是寫了一篇反面文章，認為藝術與科學之類的文明是一切罪惡的來源。結果他獲得首獎，聲名鵲起。不過，他也因為批判文明而得罪百科全書派的學者，使雙方的關係出現裂痕。

盧梭後來在事業上、感情上、信仰上經歷各種波折，大部分時間都處於猶豫不決或震盪不安的情況之下。他身體不好又敏感多疑，情感豐富而執著，因而無法維持長期的友誼，後來甚至產生被害妄想症。

（二）真誠的面對自我

盧梭寫《懺悔錄》是要真誠的面對自我。他在這本書一開頭就說：「我要開始從事一件史無前例、今後也不會有人仿效的工作。我要設法以完全的真實來描述一個人，那個人就是我自己。我要以同樣的坦率描寫自己的善良與邪惡，不隱藏任何壞事，也不添加任何好事。甚至最後審判時，我也可以帶著這本書，站在最高裁判者的面前接受審判。」他對於自己的坦誠十分自信，認為無人能及。

由此可知，盧梭對人性的認識來自於對自己的觀察與反省，他可能是哲學史上最以自我為中心的思想家。在《懺悔錄》裡可以看到他一生六十六年混亂而複雜的情況，有各種夢想與瘋狂的言行，也有懶散的一面。他確實表現得非常誠實，承認自己做過的所有不好的事情。盧梭的生活與思想雖然變化無常，但他還是有堅定的信念，忠於自己的基本觀念，在教育與宗教方面維持一貫的想法。

（三）忠於自己的信念

　　盧梭在 1749 年成名之後就勤於寫作，他發表的著作包括極其著名的《愛彌兒》、《社會契約論》等，流傳最廣的則要屬《論人類不平等的起源與基礎》一書。他的每一本書都對當時的思潮產生重大的影響。盧梭以自己的著作證明，他是站在當時人民的立場，去思考一個人的人性應該如何發展，在政治與教育方面又應該享有哪些權利。

　　盧梭在 1778 年過世。從 1780 年開始，一半的法國人都到存放這個瘋子骨灰的小島上朝拜，其中包括王后與王公貴族。在法國大革命期間，各派領袖互相攻擊；但是在崇拜盧梭這一點上，他們卻可以聯合起來。

　　當時一位重要的革命家羅伯思比（Maximilian Robespierre）曾在盧梭死前與他見過一面。羅伯思比在權力達到巔峰的時候，對盧梭推崇備至。他在 1794 年 5 月 7 日的演說中強調：「盧梭是這個革命的先驅，這個革命要把他送進先賢祠、送上桂冠。」先賢祠是法國英雄人物的歸葬之所。羅伯思比還尊稱盧梭為人類的導師。

　　在法國國民議會的走廊上，盧梭的半身像與美國開國元勳富蘭克林、華盛頓的半身像面對面並列。

　　德國最重要的哲學家康德說：「在物理學上有牛頓的革命，在研究人性的問題上有盧梭的革命。」俄國小說家托爾斯泰年輕時讀到盧梭的書有如晴天霹靂，就把盧梭的肖像紀念章當做耶穌聖像一樣掛在脖子上。托爾斯泰推動的道德改革和他創辦的學校都以盧梭做為典範。這些都還只是盧梭對當時社會和思想界所造成影響的一小部分而已。

（收穫與啟發）

1. 盧梭承受悲慘命運的考驗，一路憑藉好學深思來拓展自己的生命經驗。

2. 盧梭在《懺悔錄》中真誠的面對自我，要從自我的情感與理性的變化之中，去了解人類和人性的真相。

3. 盧梭始終忠於自己的信念，對於教育、政治與宗教持有一定的看法，使他成為不可忽略的西方哲學家。

（課後思考）

你從自己平凡而唯一的遭遇當中，曾經覺悟到什麼樣的人生智慧？

（補充說明）

在思考類似問題時，要注意思考方法，把握主軸去反思自己。所謂「把握主軸」就是要經常問自己三個問題：

1. 我是誰？

所謂「不經一事，不長一智」，你一定是在經歷了許多特別的遭遇之後，才會發現自己原來是這樣的人。對自己了解得愈多，未來才愈可能活出真正的自己。

2. 我在哪裡？

要了解自己目前的處境，可能很順利，可能很平常，也可能很倒楣。關鍵要問自己：目前這種情況是怎麼來的？哪些是要自己負責的？哪些是由別人造成的？兩方面要配合起來思考。

3. 我要去哪裡？

這個問題指向未來，所有的行動都要指向這個問題的答案，這

比較接近人生的志向。

人生志向的確立並沒有時間早晚的問題。這不像學習某種技能，可能有年齡限制，譬如像我這樣，到了一定年紀再學電腦，恐怕就來不及了。技能學習只是為了將來有「用」，屬於比較具體的層次。

而「我要去哪裡」是指人生的目標和方向，通常要放在向上提升的層次：我在具體的生活之外，希望自己有怎樣的人生品味？在價值方面，可以往哪裡提升？

23-5　文明帶來罪惡

本節的主題是：文明帶來罪惡，要介紹盧梭早期幾篇重要文章的觀點，內容包括以下三點：

第一，文明的罪惡是什麼？

第二，人類不平等的起源。

第三，對盧梭的簡單評論。

（一）文明的罪惡是什麼？

盧梭是靠自學成名的學者，他喜歡思考，壓力愈大，他的靈感反而愈豐富。1749 年是他生命的轉捩點，那一年他三十七歲。法國第戎學院舉辦徵文比賽，主題是「藝術與科學對人類的道德是有益還是有害」。

盧梭的文章完全從反面立論，因為他是生於瑞士日內瓦的平凡百姓，父親是鐘錶匠，他到巴黎之後接觸到許多貴族社會和知識界的重要人物，發現文明充斥著各種虛偽。盧梭特別拿他的童年生活與之對照，完全根據個人的經驗，幾乎用一邊倒的方式來批判文明的問題。

首先，他說：「這是一幅尊貴而美麗的景象：看到眾人從一無所有中，憑自己的努力創造文明、提升生活水準。但是，文明同時也是鎖鏈，在藝術與科學方面的發展無異於鎖鏈上的各種花環裝飾。這些鎖鏈壓迫並窒息人心中的自由感覺，這些裝飾使人喜愛自己的奴隸狀態。」

　　盧梭強調：「我們不敢再去想像什麼是我們的真面目，只能在一種永遠的束縛下說謊。」眾人表現的行為看起來像是誠摯的友誼，而真實的自信早已被遺忘。禮貌的面紗遮蔽了各種各樣的卑鄙態度，我們巧妙的責難別人的優點，然後技巧的毀謗他們。

　　盧梭等於是把他在巴黎的經驗普遍化。他強調，人的心靈已經隨人文科學和自然科學的進步而腐壞。他有一段名言：「天文學產生於迷信；辯論術產生於野心、懷恨、虛假、諂媚；幾何學產生於貪財；物理學產生於無益的好奇心；甚至連道德哲學也產生於人類的自負。因此，藝術與科學的誕生，都可歸因於我們的不道德。」教育所教導我們的是除了廉潔與正直之外的一切內容，因為道德的美德得不到報償。

　　他的觀點缺乏嚴謹的邏輯，論證薄弱，探討也不夠深入周全，但是卻表現了一種直觀式的體會。這些觀點也成為他日後深入研究社會、政治以及人性問題的出發點。

（二）人類不平等的起源

　　第戎學院第二年再度舉辦徵文比賽，這一次的題目是「人類不平等的起源以及這種不平等是否符合自然法則」。這一次盧梭的論文沒有得獎，但他後來出版了這篇論文，書名為《論人類不平等的起源與基礎》。

　　盧梭認為，人類的不平等有兩種：

1. 自然的或生理的，如年齡、健康、體力、心智慧力等等；
2. 政治的或道德的，大家按照公約設立了各種規範，而富者、貴者永遠處於優勢，顯然是不平等的。

　　人類什麼時候曾經平等過？盧梭認為：在想像中，人在第一棵橡樹旁填飽他的饑餓，在第一條小河邊緩解他的口渴，在能供給他

一餐的樹腳下找到他的床。由於這樣，他所有的欲望都滿足了。這樣的人身體強健，不需要醫生，他主要關心的是自我保存，也就是活下去。

在原始的野蠻狀態，人與禽獸有何分別？盧梭強調，人與禽獸的差別與其說是理智，不如說是另外兩點特質：

1. 人對自由的意識，使得人的靈魂展現出精神性。人有意志，可以做出選擇，選擇的力量只有用精神才可以解釋，無法用唯物論或機械論來解釋。

2. 人有自我改善的能力，也就是人的可完美性。

在這一階段，人尚未達到反省的層次，因而談不上什麼社會生活。盧梭把這樣的人稱為高貴的野蠻人，因為他沒有善惡的問題。盧梭認為，人在原始的自然狀態下是善的，人的道德是他的自然情感與衝動不受阻礙的發展，人性裡面並沒有原始的邪惡或罪過。這種觀念在西方很少見，但盧梭所謂的人性「本善」，其實是指在善惡出現之前的一種狀況。

人類社會為何會出現不平等？盧梭認為關鍵在於私有財產的建立。他說：「第一個圈起一塊地，說『這是我的』，而周圍那些單純的人居然相信他的話，這個人就是文明社會的創始者。」私有財產一出現，平等就不見了。森林變成聰明人的土地，奴役與不幸伴隨著農作而產生，富者的霸占、貧者的搶奪，以及兩者毫無限制的激情，壓制了自然情感的哭泣和虛弱的正義之聲，讓人充滿了貪婪、野心與罪惡。

這種新誕生的社會狀態引發令人恐怖的戰爭。盧梭認為，私有財產以及隨後發展的整個社會結構都造成不平等，隨之而來的是社會、政府和法律的建立。為了保障自由，所有人都輕率的跑進枷鎖之中。政府的成立是給窮人戴上新的腳鐐，給富人以新的權力，無

可挽回的摧毀自然的自由；制定保護私有財產與不平等的永久性法律，讓巧取豪奪變成無法更改的權利；為了少數有野心的個人，而讓所有人遭受長久的勞苦、奴役與不幸。

（三）對盧梭的簡單評論

　　盧梭對於文明和人類不平等的看法，很容易引發批評與反省。如果按照盧梭所說，人有自我改善的能力，那麼這種能力很可能造就文明的社會，文明社會有問題又該怎麼辦？要把社會完全廢除嗎？要把我的、你的這種區分取消嗎？我們應該回到森林與熊住在一起嗎？人當然不可能重新回到原始的狀況。因此，盧梭的後續著作顯示他對社會改革的關心，並且提出他的社會理論。換言之，我們批評盧梭時要知道，盧梭也覺察到要不斷改善自己的觀點。

　　啟蒙運動當時的主要角色是法國的伏爾泰，他比盧梭大十八歲。當盧梭把《論人類不平等的起源與基礎》一書寄給伏爾泰之後，伏爾泰如此回信：「先生，我接到你反對人類的新書，謝謝。在把我們變回野獸的企圖上，沒有人如你這般聰明。讀你的書讓人想用手腳在地上爬行，但是我放棄這樣的行動已經六十年了，再重溫是不可能的。」這封信充滿了諷刺，為後來盧梭與伏爾泰的交惡埋下伏筆。

收穫與啟發

1. 盧梭認為文明是罪惡的來源。他對藝術與科學的批判表達他個人當時的觀點，但這並不代表藝術與科學都是負面的。我們要進一步深入探討，進而從事社會改革運動。

2. 在《論人類不平等的起源與基礎》一書中，盧梭認為人與禽獸的差別在於：人有自由以及自我改善的能力。這兩點是非常直

觀的看法，值得參考。

3. 一般評論都認為：盧梭的早期作品表達了他對巴黎豪華生活的
反感，認為上流社會與他所了解的人民大眾是脫節的。這也促
使盧梭後來繼續深入思考有關政治和教育的問題，他後期提出
的各種觀點也更具參考價值。

課後思考

　　文明的罪惡可以適度減輕嗎？我們可以做些什麼來保存人本來
有的單純心態？

第二十四章

盧梭與伏爾泰

對啟蒙運動的爭議

24-1　盧梭的《愛彌兒》

　　本章的主題是：盧梭與伏爾泰對啟蒙運動的爭議。本節要介紹盧梭的一本重要的著作《愛彌兒》。

　　前文介紹了盧梭的《懺悔錄》，有一件事是盧梭確實要懺悔的，就是他在情感方面的波折。盧梭後來認識一位旅館的女僕，跟她同居二十三年，最後結了婚。在此期間生過五個子女，盧梭嫌他們太吵，養孩子又太花錢，就把這五個孩子先後送進育幼院。這也成了他後期悔恨最主要的來源。

　　《愛彌兒》的主題包括「論教育」。換言之，盧梭要告訴我們如何教育孩子，這聽起來有點反諷。當然，《愛彌兒》所談的不只是教育孩子而已，也引申出盧梭對道德、情感的各種觀點。

　　本節要介紹以下三點：

　　第一，《愛彌兒》這本書的內容是什麼？

　　第二，《愛彌兒》表現了盧梭的三個基本人生觀念。

　　第三，《愛彌兒》的情感哲學對後代的影響。

（一）《愛彌兒》一書的主要內容

　　盧梭認為，《愛彌兒》是他最好的、最重要的作品。其思想的關鍵是斯多亞學派的一句格言：人必須活得與自然和本性相協調。換句話說，要把大人當大人，把小孩當小孩。小孩要學的不是文字或書本，而是事物，亦即客觀、具體的真實世界。小孩不可能講理，因為他的理性還在睡眠階段。所以，盧梭只推薦孩子看一本書

──《魯賓遜漂流記》，要看看魯賓遜在荒島上面對自然界的各種情況，是如何冒險求生的。

盧梭在《愛彌兒》第二卷的開始部分說：「對孩子來說，忍受痛苦是他的第一堂課，並且是最有用的一堂課。」他的意思是，欲望不能立即實現，要延遲滿足，在過程中忍受痛苦是生命最自然的經驗。然後他強調，真正自由的人有兩個特色：只想他能做的事，以及只做他願意做的事。

盧梭強調，要去掉一些不必要的詞，譬如，服從命令、義務、責任等；同時，要增加的則是問：孩子需要什麼？什麼時候要柔弱一點？什麼時候要堅強一點？如何讓生命本性最初的衝動可以表現出來？

盧梭認為，在人的心靈中沒有什麼原罪的問題。小孩最初幾年的教育純粹是消極的。所謂「消極」，就是防止他的心靈沾染罪惡以及錯誤的事。道德教育只有一條原則，就是絕不傷害任何人。這適用於所有人。我們真正的老師是感覺和經驗，遇到任何東西都要問「這有什麼用處」，而不要空談理論。

盧梭有一句話與英國哲學家霍布斯針鋒相對。霍布斯說：「一個人的價值就是他的價格。」即一個人賺的錢愈多，他的價值就愈高。盧梭則說：「價格愈高的東西，愈沒有價值。」可見，他反對許多檯面上哲學家的觀點。

盧梭認為，人性中與生俱來的兩種能力是欲望與理性。欲望是行為的動力，而理性能給人知識，教人分辨善惡。如果沒有理性的話，良心就不可能得到發展。

但盧梭並非主張理性主義。盧梭強調，有些人主張用理性建立道德，這是不可能的。道德是由理性與情感共同建立起來的。沒有情感，理性是不完善的。情感傳達並反映人的需要，推動著理性。

盧梭進一步說：「人的錯誤不是來自感覺與情感，而是來自理性判斷。人每獲得一個真理，就會產生一百個錯誤的判斷。因此理性必須依賴於情感。」這就是盧梭的情感哲學。

談到社會道德時，他強調：良心是所有人靈魂深處與生俱有的一種正義原則。他甚至歌頌：「良心啊！良心！你是聖潔的本能，是永不消逝的天國的聲音。是你在妥當的引導一個雖然蒙昧無知、卻聰明而自由的人；是你在沒有差錯的判斷善惡，使人形同上帝；是你使人的天性善良，行為合乎道德。」

盧梭一方面強調良心是絕對的標準，另一方面又認為良心還不夠，人還必須尊重別人的意見和社會的輿論，亦即要聽從理性的聲音。所以，良心和理智各有作用，兩者合作才能決定人的行為。

（二）《愛彌兒》表現了盧梭的三個基本人生觀念

盧梭在《愛彌兒》中談到他的三個人生信念。

第一個信念。他說：「我存在著，我有感官，透過感官取得印象、得到觀念。這是我的第一個信條。」他強調：我存在，世界也存在。世界上任何一樣東西的存在，都會以自己為中心。所以，盧梭認為唯心論與唯實論之間沒有必要爭論。盧梭肯定自我的存在，自我由感官獲得印象、組成觀念，宇宙萬物像我一樣都是存在的，整個世界是和諧相處的。

第二個信念。他說：「我相信這個世界是由一個聰明而有力的意志在統治著。我看見它，或者說我感覺到它，而認識它確實是一件大事。」換句話說，宇宙萬物有一個既定的秩序。使這個秩序得以存在，並且讓萬物和諧相處的，可以稱之為「上帝」。但是盧梭從來不爭論上帝的性質是什麼。

第三個信念。他說：「人在行動中是自由的，因為上帝使人自

由，以便讓人擇善棄惡。而靈魂是無形的。」他進一步說：「假如靈魂是無形的，它將比身體活得更久。並且這麼活下去，上帝的公正就得到了證明。」因為善惡會有適當的報應。盧梭承認：「我拿不出任何證據，但是單單看這個世界上壞人得意而好人受苦，就足以證明靈魂是無形的，將來會有適當的報應。」他說：「我覺悟了，人的一生只活了一半，靈魂的生活只有在身體死後才開始。」這些話都表現出他個人深刻的信念。

盧梭從小接受的是基督教的喀爾文教派與天主教的信仰，他曾在這兩個信仰中改變過。他對宗教有深刻的認識，《聖經》是他最常讀的書之一。他說：「大自然在人心中所寫的字跡是抹不掉的，我只需問自己願意做什麼，我覺得是對的，那就一定是對的；我覺得是錯的，那就一定是錯的。」這正是所謂的「良心原則」。他這種說法要以「真誠」為前提。如果缺乏真誠，每個人都以自我為中心，則毫無客觀性可言。

（三）《愛彌兒》的情感哲學對後代的影響

談到情感哲學，盧梭認為，貫穿個人與社會的基本問題是自愛與同情。

自愛是《愛彌兒》一書的基本概念。盧梭認為，第一個自然的概念就是自愛。他把自愛當成一種生理要求，有時也把它當成一種情感。他認為，自愛是自然的、原始的、內在的，是先於其他欲望的欲望，是一切欲望的來源。自愛最基本的表現是關心和保存自己的生命。

由自愛推展到愛自己親近的人，再到愛其他人，從而產生出同情。形成同情之愛有三個原理：

1. 人在心中設身處地想到的，是那些比我們更值得同情的人；

2. 在別人的痛苦中，我們所同情的只是我們認為自身難免要遭遇的那些痛苦，像生病；

3. 我們對別人痛苦的同情程度並不取決於痛苦的數量，而取決於我們為那些遭受痛苦的人所設想的感覺。

所以，從自愛可以推到同情，從利己可以推到利他。盧梭一再強調，自愛不是自私，自愛就其本質來說是自然的，而自私則是社會性的。

盧梭的情感哲學對後代有哪些影響？可以說，現代的教育學說，尤其是對青少年的教育，都受到了《愛彌兒》的啟發。盧梭的故鄉日內瓦最著名的新教育學院，就是以盧梭的名字做為校名。

另外，盧梭對德國哲學家康德也有很大啟發。康德平常的生活極有規律。他每天下午三點半一定出門散步，到朋友家喝茶聊天，晚上七點一定循著原路返回。有一次例外，就是他收到了盧梭所寫的《愛彌兒》，他讀完後，寫下一段話：「曾經有過一個時期，我驕傲的設想，知識是人類的光榮，因此我對愚昧無知的人採取蔑視態度。正是盧梭打開了我的眼界，這種幻想的優越感消失了，我學會了尊重人。」能讓康德受到如此啟發，盧梭的貢獻不可等閒視之。

> **收穫與啟發**
>
> 1. 盧梭的《愛彌兒》的基本內容是從嬰兒到青少年的教育重點：從兩歲開始，要陸續注意他們的體育教育、感官教育、理智教育、道德教育；最後談到女子要接受什麼樣的教育，以及男女之間的愛情問題。
>
> 2. 盧梭在《愛彌兒》中表現出他的人生信念，他把個人生命與宇宙萬物的主宰者結合在一起。他稱這個主宰者為上帝，這跟任何宗教都沒有直接的關聯。

3. 盧梭的情感哲學對後代產生很大影響，可以用康德的一句話來總結，康德說：「盧梭是第一個在人類不同形態的繁複面貌中，發現人類深處隱蔽天性的人。」

（課後思考）

盧梭所謂的「良心」是以真誠為前提，自己覺得善的就是善的，覺得惡的就是惡的。你認為這種說法有沒有過於主觀的問題？

（補充說明）

對於這個問題，首先要把「良心」這個概念說清楚，即什麼是良心、良心的來源、形成和運作；然後再區分良心和道德意識的不同。

首先，西方對於「良心」有一個最簡單的定義：所謂「良心」是指人的一種精神能力，可以讓你領悟道德上的價值、命令與規律。每個人都具有這種精神能力，並且多少都會有某些領悟，知道什麼是道德上的應該、不應該。

良心的來源是什麼？西方傳統上認為良心的來源是上帝，因為上帝按照自己的形象造出人類，所以人有良知，不需要教導就知道分辨善惡。但是後來有很多專家對社會、對心理了解得更透澈，認為這個問題不必牽涉到宗教。

良心的形成有五個方面：

1. 小時候受教育所了解的倫理規則；
2. 自己成長過程中得到的經驗教訓；
3. 從學習中得來的知識；
4. 信仰宗教之後得到的某種啟示；
5. 展現為十字打開的格局。橫的側面就是我應該如何與別人相

處，縱的側面就是我要對自己的信仰對象或人生使命（如天命）負責。

可見，良心的形成相當複雜，每個人都不完全一樣。

良心的運作相當於一個內在法庭，別人是無法得知的，它以個人的方式來考察自己應該、不應該做什麼事。在行動之前，它會給你鼓勵與警告 —— 鼓勵你行善，警告你不要為惡。在行動之後，它會給你讚美與責備 —— 你做了善事，內心就會給你讚美；你做得不好，內心就會給你責備。可見，每個人良心的運作模式相差無幾，良心的評斷作用是普遍的。良心的力量最主要表現在人會悔恨上面。我做的事違背良心的要求，將來就會後悔。如果知道自己錯了，良心又會湧現新的力量，好像可以重新開始、重獲自由。

進一步思考：到底什麼是良心？人有良心並不代表人都是好人。「有良心」與「是好人」是兩回事，中間還差了一步 —— 要照良心去做，才能算是好人。

所以，良心是一種對行善的要求，它基本上是一種「形式」。「形式」與「內容」不同。我們學過形式與質料：質料就是具體的內容，你應該做這個事、做那個事；形式就是「你應該」，代表一種要求。因此，要清楚的分辨「良心」與「道德意識」。

道德意識就是每個人對道德內容的具體認識，它與前述良心形成的五個方面有關。世界上沒有兩個人的道德意識完全一樣；一個人從年輕到年老，他的道德意識也會有所改變。

良心與道德意識不同。道德意識是相對的，而良心是絕對的。所謂「絕對」，代表良心的要求永遠存在，不可能消失。除非這個人完全沒有良心了，像孟子說的「無惻隱之心，非人也」，這樣的人就不再屬於人類了。

　　因此，我們不能說「憑良心做事一定對」，因為你憑藉的是你所知道的「道德意識」。良心是一種要求 —— 要求你一定要做抉擇，行善避惡。但什麼是善、什麼是惡，那是道德意識的問題，這一方面就要透過教育和個人遭遇，自己不斷做出深刻的反省。因此，一個人一定要經常回到內心去認識自己，唯有如此，才能更清楚的知道良心對道德的要求是怎麼回事。

　　盧梭說「一個人真誠的話，你覺得善就是善，惡就是惡」，對於個人當下的情況來說，確實也只能如此。這與蘇格拉底所說的類似，他對弟子說：「今後你們要按照你們所知最善的方式去生活。」事實上，蘇格拉底講的就是「你要憑良心生活」。良心的內容就是你當時的道德意識，但是良心又不完全等同於道德意識。知道兩者之間存在著一種若即若離的關係，你才會更專注於認識自我，你的生命才有真正的自由可言。

24-2　盧梭的《社會契約論》

　　本節要介紹盧梭的另一本代表作——《社會契約論》。1762年對盧梭來說是個豐收年，那一年他五十歲，出版了《愛彌兒》與《社會契約論》兩本書，一本談教育，一本論政治。那一年也是盧梭的災難年，因為這兩本書在他的家鄉日內瓦以及在巴黎同時被查禁，甚至被公開焚燒，他也因此過了幾年流亡的生活。

　　本節要介紹以下三點：

　　第一，《社會契約論》的基本觀點是什麼？

　　第二，普遍意志與全體意志有何分別？

　　第三，盧梭與啟蒙運動的決裂。

（一）《社會契約論》的基本觀點

　　盧梭在《社會契約論》開頭所講的一句話廣為傳揚，他說：「人生而自由，卻處處生活在枷鎖之中。」他強調：「人以為自己是萬物的主人，結果反而比萬物更是奴隸。」他想要說明要如何讓人擺脫枷鎖，並強調社會秩序是一種合理的安排。

　　霍布斯與洛克都曾探討過契約理論，但盧梭的觀點與之不同。盧梭所謂的「社會契約」，是指每一個人把自己的身體與權利共同置於一個「普遍意志」的最高指導下，然後團結起來成為一個團體，接納每一個成員做為不可分割的部分。這樣組成的團體具有一種道德性，有了公共人格，可以稱之為「政體」，有時也稱為「國家」、「主權者」、「權力」、「人民」或「公民」。總之，人要

開始過社會生活了。

　　對霍布斯來說，社會契約的目的是要避免最大的罪惡 ── 戰爭；而盧梭的目標一向是自由。他要顯示，由自然狀態到社會組織的轉變，不單單是為了安全，便以奴役來取代自由。他強調，人在社會中將獲得一種更高形式的自由，比自然狀態所享有的自由更高。締約的各方相互協議，由此創造一個新的道德體，在其中的每個成員比在自然狀態中更能完全實現自己。

　　盧梭在《社會契約論》中強調：人的真實本性似乎在社會秩序中被實現了，人變成一個有智慧的人，不再是愚笨的動物。人做為一個獨立的個體，本身不是邪惡的，但原先也不是道德的存在；只有在社會中，理智與道德生命才能發展出來。這種論調顯然不同於他早期的看法。盧梭早期認為，社會是一個罪惡，是由最初的不平等所造成的。他現在關心的則是人由社會制度中獲得的益處，像公民的自由和道德的自由，以此取代自然的自由。

　　盧梭認為有兩種自由。他強調，人因為社會契約而失去的是自然的自由，以及對所有嘗試而成功獲得的事物之無限制的權力；但現在獲得了公民的自由，以及對於所擁有的一切的所有權。自然的自由只受個人力量所限制，公民的自由則受普遍意志所限制。人由此得到道德上的自由，也只有這一點才能使人做自己真正的主人。

（二）普遍意志與自由意志的分別

　　普遍意志與自由意志是盧梭喜歡用的術語，他更常用普遍意志。

　　多數人民表達的意見稱為「全體意志」，就像今天在投票中採用的「多數決」方式一樣。但普遍意志與之不同。盧梭強調，透過社會契約，許多個人聯合成為一個國家；這時每一個個人（人民全體）才是主權者，而主權者所制定的法律就是普遍意志的表達。

盧梭強調，每一個公民都有雙重立場：做為法律來源的道德存在者的一員，他是主權者的成員；就他身處法律之下、有義務去遵守法律而言，他是一個公民。他的公民責任使他的個別意志順應主權者的普遍意志，而他本身正是這個主權者的一個成員。

盧梭堅持認為，主權是不可讓渡的。人可以轉移權力，卻不能轉移意志。意志是不容許有代表人的。出於同樣的理由，主權也是不能分割的。因為主權就是普遍意志，它無法被分割。

盧梭進一步分辨普遍意志與全體意志的不同。他說：「普遍意志所強調的是共同的利益，它的目標是普遍的、正當的，因此人民需要啟蒙，以便知道普遍意志。另一方面還有全體意志，全體意志就是個別意志的總和。」譬如，你在各種選舉裡看到的是個別意志的總和，即全體意志。所以，全體意志並非不會犯錯，只有普遍意志是永不犯錯的。

盧梭有一句名言，他說：「人民的聲音，就是上帝的聲音。」（Vox populi, vox Dei.）這句話使我們想到中國古代《尚書》所說的：「天視自我民視，天聽自我民聽。」兩句話表達了類似的觀念。

盧梭這種觀點會導致一個有趣的結論：人是被迫為自由的。他說：「普遍意志就是每個人真正的意志。而普遍意志的表達，就是每個公民真正意志的表達。服從一個人自己的意志，就是自由的行動。因此，迫使一個人的意志順從普遍意志，就是迫使他自由。」他說：「為了使社會契約不成為空洞的條文，它包含了一項默認，只有它能對其餘的人產生力量。無論誰拒絕遵守普遍意志，都將被整個群體所迫去遵守它。這就意味著他將被迫為自由的。」這就是盧梭著名的矛盾論（paradox，似非而是論）。

結論就是：純粹的欲望和衝動是奴隸狀態，而服從我們命令自己的法律則是自由的。這種觀點啟發了康德的自律倫理學。

（三）盧梭與啟蒙運動的決裂

盧梭後來是如何與啟蒙運動決裂的呢？啟蒙運動推崇理性的作用，肯定文明的進展，認為未來是光明的、進步的。啟蒙運動的學者主要是法國文化人士，可謂「談笑有鴻儒，往來無白丁」。他們批判教會與王權，主張教會不等於上帝，王權要設法走向開明君主。

但是，盧梭從三個方面動搖了啟蒙運動的基礎：

1. 在理性中，盧梭看到冷酷、無益的理智，專門計較利害得失；
2. 在進步觀念中，盧梭看到不切實際的幻想。底層的人民該怎麼辦？他們如何進步？
3. 在自由觀念中，盧梭看到其中隱藏著奴役與屈從。譬如，伏爾泰等人雖然主張開明君主，事實上開明君主還要加上專制，這裡面隱藏著一種屈從。

啟蒙運動的學者與盧梭之間的來往，最後結果並不理想。譬如，狄德羅是法國百科全書的主編，他曾經邀請盧梭撰寫音樂方面的論文，但兩人最後還是交惡了。狄德羅怎樣形容盧梭呢？他說：「這個人讓我不安。與他相處，有如與一個受詛咒的靈魂相處。我永遠不想再見到他，他使我相信有地獄與魔鬼。」文人相輕、互相排斥竟然到如此程度，實在令人難以想像。

更重要的是盧梭與伏爾泰的交往。盧梭年輕時對伏爾泰十分崇拜，對他文筆的清晰、文雅、有力深為佩服，很想向他學習。但兩個人真正交往後，就只剩下吵架的份。盧梭寫信對伏爾泰說：「我討厭你！」「討厭」這個詞翻譯得更嚴重一些就是「我恨你」。伏爾泰也不客氣，直接罵盧梭「笨蛋、怪胎、騙子、粗野的動物」，還有許多難聽話統統罵了出來。這也不足為奇，因為盧梭性格比較特別，他極度渴求真理，但也帶來強烈的焦慮和被害妄想症。

　　當時的人這樣評論盧梭：他是個劇作家，但他反對戲劇，認為戲劇會讓人分心，停止思考，忽略自己的義務；他是個道德家，但是又拋棄了五個子女；他是個宗教哲學家，但是又兩度改變信仰；他是個自然神論者，但是又認為別人的自然神論不虔誠；他頌揚友誼，但他又跟文化界的每個朋友都反目成仇。

收穫與啟發

1. 盧梭的《社會契約論》的基本觀念是讓人民交出權力，造成普遍意志。這個普遍意志其實類似於上帝的意志。人順從普遍意志，等於人迫使自己自由。至於普遍意志的內容，則不容易加以規定。

2. 他強調，普遍意志與全體意志不一樣。全體意志是透過選票來計算的，只能代表大多數人的想法，但它有可能隨著時空條件的改變而調整。在普遍意志方面，他強調：「人民的聲音，就是上帝的聲音。」這種觀念值得充分肯定。

3. 盧梭與啟蒙運動的很多人物後來都決裂。他在生命行將結束之際，非常低調，也非常悲觀。他在度過顛沛流離的一生之後，最後留下哪些遺言呢？盧梭說：「我一個人孤獨的活在世界上，沒有兄弟、親人、朋友，我被大家唾棄與鄙視，這整個世代難道不是以能夠活埋我為樂嗎？」事實上，後代對盧梭的評價遠遠超過盧梭當時的想像。

課後思考

　　盧梭的作品談到文明的罪惡、人類不平等的起源，他在《愛彌兒》談到教育，在《社會契約論》談到對社會組織的看法。你認為上述哪一方面對你比較有啟發？

24-3　啟蒙運動的大趨勢

　　本節的主題是：啟蒙運動（the Enlightenment）的大趨勢。康德說：「啟蒙運動是人類從自我設限的牢籠裡掙脫出來的行動。」這句話反映當時勇於認知的普遍心態。

　　我們可以這樣描述啟蒙運動：一個正直的人，在這個世界上有實現自我的自由。這個正直的人，有理性也有道德，他對當時的宗教、政治、文化都要進行批評、質疑與改革，就是要處理自己獨立的生活，因為他是有責任的成年人。

　　啟蒙運動在西方世界的心靈發展上是一個石破天驚的重大階段。他們的共識是肯定古代的人文主義（這從文藝復興時代就已經開始了），藉此擺脫宗教與政治的控制，表現出明顯的反對基督宗教以及反對君主專制的立場；同時，他們重視科學的進步，要由此造成現代化的社會。啟蒙運動開始於 1689 年的英國光榮革命，結束於 1789 年的法國大革命，正好是一百年的時間。

　　這樣簡單的描述可能會引起一些誤會，好像啟蒙運動是反宗教、反政治的，事實並非如此。啟蒙的「蒙」是指「蒙昧」，即理性不夠發達，以致於被傳統勢力所掌握。所以，啟蒙運動的學者喜歡引用古代的思想，來解脫宗教的包袱；他們充滿樂觀進步的心態，要借助自然科學與人文方面的研究，逃出古人的籠罩，開闢出自己的新天地。

　　事實上，啟蒙運動並非如此單純，很多學者並非要反對或否定上帝，而是要反對教會對人的思想的控制，科學與宗教並沒有直接的矛盾。其次，當時很多專家學者主張，要把古代歷史，尤其是中

世紀的歷史一腳踢開。也有學者持不同看法。

本節的內容包括以下兩點：

第一，科學與宗教並沒有直接的矛盾。

第二，歷史哲學的發展。

（一）科學與宗教並沒有直接的矛盾

許多科學革命的代表人物對於「上帝」並沒有太多爭議，他們反對的是基督宗教的教會對人類思想的控制。他們認為，理性上的突破是對神聖使命的貢獻，科學的發現是對世界神聖結構的精神上的覺悟。以科學革命四位最重要的代表來說：

第一位是哥白尼。他在《天體運行論》中宣稱，天文學是比人文學科更神聖的科學，天文學的崇高性在於它最接近上帝，因為日心說可以準確解釋上帝所造宇宙的結構。

第二位是克卜勒。克卜勒聲稱：「天文學家是上帝所造自然界這本大書最高的傳教士。」他還強調，透過他的發現，很榮幸的捍衛了上帝神聖殿堂的大門。

第三位是伽利略。他說自己能發明望遠鏡，是因為上帝的恩寵啟發了他的心靈。

第四位是牛頓。他曾經歡喜讚嘆道：「啊！上帝，我追隨在你之後，思考你的思想。」詩人波普（Alexander Pope, 1688-1744）這樣讚美牛頓：「自然界的規律隱藏在黑暗中，上帝說：『讓牛頓誕生！』於是一切都變得光明。」隨著牛頓的成就，新的《創世紀》已經寫成。

這四位科學家都以無比的激情投身於科學研究，他們認為自己正在恢復人類由於原始的墮落而喪失的神聖知識。他們發現新宇宙

的完美，在宇宙創造者的無限輝煌之前深感敬畏。可見，相信上帝是一回事，接受某個教會的教導是另一回事，這兩者要分開。換句話說，科學家照樣信仰他們的上帝。

啟蒙運動時代的幾位重要人物，像法國的房特奈爾（Bernard Le Bovier de Fontenelle, 1657-1757）、莫貝地（Pierre Louis Moreau de Maupertuis, 1698-1759）、孟德斯鳩、伏爾泰等人，都公開承認他們對上帝的信仰。後面也將延伸出自然神論、無神論、泛神論等思想。

（二）歷史哲學的發展

談到對於人類社會的理解，要介紹一位義大利最重要的哲學家維各（Giambattista Vico, 1668-1744）。在啟蒙運動正式開展之前，維各的歷史哲學已經受到重視，他的代表作是《新科學》。

他最佩服的古人是柏拉圖和羅馬史學家塔西佗（Tacitus, 約56-約120）。他指出，塔西佗沉思人類「是」什麼樣子，而柏拉圖沉思人類「應該是」什麼樣子。兩者各有側重。同時，他特別推崇近代的培根。他把自己的代表作稱為《新科學》，就是想繼承培根的代表作《新工具》。

維各首先批評笛卡兒的「我思故我在」，認為這種觀點無法做為科學知識的基礎。因為「我思」是一種直接的意識肯定，尚未達到反省的層次，因而談不上所謂的科學知識。另外，「清晰而明白」不能做為真理的普遍標準。「清晰而明白」的觀念適用於數學或幾何學，因為它們都是心靈建構的學問，不牽涉到具體的事實。

他接著說：「真理的法則與判準是創造。」所謂「創造」是指創造客觀的事實，亦即要以客觀事實做為真理的標準。維各的口號是「真理即實在」（verum factum），他要用實驗的方法來證實物

理學的研究對象。「真理即實在」是說，知道等同於創造。如果你不知道，又怎能創造？所以真理與實在是合一的。

　　焦點再轉到人的身上。維各在《新科學》中提出的目標是：要確定歷史的普遍而永恆的法則，以及這個法則如何體現於個別民族的歷史中。他認為，文明始於定居的行為。當打雷閃電把一群人趕進山洞裡，人開始定居，就出現了文明。自古以來，文明分為三個階段：第一是神明的時代，第二是英雄的時代，第三是人的時代。神明的時代，由具有神權的家長來主導；英雄的時代，分出貴族與平民，由貴族階級來主導；人的時代，民主共和國是其特色。

　　維各強調，這是一種循環。事實上，古希臘時代就有所謂的循環理論。歷史為什麼會循環？因為人的時代出現之後，理性獨大，但理性有其致命的缺陷。理性發展太過頭的話，宗教便傾向於讓位給哲學和無趣的主知主義。平等會造成共和精神的衰落以及放肆的滋長。法律當然會變得更為人道，宗教也更為寬容，但是衰落伴隨著人性化的過程而來，最後社會將由內部瓦解，或是屈服於外來的攻擊，就像羅馬帝國末期一樣。所以，一個循環結束之後，另一個循環再開始。

　　維各認為，在西方的中世紀，基督宗教的到來宣告一個新的神明時代；中世紀後期，出現了英雄時代；十七世紀是哲學的世紀，人的時代出現了。他強調，重複發生的並非特殊的歷史事實或事件，而是這些事件發生的整體架構。換句話說，重複發生的是心靈狀態的循環。等到理性掌握一切之時，又將開始進入衰頹。歷史是由人創造的，而人總在循環之中。

　　維各的歷史哲學與當時許多歷史學家的觀點有所不同。譬如，伏爾泰就非常蔑視文藝復興之前的西方世界。但是維各認為，歷史是一個循環的過程，因此中世紀不是完全虛幻、負面的東西。維各

後來特別重視詩與神話，強調人的想像與感覺的重要。可以說，他的研究走在許多學者的前面（如盧梭）。

　　維各最後得出結論：歷史向我們顯示了人性。我們不能只考慮人現在的樣子，或是以哲學家的標準去了解人性；我們必須轉向，要從歷史、詩、藝術、社會與法律的發展中，認識到其中逐步顯露出的人性。歷史的過程都是人性的顯露，從原始的神明時代把人視為感覺，到英雄時代把人視為想像，到人的時代把人視為理性。三者各有側重，並且一直在循環之中。

收穫與啟發

1. 啟蒙運動是用古人的觀點來質疑教會以及王權，對於現存的教會以及政治權力做全面的反省與批評，再用科學的發展來超越古人的觀點，從而造成一個全新的局面。但就科學的發展來看，許多科學家拒絕的是教會的教導，他們並不反對可能有一個上帝存在。上帝與教會所教導的未必是同一的。

2. 有關人類歷史的進展，義大利哲學家維各提出一種循環的觀點。他認為，真理就是實在，知道等同於創造事實。人類歷史顯示出人性的不同方面，因此不能以今非古。這種觀點對於近代歷史哲學的發展有深刻的啟發。

課後思考

　　了解維各的循環歷史觀之後，你是否發現自己從小到大也經歷過某些循環階段？

24-4　啟蒙運動的主流思潮

　　本節的主題是：啟蒙運動的主流思潮，要從比較大的方面來說明啟蒙運動在法國的發展，分別介紹啟蒙運動的三位重要人物，內容包括以下三點：

第一，宗教與道德走向分離。

第二，世俗主義的出現。

第三，實證主義的萌芽。

（一）宗教與道德走向分離

　　啟蒙運動在法國風起雲湧的展開，造成 1789 年的法國大革命。一般認為，法國啟蒙運動的先驅是貝爾（Pierre Bayle, 1647-1706），他的代表作是《歷史與評論辭典》（*Historical and Critical Dictionary*）。貝爾能編出辭典，自然是博學多聞，掌握當時的知識。他有兩個重要的觀點：

1. 人的理性更適合發掘錯誤，而不是發現真理。譬如，自古以來，凡是證明上帝存在的各種論證都受到毀滅性的批判；同時，也沒有人真正解決惡存在的問題。換句話說，如果相信上帝存在，要怎麼證明？就算有上帝存在，上帝與惡的事實要如何並存？這兩方面都不是理性所能回答的。

2. 宗教的真理不是理性可以談論的。也就是說，無論怎樣用理性去爭論，都無法得到宗教的真理，所以應該用容忍取代爭論。容忍或寬容逐漸成為啟蒙運動的基本立場。

　　貝爾不僅區分宗教與理性，更重要的是，他進一步區分宗教與道德。貝爾說：「一個有道德的社會也可能由不信靈魂不死、也不信上帝存在的人所組成。」這在當時是非常創新的觀點。事實上，西方很多信徒直到今天仍然相信，如果一個人不信上帝，也不信靈魂不死，就不太可能有道德。貝爾在十七世紀末提出這樣的思想，可謂開時代風氣之先，由此出現「道德自主之人」的概念，即一個人不靠信仰，也可以成就道德。

（二）世俗主義的出現

　　法國從 1751 年至 1780 年，在三十年之內總共出版三十五冊百科全書，希望用當時已有的各種知識，來反對教會的教導和現存的政治體制。百科全書派有兩位主編，一位是狄德羅（Denis Diderot, 1713-1784），另一位是達朗貝爾（Jean le Rond d'Alembert, 1717-1783）。狄德羅的思想顯示出世俗主義的觀念，可從以下三點來看：

1. 人是並且必須是萬物的中心；由於人的存在，才讓天地萬物變得有意義。這顯然是人文主義的想法。狄德羅說：「如果撇開我的存在與我們同類的幸福，我們何必去管自然界其他部分是什麼樣子？」

2. 如果上帝真的存在，他更在意的一定是我們靈魂的純潔，而不是我們所發表的對於真理的意見。這句話掌握到宗教的核心。人的靈魂純潔才是重點，人對真理方面的意見永遠處於爭論之中。換句話說，一個人得到啟蒙並不代表他一定有德行，德行還是要靠自己去努力修練。

3. 他總是寄希望於後世。可以這樣說，後世對於啟蒙思想家，無異於天國對於信徒的地位。所以，他們都想贏得後世子孫的尊敬，立德、立言的動力就在這裡。他們把希望都寄託在

這個有形可見的世界上，這是非常明顯的世俗主義。

狄德羅對人性的觀察非常具體，但是也流於表面。他有一部題為《他是善還是惡》的戲劇，裡面有一句說得非常具體：「他是善還是惡？時善時惡，像你像我，像每個人。」狄德羅又說：「我做的事沒有一樣是為了自己，沒有一樣不是為了別人的需要；但卻沒有任何人感到滿意，連我自己在內！」許多年齡較大的人聽了這句話會深有感觸，自己一輩子為子女、為後代做了許多事，而事實上沒有人感恩，沒有人認為你做得好。

最後狄德羅得出什麼結論？他說：「想做的事不准，該做的事不願。」想做的事不讓我們做，因為那會違背社會的習俗和法律；該做的事是我們的責任所在，可是我們又不願意去做。所以，人的處境是矛盾而複雜的。這種對於人性的理解談不上深刻，但是相當清楚的反映出當時眾人的現狀。

（三）實證主義的萌芽

百科全書派的另一位主編是達朗貝爾。盧梭曾經批評達朗貝爾對於戲劇的看法 —— 認為戲劇讓很多人造成幻想，趨於懶惰，妄求僥倖。事實上，盧梭批判達朗貝爾還有另外一個原因，就是達朗貝爾擁有當時學者在學術界所能擁有的一切榮譽和頭銜。

達朗貝爾是數學家，他的觀點趨向於實證主義。達朗貝爾強調，十八世紀是哲學的世紀，而洛克是科學化哲學的創始者。換言之，哲學要向科學看齊，要設法科學化，變成像科學一樣精準，而洛克正是這種學說的創始者。

所謂「科學化的哲學」，就是以系統的模式去描述及聯繫現象的世界，而不再由形上學的角度解釋這個世界。這一觀點使得達朗貝爾成為後續實證主義的先驅。換句話說，哲學要向科學效法，只

能關心現象；如果有形上學的話，它必須成為一門有關事實的學問，而不能只是抽象的談一些理論。

　　由啟蒙運動的三位代表──貝爾、狄德羅與達朗貝爾的觀點，可以看出啟蒙運動的基本走向：設法用理性的方式，獲得更完整而深刻的認識；透過辭典或百科全書這種教育工具，啟發百姓進入新的時代。

收穫與啟發

1. 第一次有學者（貝爾）公開指出，宗教與道德應該分離。因為理性有其限制，理性應該只管現實世界，只管人的事情；而宗教裡有很多無法解決的問題，就讓個人的信仰去面對吧。這在西方來說是非常新穎的看法：一個人不信上帝，也不信靈魂不死，照樣可以有道德。

2. 啟蒙運動之後，西方慢慢走向世俗主義。如果把焦點從來世的賞罰轉到現實世界，自然會以人為中心，追求現實世界的幸福。如果有困難，就把希望寄託在後代子孫身上，要設法贏得子孫的尊敬。但是後代子孫又有他們的子孫，所以狄德羅的世俗主義可以向後無限推延，最後可能會迷失於世界上各種浮華的表現。

3. 達朗貝爾數學家的背景讓他認為，應該堅持去發展科學化的哲學。法國這部百科全書的緒論就是由達朗貝爾所寫，他在緒論中寫道：「從世俗科學的原理到宗教體系的基礎，從形上學到品味的問題，從音樂到道德，從神學家的學者爭論到商業事務，從君王的法律到人民的法律，從自然法則到國家隨意的法規，以上每件事情都被討論和分析到，或至少被提到。這種普遍的人心躍動所造成的結果或結局，是對某些事物開啟了心

智，而遮蔽了其他事物。就像潮退潮漲的結果，是在海邊留下一些東西而席捲走其他東西一樣。」

課後思考

按照狄德羅所說，我們要寄希望於後世子孫。請問，這種觀點足以讓人努力去立德、立言、立功嗎？它可能會產生哪些問題？

補充說明

對於狄德羅所說的寄希望於後世子孫，可以思考以下三點：

1. 根據專家估算，地球上活過的人約有一千億；而今天世界上的人口超過七十億。我們記得幾個人呢？有一些書會談到影響人類的一百個人、一百本書、一百件事等等，可見你頂多認識幾百人。幾百人相對於一千億，比例實在是太低了。

2. 後之視今，猶今之視昔。現代人怎麼看古代，將來的人也怎麼看我們。譬如很多研究古代文明的專家發現：有些文明徹底消失了，沒有留下任何遺跡，好像不曾存在過一樣；有些文明雖留有遺跡，成為考古專家的研究對象，但沒有人知道它的文字代表什麼意思，即使研究出來也沒有把握。就算掌握更多的資料，可以對古人進行評價，但評價的善惡是相對的，有可能會翻轉。換句話說，我們不可能由全方位的視角來評價一個人。我們跟同時代的人，甚至是親戚朋友之間都可能出現許多誤會，更何況是不同時空裡面的人。

3. 每個人都應該對自己的人生負責。不必說自己是為了光宗耀祖，也不必說自己是為了後代子孫，要為自己負責。但是怎樣才算為自己負責？這就是我們為什麼要愛智慧、學哲學的主要原因。活著並不是很難的事，任何生物都有求生的本能；但是

只有人類才會問活著有什麼意義，也就是要理解人的生命到底是怎麼回事。

對於理解最有幫助的是「2＋1」的格局：「2」就是人類與自然界；「1」就是萬物的來源與歸宿，亦即人類和自然界從哪裡來？又要回到哪裡去？這個問題就算沒有答案，你也會設定這個問題是成立的，因為我們總歸要有來源和歸宿。如果說這一切都是幻覺，都是虛無，都是純粹偶然，那麼就不用再討論這個問題了，人生也就沒有什麼學習的必要，只要活著就好。

如果要認真的面對這一生、對自己負責的話，自然就要問：「2＋1」的「1」是什麼？譬如伏爾泰半開玩笑的說：「從享樂裡面也能證明上帝。」我們要問：為什麼這麼多人都需要對超越界有某些信念？如果縱覽世界上的宗教，我們要問：為什麼人類需要宗教？對於這些客觀的經驗事實，我們要問：它有什麼先驗的條件？

人的生命結構決定了人有理性，自然就要思考意義的問題。如果你想有比較完整的理解，自然要設定有一個超越界的存在，以它做為「2＋1」的「1」——萬物的來源與歸宿。這個基礎建立好之後，對於自然界和人類就比較容易理解。

中國是一個歷史悠久的國家，對於傳統文化上的很多內容，我們未必認同，但有些傳統卻值得我們深思。譬如中國傳統以來就有三祭——祭天地、祭祖先、祭聖賢。

1. 為什麼要祭天地？因為天地是萬物之本，萬物寄託於天地之間，對天地表達感恩和尊崇之情是合理的。

2. 為什麼要祭祖先？因為祖先是人之本，我們與祖先血脈相連，祖先就是我們的根源。

3. 為什麼要祭聖賢？因為聖賢是我們人生發展的目標。人最大的

特色是可以用理性去思考，可以用意志去抉擇，所以人生就是不斷選擇的過程。我們效法聖賢，以他們為典範，所以才有祭聖賢的傳統。

啟蒙運動時代，西方為何會重視後世子孫？因為啟蒙運動對當時的宗教有明顯的批判，對超越界的信仰隨之瓦解，人只看到人類和自然界，只能在子孫身上尋找人生的期望和目標，這是一種無可奈何的情況。

在西方哲學史中，對於像狄德羅與伏爾泰這樣的啟蒙運動哲學家，評價都不太高。主要原因就是他們的思想沒有展現出「2+1」的格局，只是遷就於現實世界，困處在當時的時空環境中，而把希望寄託在後世子孫身上。

狄德羅對此也表現出深深的失望，他覺得自己無論做什麼事都沒有人感激，何況是後世子孫？伏爾泰用享樂來證明上帝，因為他以學者自居，他知道一般人需要對超越界的信念，於是就以詼諧的態度來面對這個問題。事實上，這不是哲學家的嚴謹態度。

24-5　啟蒙運動的舵手伏爾泰

　　本節的主題是：啟蒙運動的舵手伏爾泰（Voltaire, 1697-1778）。
伏爾泰的思想明亮清晰，但他的生活混亂不堪。他的文筆令人佩
服，盧梭年輕時曾崇拜伏爾泰的文采，立志向他學習。盧梭比伏爾
泰小十八歲，在十八世紀的法國啟蒙運動中，盧梭的名聲後來超過
了伏爾泰。

　　盧梭之外，就是伏爾泰在引領整個時代的思潮。伏爾泰一生奮
鬥，追求的都是冠冕堂皇的目標，如寬容、和平、思想的自由、人
類的福祉、廢除不義與壓迫等等。朝這些目標奮鬥，沒有人會反
對。伏爾泰對後世的影響非常深遠。

　　本節內容包括以下三點：

　　第一，伏爾泰的基本立場。

　　第二，伏爾泰對教會的批判。

　　第三，伏爾泰的上帝觀念。

（一）伏爾泰的基本立場

　　伏爾泰的基本立場是反對宗教上的樂觀主義，他認為那是無稽
之談。他尤其反對德國哲學家萊布尼茲，因為萊布尼茲公開說：
「這個世界是所有可能的世界中最好的世界。」這顯然過於樂觀，
伏爾泰無法接受。

　　其次，伏爾泰也反對無神論。他認為，伊比鳩魯的眾神對人的
遭遇無動於衷，而柏拉圖理型論雖然談到一些神，但它不能解釋眼

前的痛苦。所以伏爾泰寫了一首詩：「我放棄了柏拉圖，我拒絕了伊比鳩魯。」那麼他到底有何觀點呢？

伏爾泰接受近代哲學的啟發，佩服牛頓的思想，還寫過一本名為《牛頓哲要旨》的書。他編過《哲學辭典》，著作極多，全集將近七十冊，是詩人、小說家、劇作家、歷史家以及哲學家。

伏爾泰的一生與宗教界人士和世俗的統治者頻繁發生各種爭執。他曾被逐出巴黎，也進過巴士底監獄，飽受批評與憎惡。當時有位神學教授公開抱怨：「上天為何會讓這樣的人來到世間？」伏爾泰安慰自己說：「只要哲學出現，就會受到迫害。」

伏爾泰最初幾本書都是匿名出版，有人問他，他就矢口否認。他說：「人必須能夠像魔鬼一樣的說謊。」他的私生活混亂不堪，緋聞不斷。他說：「上帝將我們安置在這個世界，是為了讓我們享樂；其餘的人、事、物，都非常平淡庸俗，令人作嘔，可憐可悲。」

享樂需要金錢，所以伏爾泰想盡辦法賺錢。他臨終時擁有一座城堡、幾棟鄉間別墅，以及一百六十名僕人。伏爾泰晚年回顧自己的人生，說：「我已經習慣身體與心靈上的亂七八糟了。」

即便如此，伏爾泰的聲望卻愈來愈高，成為十八世紀歐洲思想界最有名的人。幾乎一個世代、三十年之久，都把他奉為歐洲的精神領袖。德國學者狄爾泰說：「伏爾泰是所有人類裡面最生氣蓬勃的。」歌德說：「伏爾泰擁有充實及拓展這個世界的一切能力與知識。」他的聲望因此遍及全世界。連尼采也說：「伏爾泰是人類最偉大的解放者。」

伏爾泰的原名叫做弗朗索瓦‧瑪麗‧阿魯埃（François-Marie Arouet），這個名字帶有宗教信徒的色彩，所以他不喜歡。他在二十五歲時，第一次以伏爾泰為筆名出版了一本書，受到廣泛重視，從此便以伏爾泰做為他的名字。

（二）伏爾泰對教會的批判

　　啟蒙運動的學者所批判的是教會的教導，而不是對上帝的信仰。伏爾泰在這方面表現得最明顯，他批判教會及其教導的教義。他說：「教會是充斥於世上的神聖謊言。它顯示的不是理性的上帝，而是必須憎惡的魔鬼。上帝創造萬物，難道就是為了讓萬物隨即被魔鬼誘惑，然後臣服於這個誘惑之下嗎？為何這個上帝會讓人類陷入永恆的痛苦，陷入地獄，在恐懼中呻吟呢？如果以哲學家的立場探究這樣的教義，就會發現：這個教義令人難以置信，而且令人厭惡。這樣的教義使上帝搖身一變，成為惡魔本身。」

　　所以，伏爾泰把基督宗教當做迷信，他要去除盲目及狂熱的信仰。伏爾泰說：「因為這樣的宗教嗜殺成性，引人犯罪，並且製造地獄的幻想。」有一段時期，伏爾泰在每封信的後面都要簽署一句戰鬥口號：「消滅這個下流無恥的教會。」

　　可見，伏爾泰堅決反對的是教會的組織，而不是對上帝的信仰。因為他也批判無神論，認為那違反所有人的心意，是一種怪物。他說：「我不是基督徒，但是正因為我要賦予上帝更多的愛，所以我才不是基督徒。」他相信，基督宗教會變得更加理性。

　　伏爾泰強調：「信仰上帝是必要的。對於與人類有關的事，我們都必須有興趣，因為我們是人類。同時，神性與天命的問題也是與我們有關的。」那麼，他所信奉的是什麼樣的神？它不是《舊約》、《新約》裡的神，而是無須任何啟示就能向人類顯示自身的上帝。他說：「人天生就有認識上帝的能力。」

　　伏爾泰認為，有兩條路線可以證明上帝的存在：

　　第一條路線，仍然是根據目的因來證明，亦即傳統所謂的「設計論證」。伏爾泰把世界比喻為一隻手錶，他說：「譬如一個人看

手錶，錶的指針指出時間，這個人就會認定：這塊手錶一定是某人所造，用來指示時間的。一定存在有某物，存在一個永恆者，因為沒有任何東西可以源自虛無。任何作品的手段與目的可以被認識的話，就像手錶可以指示時間一樣，就說明有一個創造者。宇宙裡有許多動力、目標等手段及目的的表現，這就意味著有一位全知全能的創造者。」

同時，伏爾泰透過牛頓的發現，證明上帝是必要的，是廣布在自然界中的理智，是宇宙裡最偉大的精神。他說：「單純事物的聚合不能解釋宇宙的和諧或自成系統。」他在《百科全書》「自然」的條目裡寫道：「他們稱我為自然，但我全然出於雕琢。」也就是說，自然界並非自有的，而是出於上帝的雕琢。

第二條路線，伏爾泰採用一種相當特別的證明方法，前所未見。他說：「享樂可以證明上帝存在，也就是享樂與神性的存在有關。當一個人品嚐了托凱爾甜酒，親吻了一位美女，總之，當一個人有了舒適的感覺時，就一定會肯定：有一種令人舒適的最終極的東西是存在的。」這種論證確實有趣，但是有些無聊。

（三）伏爾泰的上帝觀念

伏爾泰說：「自然界向你證明上帝的存在，而你的心靈告訴你：一定有一個正義的上帝存在。」自然界與心靈兩方面都肯定上帝的存在。伏爾泰堅信，上帝不會以殘酷的方式懲罰犯罪者，而是親切、和善，只會獎勵有德的行為。伏爾泰主要是想肯定：上帝對於社會、對於人民是有用的。他說：「就算上帝不存在，我們也要發明一個上帝，因為這樣對社會是有用的。」

很多人都知道伏爾泰對宗教的批判，也聽說他對上帝有很多諷刺的話。他有一次拜訪一位貴族，一到他家，貴族就興奮的對他

說：「我贊成你說的，上帝已經不在了。」伏爾泰立刻請他不要說話，然後把周圍的僕人全部趕走。僕人離開之後，伏爾泰才對這個貴族說：「難道你希望早上起來莫名其妙的被僕人殺掉嗎？」他的意思是說，如果一般百姓不相信上帝的話，他們為何不能為所欲為呢？還有什麼事情不敢做呢？由此可見，上帝對一般百姓是有約束作用的。

伏爾泰認為，為了凸顯存在的意義，也需要肯定上帝的存在。宇宙萬物充滿生滅變化，彼此構成食物鏈，一環接一環，最後一切都會結束，那麼這些生物何必存在呢？他說：「如果上帝所造的世界充滿著無意義，那還能相信上帝的善良嗎？」

他認為：「世上的痛苦是上帝的天意，是可以協調的。我們難道因為發燒就否定上帝嗎？對上帝而言，不幸與痛苦並不存在。這些只有對人類才存在。」伏爾泰說：「我想探究的不是這個世界的建築師的好壞；對我而言，只要知道有這麼一位建築師存在就夠了。」很多善惡問題混淆不清，沒有人可以解開。但伏爾泰最後還是陷入了困惑，他說：「這一切都是謎，無法解答。人剩下的只是絕望。」

伏爾泰晚年時說：「我有時想到，我經歷這一切探究之後，還是不知道我從何處來，我是什麼，我將往何處去，我將成為什麼，我就幾乎陷入絕望中。」

伏爾泰臨老的時候說了一句話，他說：「六十多年來，這個世界只是一堆空洞與虛無，令人厭惡。無聊與吹噓就是生命，一切如泡影。在這個世界上，所有人都像是被判了死刑的俘虜。此刻我們在草地上玩耍，但每個人都在等待自己被處絞刑的時刻，卻不知何時輪到自己。這一生真是白活了一場。」這是伏爾泰晚年的心聲，顯得相當悲觀與無奈。

收穫與啟發

1. 伏爾泰對哲學的重要問題並未做完整而深入的思考，他只是憑藉聰明才智，廣泛涉獵各種學問。他認為對社會來說，信仰上帝應該是有利的。他從效益的觀點去看待上帝的存在，談不上真正的信仰，也無法肯定隨信仰而來的道德行為。他雖然談了很多上帝存在的證據，但最後自己還是陷於困惑之中。

2. 伏爾泰有一件事值得充分肯定。1762 年盧梭出版《愛彌兒》以及《社會契約論》，被日內瓦政府公開查禁與焚毀。此刻伏爾泰站出來說：「你說的，我一個字也不贊成，但是我抵死也要維護你說話的權利。」這句話廣為流傳，被視為言論自由與寬容精神最鮮明的格言。

3. 最後，伏爾泰又說：「靠哲學的慰藉有助於心靈的寧靜。」我們常常聽到這樣的話。啟蒙運動持續發展，最後造成法國大革命，這更多的要歸因於盧梭這樣的平民學者。因為伏爾泰的思想無法構成一個完整的系統，這是他最大的問題。

課後思考

　　伏爾泰認為可以從個人的享樂經驗來證明上帝存在。你可否根據個人的經驗，想出一種方式，來證明宇宙有一個來源與歸宿？

第二十五章

康德

先驗哲學扭轉乾坤

25-1 康德面對的挑戰

　　本章的主題是：康德的先驗哲學扭轉乾坤。本節的主題是：康德面對的挑戰。整個西方哲學史上有兩個人處於承先啟後的關鍵地位，分別是古希臘時代的柏拉圖以及近代的康德（Immanuel Kant, 1724-1804）。

　　在蘇格拉底之前的古希臘哲學，一方面是研究自然界的自然學派，由於當時科學水準有限，他們提出的對自然界的看法大都缺乏充分的論證，從而形成獨斷論；另一方面是辯士學派，認為人是萬物的權衡，最後走向懷疑論。

　　獨斷論與懷疑論是理性最大的敵人，兩種思潮都陷入困境，於是蘇格拉底提出解決的辦法。蘇格拉底本身沒有著作，由他的學生柏拉圖建構了一個理型論的系統。不管柏拉圖是否解決了問題，至少面對當時的挑戰，提出了一種解決方案。

　　近代哲學發展到康德時期出現類似的情況。近代哲學有兩大思潮：一方面是由笛卡兒所開創的理性主義，經過史賓諾莎，到萊布尼茲時提出單子論，成為明顯的獨斷論。另一方面是由英國的洛克所開創的經驗主義，經過貝克萊，到休謨時陷入懷疑論。獨斷論與懷疑論再次同時出現。

　　以盧梭和伏爾泰為代表，法國曾在十八世紀啟蒙運動中獨領風騷，但同時也導致法語系哲學走向結束。接著上場的是德國哲學。

　　柏拉圖與康德有兩點類似：第一，他們都活到八十歲；第二，他們都沒有結婚。兩人在其他方面則差別很大。柏拉圖創辦了一所學院，曾三度前往敘拉古從事他心目中理想的政治活動。康德一生

沒有離開過他的家鄉科尼斯堡，他在科尼斯堡受教育，大學畢業後就在學校教書，到四十六歲才正式成為哲學教授。在此之前，康德幾乎什麼課都教，包括物理學、數學、地理學、礦物學、人類學、教育學等。他教課的反響很好，他口才幽默，富於寓言，能夠激發學生的獨立思考。

本節要介紹以下三點：

第一，康德一生嚴謹的生活。

第二，康德面對的挑戰。

第三，康德的先驗哲學在說什麼。

（一）康德一生嚴謹的生活

只要學過西方哲學的人都知道，康德的生活極為嚴謹。他雇了一個老僕人，每天都會在固定的時間喚醒他做固定的事，像鬧鐘一樣，很少破例。譬如，康德每天下午都會到朋友家聊天，三點半出門，七點鐘準時返回。街上的行人有時會問：現在七點鐘了嗎？回答往往是：大概還沒有吧，因為康德先生還沒有經過這裡。他每天走的路後來被稱為「哲學家之路」。

（二）康德面對的挑戰

康德在五十七歲才出版第一本代表作《純粹理性批判》，他在第一版的前言中說：「我敢說，沒有哪一個形上學的問題不在本書得到解答或找到解答的鑰匙。」在第二版中，他進一步自比哥白尼，說自己在哲學上進行了一次「哥白尼的革命」。

哥白尼將地心說轉為日心說，完全改變天文學的焦點。與之類似，康德徹底翻轉傳統以來的認識方式：傳統上是由我去認識外界

事物，外界事物是我認識的對象；康德則認為，要**翻轉認識的焦點**，在認識外界事物之前，先要了解自己本身的認識能力。

康德宣稱，不能再像以前的哲學那樣，一開始就認定人可以認識外界事物，現在要把認識的焦點從外在拉回內在，要問：我們真的能認識外界事物嗎？能認識到什麼程度？這是康德面對的挑戰。

（三）康德的先驗哲學在說什麼

要理解什麼是「先驗」，首先要知道什麼是「經驗」。每天發生的事、過去所有的遭遇、人類掌握的所有歷史事實，都是經驗的結果。一般人文方面的學問，都是經驗的科學。譬如社會學、心理學、人類學，都是透過收集資料、歸納整理、分析研究，找出某些規律，來幫助我們更好的面對未來的世界。這些都是屬於標準的經驗科學。

康德認為，哲學是先驗的學問。所謂「先驗」就是先於經驗並做為經驗之基礎者。譬如，你現在認識這個房間，這是一個經驗，但是你要問：我能夠有這樣的經驗，它的基礎或根據是什麼？如果沒有把這一點先弄清楚，就說自己認識這個、認識那個，到最後每個人的認識都不一樣，那該怎麼辦呢？

康德正是從這個角度去審視哲學與其他學科的不同，其他所有的學問都是根據經驗來開展研究，而哲學則要問：這些經驗如何可能出現？換言之，我們今天得到的這些經驗是否只對人類有效？對於其他生物，或從其他角度來看，則未必正確。那麼人類為什麼會有這樣的經驗？人類的這種經驗是否跟人類本身的認識能力有關？康德的第一本代表作《純粹理性批判》就是要回答這個問題──我能夠認識什麼？

康德一生努力探討四個問題：第一，我能夠認識什麼？第二，

我應該做什麼？第三，我可以希望什麼？第四，人是什麼？這四個問題貫穿康德整個的哲學思維。

我們再回顧一下，康德之前的哲學為何會走入困境？首先，理性主義認為，人有先天本具的觀念，否則如果一切知識都來自於後天經驗的話，則只能靠歸納法來建構知識，而歸納法沒有普遍性和必然性。經驗主義則認為，按照理性主義的說法，人類無法在現實世界上不斷擴充知識。經驗主義強調人的心靈是一張白紙，人必須由感覺經驗獲得某些印象，再形成觀念，進而建構知識。

康德認為，真正的知識要成立的話，必須兩邊合作：一方面由外在提供各種「素材」，另一方面要由內在提供某種形式。任何一種知識都包括兩部分：由外界提供材料（稱做質料），由人內在的理性提供形式。這樣形成的知識一方面具有普遍性和必然性，另一方面又有擴張性和複雜性，這樣不就可以避開前面的獨斷論和懷疑論了嗎？

簡單說來，康德就是要問一個問題：先驗綜合判斷如何可能？所謂「綜合判斷」，就是我們對於後天許多經驗事物的判斷。「先驗」則代表該判斷來自於理性本身的形式。譬如，1＋1＝2顯然是從人的理性中所醞釀出來的一種規律，但是它不能脫離外在經驗世界所提供的例證。所以，數學、物理學中的各種定律，都是先驗綜合判斷。

對於休謨否定的因果律，也包括先驗和綜合兩個方面。首先，我們看到外界許多事物緊密相連，經常同時出現；我們人類去理解時，便把它界定為因果關係。兩方面合作才能構成有效的知識。

康德的先驗哲學又稱為批判哲學，因為他的三本代表作的書名都含有「批判」一詞。批判就是批評性的思考，在肯定某一觀點正確之前，先做一番批評性的反省，分析它為何正確。

收穫與啟發

1. 康德的一生過著嚴謹的生活，可以說是標準的「宅男」。他甚至有點神經質，他書桌上任何東西擺錯位置，都會令他緊張不安。他平常散步時不跟別人說話，生活規律也不容別人打亂，他要充分掌握他的時間與他的生命。

   有一次，鄰居有一隻公雞總是啼叫，康德想花錢買下牠，鄰居不賣，康德只好搬家。結果，搬的地方很接近當地的監獄，監獄正在實施感化教育，每天早上都要唱聖歌。康德又向典獄長抗議，說他們製造太多噪音。情況能否得到改善呢？當然沒有人理會他。

2. 康德面對的挑戰是什麼？在他之前，近代西方哲學從理性主義和經驗主義演變為獨斷論與懷疑論，甚至對於科學的發展都產生了懷疑，從而使整個知識界陷入了困境。康德要設法找到新的出路。

3. 康德對於哲學的具體貢獻是提出一套先驗哲學，又稱做批判哲學。傳統以來研究的焦點是由人去認識外界事物，康德將之徹底翻轉，要先了解人本身的認識能力。這種翻轉就像哥白尼將地心說轉為日心說一樣，等於是扭轉乾坤，天翻地覆。康德在哲學界的影響力由此可以想見。

課後思考

　　回想一下，自己是否有一些獨斷論的觀念，缺乏充分的論證就以為那是真的？或者是否有一些懷疑論的觀念，明明看到某些事實，卻懷疑它的存在與真實？

補充說明

　　在歷史上，一直有懷疑和獨斷這樣的問題。我們曾介紹過英國哲學家培根所說的「打破四種假象」──種族、洞穴、市場和劇場假象。這是一種很好的思維模式。那麼我們的觀念是如何形成的呢？

1. 聽來的。很容易先入為主，這與市場和劇場假象有關。比較片面的資訊叫做市場假象，相對完整的全套理論叫做劇場假象。在介紹西方哲學史的過程中，哲學家一位接一位粉墨登場，就像在劇場中表演一樣。

2. 由自己的觀察得到的經驗。這與種族和洞穴假象有關。

3. 自己好學、深思、力行之後的心得。這是最可貴的。

　　我們的價值觀要呈現「十字打開」的格局，也就是「2＋1」的格局。「十字打開」的橫的側面就是自然界和人類，可以稱之為「2」；縱的側面則稱為「1」。不能只看自然界和人類，因為這兩者始終都在變化生滅之中，最後都會消失；還需要配合縱的側面，像天命或個人的宗教信仰，這是對人生最深刻的體會。否則當你處於一個價值完全紊亂的社會之中，整個社會都腐化了，一個人活著真的會感到求告無門。縱向的十字打開是必要的，為什麼我們要經常思考宇宙萬物的來源和歸宿這個問題？原因就在這裡。

　　康德思想的關鍵在於「先驗」觀念，這是他最主要的貢獻。如果探究人類經驗的具體內容，那麼每個人的經驗都不同，並且會隨著時空條件而改變，可謂五花八門，永遠沒有定論。康德則要探究：使這些經驗能夠成立的先決條件是什麼？如果能了解「先驗」這一觀念的話，就容易欣賞康德的思想。

25-2　人只能認識現象

　　本節的主題是：人只能認識現象。你可能聽過一句很特別的話：你所認識的世界不是世界本身，而是能夠被你認識的世界。這句話在說什麼呢？這就要回到康德身上。

　　康德的著作有所謂的「三大批判」，第一本是《純粹理性批判》。所謂純粹理性，是指理性在理論上（不涉及實踐）的運作。理性本身做為認識的主體，能否進行認識的活動？康德要先對理性本身的結構與能力進行反思。本節要介紹以下三點：

第一，要破除虛假的觀念。
第二，人的認識結構到底如何？
第三，什麼是時間與空間？

（一）要破除虛假的觀念

　　在破除虛假觀念這一方面，康德提出了著名的「正反論旨」（Antinomy），也翻譯為「二律背反」。在做研究的時候，可以提出正題和它的反題。正反論旨就是要強調，正題是對的，反題也是對的，最後兩個都不對。這有點類似於歸謬法，亦即當你要批評別人的觀點時，先承認他是對的，然後推出荒謬的結論，從而證明他是錯的。

　　康德認為，過去人對於宇宙和人生問題的所有觀點，都可以用正反論旨的方式來加以懷疑和否定。譬如，說宇宙在時間上有開始，在空間上有限制，這是正題；說宇宙在時間上沒有開始，在空

間上沒有限制，這是反題。

　　如果宇宙在時間上有開始，那麼它開始之前是什麼？開始之前還有不同的開始。如果說宇宙在空間上有限制，那麼空間之外是什麼？反之，如果說宇宙在時間上沒有開始，在空間上沒有限制，如何理解一個在時間上沒有開始、在空間上是無限的宇宙？

　　最後結論是，你可以主張宇宙在時空方面有它的限制，或者主張宇宙在時空方面沒有限制，兩個都對，因而兩個都錯。康德的目的是要指出，人的理性根本無法確定外在事物究竟是什麼情況。他特別提出四種正反論旨，包括：

1. 世界在時間上有開始並在空間上有界限，或者在時間上無開始並在空間上無界限？
2. 萬物是由單純的東西所組成，或者不是由單純的東西所組成？
3. 因果律出於自然的還是自由的？
4. 絕對必然的存在是在世界之內還是在世界之外？

　　康德透過分析上述問題，發現不同哲學家的說法之間相互矛盾，沒有一種說法是可靠的。所以，康德把過去爭論不休的問題全部擱置。因為如果不先去探討人的認識能力和結構，就說你認識的世界是如何如何，最後就會陷入正反論旨，統統不能成立。

（二）人的認識結構到底如何？

　　若要了解人的認識結構，就要採用類似於電影裡慢動作的方式，逐步加以分析。

　　康德認為，任何一種認識行動都是人的理性做出的判斷，理性（廣義的理性）可分為四階段：感性、想像、知性和狹義理性。首先感性接觸外界，譬如看到一樣東西；接著透過想像判斷這樣東西屬於哪個種類；然後由知性做出判斷；最後再由狹義理性進行統合。

康德有一個重要的觀念，他認為人只有感性直觀。什麼叫感性直觀？「直觀」與「理性」是一組相反相對的概念，說直觀就代表不是理性，說理性就代表不是直觀。直觀是直接掌握，理性則要使用概念。康德認為，我們接觸外界，一定要透過感性的能力，由感性直觀去掌握。因此，人只能認識現象，而不能認識對象本身。

康德將人的理性分為四個層次，每個層次都包括形式和質料兩個方面。

首先，感性有兩面，外界提供給我混沌的質料，我的感性能力提供普遍的形式，兩者配合才能形成被我認識的對象。接著，我的想像力根據內在的規則與程式，設法把這個對象加以分類。然後再把這個對象往上推給知性，知性負責做出判斷。譬如要判斷：這是不是車？是一輛車還是兩輛車？是什麼車？知性也是把先天的形式加在外界提供的對象上。最後再把這個對象交給狹義的理性，這樣才能說自己認識了一輛車。

（三）什麼是時間與空間？

康德做為哲學家的最大特色，就是打破歷代以來所有對於時間和空間的觀念。康德說：「時間、空間是感性的先天形式。」換言之，時間與空間不是外在的、後天的，而是人類主觀的先天形式，正是因為有人類，才有這樣的時間與空間。

先看空間。人會覺得某處好高，跳不過去，但是許多昆蟲隨便一躍就可以達到牠身高幾十倍的高度，人類再怎麼跳也不會超過身高一倍以上。再看時間。人類對於時間固然有各種感受，譬如，放假時覺得時間過得很快，一開學就覺得時間過得很慢。但是，鱷魚在太陽底下半天都不動，對牠來說，時間代表什麼？

可見，人類對於時間、空間的掌握與其他生物不同，所以有人

把時間、空間當做一副眼鏡，人類戴上時間、空間這樣一副特殊的眼鏡，才能看到我們現在看到的世界。換言之，你看到的世界經過自身的加工，你把自身的形式加在世界上面。

再舉一個簡單的例子。譬如，這裡有一張桌子，把桌子搬開就多出一個空間。請問：先有空間才能放桌子，還是把桌子搬開才有空間？當然是先有空間才能放桌子。不但如此，空間其實是人的感性所提供的。換言之，所謂「先有空間」或「先有時間」，這裡的「先」並不是外在的先或時間上的先，而是說我們的感性本身具有這樣的先天形式。如果人類不存在，這個世界並沒有所謂的「上下、左右、前後、四方」或「時間的連續發展」這兩種現象，整個世界只能用「混沌」來形容。

人類出現之後，便開始用他先天的時間、空間的形式加在外界事物上面，讓它看起來有時間、空間的樣子。這樣一來，我們永遠也無法接觸到外在世界本身。因此，康德區分「現象」和「物自體」（或稱為物自身、本體）。人只能認識現象，你所認識的世界是能夠被你認識的世界，不等於世界本身，沒有人可以認識事物的本體。康德於是得出結論，有三個本體不可知：第一，自我不可知；第二，世界不可知；第三，上帝不可知。

如果三大本體都不可知，那我們該怎樣在世界上生活？這就是後續《實踐理性批判》要探討的問題——我應該做什麼？

需要補充的是，感性有時間、空間兩個先天形式，想像也有它的基本圖式（schemata），知性的層次有十二個範疇。譬如我說「這是一輛車」，「是」代表肯定，屬於範疇裡面的「質」（包括肯定、否定和不定）；「一輛」屬於範疇裡面的「量」。康德的十二個範疇其實脫胎於亞里斯多德的十大範疇，康德挑出四個——量、質、關係和狀態，再用正反合的方式構成十二個範疇。

收穫與啟發

1. 康德在《純粹理性批判》中強調，要先問人類能夠認識什麼。首先，他要破除虛假的觀念，把傳統以來有關時間、空間、萬物是否單純、因果關係如何、上帝是否存在等重要問題，都用正反論旨的方式指出相互矛盾之處，從前哲學上的許多論斷都受到質疑，因為它們沒有先去探討人本身的認識能力、結構和限制。

2. 談到人的認識結構，康德認為人有理性，這是指廣義的理性。廣義的理性可用其感性直觀去接觸外在對象，經過想像，再交由知性進行判斷，最後由狹義的理性來加以規範，從而肯定這是我所得到的知識。這就是認識的結構。

3. 人用感性去接觸外在事物，感性有兩個先天形式──時間和空間。外在混沌的材料或質料，經過我提供的形式的規範，成為我認識的對象。這導致兩個結果：

   (1) 我只能認識到現象，不可能認識到本體或物自身；

   (2) 我的主體提供的形式是普遍的、必然的，而外在對象提供的質料是複雜的、擴張的，「先驗綜合判斷」由此得以落實。正因如此，人的認識才是可能的，也才是有效的。

課後思考

簡單說來，要了解康德的《純粹理性批判》，要問一個問題：人能夠認識什麼？要把一個非常直接的判斷，像電影慢動作一樣逐步分解。你覺得康德的說法有道理嗎？你只要想一想，自己對空間、時間的認識跟一隻螞蟻的認識有何不同，就比較容易欣賞康德的觀點了。

25-3　我應該，所以我能夠

　　康德的道德哲學可以歸結為一句話——我應該，所以我能夠。

　　康德的一生要問四個問題：第一，我能夠知道什麼？第二，我應該做什麼？第三，我可以希望什麼？第四，人是什麼？康德在《純粹理性批判》中試圖解決「我能夠知道什麼」這個問題，最後發現：我只能夠知道現象，不可能知道本體，世界、自我與上帝都不可知。如果對本體無法確知，人應該如何行動？如果自我不可知，那麼是誰在行動？

　　康德的第二批判是《實踐理性批判》，就是要探討「我應該做什麼」這個問題。「應該」兩個字是關鍵，因為不管我是否知道本體或知道多少，我還是要在這個世界上與別人互動，我認為自己是自由的，可以做出選擇，並需要承擔責任。康德將在他的道德哲學中探討這些問題。

　　本節要介紹以下三點：

　　第一，康德所謂的「道德形上學」是怎麼回事？

　　第二，康德所謂的「實踐理性」是什麼？

　　第三，人的道德究竟是怎麼回事？

（一）什麼是道德形上學？

　　康德的著作中一再談到「道德形上學」，他甚至有一本專著就以《道德形上學原理》做為書名。如果要探討宇宙萬物的本體，只有兩條路線可以選擇，即「2+1」的「2」：或者從自然界出發，

或者從人出發，去找到它們背後那個無形可見、永不變化的本體。

「形上學」的英文是 Metaphysics，這個名稱來自於亞里斯多德的一本書，「在自然學後面的」就是形上學。因此，傳統的形上學都採取第一條路線，由自然界出發去找尋背後的本體。康德認為以前的探討都不能成立，他別出心裁，要走第二條路線──從人出發，去找到道德行為背後的本體。

康德認為人有兩種知識。第一種來自於感官接觸外在世界，透過感性、想像、知性到狹義的理性而得到知識，這類知識只能認識現象而不能認識本體。

除此之外，人還有道德知識。凡是含有「應該」二字的就是道德知識。譬如「你應該說真話」就是道德知識。它來自於人類經驗的歸納嗎？顯然不是。就算天下人都說謊，「你應該說真話」這句話還是真的。因為如果天下人都說謊，那麼說話本身就毫無意義了；說話若要有意義，「你應該說真話」就必須在先驗上是真的。

那麼，在道德方面有沒有先驗綜合命題呢？真的有道德的行為嗎？康德認為，道德哲學家的任務，就是要從道德的知識中，分辨出先驗的因素，並說明它的根源。換言之，一般所謂的道德知識，譬如「你應該說真話」或「你應該守信用」，這類命題是否有先驗的成分？

（二）什麼是「實踐理性」？

康德的第二本代表作叫做《實踐理性批判》。前面介紹純粹理性，這裡又出現實踐理性，難道有兩個理性嗎？不是的。理性只有一個，但它有兩種途徑去涉及它的對象。

第一種途徑只涉及純粹的認知，可以規定由外而來的對象，獲得某種理性的知識，這是純粹理性的作用。第二種途徑可以使對象

成為實在，這是實踐理性的作用。譬如，我採取一個行動，就會使我的行動結果成為具體的存在。所謂「實踐理性」是指理性在實踐上的應用，主要以道德實踐為準；不包括製作手錶、汽車等，因為這些與知識有關。

只有在道德實踐中，理性才可能使它的對象真正成為實在。簡而言之，實踐理性就是按照一個原則而做的意志活動。因此，實踐理性就是意志。人要靠意志去做選擇，做出某些道德的或是反道德的行動，而道德的法則只能建立在理性上。這就是康德倫理學的主要特色。

（三）人的道德究竟是怎麼回事？

康德認為，世間所謂的善皆為相對而有條件的，如財富、才華、性格優點，這些都可能用於惡的目的，而不是本身即為善的。唯一的、無條件的、在其自身可以稱為善的，只有「善的意志」。善的意志就是「出於義務」而行動的意志。簡單說來，善的意志就是內心裡的善意或善的動機。

譬如，我開了一家店，門上貼著「童叟無欺」，我認為這是我的義務，我應該這麼做。隔壁也開了一家店，門上也貼著「童叟無欺」，但他認為誠實是最好的策略，童叟無欺可以帶來更好的效益。平時看不出我和他的差別，但是遇到經濟不景氣時，隔壁的店為了追求更大的效益，改變策略，變成專欺童叟；而我照樣出於尊重義務而童叟無欺。按照康德的觀點，我的行為具有道德價值，隔壁的行為只是一種策略運用而已。

接著，要區別格準（maxim）與法則（principle），這些都是康德的專用術語。格準是主觀的決意的規則，法則是客觀的道德律。格準是個人的，法則是普遍的。換言之，格準是自己做事的規

格和標準。

康德認為，只要是人都有理性，理性會給自己下命令，那個命令是普遍而絕對的，不能談條件的，可以稱之為「無上的命令」。這是康德哲學的一個主要特色。道德的無上命令是：我要設法使我行為的格準成為普遍的法則。換句話說，我在做一件事之前一定要問：世界上所有人在我這種情況下，都可以做這件事嗎？如果可以的話，我才去做。

人是有理性的存在者，理性會賦予人無上的命令（定言命令），所以人本身就是一個目的，不能被當做手段或工具。康德一再強調道德實踐的規定：「你當如此行動，要把人性——無論在你自身的位格中或在其他人的位格中——在任何情況下，都要同時視之為目的，而絕不要僅僅視之為工具來利用。」

由於理性為自己立法，所以道德意志不是他律的，而是自律的。意志的自律是道德的最高原則。既然每個人都是自律的，都是目的，因此人的世界就構成一個「目的王國」。這是康德關於道德方面非常深刻的觀念。

康德的觀點最終歸結為一句話——我應該，所以我能夠。「我應該」是我對義務的尊重，我知道自己應該做什麼，那麼我就一定有能力把它做出來。古希臘時代有一種觀點是「我能夠，所以我應該」，否則我為何會具備這樣的能力？康德將之翻轉為「我應該，所以我能夠」。譬如我應該守信用，所以我能夠守信用。類似的道德問題，顯然要有一些基本設定，下節再做介紹。

康德在《純粹理性批判》中認為自我不可知，但到了《實踐理性批判》，當他問「我應該做什麼」時，必須先要肯定「宛如」（als ob, as if）有一個「自我」存在一樣。「宛如」一詞是康德哲學的另一個特色，康德哲學有時也被稱做「宛如哲學」。

收種與啟發

1. 康德的形上學摒棄亞里斯多德「自然學之後」的傳統路線，另闢新徑，從人的道德行為出發，找尋背後形上學的根據，就是去探尋道德實踐背後有什麼樣的本體可以肯定。

2. 康德的實踐理性是指理性在實踐上的功能，它可以使對象成為實在。這不是客觀的去認識外在世界，而是主動的創造某種客觀實在的行動。人透過意志的抉擇，使道德行為得以實現，這樣才符合人類理性的要求。

3. 人在道德方面有「無上的命令」：要把個人行為的格準當做普遍的法則，如此才可付諸行動。每個人都是目的，不能只被當做手段來利用。人類的世界形成一個目的王國。這種觀念成為近代人文主義的基本立場，即不能只把別人當做手段來利用，而不同時也把他當做目的來尊重。人的理性給自己立法，我由自己所定的法來行動，所以我是自由的。這樣就肯定了人的道德生命的特色。

課後思考

　　康德的道德哲學有個特別的觀點，一個人在實踐道德時不能覺得快樂，否則將來可能為了快樂而去實踐道德，而不是為了尊重道德的義務。

　　他這種說法是否過於嚴格？譬如，探訪一個生病的朋友，如果你說「我是康德的信徒，我來看你只因為你是我的朋友，而不是因為我喜歡你或關心你」，你的朋友會領情嗎？

　　你對康德的觀點可以做進一步的反省嗎？

補充說明

康德為什麼對於「在實踐道德時，不能有感情上的喜悅或快樂」這麼堅持呢？因為他擔心，如果看望一個朋友覺得快樂，將來就可能為了快樂才去看他，而不去考慮你應該、不應該的義務了。應該做的事不見得都會帶來快樂，所以不能以快樂做為考慮的重點。康德想要強調的是，出於義務的行為不應考慮該行為的後果，無論後果是好還是壞、是讓你高興還是難過。這是康德義務論的特色。

一般人的行為顯然與康德的要求有相當大的差距。一般人做事有以下三種考慮：

1. 我做一件事是因為自己覺得快樂。譬如，我去醫院探望生病的朋友，這會讓我覺得心裡踏實，不過我可能就此期待朋友的回報，哪一天我生病的時候，自然就會期待朋友也來探望我，否則，我心裡就會覺得有點壓力或委屈。

2. 我做一件事是尊重習俗。我們做的許多事通常都沒有什麼特別的考慮，只是出於尊重習慣和風俗，並沒有想到義務的問題。我們只是隨俗從眾，不會去進一步判斷：這件事是我該做的嗎？或者是我喜歡做的嗎？

3. 我做一件事是出於社會壓力。如果不去做的話，會受到別人的責怪。

上述三種行動方式，在康德看來都不具有道德意義。有道德意義的行為，一定要透過理性的思考，發現這是我該做的事，是我的義務。

25-4　從道德走向宗教

　　本節的主題是：從道德走向宗教。西方哲學家對於宗教有一定的興趣與關懷，是因為他們的成長背景往往與宗教密不可分。許多哲學家從小就有家庭的宗教信仰背景，或者在學習階段進入宗教學校，受到完整的宗教教育。康德的父親是馬鞍匠，母親是家庭主婦，他們是虔誠的信徒，屬於基督教的虔信派（Pietism）。康德對於基督教和天主教都有一定的認識。

　　本節要介紹以下三點：

　　第一，康德批判上帝存在的論證，認為這些論證都不能成立。

　　第二，康德的道德哲學要求有一個圓滿的善做為結果，由此推到上帝的存在。

　　第三，康德的道德哲學會引向宗教。

（一）康德批判在他之前的上帝存在的論證

　　在康德之前的上帝存在的論證可以分為三類：

1. 本體論的論證

　　由中世紀後期的安瑟姆首先提出。安瑟姆把上帝定義為「你不能設想有比他更完美的存在者」。這樣定義的上帝必然存在，否則他就不是那「不能設想有比他更完美的存在者」。康德認為這個論證不能成立，因為「存在」不能做為述詞。換言之，「不能設想有比他更完美的」這個定義已經包含「存在」在內，等於是一種循環論證，不能成立。

2. 宇宙論的論證

多瑪斯·阿奎那五路論證的前三路就屬於宇宙論的論證。凡存在的東西都不能解釋自己本身，它們都需要有一個原因，可以稱之為上帝。這類論證的問題在於：萬物都是有生有滅，也就是相對的，本質上等於零，而再多的零加起來也不會等於「一」。所以不可能由萬物推出一個永恆的、無限完美的上帝。

3. 設計論證

神學家比較喜歡使用設計論證，甚至像牛頓這樣的科學家也認為這個論證說得通。但康德認為，就算宇宙萬物充滿秩序、讓人驚訝，頂多只能證明有一個超級「建築師」存在，但是那跟宗教裡所宣稱的上帝也沒什麼關係。

康德另闢蹊徑，他在道德哲學裡特別強調，人普遍具有道德經驗，這代表人有自由。譬如，我們都有後悔的經驗，這代表我曾經「自由」的做了一件事——明明知道不該做而我卻做了，因此才會有後悔的問題。如果當初做的時候沒有自由，就沒有後悔的問題，也談不上要負什麼責任。

「自由」預設必須為後果負責，否則自由只是空話而已。所謂「負責」就是善惡應該有報應；但是人的生命有限，在生命結束之前，善惡不可能實現完美的報應。那該怎麼辦？

（二）康德由道德哲學去設定上帝的存在

康德在《實踐理性批判》中強調，為了使人的道德經驗得以成立，需要有三個「設定」。「設定」是專門的術語，代表它不能被證明，但必須被要求。換言之，你先肯定某個事實，為了使這個事實能夠成立，需要設定某些先決條件。如果不這樣設定的話，這個事實根本不可能出現。

康德認為，人的道德行為是一個客觀事實，必須要有以下三個設定：第一，人是自由的；第二，人的靈魂是不死的；第三，上帝是存在的。

1. 人是自由的，否則哪裡有道德的行為？
2. 要設定靈魂是不死的。自由代表一個人要為其行為負責，也就是善惡要有報應。但是這樣的報應在一個人活著的時候不可能圓滿實現；所以人死後，靈魂要繼續存在，以便為生前所做的事負責。
3. 與此同時，還要有一個全知的、全能的神，來保障所有善惡報應都恰如其分，也就是德與福一致——康德稱之為「圓善」，即圓滿的善。如果沒有德福一致，所有道德經驗都是虛幻的。

康德在《純粹理性批判》中強調，自我、世界與上帝都不可知。在《實踐理性批判》中，他找到一個新的「視窗」，使人的自我得到確認，同時上帝被要求非存在不可，否則無法圓滿解釋人的道德經驗。這就是康德思考的心得。

（三）康德的道德哲學會引向宗教

康德認為，道德不需要先預設宗教信仰。人不需要先信仰上帝才能認識他的義務，因為道德最終的動機是為了義務，而不是為了服從上帝的命令。對於西方世界來說，這是一個重大的轉變。西方經過中世紀長期的教化，已經認定要以宗教做為道德的基礎，一個人沒有信仰就不可能有道德。在西方人的一般觀念中，一個人為什麼要行善？因為那是上帝的要求，善惡都會有報應的。

康德認為，道德最終的動機是為了義務，但這樣的義務可以與上帝的命令相配合，要承認人的所有義務都是上帝的神聖命令。這

樣就把人的道德與信仰結合起來了。

康德說：「人類普遍具有理性，理性可以給自己立法，因此，所立的法必須是普遍的與必然的，有如至高存在者（上帝）的命令。因為只有源於一個道德上完美且無所不能的意志（上帝），並且與他協調，我們才有希望達成最高的善。這就是道德法則給我們的義務。」

康德為什麼要強調上帝在道德上是完美的，而且無所不能？因為只有上帝在道德上是完美的，才能要求人類也追求這樣的完美；同時，上帝也必須是無所不能的，他要掌握人類與自然界的一切資源，才能給德行以適當的報應。

康德強調，道德法則要求我們配得上幸福，因為德行應該產生幸福。史賓諾莎也提到過德行應該產生幸福。康德進一步說，所謂「圓滿的善」就是德與福一致；若要德福一致，不能僅憑主觀的願望或幻想，而只能藉由上帝的參與才能達成。換句話說，上帝的意志是神聖的，他要求受造的人類能夠配得上幸福，也就是要以德行來配得上幸福。康德也強調，幸福的希望只能從宗教裡尋找，否則人死如燈滅，一切都不必談了。

康德為什麼一定要肯定上帝？他考慮的是兩點：

1. 道德行動要有終極的結果，行善或為惡不能沒有最終的報應；
2. 道德行為與自然秩序有可能協調，且必須協調，否則只有人面對上帝，而與自然界完全脫鉤，這樣不可能實現圓滿的善。

康德的結論是：「真正的宗教就是針對我們所有的義務來說的，要把上帝視為普遍受尊崇的立法者，把人的義務視同上帝的命令。」換言之，服從道德法則、服從義務就是服從上帝。這是康德將道德哲學引向宗教的關鍵。

康德對於宗教的具體內容有不少意見。譬如，他排斥教會的權

威和他們對啟示的解釋，他也不重視宗教的儀式，如禮拜、禱告等。他強調：「除了道德行為之外，人類所有自以為能取悅上帝的途徑，都不過是宗教的幻想和對上帝的假意崇拜而已。」

這話說得很嚴肅，同時也回應了《聖經》中耶穌的一句話，耶穌說：「你如果不愛那看得見的弟兄，怎麼能宣稱你愛那看不見的上帝呢？」（《新約·約翰一書》，4：20）因此，你如果沒有在人間實踐你的愛，沒有表現出道德的行為，又怎能說自己有任何宗教信仰？

更重要的是，康德並不否認原罪的觀念，因為在基督徒尤其是新教徒看來，人性根本是敗壞的。康德肯定原罪是要反對盧梭的論調，盧梭把人想像成在自然狀態下是完美的。康德認為人有自愛、自利的傾向，由此產生自私，這就是「人的根本惡」所在。

總之，康德強調上帝的內存性，從人的道德意識可以引出對上帝的意識。因此，並非道德以宗教為基礎，而是宗教必須以道德為驗證；因為道德是普遍的，而宗教有可能受時空的影響，出現多元化的現象。康德由此獲得一個綽號 —— 住在科尼斯堡的中國人。這裡所謂的「中國人」是指儒家。儒家思想強調修身，在道德上嚴格的自我要求；儒家談到天命，但並沒有像上帝的命令那麼具體。

收穫與啟發

1. 康德對於在他之前的上帝存在論證全部加以批判，認為它們都得不到證實。

2. 康德的道德哲學肯定人的道德經驗是一個客觀的事實，這就需要設定人有自由。人有自由就有隨之而來的責任，因此靈魂必須不死，以便承受善惡的適當報應。最後，還需要有一個上帝做為報應的執行者來保證圓善，使德與福一致。這就是康德的

道德哲學引向宗教的契機。

3. 康德所謂的宗教顯然有一種理性化的傾向，他對於宗教的實
　踐，像教會的權威、宗教的儀式等，並不重視。同時，他受到
　宗教的啟發，肯定人有原罪，因為他無法接受「把人想像為在
　自然狀態下是完美的」這樣的觀念。康德也受到啟蒙運動的影
　響，以致過於忽略宗教的歷史事實。

（課後思考）

　　聽了康德的說法後，你是否認為，不論一個人是否信仰宗教，
道德才是最後的檢驗標準？你能簡單說明到底什麼是道德嗎？

（補充說明）

　　這裡要談以下三點：

1. 道德是怎麼回事？

　　由於「人有自由」、「人是不完美的」這兩點，所以出現道德
的要求。

　　人的自由不能脫離人的行為法則或規範。按照康德的說法，行
動分兩種：一種是「符合義務的要求」，第二種是「出於尊重義
務」。只有第二種才具有道德價值。第一種只是「符合」義務的
要求，並不知道你的內心有何動機。第二種「出於尊重義務」，
即我的善的意志從內心主動尊重義務，這樣的行動才具有道德意
義。人有自由可以選擇，對於選擇的後果就要負責任；否則自由
只是一個幻想，根本不能落實。

　　另一方面，人是不完美的，因為人的認知有偏差，情感有衝
動，意志很軟弱。在進行道德選擇的時候，認知往往會有個人
的偏見，使我們無法做出全面的判斷。我做出這樣的行動，對於

其他人會有什麼影響？我們無法考慮周全。我們的情感很容易衝動，受不了各種誘惑。在意志方面，正如《聖經·新約》裡面保羅所說：「我所願意的善，我反不做；我所不願意的惡，我倒去做。」（《羅馬書》，7：19）說明人的意志非常軟弱。

　　所以，人有自由以及人是不完美的這兩點，就使道德成為人性最主要的特色。生而為人，就有這樣的道德要求。人的一生中，道德要求始終存在，不會說你達到某種境界或年齡之後，道德就不再構成問題了。

2. 道德有什麼難題？

　　人一生都要與別人來往，道德責任一直存在，由此帶來兩個難題：第一，我如何堅持一生？第二，我為何要堅持下去？

　　第一個問題的答案很簡單，就是要不斷修養自己。隨著年齡的增加，你會接觸到更多的人和事，責任愈來愈重，相應的就需要有更高的修養，否則很可能出現晚節不保或毀於一旦的結果。

　　更重要的問題是：為什麼要堅持？這時只有兩種考慮：

(1) 因為我有這樣的人性，如果我不堅持，過不了自己的人性這一關。人性和良心在很多地方非常類似。

(2) 因為我有某種信仰。信仰包括一種對死後世界的考慮。只談現實世界不需要信仰，可以按照別人設定的方式活下去。

3. 道德與宗教的關係

　　康德認為，如果肯定道德有隨後的責任，並達到完美的德福一致，就非要設定兩點：

(1) 靈魂存在，否則誰來接受報應呢？

(2) 上帝存在，否則誰來做公平的裁決？

　　基督教神學家潘能伯格（Wolfhart Pannenberg, 1928-2014）指出：如果按照康德的說法 —— 以道德做為宗教的基礎，會帶來很大的

任意性，每個人都認為自己是善意的，自己的做法合乎道德要求，這樣就沒有道德判斷的普遍標準，這是很大的問題。

其實，康德並沒有把道德與宗教兩者完全分開。他說：「要把一個人在道德上所尊重的所有義務，都當做上帝的命令。」上帝的命令只是一個普遍的說法，人不可能預先知道上帝的命令有何具體內容；每個人在道德實踐的時候，都有他的特殊處境，需要自行判斷。如果此時缺乏真誠的心和完全的善意、不能出於尊重義務而行動的話，後面就會很麻煩，每個人都可以說「我認為這樣是對的」。

《中庸》對此有清楚的說明。《中庸》開宗明義的說：「天命之謂性，率性之謂道，修道之謂教」。可以把「天」理解為超越界。「天命之謂性」是說，天的安排或命令就是我的人性。「率性之謂道」是說，順著我本性的要求去實踐，就是我的人生正路。「修道之謂教」是說，我修養自己走在正道上，這就是教化。這提供了不同於西方的另一種解釋模式。

25-5　美是什麼？

　　本節的主題是：美是什麼。在康德看來，《純粹理性批判》一書要探討人的理性是如何認知的，《實踐理性批判》一書要考察人的意志是如何進行道德實踐的，《判斷力批判》一書則要討論人的感受。三本書合起來就構成康德著名的「三大批判」。

　　人在認知與意志的中間還有感受。感受是怎麼回事？它跟美有什麼關係？本節要探討以下三點：

　　第一，判斷力有何作用？
　　第二，審美判斷是怎麼回事？
　　第三，美與道德善有何關係？

（一）判斷力有何作用？

　　康德的《判斷力批判》在討論什麼問題呢？首先，康德認為人的心靈有三種能力，就是一般心理學所謂的知、情、意。知是認知能力，情是感受能力，意是意願能力，即意志。

　　康德認為人的理性在認知方面有一種建構作用，使外在混沌的質料成為能被人認知的現象，從而使知識成為可能；在意願方面，理性有一種規範作用，能夠為人的意志立法，從而使道德成為可能。

　　在認知和意志的中間，人還有感受能力或情感能力，它關係到人是否有審美的愉悅。人如果只有認知和意志能力，就好像被一分為二，或是知──知道實然的狀況，或是行──有了應然的要求。能聯繫這兩者的就是人的感受，也就是在情感上的審美的力量。

因此，康德在前面兩種批判之後談到《判斷力批判》，該書就是對感受或審美的討論。在認知方面，我們有理解力；在意願方面，我們有行動力。理解力與行動力要靠判斷力來加以連結，使人的整個生命不分裂。這樣就形成一個簡單的架構。

（二）康德的審美觀點

康德依舊採用先驗的思考模式，他要問：判斷力有沒有屬於自己的先驗原則？它的功能如何？又要如何應用呢？康德基本的思考模式一向如此，關於人的具體作為，像認識、行動或感受，他要探討人的理性能否提供某種先驗的形式，來規範外界紛雜的萬物。

何謂判斷力？判斷力就是按它的先驗原則，關聯於感受上。簡而言之，判斷力就是指一種能力，可以把特殊者設想為包含於普遍者之中。這句話聽起來有些抽象。譬如一幅畫很特別，它是特殊者，請問這幅畫能否引起普遍的感受？感受不是屬於個人的嗎？它有普遍性嗎？《判斷力批判》就是要討論這些問題。

康德美學有兩個關鍵術語：第一是「無私趣」（disinterested）——沒有個人的興趣；第二是「不具目的的目的性」。掌握這兩個詞，就可以把握康德美學的重點。

對審美的判斷，康德從四個角度來看，即量、質、關係和狀態。

1. 無私趣

從質的方面來看，就是「無私趣」。也就是沒有任何私人的興趣，不涉及任何認知與意願，而能引起滿足感。「無私趣」後來成為廣泛應用的術語。譬如我看到一幅畫上畫了顆蘋果，我不想了解它的產地，也不想吃它，純粹欣賞就覺得滿足，就是「無私趣」。

2. 普遍性

從量方面來看就是「普遍性」。美本身沒有概念的內容，但它

又能普遍使人愉悅。一般的概念可以普遍讓人了解，然而美只涉及感受而不涉及概念，但它能普遍使人愉悅。所以，「普遍性」就是讓所有人都覺得滿足，好像它有某種客觀性質一樣。譬如，我說某種酒好喝，有人反對，因為每個人口味不同，這就是「私趣」。但當我說「這幅畫很美」，我心裡想的是：應該所有人都會同意。這裡要注意兩點：首先，我不能從邏輯上證明一幅畫很美，因為審美的判斷與認知無關，無法給出邏輯上的證明；其次，當我說「這幅畫很美」，我並非把它建立在某種概念上，而是建立在感受上。

3. 不具目的的目的性

從關係上看就是「不具目的的目的性」。即對象本身不具任何目的，但又合於目的性。譬如，你看到一幅畫，你並沒有特定目的，但這幅畫從構思、布局、到光影配合都恰到好處，讓人產生和諧而有意義的感受；你無法形容它，因為它不涉及任何概念。又譬如寫文章，可謂「文章本天成，妙手偶得之」，有時只是偶然得到了靈感，信筆揮來，一氣呵成；如果刻意雕琢，反而不見得精采。

換言之，「無目的的目的性」是說，當你欣賞藝術品時，不帶有特定目的，但這件藝術品所表達的完全合乎目的，讓你產生一種有意義的感覺。這裡所謂的「意義」不是指「認知」上的意義，而是「感受」到一種深刻的含義或重要性，使人得到某種啟發。

4. 必然的滿足

從狀態上來看就是「必然的滿足」。康德說：「所謂的美，基本上沒有概念可說，但它又是一種必然的滿足的對象。」這裡所謂的「必然」不是指理論上的客觀必然性，因為那是「知」；也不是實踐上的必然性，因為那是「行」。這裡的「必然」是普遍原則的一個案例，它可以使人產生共同的感受。譬如，我們經常會舉例說明，舉的例子雖是個別的，但是每個人聽了都能了解，這就具有某

種普遍的必然性。

接著康德提到審美的「正反論旨」，但這裡正題和反題都正確。

先說正題——審美判斷不建立在概念上。因為如果建立在概念上，就可能出現爭論，甚至還能證明它美不美，但這是不可能的。

再說反題——審美判斷建立在概念上。因為如果沒有建立在概念上，就會「言人人殊」，每個人的說法都不同，根本無從討論，甚至連「這幅畫真美」都不能說了。

結論是，審美判斷不建立在概念上，又建立在概念上，正題、反題都說得通。這反而讓人領悟審美判斷具有一種很特殊的普遍性。

（三）美與道德善的關係

道德是人生命的一種完成狀態，透過尊重義務，理性給自己立法，我在道德上的實踐也能配合宇宙最高存在者的意願，他能保證「德福一致」的最終實現，造成完美的道德善。康德認為美就是道德善的象徵。所謂「象徵」是指某些方面相同，也有某些方面不同。

美與善的相同之處有兩點：

1. 兩者都能產生愉悅的感受，你看到美的東西會覺得愉悅，行善時也會覺得愉悅；
2. 美可以讓想像力與理解力相和諧而不至於分裂，善可以讓普遍的法則與個人的生命相和諧。

兩者的不同之處在於：美是在直覺中產生愉悅，任何人在審美中都要保持「無私趣」的態度；善是在概念中產生愉悅，它與人的某些私趣可以結合，但需要特別注意的是，這種私趣是在道德判斷之後才出現的。換言之，行善有可能帶來愉悅的後果，但不能為了愉悅而去行善。可見，美和善有相似之處，它們都能使人的生命形成一個整體，從而走向完美的目標。

收種與啟發

1. 康德的《判斷力批判》，目的是要讓人的「知」與「行」得以協調，同時也兼顧到人原本就有的感受能力與審美的願望。

2. 康德對於審美判斷提出四種角度，給我們留下深刻印象的有兩個：首先，審美是一種「無私趣」的態度，即不能帶有私人的興趣，否則就不可能具有審美的品味；其次，審美是一種「不帶任何目的、又合於目的性」的過程，人在欣賞美的藝術品時，不帶任何目的，但是又覺得這件藝術品完全合乎目的性，它的設計渾然天成、妙手偶得，讓人覺得一切都恰到好處。

3. 美也是道德善的象徵，因為它們都能給人帶來愉悅，只是這兩種愉悅屬於不同的心態。

康德終其一生都在不斷闡述自己的哲學，並親身實踐，他的人生修養顯示不凡的高度。康德去世前一週已經年滿八十歲，他身體虛弱，但看到醫生到來時仍然起身相迎，以不清楚的口齒感謝醫生抽空來為他治病。醫生勸他坐下，但是康德堅持讓客人先坐下，然後鼓起全部的力量，非常吃力的說：「對人的尊重還沒有離我而去。」醫生聞言，感動得幾乎落淚。

康德一生過著極其嚴謹而有序的生活，他的哲學思維產生極大的影響。他生平最喜歡的兩句話被刻在他的基碑上——「在我頭上是眾星閃爍的天空，在我心中是道德的法則。」自康德之後，外在的自然世界與人心中的自由世界分開了，各有各的領域。

另外，康德有關宗教與審美方面的觀念也對後代產生深遠的影響。整個十九世紀的哲學集中在德國的唯心論，都是圍繞著康德而不斷發展。當時有一句評論非常中肯：上帝把陸地賜給法國（拿破崙在當時征服了大半個歐洲），把海洋賜給英國（英國的

海軍愈來愈強盛），但是把思想的天空賜給了德國。正顯示了康德哲學的重要影響。

課後思考

康德認為美不能用概念來表達。請問：當你覺得一幅畫很美時，你要如何介紹給別人？請你做廣泛的自由聯想，並闡明理由。

補充說明

可以參考三種方法：

1. 用比喻的方式

譬如在《莊子·逍遙遊》中，莊子描寫有一種魚叫做「鯤」，大得不得了（不知其幾千里也），鯤後來轉化為「鵬」，也大得不得了，鵬向上可以飛到九萬里的高空。鯤受制於水，變成大鵬鳥便可以到九萬里高空自由翱翔。

莊子意在發揮老子的思想。《老子·第二十五章》提到「道大，天大，地大，人亦大」，其中「人亦大」不容易說清楚。莊子就用比喻的方式讓你了解，人的生命有特別值得欣賞和肯定的地方，經過提升轉化之後可以自在逍遙。

2. 引發共鳴

共鳴就是設法與別人在情感上互相感通。譬如，「莊周夢蝶」的寓言講述莊子夢到自己變成蝴蝶。莊周可以夢為蝴蝶，蝴蝶也可能夢為莊周，人與萬物有相通的部分，可以產生共鳴，可以互相轉化。這樣就能讓我們突破自己生命的局限。

3. 請他再看一遍

正如陶淵明所說：「此中有真意，欲辯已忘言。」即這裡面有真實、深刻的含義，我想跟你說清楚，卻沒有適當的言辭可表達。

第二十六章

德國唯心論的
鮮明立場

26-1　挺身而出的哲學家 —— 費希特

　　本章的主題是：德國唯心論的鮮明立場。本節的主題是：挺身而出的哲學家 —— 費希特（J. G. Fichte, 1762-1814），主要介紹以下兩點：

　　第一，費希特發表《告德意志同胞書》有何內容？從中可以看出，在國家危急存亡之秋，哲學家能發揮何種作用。

　　第二，什麼是德國唯心論？

（一）費希特發表《告德意志同胞書》有何內容？

　　1806 年普法戰爭爆發，拿破崙（Napoléon Bonaparte, 1769-1821）入侵普魯士。危急時刻，一位學者挺身而出，在法國軍隊的監管之下，於柏林公開發表十四篇《對德意志民族的演講》。這系列文章也被譯為《告德意志同胞書》。發表演講的人就是費希特。

　　法國自 1789 年大革命之後，經過十幾年的動亂與恐怖統治，最後由拿破崙出面收拾殘局。反諷的是，法國人除掉了法國皇帝路易十六，但在大約十年之後，接著上場的拿破崙也稱帝了。當時的法國國勢鼎盛，而德國（當時稱為普魯士）仍處於分裂狀態，三十多個王侯各自為政，自然不是拿破崙的對手。此時的德國人喪失民族自信心，紛紛崇拜法國人。費希特出來發表演講，旨在呼籲德意志民族振作起來，重塑自信。「德國」的德文是 Deutschland，而 Deutsch 的音譯就是「德意志」。這一系列《告德意志同胞書》有何內容呢？

費希特抱著必死的決心發表這一系列演講，他一開頭便說：「我所求者乃國人之奮發有為，個人的安危毫不足慮。若我因演講而死，則我的家族、我的子女可以認我這個殉國之人以為父，這真是無上的光榮。」

費希特用來號召德國同胞的是「新教育」。首先，費希特說明為什麼需要新教育，他說；「德國之所以亡，是由於德國同胞把自私自利的企圖升高到極限的結果。」

接著，他又闡明新教育的前提、本質、目的和內容。費希特說：「新教育的前提在於認定，人類根本上會因為做好事而生出一種純潔的快感。這種快感如果發展到極點，能使人只知道善事必須去做，惡事絕對不能去做。新教育的本質就是要覺悟這種道德心，由此培養莊嚴尊貴的品格。新教育的目的是要養成一個人的宗教心，這樣才能在物質生活之上，建立崇高的靈性生活；才能相信在肉體死亡之後，精神還能永遠常在。」

值得注意的是新教育的內容，主要包括以下三點：

1. 訓練精神眼

精神眼就是無形的眼睛。肉眼看到一點點髒汙，心裡就覺得不愉快；看到紛然雜陳、凌亂無章，就會感到痛苦。人的精神眼也一樣，只要看到自己與國家陷於紛紜紊亂的狀態，就有一種坐立不安之感，欲平之而後快。所以，精神眼的訓練是從破滅殘敗之境重返獨立自由狀態的唯一法門。

2. 肯定自己是原初民族

所謂「原初民族」，就是具備傳統的、活的語言與文字，他們的精神文化源遠流長，並且不斷與現實生活發生關聯；他們具有優越感而富有創造性，全體國民都能用自己的語言文字聲氣相通、精神感應。費希特為了鼓勵德國同胞，說話自然比較誇張，他說：

「德國以外的國家是地，德國則是包容這些大地的天。德國的精神就像那心意被陽光吸引而朝高空騰升的大鵬鳥，以牠強壯而純熟的羽翼翱翔於空中。」費希特肯定德國是原初民族，所以不需要崇拜法國人。

3. 培養自我精神

他所謂的「自我」，是思想之我、精神之我，這種「自我」的觀念，正好是費希特哲學的出發點。他主張由「小我」擴充增益為「大我」。有這樣的自我，才能辨別榮辱；有自我的行動，才能克盡職責。

費希特指出缺乏自我精神的可悲，他說：「外國人最輕視我們的原因是我們向敵人獻媚。我們同胞裡有一部分人，一有機會就顯出奴顏婢膝的醜態，有說阿諛之言的機會便大膽去做，不顧理性、廉恥、善良風俗是什麼，而盡其可悲可笑、使人欲嘔的醜態之極致。」相對於此，費希特說：「真正有自信心的人認為，同時代獻給他的雕像和讚頌以及民眾的喝彩都不足道，他只傾聽自己心中的審判官無言的判決，同時更信賴後世的歷史的批判。」

最後，費希特對全體國民提出一個關鍵問題，他說：「你們想成為一個最不值得尊敬、將來必定被人輕視的民族的最後一代，還是想成為一個意想不到的完美新時代的開端，而希望後世子孫拿這個開端做為他們幸福時代的起點？答案當然是後者。人類的處境只有自己才能塑造，絕不是由外在的力量。」

在第十四講結束之際，費希特借用歷代祖先、近代先烈與未來子孫三種立場，向全體同胞發出吶喊，其中以未來子孫的哀求最值得我們深思。他說：「不要使我們不願意向人家說我們是你們的子孫吶，不要使我們假充外國人的名字、外國人的血統，藉此僅能倖免人家排斥和侮辱的醜態啊。」

　　德國同胞沒有辜負費希特這番苦心，全國上下努力實施新教育，不到幾年功夫便一雪前恥，並樹立長存至今的國格。這一段西方哲學史上的佳話值得借鏡。

（二）什麼是德國唯心論

　　德國唯心論是西方哲學十九世紀上半期最耀眼的學派，有時也被翻譯為德國觀念論。在中文裡面，有六個詞可以互相通用：理性、心、思想、精神、意識、觀念。這麼多詞放在一起，正好構成了解德國唯心論時的最大障礙。所以，下面先對這六個詞進行簡要的說明。

　　首先，人有理性，理性就是人的心，它可以思想。譬如，笛卡兒說「我思故我在」、「我等於思」。所以，理性、心、思想這三個詞有同樣的意思。

　　另外三個詞用得更多。理性主要表現在思想上，思想的主體稱為精神，思想的運作稱為意識，思想的內容稱為觀念。所以，「精神、意識、觀念」與「理性、心、思想」基本上意義相通，總之不是物質。因此，德國唯心論也可譯為德國觀念論。

　　他們為何會強調唯心論呢？康德在探討人的知識如何可能的時候，指出：在肯定理性可以認識萬物之前，必須先分析理性本身的能力。換言之，在認識外界事物之前，先要了解我的認識能力與結構是什麼情況。最後發現，我所認識的都是能夠被我認識的。我本身具有特定的認識能力與結構，所以對於外界事物只能認識現象，而不能認識本體或物自體。康德於是強調，物自體不可知。這是很明顯的唯心論，亦即萬物要按照我的認識能力與結構來被我認識。

　　因為人的思想具有辯證能力，所以後續哲學家熟練的運用辯證法，來發展唯心論的系統。談到德國唯心論，一般就是指康德之

後的三位德國哲學家，依次是費希特、謝林（F. W. J. von Schelling, 1775-1854）以及黑格爾，他們的哲學分別被稱做主觀唯心論、客觀唯心論以及絕對唯心論。後文會分別加以介紹。

收穫與啟發

1. 德國哲學家費希特在拿破崙入侵普魯士期間挺身而出，在柏林大學的前址發表十四篇《對德意志民族的演講》，呼籲同胞振作起來，保持民族自信心，不要崇拜法國人，而要珍惜自己的文化傳統；同時要提倡新教育，每個人都要肯定自我，覺悟自己的價值與責任。

2. 費希特開啟德國唯心論。唯心論的「心」，所指的是理性、思想、意識、精神、觀念等等。所以德國唯心論也可譯為德國觀念論。

課後思考

費希特讀到康德的著作時，覺得自己非常快樂。請問：前面所講的哪一位哲學家讓你覺得非常快樂？

補充說明

學哲學會讓人覺得快樂，原因或許可歸結為以下三點：

1. 學到新觀念

你以前可能從未想過，亞里斯多德能夠根據宇宙萬物的變化，推出「第一個本身不動的推動者」。了解這一觀念之後，你可能就不再執著於真理，因為真理是永無止境的，只要把它當做萬物的最高點就可以了。

史賓諾莎的「從永恆的形式下觀看」也是一個新觀念。你原來

可能很少會想到「永恆」，也不會以「永恆」做為思考的焦點。掌握這一觀念後，你對宇宙和人生會有不同的看法。

2. 解決老問題

　　譬如，斯多亞學派告訴我們：要接受不能改變的命運，但可以自由選擇接受命運的態度。這讓我們對於命運問題有了新的看法。再如，康德的先驗思維啟發我們：對任何問題都不能只看現在的情況，還要問產生這個問題的先驗條件是什麼；如果條件沒有改變，問題仍會層出不窮。這種思維模式也有助於我們重新審視老問題。

3. 參照真體驗

　　譬如，伊比鳩魯坦誠的說出自己的真實體驗：所有人都希望能獲得快樂，但是常常覺得快樂好像不夠理想。伊比鳩魯告訴我們：首先不必憂慮死亡，不用害怕神明；享樂仍要有節制，要經過適當的計算。

26-2　費希特接過康德的棒子

本節的主題是：費希特接過康德的棒子，要介紹以下三點：

第一，費希特與康德的一段交往。

第二，費希特肯定人有知性直觀。

第三，哲學的任務是什麼？

（一）費希特與康德的一段交往

說到費希特與康德的關係，實在有些偶然。費希特家境貧寒，別人看他天資聰穎，就資助他上學，結果為德國培養了一位哲學家。他大學畢業後找不到工作，先擔任家教。有個哲學系學生那時正好要研究康德哲學，費希特由此接觸到康德哲學。他後來回憶這段時光說：「康德的書既令人興奮又令人頭痛。我在其中發現一種可以充實內心與頭腦的活動，讓心沉靜下來。這是我經歷過最快樂的日子，儘管生活困窘，但在那段時間，或許我是全世界最快樂的人之一。」閱讀康德哲學能有這樣的心得，可見費希特絕非等閒之輩。

費希特比康德小三十八歲，讀過他的書之後，特地去科尼斯堡旁聽康德的課。康德並沒有特別照顧這位年紀較大的旁聽生，因為康德的生活非常嚴謹，有自己的學術研究計畫與生活規則，不容許有任何例外的狀況。

費希特旁聽幾個月的課，錢用完了，只好跟康德告辭，並向他借錢。但康德根據自身的道德原則，不願借錢給他。康德考慮三點：

1. 你因為旁聽我的課而向我借錢，我如果借給你，那麼所有旁

聽我課的人向我借錢，我都應該借。因為康德的倫理學強調，要把個人行為的格準做為人類普遍的法則。

2. 你今天向我借錢，我借給你，以後你每天向我借錢，我都要借，否則又沒有普遍性了。

3. 我明明知道你沒有錢才向我借錢，如果我借你，就會使你將來因為無法還錢而不守信用。為了讓你不要陷入將來的道德困境，所以我現在不能借給你錢。

這三點考慮完全符合康德的倫理學。但康德畢竟是一位學者，總要愛護晚輩，所以康德對費希特說：「如果你有著作，我可以推薦給出版社去出版。」

費希特聽完之後，努力在四週之內寫了一本書，書名是《對所有啟示之批判的嘗試》。康德真的推薦給替他出書的出版社。出版社卻犯了一個美麗的錯誤，費希特的書出版時，忘了印作者名字。因為康德前面「三大批判」的書名都有「批判」一詞，而這本書的書名也包含「批判」一詞，結果所有人都以為那是康德寫的書。

當時大家都在等待康德的新著，最著名的學術刊物《耶拿大眾文學報》評論說：「任何人只要讀了這篇文章的一小部分，就立刻可以認出它的偉大作者是誰。這篇文章使得科尼斯堡那位哲學家對人類做出了不朽的貢獻。」隔了兩天，出版社宣布：「很抱歉，我們忘了印上作者的名字，這本書的作者是費希特。」這讓費希特一夕成名，並拿到耶拿大學的聘書。這件事堪稱哲學史上最美麗的誤會，成為一段佳話。

（二）費希特肯定人有知性直觀

為什麼說費希特接上康德的棒子？康德哲學在談到「我能夠認識什麼」的時候，強調人的理性可分為「感性、想像、知性、理

性」四個層次。只有感性具有直觀能力，可以直接掌握外在的對象，稱為感性直觀。感性直觀有兩個先天形式：時間與空間。這是康德哲學的特色。

費希特認為，人除了感性直觀之外，還有知性直觀。這就是他的哲學的最大特色。他認為，人之所以有各種經驗，都是因為先有一個自我存在。有了這個自我，才可能使宇宙萬物都成為自我的對象。如果沒有自我，根本沒有任何認識的可能，也沒有任何經驗的可能。所以，要闡明一切經驗的基礎，最後一定會回到自我身上。

什麼是自我？他認為，自我是自由的，是人的意識統一的條件。說得更具體一些，自我是使一切對象化作用成為可能的條件。人在認識世界時，一定先有一個自我，否則是誰在看？是誰把這些紛雜的現象統合為我的對象？所以，自我的存在是一切經驗的基礎。

這正是康德所宣導的先驗哲學。所謂「先驗」，就是先於經驗並做為經驗之基礎者。當你有某種經驗時，要問：哪些條件使這種經驗成為可能？如果沒有說清楚這些先於經驗的條件，就直接解釋這種經驗，會永遠在結果裡打轉，而找不到真正的原因。譬如，我看到一輛車，這是我的經驗。我的這種經驗能夠成立，是因為我本身具有某種特定的認識結構。

費希特很有信心的說：「沒有自我，哪有自我所面對的大千世界？自我必須先存在，否則世界不可能成為我認識的對象。」康德哲學認為，自我不可知；只有透過道德實踐，才能肯定自我。但費希特說：「哲學的第一個原理就是純粹的、先驗的自我。」

怎樣去思考這個純粹的自我？費希特曾對學生說了三句話：第一句是「想一面牆壁」，第二句是「想那個在想牆壁的人」，第三句是「想那個想那個在想牆壁的人」。無論你如何把自我變成意識的對象，始終有一個超越對象化作用的自我存在著。換句話說，我

始終可以把自我抽離出來，不要同意識的對象糾纏在一起，因為這個自我是使一切對象化作用成為可能的條件。

接著，費希特換了種方式說：「只有透過直觀，我才知道是我在進行各種活動。生命的基礎就在這裡，沒有這種直觀就是死亡。」任何人意識到某個行動是自己的行動，就是意識到自己在行動。

費希特強調，這個先驗自我就是直觀的對象。我對自由以及自我活動的直觀，是基於我對道德律的認識；只有經由道德律的媒介，我才能領悟到我自己。這裡提到的「道德律」，就是從康德的「我應該做什麼」延伸而來的。換句話說，我是一個可以進行道德實踐的主體。任何道德實踐（比如我和人約好明天幾點去看電影），都必須先設定有一個自我。否則你無法與任何人約定任何事。

（三）哲學的任務是什麼？

費希特如何界定哲學的任務？他的觀念非常清楚，他說：「哲學的任務是要闡明一切經驗的基礎。」人生有各種經驗，譬如，我欣賞窗外的風景、與朋友約好去旅行等等。他就是要闡明，所有人生經驗的基礎是什麼。這個哲學立場使費希特進入到不同的層次。

人之所以能有各種經驗，都是因為有一個自我存在。有了自我，才能使宇宙萬物成為自我的對象。如果沒有自我，根本沒有任何認識的可能，也沒有任何經驗的可能。如果要闡明一切經驗的基礎，最後一定會回到自我身上。為什麼費希特被稱做主觀唯心論？原因就在於他對知性直觀的肯定。透過知性直觀，可以直觀自我的存在。至於由這個自我如何衍生出其他宇宙萬物，下一節再做介紹。

收穫與啟發

1. 在與費希特的交往中，康德完全遵守自己的倫理學規範；結果

陰錯陽差，因為出版社漏印作者的名字，而使費希特一夜之間
成為全國知名的學者。

2. 費希特認為自己接上康德的地方就在於肯定人有知性直觀，知
性直觀的對象就是純粹的自我。如果沒有對自我的肯定，人活
著還是死了有何差別？費希特就從這裡展開他的主觀唯心論。

課後思考

　　關於對自我的肯定，我們可以再舉個例子：第一句「我在吃
飯」，第二句「我知道我在吃飯」，第三句「我知道我知道我在
吃飯」。一般的動物只能到第二步，譬如狗在吃飯，狗知道牠在
吃飯，所以牠吃飯時最好別惹牠。只有人類可以達到第三步「我
知道我知道我在吃飯」，由此可以引申出餐桌禮儀。你能理解這
樣的說法嗎？

補充說明

　　「我在吃飯」是一般的行動。一個人吃飯時未必在思考，可能
就像其他生物一樣，肚子餓了自然就去吃飯。

　　「我知道我在吃飯」代表我對當前的行動有所意識，意識到我
正在吃飯。

　　「我知道我知道我在吃飯」比較重要，我知道自己在吃飯，我
對這一點有所意識，這時就要考慮：我的行動跟哪些人有關係？
會造成什麼後果？怎樣行動才適當？於是就出現了餐桌禮儀。

　　簡單來說，我們在考慮人我關係的時候，對自己要盡量客觀，
要以別人的眼光來看自己；對別人要盡量有主觀的心態，也就是
要設身處地為他人著想，做到換位思考。

26-3　主觀唯心論

本節的主題是主觀唯心論，要介紹費希特的思想，內容包括以下三點：

第一，人的本質就是自由。

第二，費希特提出三個基本的哲學命題。

第三，人的道德天職是什麼？

（一）人的本質就是自由

費希特認為，人的本質就是自由。康德已經指出，在我心中有道德的法則，這是人的自由的來源。但是康德承認，自我、世界與上帝這三個物自體不可知。代表我們雖有自由，但是要把自由說透澈並不容易。對康德來說，最多只能從道德實踐上肯定我的自由、靈魂不死以及上帝存在。對於世界，康德認為世界是不可知的。

但是費希特說：「如果自由是人的本質，那麼所有與自我一起出現的東西，都必須是自我本身運作出來的。」它們不可能與自我的性質完全不同。換言之，在「自由」這個概念裡，除了自我之外，不能另外有一個獨立存在的世界。

這是明顯的主觀唯心論，認為周圍的世界其實並不存在，只是自我把它安置在外面的想像的景觀，是有創造力的自我在它的自由中構思的世界。換句話說，自我在建構世界時不受任何外力所影響，才能說它是自由的。所以，從「人的本質就是自由」可以推出，外在世界的一切都是由我設定的。

（二）費希特提出三個基本的哲學命題

費希特提出三個基本的哲學命題：

第一個命題，自我以原始的方式安置自己的存在。所謂「原始的方式」，就是不需要別人的提醒或教導。人出生後一開始對自我有所認知，就以一種原始的、不用教就會的方式，安置自己的存在。「安置」是一個術語。怎樣「安置」自己的存在？透過知性直觀，可以直接肯定純粹自我的存在。

費希特強調：「說到自我，『安置它自己』與『它存在』完全是同一回事。」換句話說，我透過知性直觀可以直接掌握到自我，我安置自己，就等於我存在。我的存在不需要找別的原因或理由。我們學過笛卡兒的「我思故我在」，對於費希特的說法應該不會覺得陌生。

第二個命題，非我與自我完全對立。如果宇宙只有一個自我而沒有非我，我怎麼知道我是自我？所以，一定有一個非我（包括別人以及萬物）與自我對立，才能使我意識到我是我，而不是非我。這種對立是為了自我本身而存在的。

第三個命題，我在自我裡面安置一個可以分開的非我，做為可以分開的自我之對立者。換言之，把自我與非我分開後，要確定這個非我也是由自我所安置的。

這三個命題聽起來很抽象。簡單來說，一個人的道德活動需要有一個客觀世界。否則，無法從事任何活動，更不要說道德活動了。可見，一切都是從自我展示出來的。

進一步分析可知，自我是相對的、有限的，所以費希特肯定有一個無限的絕對自我，它透過有限的自我，在有限的自我中表現它自己。「透過」、「在……之中」都是專門的術語。絕對自我本身

就是活動，它永遠在活動中。所以，自我必須安置非我，讓我去加以克服，否則就沒有自由的問題了。所謂「自由」，一定是有某種限制，需要去克服，才能使自由得以實現。所以，自由就是活動，也就是奮鬥。任何精神、意識或心不可能停止不動，它本身就是活動與奮鬥的過程。

那要向著什麼奮鬥？要設法超越自我所安置的非我。費希特認為：人有一種衝動要執行某些行動，只是為了要執行它們，而與外在的目標或目的無關。換句話說，人的本性就是道德本性，就是要不斷去實現某些更高的義務。

（三）人的道德天職是什麼？

費希特認為，自由與法則不可分，兩者在根本上是合一的。費希特說：「當你想你是自由的，你就不得不想你的自由是服從於某一種法則的；當你想某一種法則的時候，你就不得不想你自己是自由的。」換句話說，有一定的法則做為依據，你才可以自由選擇或不選擇，依循或不依循。

沒有法則而為所欲為，只是一種盲目的衝動。譬如，開車不能闖紅燈是一個法則。如果沒有了這個法則，不僅會造成危險，你也不知道要如何開車了。這個法則可以讓你自由的開車，並平安抵達目的地。

既然人有道德天職，那麼道德行動的判準是什麼？費希特強調：要按照自己的良心去行動。但什麼是良心？他說：「良心就是對自己確定義務的直接意識。良心本身不可能錯誤，但可能被蒙蔽或消失。」這是費希特的著名論斷。所以他要求：始終實現你的道德天職。

費希特所強調的「絕對自我」或「無限意志」很容易被誤會，

以為他主張泛神論或無神論。但他並無此意，只是表達了他唯心論的立場。他說：「絕對自我或無限意志，若要透過有限自我來意識到自己的自由，就必須安置自然界。」這與個人的「純粹自我」所做的是一樣的活動。這就使得康德所謂的三個不可知的本體（自我、世界與上帝）都出現了。

換句話說，費希特的主觀唯心論不願意多談物自體。如此一來，就把康德的批判哲學轉變成唯心論或觀念論，把存在學的地位與功能都交給純粹自我。真正重要的不是在現象背後的物自體，而是純粹自我。

所以，康德前面的三個設定，最後還是要歸結為純粹自我。對於上帝，可以把它稱為絕對自我或無限意志；對於自然界，可以把它當成我們實現自由時所需的場地、材料或工具，如此而已。費希特被稱做主觀唯心論，因為他對客觀的自然界不太注意，認為自然界是非我的領域，是為了實現我的義務而存在的材料或工具。在費希特之後上場的謝林，被稱做客觀唯心論，因為他一再強調自然界的重要。

收穫與啟發

1. 費希特認為，人的本質就是自由，自由必須排除一切限制。如此一來，外在世界就成了問題，除非把外在世界當成自我放在外面的想像的景觀。費希特就是這樣做的。

2. 費希特提出三個基本的哲學命題。

   (1) 自我安置自己，安置自己就等於存在。換句話說，每一個人的純粹自我都肯定了自己的存在。

   (2) 自我要有意識，必須有一個非我與自我對立，這個非我主要是指自然界。沒有這種對立，就不可能出現對自我的意識。

(3) 我在自我裡面安置一個可以分開的非我，做為與自我相對
立者。這三個基本觀念都來自於自我，這個自我還可以向
上找到一個「絕對自我」，做為一切的基礎。

3. 人有道德天職，人的本質就是自由。所謂自由，就是要克服各
種外在阻礙，不斷向上奮鬥。

所以，費希特的人際關係相當緊張。他有強烈的渴望，要把自
己思考的心得表達出來。有人形容他的演講如狂風呼嘯、雷雨爆
發，他的聲音並不悅耳，但有堅定的原則。他一受到挑戰就立刻
起來響應，他的眼神充滿懲罰的火花。他走路的姿態無所畏懼，
因為他想藉由自己的哲學，引導時代的精神。他的演講像利劍與
閃電，對於意見不同的人，簡直無法承認他們的存在。

費希特怎麼說自己？他說，我只有一種渴求，就是忘我的思
考。對知識的愛，尤其是對沉思冥想的愛，最為重要。他的人生
交錯於激昂奮鬥與垂頭喪氣之間。

課後思考

費希特認為，良心本身不可能錯誤，但是有可能被蒙蔽或者消
失。你認為這個說法能夠成立嗎？良心如果沒有被蒙蔽，是什麼
樣的情況？

補充說明

這裡要進一步說明良心的問題。

首先，人都有意識能力，當意識能力牽涉到我與別人之間的關
係時，就出現了道德意識。我與別人來往，自然要問：我與別人
關係如何？我以何種身分與別人互動？這時立刻牽涉到一個問
題：我應該做什麼？道德意識一定有它的具體內容，可以透過後

天的教育、個人的經驗等各種途徑得知。

　　那什麼是良心？我們既然學過康德的先驗哲學，就要從先驗的角度來思考。這個世界上每一個人都有道德意識的經驗，雖然具體內容不盡相同；但重要的是，道德意識如何可能？人類這種生物為什麼會有道德意識呢？使道德意識成為可能的就是良心。

　　良心是一種要求，要求你去判斷、去行動。它是一種形式，不涉及具體內容。涉及具體內容的是道德意識。可見，有良心的人不等於善人，只等於一直在要求自己行善的人。良心的要求不見得會產生作用，除非你真誠。所以，所有的哲學家談到這個問題，最後都會告訴你：只要是有理性的人，都可以自己在心中做出判斷，真不真誠完全是自己要負責的。

　　心理學家、社會學家都會告訴你良心是後天的，這是把「良心」與「道德意識」混淆了。如果在哲學思考中不能清楚分辨兩者，你永遠無法解釋這個問題。對這個問題有明確的認識之後，我們將不再陷於困惑。

　　我做為人，一定有良心，但如果我不真誠，良心就不會發生作用。當良心發生作用時，我就會按照我當時所知的道德意識去行動。蘇格拉底說：「按照你所知道的最善的方式去生活」。「你所知道的最善的方式」就是當時的道德意識，它將來可能改變或改善，但是，「按照這種方式去生活」的要求就是良心的要求。

　　結論是：每個人都有人性，自然就有良心；良心是對善的要求，它要求你分辨善惡並行善避惡，這種要求一直存在；對於善惡的具體分辨，每個人都不同，同一個人在不同的階段也會不一樣，這些都屬於道德意識；永遠不能忘記要真誠，只要真誠，良心就會不斷發出作用，要求你去分辨善惡，並進一步採取道德的行動。

26-4　把握哲學的本質

　　本節的主題是：把握哲學的本質，要介紹謝林（F. W. J. von Schelling, 1775-1854）的客觀唯心論，內容包括以下三點：

　　第一，謝林是哲學界的少年天才。

　　第二，謝林把握了關鍵的問題。

　　第三，客觀唯心論在說什麼？

（一）謝林是哲學界的少年天才

　　謝林的父親是牧師，所以他對宗教有比較深刻的理解。他十五歲進入杜賓根大學（Eberhard Karls University of Tübingen），是所有同學裡面最年輕的。他的同學中有兩位最有名：第一位是黑格爾，他比謝林大五歲；第二位是德國著名詩人荷爾德林（Friedrich Hölderlin, 1770-1843）。

　　謝林是一位早熟的天才，在學習方面表現得非常傑出。他在很年輕的時候就對許多哲學問題做了充分思考，並強調：「一個人要有勇氣，對所有問題都可以提出自己的創見。」他曾經寫信給黑格爾說：「年輕人就是要勇於作為，最後一定會勝利的！」

　　隔了幾十年，在謝林年老的時候，學生描寫他「上課還是一樣充滿勇氣，精神矍鑠，虎視眈眈，面對變得軟弱無力的整個時代，發出他的建言」。

　　謝林與費希特的相似之處，是經常處於一種「向外」與「向內」之間的緊張狀態。「向內」就是深入思考，「向外」就是付諸

行動。謝林二十三歲就擔任耶拿大學的教授，後來黑格爾沒有什麼出路，謝林還推薦他到耶拿教書。所以，黑格爾最初與謝林的感情非常好，後來還一起合辦哲學雜誌。

黑格爾早期寫過一篇一百頁的論文，主題是探討費希特與謝林哲學的不同。換句話說，黑格爾早期曾把謝林的著作當做研究的材料。但黑格爾在 1807 年、三十七歲的時候，發表他的重要著作《精神現象學》，從此聲名鵲起。後來，黑格爾的聲名和地位都超越了謝林，這讓謝林倍感壓力。

所以謝林三十六歲時就想脫離這個世界，不再出書或講課，甚至還有自殺的念頭。謝林的夫人還特別向當時重要的文學家歌德求助，看看怎樣能幫上謝林的忙。謝林最後還是活了下來，活到七十九歲。在德國唯心論三位哲學家裡，他是活最久的，費希特只活了五十四歲，黑格爾只活了六十一歲。

（二）謝林把握了關鍵的問題

什麼是哲學上的關鍵問題？謝林強調，哲學是關於事物與絕對者關係的知識。換句話說，哲學就是要設法探討萬物與絕對者的關係。萬物是有限的，而絕對者是無限的。從此以後，「絕對者」逐漸成為哲學界的術語。

換句話說，謝林認為，哲學的工作就是要回答一個問題：「為什麼是有而不是無？」在此之前，萊布尼茲曾經提到過這個問題，謝林則把它做為一個明確的目標。

這個問題非常精準，點出西方哲學一貫以來探討的重點。當我們面對大千世界，會發現萬物一直處在生滅變化之中，萬物的本質並不包含存在，它們在根本上是虛幻的。那為什麼宇宙萬物是存在（有）而不是虛無（無）？虛無比較合理。譬如，一百年前沒有我

們，一百年後也沒有我們，代表我們的本質是虛無的。但我們現在居然存在，這就需要解釋。哲學家就要設法解釋這一切到底是怎麼回事，為什麼是有而不是無？

早在古希臘時代就已經提出，哲學起源於驚訝。人為什麼會驚訝？因為宇宙萬物充滿變化，有生有滅，它們為何會存在？這時就要問：萬物背後有什麼來源與歸宿？有什麼最根本的力量在支持它們？謝林說，哲學要設法探討萬物與絕對者的關係。絕對者是永恆存在的。萬物與絕對者如果沒有關係，就不可能出現；現在既然它們出現了，代表應該有某種關係。哲學就是要把這種關係說清楚。

謝林要探討的是「絕對者」。現在已經不太喜歡用「上帝」這個詞了，因為它有明顯的宗教含義。謝林說：「我們要去探討絕對者，也就是要愛慕絕對者，這樣才能化解生命裡的分裂與矛盾。」人的生命有各種複雜的情況，只有在絕對者裡面才能得到整合。謝林的探討有以下幾個步驟：

首先，謝林認同費希特，把人的自我當做哲學的最高原則。自我是唯一真正的存在，它只棲息在自己的自由之中。甚至可以把這樣的自我描寫為絕對自我，萬物只存在於這個絕對自我的想像中。所謂「絕對自我」並不是指上帝或絕對者，而是把自我當做知性直觀唯一可以肯定的。既然是唯一的，當然是絕對的。而自然界都是由自我所安置的。

接著，謝林跨出這一步，他要探討自我的基礎是什麼。他發現，每個人的自我之中都有一個永恆性，那個永恆性才是真正的絕對者，也就是神性本身。所以，哲學的任務是要了解實在界到底存在的是什麼。此時要進一步把自我安置到它絕對的基礎上，也就是要從絕對者的觀點去看待一切。這時可以發現，不論在自我或在萬物，神性是唯一存在的實在，神性等於無限的生命。它不見得是基

督宗教的上帝，但它是人類與自然界存在的基礎。它一直在萬物中發揮它的作用。

可見，謝林受到基督宗教神學觀的深刻影響。但不管是神學還是哲學，探討的問題是一樣的，兩者都是要問：最終極的存在是什麼？宇宙萬物與人類真正的基礎是什麼？

（三）客觀唯心論在說什麼？

費希特只關注人的自我，認為自我是一切外在事物的基礎，由自我來安置所有的一切。但謝林認為，不能忽略還有一個自然界存在。自然界不是單純的工具而已，它本身也是有意義的。

如果存在自然界，代表它是與我相對的客觀這一面。那為何還說謝林是唯心論呢？因為謝林認為自然界依然是觀念，它表現了永恆的觀念。自然界並不是一個真正客觀存在的、本身具有價值的東西，它的基礎依然在於絕對者。

從費希特到謝林，德國唯心論的立場非常鮮明。後代對他們的評價分成兩個極端。討厭他們的人，從叔本華到費爾巴哈（L. A. Feuerbach, 1804-1872），說他們是虛偽的哲學、是主觀的幻想、是瞎說，甚至說他們是邪惡的心靈、是一齣鬧劇。肯定他們的人則說，他們帶領人類走向一個精神的層次，對人類有一定的貢獻。

德國著名學者洪波特強調，謝林是德國最有見解的人。歌德也稱讚謝林說：「他的思想在極度深邃中，仍然表現出令人愉悅的清晰明朗。」謝林過世的時候，一位王室的朋友在他的墓碑上刻下一句話：「這是德意志第一位思想家。」所謂「第一位」，代表「第一流」的意思。普魯士國王也認為，謝林是上帝所揀選並且被召喚為時代導師的哲學家。但更重要的是：謝林做為哲學家，在愛智之路上為我們提供了哪些重要的參考？

收穫與啟發

1. 謝林好學深思，十五歲就在大學裡嶄露頭角。黑格爾比他大五歲，但是屢次得到謝林的支持與提拔。黑格爾早期還寫過一篇論文，專門探討費希特與謝林的思想。由此可見，謝林確實是一位少年哲學天才。

2. 更重要的是，謝林把握了關鍵的哲學問題。他說：「哲學就是要去了解萬物與絕對者的關係。」這個問題普遍有效。如果沒有探索萬物的根源，怎麼可能得到真正的理解呢？他進一步說得更清楚：「為什麼是有而不是無呢？」這是西方哲學界兩千多年來一直在探討的基本問題。因為「無」比較符合萬物的實際狀況，但現在居然是「有」（存在），那就需要解釋。因此，哲學家們展現各自的才華，建構了各種理論。

3. 人在這個存在的過程裡有何意義？德國唯心論沿著這個問題一路發展下去。謝林所代表的是中間的階段，叫做客觀唯心論。

課後思考

謝林提出關鍵的問題：為什麼是有而不是無？請你進一步思考，人的生命的意義與價值可以從這個問題得到哪些啟發？

補充說明

關於人生的意義，先簡單以三個角度去思考：

1. 存在就是製造差異

「差異」的最大化，即存在就是製造差異。為什麼是有而不是無？「無」顯然比較合理，因為我過去不存在，將來也不存在；但我現在居然存在，那我的「有」是怎麼回事？也許我暫時想不

明白。但既然我存在，我就要把握它，對於有我存在的這個世界，我就要設法製造差異，努力創造正面的價值。

2. 愛因斯坦的說法

有人會想到愛因斯坦的說法。愛因斯坦是著名科學家，他對於人生其實有很深刻的體會，因為他的背景是猶太人，對宗教有一種出於本能的覺悟。愛因斯坦認為，人類都是按照「有」的邏輯去思考，用「有」去理解「無」，當然不會有答案，那何必浪費時間在沒有答案的事情上？還不如把握自己的這一生。以愛因斯坦的背景來看，他這樣說就顯得有點推卸責任了。為什麼？因為「無」是宇宙萬物的本質，萬物的本質並不包含存在；所以我們自然會問：它是怎麼來的？探求萬物的來源與歸宿是一種很自然的願望。

如果說「我沒有答案，我相信宗教的說法」，這也是一種辦法。另一種態度是，繼續發展自身的覺悟能力，繼續探討宇宙萬物的奧妙何在，為什麼本來是無現在卻有？這個「有」又是一種什麼樣的狀況？其中有什麼重點？

譬如，談到人生問題就要問：一個人的生命結構是什麼？那就是身、心、精神這三個層次。

身的層次一定會慢慢衰老，最後結束。心的層次一定有它的限制，無論多麼的有知識、有感情、有意願，終究有很多局限性。最後要問：精神的層次是怎麼回事？精神層次能否讓我擺脫個人的束縛，跟人類全體甚至跟宇宙萬物可以相通？真正的哲學思考要在這裡下功夫。

黑格爾的思想，就是把精神層次無限的延伸擴大，最後要設法跟絕對者相對照，這樣才能肯定我們有限生命的價值，理解生命的意義。

3.《齊物論》

　　對照莊子《齊物論》的思想。莊子在《齊物論》和其他章節，至少三次提到了一個觀點，他說：古人的智慧達到了最高的境界，因為他們覺悟了一件事——從來沒有東西存在過（未始有物）。

　　莊子說的就是西方哲學家探討了兩千多年的主題——為什麼是有而不是無？「從來沒有東西存在過」就代表「無」，萬物從來沒有真正存在過，因為真正存在的只有「道」。萬物變化紛紜，旋起旋滅，而道永遠不變。

　　因此，莊子希望不要執著於物，而要做物的主人，因為人還有精神的層次，要設法駕馭萬物，而不要讓它反過來控制我。可見，道家的境界絕不是做減法那麼簡單，而是由智慧的覺悟展現出精神上的自在逍遙。

　　西方哲學從古希臘一路下來，都以這個問題做為它的基本關懷，後來由萊布尼茲和謝林把它明確的表述出來。這不是一個簡單的問題，而是在提醒我們：人生就在時光的流逝中逐漸老去了。時間總會過去，生命終歸結束。你要如何思考人生的意義和價值，要從哪一個層次，哪一個角度，哪一個觀點去思考？這是非常重要的、不能迴避的問題。學哲學的目的就是希望從中得到啟發，來給自己的生命定位，知道我在哪裡，我要去哪裡。

26-5　真與美一致

本節的主題是：真與美一致，要介紹以下三點：

第一，謝林的自然哲學。

第二，謝林的藝術哲學。

第三，謝林如何看待宗教？

（一）謝林的自然哲學

謝林是德國唯心論的第二位代表，被稱為客觀唯心論，謝林的自然哲學是他的主要特色。所謂「客觀」，是指相對於自我，還存在著一個自然界。此前的費希特認為，自然界只是人類實現自我、進行道德活動的一個手段而已，自然界本身沒有什麼特定的價值。

隨著時代的演進，在十八世紀啟蒙運動之後，十九世紀出現浪漫主義思潮。與謝林同時代的歌德、席勒等人，都是浪漫主義運動的重要作家。他們對自然界有新的體會，想從自然界本身的活動了解自然，而不只是審視自然界對人類的價值。同時，他們也想了解神性的創造力如何在自然界裡運作。

謝林認同這樣的觀念，便構思一套自然哲學，這是他早期的重要成就。謝林的自然哲學並不是要解釋自然界的概念，也不是要歸納自然科學的成果，而是要把自然界當做萬事萬物都在其中活躍的唯一的「生物」來加以詮釋。也就是說，這個自然界有內在的活力，它不是一個死的東西，也不是被消解的東西。

在謝林看來，人對自然界的認識，就是自然界對它自己的認

識。說得簡單一點，自然界是睡著的精神，精神是清醒的自然界。說得更簡單一點，自然界是可見的精神，而精神是不可見的自然界。「精神、心、觀念、思想」，都是可以相通的概念。自然界是可見的精神，也就是顯示於外的精神，它形成一個目的論的系統，表現了終極的目的性。

換句話說，自然界是一個有機體。這一點就超越過去機械論的說法。自然界是有生命的，是有機的統一體，是無限絕對者的客觀化表現。可見，自然界仍然是觀念的，它表現了永恆的觀念。因此，謝林被稱做客觀唯心論。

在費希特看來，非我是自我意識的必要條件，因此，自我實現要經由在世界中的具體行動來達成。現在，謝林的自然哲學有了豐富的內容，他強調：自然界內在生機蓬勃，它主要顯現於無所不在的對立性中。譬如，在無機物的領域有磁性與電力的對立，在有機物的領域有雄性與雌性的對立，在自然界的整體中有重力與光的對立。在這些對立性中，自然界使自己在不同的產物中，成為一個巨大的、有活力的發展狀態。

自然哲學最後要面對一個問題：這個永不休止的發展狀態要走向何方？謝林的回答很具體──要邁向精神。因為自然界的最終產物就是人類，有精神的人類。自然界在回顧中，被理解為邁向精神的發展狀態，而精神本身則超越了自然界，並且把自然界的一切帶向完美的境地。

對謝林來說，真正存在的是兩個持續演變的過程：首先是自然界的無意識過程，接著是人類精神的有意識過程。謝林在人類身上發現那個同樣在自然界發生作用的法則，人類的精神也處於緊張與對立中，是在矛盾的對峙與和解中運作的。闡明這一點就是精神哲學的任務。

　　謝林強調，自然與精神應該被視為一致的過程，所有的現象都是一個巨大有機生物的一部分。所以，謝林也把他的自然哲學稱為「同一哲學」，認為絕對者是客觀性與主觀性的同一，它把主觀與客觀、把自我與自然界合而為一。

（二）謝林的藝術哲學

　　謝林的藝術哲學並非去探討藝術作品的哲學性。他認為，藝術是自然界與人的精神合作發展的結晶，藝術是一個直接源自於絕對者的必要現象，也就是把神性力量在自我與在自然界兩方面的不同顯示合而為一。

　　藝術作品是人類自由最精緻的行動，因此也是精神領域中最崇高的創作。藝術作品一定有其物質的架構，具備自然界的必要條件；所以在這樣的作品中，自然界與精神、必然性與自由獲得調和，而神性在藝術中經歷自己本身兩條路線的分歧後，再度合而為一。

　　對哲學家來說，藝術是最崇高的，因為藝術向哲學家顯示最神聖的一面：永恆與原始在那裡結合；在自然界與在歷史中被分離的東西，都燃燒在一個統一的火焰中。在謝林看來，藝術哲學是哲學真正的求知工具。因為藝術來自於人的具有生產力的直觀，而審美直觀顯示無意識與意識的統一、實在與觀念的統一。自然界與藝術作品都是精神的同一種能力的表現。這同一種能力在產生自然界時，是無意識的行動著；在產生藝術作品時，是有意識的行動著。

　　藝術作品是自由的表現，是自由的自我把自己顯示給自己。藝術作品使心靈產生一種終極目的性的感受、無須增減一分的感受、問題已經化解的感受。這裡提到三個詞：終極目的性、無須增減一分、問題已經化解。譬如，當你欣賞一幅美術作品或聆聽一首美妙樂曲的時候，好像所有問題都已經化解，人生各種難題都不再構成

困擾，無須增減一分，一切恰到好處，好像完成了終極的目的。

這樣的藝術作品是理智自己顯示給自己最高的客觀化表現。在藝術中，「絕對者是什麼」表現得更加明顯：絕對者是觀念與實在的無差別性，是終極的同一性，它經由藝術而被表現於觀念世界中。所謂「藝術直觀」，是指在理性的一項有限產品中，直觀到無限者。所以，美與真在終極上是一體的。換句話說，人類感官所面對的萬物不會直接來自於上帝或直接回歸於上帝，中間需要透過人的理性，才能把客觀性與主觀性整合起來。這就是謝林的藝術哲學。

（三）謝林對宗教的看法

謝林對宗教的看法曾受到批評，因為他強調：上帝等於世界，上帝做為根據，而世界做為結果。上帝是自我啟示或自我顯示的生命，它所顯示的宇宙萬物內在於上帝之中，但與上帝還是有所區別。

謝林認為，如果沒有一個活動的上帝存在，就不可能有宗教，因為宗教預設人與上帝之間實在的關係。這句話指出宗教的關鍵，值得認真思考。因為宗教以信仰為其核心，而信仰是人與超越界之間的關係。

宗教徒所需要的是什麼？是一位能夠啟示他自己，並且完成他對人類救贖的神。因此，對於上帝存在的證明，應該顯示宗教意識的歷史：人如何需要上帝？上帝又如何回應這種需要？這樣就會慢慢接近「特定的宗教」，也就是當時歐洲普遍了解的基督宗教。

謝林對於基督宗教的歷史有一種比較特殊的解釋，他認為基督宗教依次經過三個時期：彼得時期、保羅時期、約翰時期。

1. 彼得時期。彼得是耶穌的大弟子。耶穌走後，由彼得領導教會。彼得時期的特徵是法律，代表它有來自先天的部分。這等同於「三位一體」中的「聖父」。

2. 保羅時期。保羅是耶穌死後自動來皈依的弟子，他對基督宗教初期的影響最大。保羅時期從基督教新教的改革開始，這時強調的是自由的觀念。這等於三位一體中的「聖子」。

3. 約翰時期。約翰是耶穌十二個弟子中最年輕的，也是《約翰福音》的作者。謝林期待著約翰時期的到來，它把前面的法律和自由結合於基督宗教的團體中。這等於三位一體中的「聖靈」。

這也是一種正反合的表現。德國唯心論對於辯證法的運用非常純熟，這一點在黑格爾的身上表現得更為明顯。

收穫與啟發

1. 謝林的自然哲學有何內涵？他把自然界當做顯示在外的、可見的精神，整個自然界形成一個有機體，逐漸走向精神層次的覺悟，也就是走向人的精神的出現。

3. 謝林的藝術哲學認為，藝術是人的精神透過自然界的某些材料所展現出來的。謝林對藝術有充分的肯定，甚至認為哲學真正的求知工具應該是藝術哲學，因為美與真在根本上是同一的。

4. 謝林認為基督宗教可以分為三個時期。這一觀點可供參考。

課後思考

按照謝林對藝術的觀點，請你思考一下，你曾經在哪一種藝術作品中（像音樂、繪畫或雕刻等）感受到以下三點？

1. 問題已經化解；

2. 不需增減一分；

3. 達成終極目的。

這樣的感受能讓你體會到美與真合而為一嗎？

第二十七章

黑格爾

絕對唯心論

27-1　黑格爾像海綿一樣的求知

本章的主題是：黑格爾的絕對唯心論。本節的主題是：黑格爾像海綿一樣的求知。黑格爾認為，他的思想集整個西方哲學史的大成。他建構了西方哲學史上最宏偉的系統，有如建構了一棟大廈，但是這種思想的大廈卻不一定適合人類居住。

後代的研究者編了一本《黑格爾辭典》，厚達四五百頁，因為黑格爾用的每一個概念都有他自己的定義。事實上，每一位哲學家對自己使用的概念都有特定的理解，但能像黑格爾那樣出一本字典的也確實不多見。有人花了五六年時間研究黑格爾早期的神學作品，後來卻發現黑格爾到了中期以後，認為自己早期講的都有問題。

本節要介紹以下三點：

第一，黑格爾是如何成為學霸的？

第二，黑格爾教學與著作的過程。

第三，黑格爾的絕對唯心論在說什麼？

（一）黑格爾的學習過程

黑格爾（G. W. F. Hegel, 1770-1831）年輕時表現平平，他在杜賓根大學讀書，他的同學除了有比他年輕五歲的少年天才謝林之外，還有一位是浪漫主義時期重要的德國詩人荷爾德林。

黑格爾的父親是公務員。黑格爾生性老實，在學習階段，別人給他取的綽號是老頭子。他每天寫日記，勤做筆記，把他所能找到的材料全部記下來。他認真反省過哪些問題呢？可以簡單舉出六個

問題：上帝、幸福、迷信、世界、數學、自然科學。這些都是他日記中有系統記載的資料。他後來對這些資料反覆思考，再將其整合為一個龐大的系統，具有像百科全書一樣的規模。

黑格爾年輕時喜歡希臘悲劇，經常與上面提到的幾位同學一起閱讀盧梭的書。當時的普魯士年輕人對法國都相當崇拜。法國大革命成功之際，黑格爾興奮異常。以後每逢法國大革命的紀念日，他一定會一個人喝一瓶紅酒表示慶祝。

另外，他們從德國本土的哲學中，也開始感覺到振作的力量。黑格爾曾對康德進行過深入研究，對費希特也有一定認識。他寫過一篇一百頁的論文，專門探討費希特與他的同學謝林兩個人在思想上的差異，他當時是贊成謝林的。同時，他也受到歌德的影響。他寫信給歌德說：「我是你精神上的兒子。」當法國侵略者拿破崙來到他所執教的耶拿大學時，黑格爾看到拿破崙在馬上的英姿，就說他是世界精神的象徵。

黑格爾的學習有個特色，就是持續不斷，恆心與毅力過人。他在大學畢業時並不突出，畢業證書上的評語是：對神學與語言學有一定認識，但在哲學方面，知識還不夠充分。

（二）黑格爾的教學與寫作

黑格爾畢業之後靠同學謝林的幫忙，才在耶拿大學找到教職，後來兩人還合辦過哲學雜誌，當時謝林早已成名。但黑格爾堅持不懈，結果後來居上，陸續發表了大部頭的著作。他在耶拿時期就出版了《精神現象學》這部名著，後來又陸續發表《邏輯學》、《哲學百科全書》。1818 年黑格爾四十八歲時，被聘為柏林大學講座，達到學術生涯的巔峰。

黑格爾上課時，教室裡擠滿了學生。他口才並不好，反應也不

夠快，講課非常緩慢，但說出的每一句話都讓學生覺得很有價值。
他很快就成為普魯士國家精神的支柱，他的哲學也成為官方哲學，
立場就慢慢趨於保守了。

　　相對的，黑格爾也引起很多人的側目與批判，他在柏林大學有
兩件事值得一提。第一件事與著名神學家席萊爾馬赫有關。據說兩
人曾經因為對學生的博士論文有不同意見，就在校園裡吵了起來，
甚至還拔刀相向，實在令人難以置信。後來經過朋友的勸導，兩人
握手言和。

　　另外一件事與叔本華有關。叔本華比黑格爾年輕十八歲。他看
到黑格爾聲名鵲起，有三十年之久被當做德國最偉大的哲學家，他
完全不能接受，曾經幾度公開謾罵，說黑格爾是江湖郎中、史無前
例的胡說八道、造成整個時代在知識上的不幸。叔本華認為，整個
德國唯心論都扭曲了康德的思想。

（三）黑格爾的絕對唯心論在說什麼？

　　首先回顧一下康德以來德國唯心論的發展。

　　康德是德國哲學的關鍵人物，他對理性的深度反思使他確信：
人所認識的世界是能夠被人認識的世界，而不等於世界本身。人靠
理性只能認識現象，而不可能抵達物自體，所以自我、世界、上帝
這三個物自體都不可知。這就是唯心論的開始。唯心論並不是說
「萬法唯心所造」，不是說我的心裡怎麼想，外界就怎麼展現；而
是說，萬物必須按照人的理性的基本能力與結構，才能被人認識。

　　康德之後的費希特是主觀唯心論的代表，他除了肯定康德所謂
的「感性直觀」之外，還肯定人有「知性直觀」。他認為，人的自
我是一切經驗的基礎。如果沒有先肯定自我的存在，如果人沒有對
自我的直觀，根本不可能有任何其他的經驗。所以，這個自我是所

有經驗的前提，故稱為先驗自我。其次，這個自我必須不斷追求自由，因為它的本質就是自由。自由必須有一個活動的場所；如果沒有阻礙，則談不上自由。這樣的場所或阻礙，就是外在的一切。萬物都針對自我而存在，它們也是「自我」安置的。因為你無法想像一個與自我無關、在自我之外獨立存在的世界。費希特因此被稱為主觀唯心論。

接著上場的是比黑格爾年輕五歲的謝林。謝林認為，自然界不只是一個工具而已，它有本身發展的力量與目的。他把自然界當做睡眠中的精神。換個角度來說，精神把自己顯示出來，被人看到的就是自然界。自然界是可見的精神，而精神是不可見的自然界。這樣就把自然界與精神統合在一起。謝林強調，主觀性與客觀性兩者是同一的。他對自然界特別加以研究，自然界對人來說是客觀的，因此謝林的思想被稱做客觀唯心論。

輪到黑格爾上場了，他認為這兩者各有所偏，主觀與客觀應該合在一起，達到一個最高的統合，稱做絕對唯心論。黑格爾從這裡出發，建構了一個完美的系統。後文會詳細介紹黑格爾的思想。這裡先簡單介紹一下黑格爾對於一些問題的深刻看法。

關於歷史，黑格爾說：「人類從歷史中學到的唯一教訓，就是他們沒有從歷史中學到任何教訓。」這句話引人深思。有些人知道很多歷史事件，但是能從歷史中汲取教訓嗎？

關於音樂，一般人只知道尼采對音樂有特別高的評價，但黑格爾說：「不愛音樂，不配做人。雖然愛音樂，也只能稱做半個人。只有對音樂傾倒的，才可以完全稱做人。」大概很難聽到有人比黑格爾還要推崇音樂了。在黑格爾的思想裡面，這種名言很多，代表他對藝術、歷史、宗教各方面都有深入的觀察。

關於人性，黑格爾說：「眾人以為，當他們說人性本善時說出

了一種偉大的思想；但他們忘記了，當他們說人性本惡時說出了一種更偉大的思想。」換句話說，他認為肯定人性本惡要比肯定人性本善的層次更高。他這裡提到的「人性本善」，特別是指法國啟蒙運動的代表人物盧梭的思想。

收穫與啟發

1. 黑格爾一直在學習、思考、寫作的過程中，由此建構了完整而龐大的哲學系統，這是他成為學霸最主要的原因。
2. 黑格爾把康德哲學、費希特哲學、謝林哲學綜合起來，配合自己早期對宗教、神學、希臘文化方面的研究，寫出百科全書式的著作。
3. 黑格爾並非沒有一個核心線索，他把前面的主觀唯心論和客觀唯心論總合起來，所以被稱為絕對唯心論。對於黑格爾的評價，正面、反面都有。這對於哲學家來說，似乎是很難避免的待遇。

課後思考

　　黑格爾對歷史的觀點是，人類從歷史中沒有學到任何教訓；對音樂的觀點是，只有對音樂傾倒的才可以完全稱做人；對人性的觀點是，說人性本惡比說人性本善表達了更高的智慧。請問：你覺得這三種看法中哪一種比較有道理？

補充說明

　　黑格爾對歷史、音樂和人性都有自己的獨特見解，我們還是要把焦點放在人性上。因為歷史的材料太豐富，我們未必了解很多歷史事件的詳細內容，也缺乏專業的背景；對於音樂，每個人的

品味也不同。在這兩方面，個體的差異性比較大。

　　人性的問題則不同。每個人都是人，都有自己的經驗和心得，因此我們要著重探討有關人性的問題。黑格爾說，說人性本惡要比說人性本善表達更高的智慧。這句話值得我們重視，可以從以下三個方面來看：

1. 從西方的基督宗教背景來看，中世紀一千多年的天主教以及後來的基督教，都認為人有原罪。這裡的「人」指所有人，不只是針對基督徒來說的。就像中國的朱熹主張「人性本善」，也不是說只有中國人才如此，而是說每個人都是「性本善」。

2. 任何一個社會要維持安定和諧，都要制定法律和各種規範。因此人性本惡聽起來比較合理。因為知道權力使人腐化、財富會帶來各種問題，所以才需要規範它。如果主張人性本善，則需要更多解釋，反而更複雜。

3. 不管主張本善還是本惡，社會上總有善的行為與惡的行為。一個社會說人有原罪、人性本惡，最後社會上仍有很多善行；而另外一個社會說人性本善，但社會上照樣有很多罪惡。這樣一來，無論哪種主張，對於社會的具體狀況並沒有太大影響。

　　因此，對於上述主張，可以有兩種態度：

1. 把它們當做宗教信仰，只要信就好，跟社會生活要分開來看。
2. 把它當做一種想像，只要想像就好，跟實際的社會生活無關。

　　可見，講人性本善或本惡都有它的問題。講人性本惡就會牽涉到宗教信仰，而人性本善在某種意義上也是一種信仰。錢穆先生在他的書裡就不止一次提到，人性本善是一種信仰。所以，不要認為有些學者講人性本善是一種學說，其實那也只是宣稱他的個人信仰而已。

27-2　絕對者就是精神

本節要介紹黑格爾所說的一句話——絕對者就是精神，內容包括以下三點：

第一，絕對者是指什麼？

第二，精神又是指什麼？

第三，為何說邏輯等於形上學？

（一）絕對者是指什麼？

學習哲學要養成一個習慣：看到重要的概念，一定要先澄清它的意思。與「絕對者」相對的是「相對者」。所謂「相對者」，就是本身沒有存在的理由，有開始也有結束，中間充滿變化，也就是我們所見的萬物。

簡單來說，世界與人類都是相對的東西。所以，當你問「絕對者是什麼」，等於是問：這一切相對的東西（世界和我）到底有沒有來源與歸宿？有沒有最後的基礎？那個最後的基礎本身必須是永恆的、無限的，稱它為「絕對者」很適合。黑格爾被稱做絕對唯心論，因為他對於絕對者有清楚的界定。

德國唯心論強調，心與物是對立的。既然是唯心論，就意味著把物質放在第二序的位置。唯心論的「心」是指「理性」或「思想」。思想的主體是精神，思想的運作是意識，思想的內容是觀念。所以，「理性、心、思想、精神、意識、觀念」這六個詞可以通用，意思就算稍有差異，基本上也屬於同一個範疇。

　　黑格爾的代表作是《精神現象學》，旨在把絕對者或絕對精神的整個內容展現出來。絕對者就是無限者，通常指「上帝」。在黑格爾筆下，「絕對者」一開始並不特別指基督宗教的上帝；但兩者最後還是匯合為一，使哲學與宗教可以合流。

　　進一步來看，絕對者是唯一的整體，是包含一切在內的整個實在界。它是無限的生命，是一個自我發展的過程。黑格爾說：「絕對者是它自己的回歸歷程，是一種預設它的終點做為目的，並以它的終點做為開始的循環。」就像一個圓一樣，每一點都是起點也是終點。它是一個循環，因為只有它是唯一存在的。「只有藉著它自己的發展，並且經由它的終點，才能成為具體的或實際的。」換言之，絕對者是唯一的，它就是一切。我們今天為什麼會看到物質世界和人類呢？這些都是絕對者的一種表現。

（二）精神是指什麼？

　　黑格爾明確的論斷：「絕對者就是精神，這乃是絕對者的最高定義。發現這個定義，並且理解這個定義的意義與內容，可以說是一切教化與哲學的絕對目標。一切宗教與科學都曾經渴望達到這一點。只有從這種渴望出發，世界的歷史才可以被理解。」

　　黑格爾的這段話是愛智慧達到最高境界才能說得出來的。人活在世界上，就要問：這一切是怎麼回事？這個世界以及人類的歷史要如何理解？宗教直接透過啟示告訴你結論；科學經過漫長的研究，最後未必能找到結論。

　　黑格爾認為，一切教化與哲學的目標就是要發現：絕對者就是精神。換句話說，宇宙萬物是一個唯一的、絕對的、完整的、無限的精神在運作的過程。

　　這個精神與萬物有何分別？整個自然界又如何包含在精神裡

面？精神與物質是對立的：物質有惰性，本身沒有活力；而精神一定是活動的，否則就與物質沒有差別。但絕對者是唯一的，也就是說整個宇宙都是一個精神，那麼它怎麼活動？只有一種方法：先走出自己，再走回自己。

當精神走出自己時稱為「異化」，它把自己變成非自己，形成一個有形可見的物質世界，其中也包括人類在內。絕對精神的活動最終還要走回自己。換句話說，走出自己的目的是為了走回自己，它自己既是起點也是終點。

精神怎麼走回自己？要靠人類的配合。人是有限的精神，而絕對者是無限的精神，所以做為有限精神的人類只有一個目標，就是憑藉理性思想的能力，去了解絕對者就是精神，而不是一般所說的物質。所以，黑格爾絕對唯心論的立場非常明確。

我們可以想像，有一個唯一、真實的整體，稱為絕對者，這個絕對者不但是一個實體（Substance），也是一個主體（Subject）。「實體」是與「現象」相對的概念。所謂「主體」，代表它有一個客觀對象。絕對者是主體，它的客體或對象也是它自己，因為不可能有一個與它不同的、外在於它的東西。因此，絕對者就是「思想自己的思想」，是「自我思想的思想」。事實上，古希臘時代的亞里斯多德就有類似的說法。

換句話說，絕對者就是精神，它是一個精神的自我省思的歷程。這個歷程要通過人的有限精神，並在人的有限精神之中進行。「通過」、「在……之中」是專門的術語。宇宙萬物中只有人類有理性、可以思考，所以人做為有限精神，要配合整個宇宙的絕對者，最後回歸於絕對精神。黑格爾認為，包括宗教、哲學在內的一切教化，都要設法發現絕對者就是精神。達成這個目標就是教化的最高意義所在。

　　哲學是什麼？在黑格爾看來，人類哲學的反省就是絕對者的自我認識。宇宙與人類的歷史，就是絕對者的自我展現。整個實在界的歷程，是為了「實現自我思想的思想」這個目標的目的性運作。唯有如此，整個宇宙與人類的歷史才有明確的目的。

（三）為何邏輯就是形上學？

　　黑格爾有一個重要的論斷：邏輯就是形上學。以前從未有這樣的說法，他在說什麼呢？

　　所謂形上學，就是要探討在現象背後無形可見、永不變化的本體。邏輯是思維的規則，也就是精神運作的法則。如果整個宇宙的本體就是一個精神，也就是絕對者，那麼它的運作，不就是邏輯的運作嗎？邏輯不就是形上學嗎？所以，黑格爾的整個系統是貫穿在一起的。

　　黑格爾在這裡提到了一組觀念：第一是「在己」（in itself），第二是「為己」（for itself），第三是「在己又為己」（in and for itself）。

　　首先，絕對者是「在己」，絕對者在它自己，也就是邏輯。因為絕對者本身就是精神，而邏輯是思維的規則，等於是精神本身運作的規則。

　　絕對者同時也是「為己」。所謂「為己」，就是針對自己、與自己相對立。絕對者要覺察自己，需要有一個對象，這個對象就叫做「為己」。整個自然界是絕對精神回歸自己的一個中間階段，所以「為己」就是自然哲學。

　　絕對者「在己又為己」，構成了最後一個階段，即精神哲學。等於是「正」與「反」合在一起，達成一種完美的境界。

收穫與啟發

1. 黑格爾認為，絕對者就是精神。換句話說，宇宙萬物就是一個精神的展示過程。

2. 精神與物質不同，精神一定有活力，不斷在活動。如果它是唯一的，它要活動只有一種辦法：走出自己再回歸自己。所以可以把精神界定為「思想自我的思想」或「自我思想的思想」。精神從自己出發再回到自己，中間需要人類的配合。人有理性，是一個相對的精神，所以人類要設法透過理解，讓無限精神透過我們的有限精神而回到它自身。黑格爾的這些想法聽起來就像是一齣戲劇。

3. 以上述說法為基礎，黑格爾強調邏輯就是形上學。

課後思考

一旦進入黑格爾的系統，要反駁他並不容易。譬如他說，整個宇宙所有的存在都是精神，你能反駁這句話嗎？任何一種反駁都要經過思考、使用觀念，但思想、觀念、意識等等，都是精神的不同說法。所以站在人類的角度來看，似乎很難避開這一關。

27-3 合理的與現實的

　　本節的主題是：合理的與現實的。黑格爾在 1821 年出版《法哲學原理》，談到有關法律哲學的根本道理。他在這本書的序裡面有兩句話廣為流傳，他說：「凡是合乎理性的東西都是現實的，凡是現實的東西都是合乎理性的。」這兩句話了代表兩種立場，雖然只是兩個詞前後對調，其含義卻有很大差別。

　　本節要介紹以下三點：

　　第一，凡是現實的都是合乎理性的。

　　第二，凡是合乎理性的都是現實的。

　　第三，黑格爾受到的質疑。

（一）凡是現實的都是合乎理性的

　　先看黑格爾的第二句話：凡是現實的都是合乎理性的。這類似於心理學上的「合理化」的說法，亦即目前的現實情況一定有它的理由。這等於是給自己找臺階下。有的人找的理由多，有的人找的少；可以推到最近，也可以推到遙遠的過去；甚至可以說我的基因如何，我的祖先如何，人類如何……。

　　譬如，我考試沒考好，就說我這兩天生病了，或者說這次考試的題目老師沒教過。總之可以找出各種合理化的藉口，來說明自己的現實情況。這樣一來，很容易遷就目前的現實，使人無法努力改善現狀。當時普魯士的現實情況並不理想，國家處在紛亂之中，正在努力尋求統一。他們十分羨慕法國人，卻找不到更好的辦法來解

決自身的問題。

　　黑格爾這句話有時也被譯為「凡是實在的都是合理的」，很容易成為一種藉口。譬如，二戰期間，納粹德國屠殺六百萬猶太人，這是現實的情況，但是你能說這樣合理嗎？如果這種事也能說得通，那麼所有人都會先下手為強，先造成既定的事實，再找各種理由來解釋。

　　與之類似，《莊子·胠篋篇》也提到：「竊鉤者誅，竊國者為諸侯，諸侯之門而仁義存焉。」意即：偷竊腰帶上的帶鉤的人會被處死（帶鉤是古代貴族和文人武士所繫腰帶的掛鉤，是身分的象徵），偷竊國家的人卻成為諸侯，而諸侯門前照樣有很多人在歌頌仁義。因為你一旦成了諸侯，就可以論功行賞，讓許多人加官進爵。這些人就會替你在歷史上說好話，說明你的行為是合理的。

（二）凡是合乎理性的都是現實的

　　事實上，黑格爾所說的第一句話是：凡是合乎理性的都是現實的。這與「凡是現實的都是合乎理性的」明顯是對立的。所謂「合乎理性」，就是不包含矛盾。某種東西即使目前尚未變成現實，但是一定有它的必然性。所謂的「理性」是指精神或思想。精神既然是唯一的存在，顯然會按照它的內在邏輯而演變發展，最後產生某種結果。

　　譬如，你無法想像在同一個平面上，有一個圖形既是圓形也是三角形，因為這是矛盾的。反之，只要不是矛盾的東西，就是合乎理性的。這樣一來，人類思想就會展現出非常開闊的格局，可以發揮無限的想像與創意，並將它們變為現實。譬如，人類能發明飛機、潛水艇，是因為它們的原理都是合乎理性的。

　　這種說法具有一種理想性。譬如，如何改良普魯士當時的制

度？首先要從事理性的思考，要設法了解：政治是怎麼回事？對人民來說最大的福利是什麼？哪些制度可以讓國家長治久安？先有理性的思考，後面再慢慢改革，最終就會創造出君主立憲制或其他制度。這就是人類思想的作用。

黑格爾認為，根據合乎理性的原則去改善現實情況，這一切其實早就包含在絕對精神裡面。換言之，絕對精神就像一個無限的庫藏，人可以不斷的從中發掘寶藏，以實現更理想的狀況。

由此可見，「凡是現實的都是合乎理性的」顯得保守，而「凡是合乎理性的都是現實的」則具有革新精神，能鼓勵世人從事思考與創新。

（三）黑格爾受到的質疑

黑格爾的整個系統被認為是失敗的，因為事實與他所構想的大有差異，他無法把現實世界完全收納到他圓滿的系統中。

一方面，黑格爾在這個世界上看到絕對精神的直接顯現，譬如，完美的有機體生命、道德與禮儀都上軌道的國家、精采絕倫的藝術創作、感動人心的宗教以及偉大的哲學系統等等。但在現實中，這些只不過是沙漠裡的綠洲。不能把這些少數的成就詮釋為上帝的展現。

另一方面，自然界中存在著許許多多無意義與不完美的東西，出現了各種失敗的嘗試、生命的浪擲與無盡的重複。在人類世界裡，存在著各種混亂的因素，在歷史中存在著一大堆無關緊要的事實。你無法把這些事實理解為上帝精神的表現，或絕對者邁向圓滿自我意識的步伐。

顯而易見的是，這個世界並非絕對者的純粹展現。如果堅持採取黑格爾的立場，從絕對者的角度來理解這個世界，那麼最後就必

須承認，在各種競爭、鬥爭、戰爭中，在偶爾的勝利與不計其數的失敗中，上帝變成了這個世界。這樣的上帝是一個純粹精神的上帝嗎？或者他是一個非常混亂的、內在充滿矛盾的上帝呢？所以，黑格爾的整個體系很快就受到質疑。他在哲學史上只留下一個完美的系統，卻很難產生進一步影響。

收穫與啟發

1. 黑格爾說「凡實在的都是合乎理性的」，這種說法比較接近人類心理上的合理化作用，也就是為自己的所作所為找到合理化的藉口。

2. 黑格爾說的第一句話「凡合乎理性的都是現實的」提醒我們：只要是不矛盾的東西，將來都有可能成為現實。我們可以發揮理性的想像力，從事各種發明創造，改善我們的生活。

3. 黑格爾的絕對唯心論堅持認為，完整的存在是一個精神體，也就是絕對者。但是，自然界與人類社會到處充滿緊張對立、矛盾衝突，甚至是互相毀滅的情況，又要如何把它理解為絕對者回歸自我的過程？

課後思考

我們可以把黑格爾這兩句話用在實際生活中。譬如，從「凡現實的都是合乎理性的」這句話出發，我願意接受自己的遭遇，把發生在自己身上的一切遭遇加以合理化；另一方面，從「凡合乎理性的都是現實的」出發，可以盡量發揮理性的能力，實現生命中的各種偉大願望，讓自己的生命不斷提升。請問，黑格爾這兩句話給了你哪些啟發？

補充說明

　　有人把黑格爾的這句話簡化成「存在即合理」。我認為，「合理的」與「合乎理性的」這兩種説法還是有一定差別的。説「合理」代表它一定對，而説「合乎理性」代表還需要思考一下，看它怎樣合乎理性，因為理性是一種思維的能力。

　　黑格爾説「凡現實的即是合乎理性的」，因此對於現在的情況，你就要問：是哪些因素使現在的情況出現？這些因素本身不可能是矛盾的，它們可能一直存在。你如果沒有了解或化解它們，將來還會出現類似的情況。

　　相對的，黑格爾説「凡合乎理性的即是現實的」，這句話讓人感受到一種積極的力量，你只要從理性上找出它的規律，將來就可以從事創造發明，使現實情況得到改善。

　　有些人認為，黑格爾的説法跟演化論是矛盾的，因為這個世界上存在著各種缺陷。譬如，許多生物都有畸形、突變的情況，人類社會也一直存在著各種誤會、衝突、矛盾、戰爭，這些完全不是人的理性所能理解的。如果絕對者是精神，那為什麼做為它的外顯 —— 萬物和人類會有如此多的缺陷，表現得如此不完美？

　　這個問題不難回答，因為受造物的不完美來自於受造物的本性。既然是「受造」的，它本身就沒有必然存在的理由，所以它有各種缺陷是可以理解的。因此，「絕對者是精神，宇宙萬物是精神的外顯」也可以説得通。

　　也有些人認為：如果沒有人類，沒有這種有限精神，那麼絕對者做為無限精神，要如何走出自己再回歸？黑格爾認為，「絕對者」的回歸一定需要藉著人類有限精神的運作，他由此建構了他的歷史哲學，認為人類歷史的發展都指向一個最終目的，就是要

讓絕對者做為精神能夠回到它自己。如果沒有人類，根本不用擔心「絕對者如何回歸」這個問題，也根本不會有「絕對者是否存在」這樣的問題。

另外有些人會說：「該來的就來了，該發生的就發生了。」這就意味著，既然已經成為現實，此前一定有合乎理性的根據，所以事情無所謂對錯。但是人做為人，不可能接受事情沒有對錯。發生的事情有它的理由，並不代表它應該要發生，更不代表它是對的。

最後要強調的是：「凡是合乎理性的即是現實的」這句話的確讓人振作，鼓勵眾人充分發揮理性的作用；但不要忘記，人類的理性永遠有其限制。每個人只能就自己所知的現象去思考，就算集思廣益也只是一群人而已；整個人類的理性思維是無法窮盡的，永遠有無限的空間。要找到一種層次和順序，逐步接近理想的境界，這是很難做到的。

因此我們要問，黑格爾的這句話可以給我們什麼啟發？至少有兩點可以參考：
1. 誰能及早看穿自然的規律，誰就能取得生存優勢。
2. 誰能及早看穿人性的模式，誰就能活得比較安穩。

譬如，《三國演義》中的諸葛亮為什麼那麼厲害？因為他掌握了自然界的規律，才能「借東風」，從而在赤壁之戰中大獲全勝。自然界的規律一定是合乎理性的，否則哪有規律可言？這裡面有很大的進步空間。對科學技術了解得愈透澈，就愈能夠掌握自然界的規律，進而取得生存優勢。

另一方面是了解人性的模式。「天道酬勤」這四個字就非常好。我的桌案前就擺著朋友送的一小塊木頭，上面刻著「天道酬勤」。他覺得我非常辛苦，老天一定會幫我的忙。其實，我勤勉

做事只是為了心安理得。我做我該做的事，覺得自己做不到的事就不會答應；如果答應，代表我經過理性思考，認為這件事對我來說是合理的要求，我就全力以赴，一定把它做好。事情做成之後再說它合乎理性，就是事後諸葛亮了。

另外，我讀書時經常會想：既然別人能理解，我也是人，也應該也能理解。學西方哲學最大的困難在於要透過翻譯。語言、文化的背景不同，翻譯成中文有時真的非常困難。因此在理解時，要經常調整自己使用中文的習慣。

我們不能要求每個人的外文能力都達到某種程度，但理性思考是每個人都具備的能力。語言和文字只是載體，我們不能被載體所控制，重要的是領悟文字背後的智慧。當我們用中文學習西方哲學時，要盡量想像自己處在西方的時空背景下，面對著西方人同樣的挑戰，他們到底在想什麼？從古希臘一路下來，順著理性這一脈絡逐步發展，或許能夠掌握他們的核心觀念。

27-4　主人與奴隸

　　本節的主題是：主人與奴隸。「主人與奴隸」這組概念是黑格爾思想對後代產生很大影響的部分。

　　黑格爾哲學有一種辯證的架構。他的整個系統分為三部分，分別是邏輯、自然哲學與精神哲學。

　　第一是邏輯，是絕對者「在己」——在它自己本身，因為邏輯是思維的規則，而絕對者就是精神，也就是思維。

　　第二是自然哲學，是絕對者「為己」，絕對者為了回到自己，必須走出自己，成為自然界。

　　第三是精神哲學，絕對者「在己又為己」，即絕對者回到自己身上。精神哲學當然最為重要，其中又分為主觀精神、客觀精神與絕對精神。

　　「主人與奴隸」是黑格爾在談主觀精神裡面的「自我意識」這一部分出現的，對我們有比較重要的啟發。

　　本節要介紹以下三點：

　　第一，爭取別人的承認。

　　第二，主人與奴隸的弔詭。

　　第三，黑格爾如何討論善？

（一）爭取別人的承認

　　用黑格爾的術語來說，我之外的別人都稱為「異己」。每個人都有自我意識，會對外物產生欲望，要使某些對象屬於自己；同

時，我們與別人在一起形成一個社會，都要爭取異己（別人）的承認，從而帶來主人與奴隸的爭鬥。

黑格爾認為，每一個自我都全神貫注於生存，要努力去占有世界，或者在世界上占有自己的位置。他一開始就會遭遇到構成障礙的異己，也就是當他要取得某些成就時，會看到有別人與他不同，並且處在競爭關係中，這時就會要求異己的承認。這是一場爭取承認的鬥爭，甚至是生死之鬥。屈服失敗的那個自我並不會面對死亡，而是成為奴隸。這就是黑格爾著名的主人與奴隸的關係。

（二）主人與奴隸的弔詭

所謂「弔詭」，就是矛盾，似是而非，似非而是，與原來想的完全不同。

先看第一步。黑格爾說：「一個人對自己的自我的認識，必須以別人對他的自我的察覺做為條件。」換句話說，我如果要肯定自我，必須要有別人察覺到我。如果只有我一個人，沒有其他人的察覺與承認，我不可能認識自我。譬如，一個小孩沒見過別的孩子，他其實意識不到自我。當有別的孩子使他的意志不能立刻實現的時候，他才會發覺自我的存在。隨即就會出現主人與奴隸的關係。

所謂「主人」，就是成功獲得別人察覺的人。換言之，別人都察覺到我是一個特定的人，我把我的自我強行做為別人尊重的價值，希望別人承認我的存在，甚至為我效力，那麼我就成為主人。

所謂「奴隸」，就是在別人身上見到自己真實自我的人。奴隸一般都要依附於一個主人，以主人的命令做為自己的任務。譬如，一群年輕人混幫派，手下都要替老闆工作，他沒有什麼自我，一切以老闆的意志來決定。

再看第二步，主人與奴隸的關係會出現弔詭。原始的情境改變

到難以想像的地步，並且必然會如此改變。

　　先看主人方面。主人由於沒有察覺到奴隸也是一個真實的人，而使這個主人得不到對自己自由的察覺。換句話說，奴隸的唯命是從，使主人無法察覺到自己的自由。因為對自由的察覺，需要遇到某些障礙並加以克服，如果完全沒有障礙，也就無法察覺到自己的自由。

　　如果主人像中國古代皇帝那樣可以隨心所欲，無論怎麼說都能得到別人的認同與服從，那麼主人就不覺得自己有什麼明確的重要性。這樣一來，主人就把自己貶抑到一種次於人的情況，就是比人還低的情況。他不再是一個主體，無法察覺自己的自由，因為別人對他唯命是從。久而久之，他就像一個被慣壞的小孩，無論怎麼說、怎麼做都是對的。他內在的自我沒有遇到任何障礙，因而無法肯定自我意識的存在，無法得到成長。這些話很有道理。

　　再看奴隸方面。奴隸被迫工作，執行主人的意志，但經由改變物質事物的勞動而把自己客觀化。奴隸奉命做事，每天耕田、拉車，他的勞動可以改變物質的情況，比如讓莊稼豐收，拉車運來貨物等等。他可以把自己當成客觀化的東西，由此反而形成了自我，可以上升到真實存在的層次。換句話說，奴隸雖然被迫工作，但從他親手工作的成果上，逐漸得到對自我的肯定，好像如果我不做這件事，它就無法被完成。

　　最後的結果如何？當奴隸不斷教育自己朝向獨立的時候，主人卻維持在依賴狀態。因為主人不可能憑自己的力量擺脫他所特有的依賴與異化的狀態。所謂「異化」，就是他所擁有的一切都與他沒有直接關係，因為那些都是奴隸做成的。相反的，奴隸在敬畏主人的過程中，慢慢去掉狹隘的自我認同與自我利益，反而把自己提升到一個可以獨立的人的層次。在現實人生中，每個人都可能遇到這

樣的情況。

譬如，你可能看過「末代皇帝」這部電影，描寫中國最後一個皇帝溥儀，他出宮後連自己穿衣服都不會，因為他從未扣過扣子。你能說他是一個真實的主人嗎？他根本是一種次於人的情況。事實上，每個人的內在都有一些矛盾，在某些時刻、某些地方像個主人，另外一些時刻、一些地方則像個奴隸。

綜上所述，在開始階段，主人只察覺到在自己身上有自我性和自由，卻沒有察覺到在奴隸身上也有這些；奴隸在主人身上察覺到有自我性和自由，卻沒有察覺到在自己身上同樣也擁有這些。到了最後，情況顛倒過來：主人永遠處在依賴狀態，他的自我始終得不到充分的肯定；而奴隸因為在實際勞作中取得各種結果，反而讓自己變成一個獨立、真實的存在。這就是黑格爾著名的「主人與奴隸的弔詭」。

（三）黑格爾如何討論善？

黑格爾在《法哲學原理》中談到道德的時候特別指出，所謂「善」，就是法與福利的統一。「法」就是客觀的規範，「福利」就是對別人有利的事，兩者統一就是善。簡單來說，我一方面要符合法律規範，另一方面要對別人行善、幫助別人。黑格爾認為，不可以違法去行善。

但也有例外的情況。譬如，當你的生命受到威脅，偷一片麵包就可以活下去，黑格爾認為這樣做是可以的。當一個人面臨死亡威脅而不讓他求生，等於把他置於人類的法律之外。法律本來是要保障人的生命與自由的，如果生命被剝奪，自由亦隨之被否定。沒有自由，何來法律？這是黑格爾對社會行為的觀察。

德國唯心論者基本上都受到康德的影響，主張讓個人行為的格

準成為人類普遍的法則，一件事所有人都可以做，我才能做。但黑格爾認為，這樣說仍過於抽象。黑格爾也把「善」轉到良心上，他說：「良心表現了主觀的自我意識的絕對權利，也就是在它自身，並由它自身知道什麼是權利與義務。除非自己知道某事為對，否則不以它為對。並且，肯定自己知道及意願它為善的，也確實正是權利與義務之所在。」

「個別的意志」與「意志的在己」結合起來就是善。「個別的意志」是指每個人自己的意志。「意志的在己」是指理性的意志本身。把自我的意志與人類普遍的意志結合起來，那就是善。這是自由的實現，是這個世界終極目的的實現。黑格爾有很多話都說得冠冕堂皇，但談到具體的操作，反而顯得有些抽象。

黑格爾把良心分為形式的良心與真實的良心。所謂「形式的良心」，就是個人絕對的自我的確信，它與普遍的道德原則可以結合。所謂「真實的良心」，是個人在主觀與客觀的統一上、特殊與普遍的統一上才可實現的，但它的具體內容不易說清楚。

黑格爾有一句話值得參考，他說：「唯有人是善的，只因為他也可能是惡的。」換句話說，善與惡是無法完全區隔的。

收穫與啟發

1. 人在社會上都要得到自我意識，要對自我有某種理解與肯定，他與別人之間的互動就變成爭取異己承認的一種鬥爭。

2. 這種鬥爭相當激烈，造成主人與奴隸的關係。每個人小時候都可能是奴隸，到生命的某個階段都可能成為主人。但弔詭的是，主人有依賴性，他如果沒有察覺到奴隸也是一個自我，那麼主人就永遠不可能產生明確的自我意識；而奴隸對主人唯命是從，他負責實際的勞動，接觸到具體的世界，在此過程中反

而使他逐漸肯定自己生命的特色。這就是黑格爾著名的主人與奴隸的弔詭。

3. 黑格爾談論善並無特別之處，只是用了許多複雜的名詞。簡單來說，就是把善當做法與福利的統一。法是法律上客觀規定的，福利是有利於別人的行為，兩者的統一就稱為善。

課後思考

我們不必過多考慮主人與奴隸的弔詭情況，只要問一點，在爭取別人的承認方面，你有過什麼樣的經驗？

27-5　藝術與宗教

　　本節要介紹黑格爾的藝術觀與宗教觀。黑格爾的整個思想呈現出一種辯證的結構，對於任何範圍的探討，他都會從正反合三個層次來說。

　　譬如，黑格爾的整個系統分為三個部分：邏輯、自然哲學與精神哲學。精神哲學又分為三個方面：主觀精神、客觀精神與絕對精神。絕對精神顯然位於最高層次。在最後的結論部分，他提到三種人類文化的特殊成就，依次為：藝術、宗教與哲學。

　　所謂藝術，就是透過感性的形式來掌握精神的內涵；所謂宗教，就是透過圖像式的概念來表達精神的內涵；所謂哲學，就是純粹用概念來展現精神的內涵。

　　黑格爾的這些觀點，理論性很高，系統性很明確，但是未必都有學術上的價值。因為他都是先有框架，再填充相關的內容，對於涉及的藝術與宗教的材料，並沒有進行深入的理解與探討。所以用培根的比喻來說，黑格爾做學問是標準的「蜘蛛吐絲」——先構思一個基本架構，吐出一個完美的蜘蛛網，再把人類的各種知識全部囊括進去。

　　本節主要介紹以下三點：

　　第一，黑格爾的藝術觀。

　　第二，黑格爾的宗教觀。

　　第三，對黑格爾哲學觀的簡單評論。

（一）黑格爾的藝術觀

黑格爾認為，藝術的主題是美。由於宇宙萬物都是絕對精神的展現，所以沒有「自然美」的問題。自然界只是一個過程或階段而已，自然界的美都是精神所顯示的意義與內涵。

換句話說，美就是精神以感性的方式顯示出來。因為美一定牽涉到感官能力，稱為「美感」，像我們看到顏色、聽到聲音等等。黑格爾強調，美就是精神的感性外貌，要把理想的內容與它的具體表現加以配合並統一。簡單說來，就是要兼具內容與形式。內容屬於精神性的、理想性的，形式則屬於感性的，因為藝術必須透過可以感覺的方式來表現。兩者相互滲透，形成內在的和諧與統一，那就是藝術品。接著，黑格爾把藝術分為三個階段：

1. 感性形式超過了精神內涵，顯得有些神祕

具體的代表是象徵藝術，如建築。譬如，埃及有人面獅身像斯芬克斯（Sphinx），它本身就是一個謎語。獅子來自於大自然，它與人結合成為一個整體，就像一個人想從獅子的身軀裡掙脫出來，代表人還沒有辦法擺脫大自然的包圍，凸顯自己的個性。因為有個性才有精神，所以這樣的象徵藝術只能暗示精神的存在，而無法將其表現出來。

2. 感性形式與精神內涵相融合，成為和諧的整體

做為代表的是古典藝術，最著名的是希臘的雕刻。希臘雕刻所呈現的都是俊男美女，它們以完美的人做為模特，目的是透過對人的掌握而掌握到神。希臘人的神就是人的完美化。這個階段的藝術要把精神與有限的身體盡量配合，人的身體成為精神的清楚表達。人的身體具有個體性，代表人的理性與精神得到展現。人的精神雖然是有限精神，但絕對精神在其中顯示出它的個別性。

3. 精神的內涵超過感性的形式

具體的代表是浪漫藝術。浪漫藝術所要表現的是精神的無限性超過感性的形式，顯示出精神的光輝。浪漫藝術所關心的是精神的生命，它是運動、活動與衝突，精神必須死亡才得以重生。換言之，它必須過渡到非它本身之處，才可以再次成為自己。黑格爾認為，最足以代表浪漫藝術的是繪畫、音樂與詩，尤其是詩。因為詩用文字來表達，而繪畫與音樂還需要某些具體的條件。所以，詩是最高的境界，讓人可以透過文字，感受到精神的力量。

（二）黑格爾的宗教觀

黑格爾認為，宗教主要靠圖畫式的語言，讓人透過圖像式的故事去想像宗教的境界。他認為，宗教可分為三種類型：

1. 自然宗教

自然宗教裡的神由於與物質世界有某種配合，所以上帝就是一切，一切就是上帝，這顯然是泛神論。黑格爾認為，這種宗教比較原始。他又把自然宗教分為三種：

(1) 原始的崇拜，包括巫術或魔術在內；

(2) 信仰一個具體的神明，包括佛教所信的佛陀；

(3) 像拜火教一樣的善惡二元論。

黑格爾對中國宗教的認識顯然有限。他認為，中國宗教崇拜自然界，希望在這個世界得到好的報應。這樣的宗教水準有限，因為它缺乏超越的性格。真正的宗教應該設法讓人走向精神。

2. 精神個體性的宗教

這樣的宗教已經顯示出具有精神的個體，可分為三種：猶太教、希臘宗教以及羅馬宗教。猶太教表現了崇高，希臘宗教表現了優美，羅馬宗教表現了實利（實際的利益）。譬如，羅馬的神祇朱

庇特是要保護帝國的安全與主權的，其他的神都有各自的功能，可以稱為功能神。

3. 絕對宗教

黑格爾認為，那就是基督宗教，因為基督宗教的神是既超越又內存的。一方面，他完全超越世間；另一方面，又能肯定世界的存在。何以如此？因為有耶穌這個關鍵的角色。耶穌本身是「道成肉身」，也就是神取得人的身體，所以他是一個神人。由於他的中介，才能把人類整個提升上去。因此，絕對宗教的典型是精神運作的結果。這樣的神完全符合精神的要求，可以從有限回歸到無限，由特殊回歸到普遍，從而完全克服現實世界的各種分裂狀況。

我們對黑格爾的宗教觀要做一個簡單的評論。黑格爾認為，東方的宗教（如中國宗教）崇拜自然現象，缺乏超越性。他顯然是透過翻譯作品來了解中國的宗教，因而所知有限。事實上，無論哪個民族，在藝術與宗教方面的表現一定是多元化的，且會隨著時代而不斷調整與改善，不會像黑格爾所說那樣可以簡單的加以分類。

黑格爾是西方典型的哲學家，為了系統而忽略許多細節。對黑格爾的學說進行批判並不難，從他的書中幾乎每個章節都能找到一些欠妥的說法。他的系統是他個人的創見，把人類歷史上、文化上的一切成果都收納進去，以為這樣就能構成一個彌天蓋地的系統。難道自然界與人類的歷史都是按照他這張圖表在發展的嗎？

黑格爾代表西方哲學的一個重要階段，他的學說一方面可謂集大成，另一方面又無法進一步發展。他建構了一棟哲學的大廈，但並不適合眾人居住，黑格爾本人也不見得住在裡面。譬如，他的系統有很多地方都遷就於普魯士當時的特定狀況。同時，西方人長期受到基督宗教的耳濡目染；但不管基督宗教有多完善，都不足以讓黑格爾的觀點得到充分的確證。

（三）對黑格爾哲學觀的簡單評論

最後，黑格爾把最高的位置保留給哲學，認為哲學純粹是用概念來表達精神的內涵。那什麼是哲學？就是黑格爾自己的哲學。他把過去所有的哲學全部了解之後，做了一個完整的綜合。黑格爾認為，他的思想代表西方哲學的完成。

黑格爾之後出現兩種情況。第一種情況是，在他之後立即出現黑格爾左派與右派兩種不同的立場，接著對黑格爾的反動層出不窮。另一種情況是，很多人談到西方哲學，直接把黑格爾哲學當做他自己想像的系統，認為它對西方哲學發展的貢獻並不大。

不過，黑格爾的思想依然有它的價值。因為哲學就是愛智慧，如此完美的系統難得一見。我們不一定要接受他的全部觀點，但是可以參考他是如何建構系統的。從費希特、謝林到黑格爾的德國唯心論，在西方哲學史上是不能被忽略的一段歷程。

> 課後思考
>
> 活著並不難，難的是理解活著的意義。學習德國唯心論一系列的說法之後，你對於活著的意義這個問題有何種新的體會？

第二十八章

悲觀主義的解藥

28-1　新哲學的轉捩點

　　本章的主題是：悲觀主義的解藥，要介紹叔本華的思想。叔本華（Arthur Schopenhauer, 1788-1860）對德國唯心論的三位代表（費希特、謝林與黑格爾）都提出嚴厲的批判，有時甚至出言不遜，就像謾罵一樣。他的反應為何如此激烈？這種反應又有什麼影響？

　　本節的主題是新哲學的轉捩點，要介紹以下三點：

　　第一，叔本華自以為繼承了康德哲學。

　　第二，叔本華對學術界的失望。

　　第三，求生存的意志及其影響。

（一）叔本華自以為繼承了康德哲學

　　叔本華反對德國唯心論，他認為自己繼承了康德哲學。其中的關鍵在於：康德認為物自體不可知，而叔本華認為物自體是可知的，那就是意志（Will）。西方哲學從此有了一個新的轉捩點。

　　長期以來，理性都是哲學家的主要憑藉，愛智慧就要從理性的角度著手。到了啟蒙運動時期，盧梭強調情感哲學；與他同時的休謨認為，理智是為情感服務的。到了叔本華，焦點則轉向意志，認為意志要取代理性，理性在根本上是為意志服務的。

　　康德哲學在探討「我能夠認識什麼」之後，就轉到「我應該做什麼」，即實踐理性方面的問題。實踐理性就是意志，因為意志與人的道德實踐不可分。

　　叔本華認為只有他繼承了康德哲學，因為他把焦點放在意志

上，認為物自體就是意志，整個宇宙是一個大的意志的表現。

　　叔本華說：「你如果想知道什麼是宇宙萬物的本體，就要從你自己的內在去找。任何時候你都不可能沒有一種欲望。」「意志」的具體表現是「欲望」，說出來就是「我要」。意志、欲望、我要，這幾個詞的意思一樣。這樣一來，就構成一種新的轉向。

　　叔本華以意志做為本體的看法，受到印度教的啟發。他年輕時認識一位印度教的師父，接觸到「瑪雅」（maya）這個觀念。「瑪雅」就是面紗，面紗背後才是本體，而那個本體是一個無限的生命力量。我們都是透過面紗，才看到這個力量的各種表現。

　　當時生物科學一直在發展之中。1859 年，叔本華過世前一年，達爾文（Darwin, 1809-1882）出版《物種起源》（*The Origin of Species*），代表整個時代思潮已經有了生物學的轉向。叔本華把這些觀念整合起來，提出一套意志哲學。

（二）叔本華對哲學界的失望

　　叔本華在念大學時就立志成為哲學家，他說：「人生是一件悲慘的事，我已經決定用一生來思考它。」1818 年，叔本華三十歲時出版代表作《作為意志和表象的世界》。他自認為這是世界名著，結果只賣出兩百三十本。叔本華的朋友很少，他的理由是：天才幾乎都不善於交際，因為還有什麼對話能像自己獨白那麼充滿智慧而令人愉悅呢？

　　同樣在 1818 年，叔本華有機會到柏林大學開課。同一年，四十八歲的黑格爾也來到柏林大學，當時黑格爾已經名滿天下。年輕的叔本華為了和黑格爾競爭，特地選在黑格爾旁邊的教室上課，課程名稱叫做「哲學大全：世界與人類心靈本質的理論」。他本想與黑格爾在教學上一較高下，結果慘遭失敗。黑格爾的教室坐了三百

多人，叔本華的教室裡只有五個人，他對黑格爾心懷不滿也就不難理解了。

叔本華對整個哲學界完全失望，他說：「一般而言，不是每個人都重視哲學，哲學教授就更不必說了。」也就是說，他認為哲學教授最不重視哲學。他還做個比喻說：「一般而言，沒有人對基督宗教的信仰會比教宗所信的還要更低的。」他認為教宗是最沒有信仰的人。這些話充滿反諷的意味。

叔本華到晚年終於成名。他六十三歲時出版一論文與格言的選集，結果大為暢銷。到 1853 年叔本華六十五歲時，有三所大學的哲學系教授都在開課探討叔本華的哲學。1860 年，叔本華七十二歲，這是他生命的最後一年，他說：「我可以忍受不久之後身體將被蟲子吃掉的想法，但是一想到將來有許多哲學教授慢慢啃食我的哲學，我就不寒而慄。」可見，叔本華是哲學界相當特別的人物。

（三）求生存的意志及其影響

對於「意志」（will）這個詞，叔本華特別用來指「求生存的意志」（the will to live）。他認為，宇宙萬物沒有例外，都表現了求生存的意志。這種觀點影響了許多人，包括後來的齊克果、杜斯妥也夫斯基（Fyodor Dostoevsky, 1821-1881）、尼采以及湯瑪斯·曼（Thomas Mann, 1875-1955）等人。

尼采把「求生存的意志」接過來，調整為「求力量的意志」（the will to power），一般譯為「權力意志」。美國宗教哲學界的重要人物威廉·詹姆斯（William James, 1842-1910），又將其改寫為「求信仰的意志」（the will to believe）。求生存的意志、求力量的意志、求信仰的意志，這三種說法在當代哲學界獨樹一幟，成為獨特的立場。

　　哲學界都知道，叔本華所主張的是意志哲學。但一般人聽到「叔本華」的名字，都認為他是悲觀哲學家。他有很多觀點讓人覺得人生乏味，以致於陷入悲觀而無法自拔。

收穫與啟發

1. 叔本華比黑格爾年輕十八歲，但他認為自己得到康德的真傳，掌握到「意志」這個核心觀念，由此超越整個德國唯心論。康德認為物自體不可知，而叔本華認為物自體是可知的，也就是意志，從此轉向新的思想架構。

　　叔本華受到印度觀念的影響，印度的《奧義書》是他平日必讀的書之一。他把人間的一切都當成幻象，是面紗背後的一個無限的生命力所表現出來的幻象。

2. 叔本華對學術界非常失望，他教書比不過黑格爾，出的書很少有人在乎，直到六十歲之後才開始受到文化界的注意，他覺得十分委屈。

3. 他扣緊「意志」這個觀念，提出「求生存的意志」。他認為，宇宙萬物的存在就是一個意志的力量在運作，一切都是為了求生存，由此會引發各種複雜的問題。叔本華所說的「意志」，它的表現就是「欲望」，說出來就是「我要」，是一種無限的「我要」。這種學說影響後代許多學者。

課後思考

　　按照叔本華的說法，萬物的本質就是意志。以人來說，我的本質就是我的欲望，也就是「我要」。從這個觀點來看，每個人都在力求個人的生存，那麼在社會中還有可能與他人和平相處嗎？

28-2　悲觀哲學家叔本華

　　本節的主題是：悲觀哲學家叔本華。叔本華受到康德的啟發，認為宇宙萬物的本體就是意志，從而擺脫了德國唯心論的窠臼，發展出一套悲觀哲學。

　　本節要介紹以下三點：

　　第一，意志到底是什麼？

　　第二，如何了解人生的幸福？

　　第三，悲觀哲學的發展。

（一）意志到底是什麼

　　叔本華的代表作一般翻譯成《作為意志和表象的世界》（*The World as Will and Idea*），這個書名不太容易理解，需要簡單說明一下。這本書的主題是世界，第一句話就是「世界就是我的觀念」。這個書名是要強調世界有兩面：一面是做為意志的世界，一面是做為表象的世界。換句話說，做為意志，是世界的本身，世界的本體就是意志；而做為表象，是人類所了解的世界的觀念，所以叔本華才會說「世界就是我的觀念」。

　　「觀念」（Idea）有時譯為「表象」（representation），即表現出來的現象。譬如，我看到一輛車，看到車的當下，我知覺到這輛車的現象，對它形成明確的印象。當我離開現場，再回憶起這輛車時，這輛車就重新成為現象，稱之為「表象」。表象與現場的呈現是不同的，因為它已經在我的腦海裡成為我的觀念，再重新展示

出來。我們認識世界的時候都要透過觀念。整個世界就是我的觀念，也就是我的表象。

如何肯定物自體就是意志？叔本華認為，尋找物自體，要由人的自我著手。我由內在意識而察覺：我身體的行動跟隨著意志。事實上，身體與意志並無分別，身體是「被客觀化」的意志。譬如，看到一個人的身體，那是他內在的意志表現在外的客觀化的東西。所以，身體是成為觀念或表象的意志。一切現象都是那唯一的、形而上意志的表現。

意志與理智不同。意志不具有任何知識，它是盲目而不停止的衝動，是無止境的追求。所以，意志的具體表現是欲望，說出來就是「我要」。

（二）如何了解人生的幸福？

叔本華如何說明人生的幸福？他明確的說：「意志也可以稱為求生存的意志，那就是人的本質。」從這個立場出發，難免會陷入悲觀主義，因為意志總是在追求而從未停止。

意志就是欲望，欲望代表需要和缺乏，那不是痛苦嗎？快樂永遠只是欲望的暫時中止，幸福只是痛苦的暫時解除。換言之，不可能從正面說「我得到了什麼快樂」，只能從負面說「我暫時消除了什麼痛苦」。

叔本華清楚的說：「人有一種天生的錯誤想法，以為活著是為了幸福。事實上，人的生命意志，只是人類這個物種本能求生存的一個手段而已。只要物種的意志得到滿足，個人的生命就成為它的手段。」叔本華特別解釋愛情和婚姻裡的各種幻想。很多人熱烈追求愛情、歌頌婚姻，事實上那只是人類求生意志的表現。一旦達成目的，後面就是另一回事了，所以人生不可能有真正的幸福。

　　叔本華的許多話都展現了他的悲觀哲學。他說：「所有的幸福與歡樂都是消極的，都是對痛苦的解除，對欲望的取消。」他又說：「對自身不幸最有效的慰藉，就是去發現比我們更不幸的人。」這類似於我們常說的「比上不足，比下有餘」。

　　關於歷史，叔本華說：「歷史不外乎戰禍與動亂，和平的歲月永遠只是偶然的停頓、短暫的插曲。就算有一個烏托邦，其中萬物都保持和諧，人也不愁吃穿，可以自由的相愛；讓你進入這樣的烏托邦，一定很多人很快就無聊得要死，或急於自殺，不然就挑起爭端、互相殘害，結果造成比自然界原先給人的苦難更多的災難。」

　　叔本華認為，人如果要對自己的生存狀況感到滿足，只有一個辦法，就是讓自己麻木不仁。人生總在鐘擺兩端擺盪，一邊是有欲望而痛苦，另一邊是欲望滿足後的無聊。所以，生命的本質是痛苦。

　　更麻煩的是，由於意志是本體，萬物都會為了自己的存在而犧牲其他的一切，這個世界成了衝突的場所，意志表現為自我折磨與互相折磨的本性。因此，叔本華認同英國哲學家霍布斯所說的「人對人而言就像豺狼一樣。」。

　　叔本華如何描寫基督宗教所宣稱的「原罪」？他說：「正因為他是惡劣的，所以他才是自然的；也正因為他是自然的，所以他是惡劣的。」換句話說，一切都是意志的表現，都會犧牲其他事物來滿足自己的欲望。

（三）悲觀哲學的發展

　　悲觀哲學有何出路？叔本華認為：「最高的道德就是自殺。」談到道德，就是要與別人好好相處。但人的本質就是意志，是一種與別人互相競爭的欲望。所以，你要對別人好，乾脆自殺算了。

　　但是叔本華本人並沒有自殺。他認為，宇宙萬物的本體是意

志，我們只要看透一點就成功了：我們每個人也屬於這個完整的、唯一的本體。這樣一來，我們對於其他人或生物都會產生一種同情，進而推出各種愛的行為。讓人驚訝的是，叔本華雖然對萬物感到悲觀，但他也強調：「一切真實而純粹的愛都是同情。」

他進一步指出，人的行為有三個來源：

1. 行為出於利己，只追求自己的幸福，這種行為與道德無關；
2. 行為出於邪惡，希望別人遇到災難，這也談不上道德；
3. 行為出於同情，因為我與別人屬於同一個意志、同一個生命，所以希望別人也能得到福利。

同情主要表現為兩個方面：一方面是《聖經·舊約》告訴我們的「不可傷害別人」，這符合法律所要求的義務，也就是公正；另一方面是《聖經·新約》啟發我們的「要盡力幫助別人」，這是一種道德義務，也就是仁愛。可見，叔本華有敏銳的眼光，他指出兩個最基本的道德原則：公正與仁愛。這樣一來，就把他的倫理學與形上學（以意志為核心）聯繫了起來，做為意志主義的一條出路。

叔本華認真思考：如何化解人類這種悲觀的情況？他提出兩種做法：一是培養審美的直觀，二是學習宗教的禁欲。下一節會介紹。

收穫與啟發

1. 叔本華的代表作是《作為意志和表象的世界》。他強調，人所見的世界有兩面：一面是做為意志，一面是做為表象。由此顯示出他的哲學的發展線索。
2. 叔本華認為，人的幸福在根本上是消極的，少受點苦就是萬幸。
3. 意志做為本體，永遠都要表現欲望，表現「我要」，於是造成悲觀的結果。但是，這種悲觀哲學仍有出路。否則，叔本華也算不上是一位有系統的哲學家。

叔本華說過一句話經常被引用，他說：「人就像寒冬裡的刺
蝟，互相靠得太近會覺得刺痛，離得太遠又感覺寒冷，所以人必
須保持適當的距離才能過活。」對這句話，你是支持還是反對？

補充說明

　　每個人都知道，人與人相處要找到合理的「度」，但偏偏這個
「度」是最難找的。可以從以下兩方面來看：

　　首先，就自己來看，一定要知道自己不要什麼，才能夠掌握自
己要什麼。要從收斂自己做起，首先學會說「不」。我年輕時喜
歡同儕團體，跟大家一起做了許多有趣的事，但也耗費大量時間
和精神，也不清楚那些事是否真的是自己想做的。當然，人不輕
狂枉少年。隨著生命慢慢成長，就要學會說「不」。如果想把握
好「度」，要問自己：我正在做什麼事？這是針對現在。接著要
問：我這一生有沒有整體的目標？生命需要有整體的規畫。

　　其次，與別人來往時，要問自己：我與別人是什麼關係？我該
如何盡到自己的責任？我只能盡自己這方面的責任。不能因為我
盡了責任，就要求別人也要盡相同的責任，這是過度的幻想。「我
與你」之間有一種關係，其中有三個要素：我、你和關係。我要
負責其中的三分之二：「我」以及這個「關係」。對於「你」的
那一部分，只有你自己負責。雖然「關係」一定是雙方面的，但
是我可以多負責、多承擔一些。人生永遠在取捨之間，只要掌
握到自己該負責什麼，就要勇敢負責。至於能否做到「無怨無
悔」，不到生命盡頭，實在不敢斷言。做到這四個字談何容易！

28-3　叔本華如何化解悲觀主義

　　叔本華認為，宇宙萬物的本體是求生存的意志，人的理智只是意志的工具。但他也強調，理智有一個特色，除了滿足身體的當下需求之外，還會有一些「多餘的能量」，可以讓我們想出其他東西，如藝術活動、宗教信仰等等，使我們有可能擺脫意志的奴役。

　　本節的主題是：叔本華如何化解悲觀主義？要介紹以下兩點：

　　第一，如何透過審美來化解意志的壓力？

　　第二，如何透過禁欲來化解悲觀？

（一）透過審美來化解意志的壓力

　　人的理智有多餘的能量。如果理智只是為了滿足身體當下的需要，就會產生利害關係；否則就沒有利害關係，可以稱之為「無關心」（disinterested），即康德所謂的「無私趣」，不牽涉個人的興趣或利益。譬如，一幅畫上畫了個蘋果，我看到它的時候，如果引起我的食欲，或者我想知道這個蘋果的產地，這叫做「有關心」（interested），因為它牽涉到我個人特定的興趣或利益。所謂「無關心」是說，這幅畫沒有引起我的任何欲望，我既不想得到它，也不想了解它，但是我對它並非不感興趣。

　　所謂「審美的直觀」（aesthetic contemplation），就是要讓一個人成為「無關心」的、但又並非不感興趣（uninteresting）的旁觀者。一方面，我們與現實世界或與其他人之間沒有利害關係；另一方面，我們對於其他人的遭遇又並非不感興趣。

　　直觀當然要有它的內容。出人意料的是，叔本華在此提到柏拉圖的理型。「理型論」是柏拉圖最重要的思想。「理型」不是由我們想像出來的，它不是主觀的，而是客觀的，因為我們不是去「發明」理型，而是去「發現」理型。但在實際應用時，很難避免把「觀念」和「理型」當做類似的東西。因為一旦牽涉到實際事物，便會與理型脫節，而觀念至少是理性所能掌握的形式。

　　叔本華借用柏拉圖的觀念來說明他的想法。一個藝術天才是如何成為天才的？叔本華認為，首先要了解理型，也就是正確的觀念，然後把它表現在作品裡面。譬如，他要畫一顆蘋果，首先要掌握這顆蘋果的本質，讓所有人一看就知道他畫的是蘋果。換句話說，藝術家能夠把握永恆的觀念，並用藝術的手法將其表現出來。

　　一般人也能在欣賞藝術的過程中獲得審美的直觀。最重要的是，在欣賞過程中，要掌握住某個對象的觀念（理型）。如此一來，就可以讓自己擺脫當下欲望的控制，不再有什麼得失心，可以像旁觀者一樣採取純粹欣賞的態度。這時的心態是「無關心的」，而並非「不感興趣」。

　　叔本華為藝術下了一句斷語：「藝術與哲學以不同的方式，說明人把痛苦轉變為觀念，讓人了解。了解之後，痛苦就可以化解。」這與史賓諾莎的「不要哭，不要笑，要理解」的說法類似。

（二）透過禁欲來化解悲觀

　　禁欲（asceticism）與宗教有關，就是壓抑並且禁止自己的欲望。禁欲與節欲不太一樣：節欲講節制，還有一部分允許；禁欲講禁止，要完全消滅欲望。叔本華認為，人如果設法否定意志的本性，就要對它表示厭惡並排斥它，所以要禁欲。

　　所謂「禁欲」，就是提防自己的意志，讓它不要與任何事物發

生糾葛。換言之，我不再有任何欲望，我的意志與任何事物都脫離了關係。對萬事萬物要保持高度的漠視，表現出一種不在乎的心境。這就是叔本華所謂的禁欲方法。

禁欲涉及個人在道德上的立場，叔本華也特別提到意志自由的問題。他認為，自由都是消極的，只能去除障礙，而不能積極的透過自由去做成什麼事。

叔本華認為自由有三種：

1. 身體上的自由。你可以自由活動，不受外在物質的阻礙。譬如，前面沒有山擋住你，你可以自由往前走。

2. 理智上的自由（思想上的自由）。人的行動，是他的意志對他的思想或者動機做出反應的結果。你的思想中有各種念頭，你的意志對各種念頭做一個選擇。如果這個選擇可以不受阻礙的表現出來，就代表你有理智的自由。

3. 道德的自由，它是由自由的意志在決定的。但問題是：意志本身是自由的嗎？叔本華強調，他所謂的「自由」是指不受必然性所控制，是一種絕對的偶然性。

有沒有積極意義的自由？這不太容易說清楚。因為自由是自我意志有一個要求，想要如何如何，而這個要求以求生存為最主要的原則。我透過觀念會知道：不能為了求自己的生存而傷害別人，因為傷害別人就是傷害自己，每個人都是整個大意志的一種表現。若想通這個念頭，就會慢慢由悲觀轉為樂觀。換言之，我與所有人都在一個整體之中，犧牲別人會讓整體受到傷害，這樣一來，我也受到了傷害，因為我也是整體的一部分。這就是思想轉換的關鍵。

所以，真正的同情是對他人無關心的愛。也就是愛一個人的時候，不存在任何功利的思想或利害的考慮。這類似於某些宗教化解「我執」的立場。叔本華早期受到印度教的影響，由此可見一斑。

收穫與啟發

1. 為了化解悲觀主義，叔本華提出從審美的直觀入手。他受到康德的啟發。康德強調所謂審美是一種「無私趣」的態度，不涉及目的，又合於目的性。叔本華認為，對任何事物或任何人，若能採取「無關心」的態度而又並非不感興趣，就可能改變求生意志的運作方向，關鍵在於調整自己的觀念。他提到柏拉圖的理型，即要從對個別事物的執著，提升到普遍的認知層次。

2. 禁欲接近宗教的修練。要讓自己的求生意志停下來，但是又不能走上自殺的路。要對所有人保持一種無關心的態度，不牽涉利害，但也不是毫無興趣。

3. 叔本華的意志哲學在道德方面轉變為一種同情的哲學，從而使他的悲觀主義有可能轉化為樂觀主義。

　　叔本華思想最大的困境在於，如果意志是宇宙萬物的本體，而人在修練中要讓意志否定自己，你會發現：我們的世界、一切的恆星與銀河都是空虛無物。你永遠都是「我要」，得到後又有一種新的「我要」，所以在我們面前其實只有虛無。

　　叔本華的結論還是不能讓人樂觀，他說：「哲學必須接受一個結論，就是沒有意志存在，沒有表象存在，也沒有世界存在。」他的代表作是《作為意志和表象的世界》，現在「意志、表象與世界」統統不復存在。他顯然認為，虛無比存在更為優先。也許他心中一直渴望的，是所有存在都歸於寂滅的涅槃境界。

課後思考

　　叔本華化解悲觀的方法是透過藝術和禁欲來實現，你有這方面的經驗嗎？你有別的更有效的方法嗎？

28-4　席勒「與美遊戲」

本節的主題是：席勒「與美遊戲」，要介紹以下三點：

第一，席勒與歌德、康德的關係。

第二，什麼是與美遊戲？

第三，人的自由是什麼？

（一）席勒與歌德、康德的關係

　　談到十九世紀的德國哲學，不能忽略一位重要的美學家席勒（J. C. F. von Schiller, 1759-1805）。美學是哲學的一個分支，所研究的是：如何獲得審美感受？如何判斷什麼是美？康德的《判斷力批判》就是專門探討美學問題的。

　　席勒是作家，也是歌德在文壇上最好的朋友。席勒比歌德小十歲，但只活了四十六歲。他小時候常聽母親講述宗教詩歌與《聖經》故事，這對他後來的創作頗有啟發。他年輕時學過醫學、神學與法律，但心不在焉；私下裡認真閱讀德國狂飆運動文人的作品，對於法國盧梭與德國歌德的思想深有共鳴。

　　俄國文學家杜斯妥也夫斯基，年輕時深受席勒的影響，還曾想把席勒的所有著作都譯成俄文。席勒寫過一首詩叫做《歡樂頌》，號召人類團結友愛，充滿英勇豪放的樂觀主義精神。這首詩打動了貝多芬（Ludwig van Beethoven, 1770-1827），使他創作《第九號交響曲》。1788 年，康德出版《實踐理性批判》，那一年席勒二十九歲。此後，席勒便受到康德很大的影響。

　　席勒不能算是系統性的哲學家，但哲學的範圍並非只限於邏輯、認識論或形上學這些內容，也應該包括倫理學與美學在內。席勒曾把自己與歌德做過比較，認為「歌德是一位直觀的天才，而我是哲學家，是推理的人物。直觀的天才以純潔而忠實的感覺去尋找經驗，哲學家以主動的思考能力去尋找法則。兩者會在半路上相遇，將來必然得到結合」。席勒與歌德後來果然成為至交。席勒過世之後，歌德寫信給朋友說：「我認為失去的是我自己，現在我失去了一位朋友，同他一起也失去了我生命的一半。」

（二）什麼是與美遊戲？

　　席勒有一個重要的觀念就是「與美遊戲」，什麼是與美遊戲？

　　席勒深受康德的影響，把握了康德自由批判的精神。席勒美學的出發點，是把美聯繫到人的心理功能的自由活動和人的道德精神。在康德哲學中，區分了知識與道德、本體與現象、理性與感性。席勒現在想用「美」把這些區分整合起來。

　　傳統哲學認為，人有感性與理性，可稱為兩種衝動。席勒認為，人除了理性衝動與感性衝動之外，還有遊戲衝動，想要從真實世界中製造出假想的一面，讓大家一起遊戲。

　　關於遊戲，一般觀點認為：遊戲本身就是目的，無須另外設立目的。甚至可以說，遊戲是生命的本能表現，連花草樹木都會遊戲。譬如，一棵樹的樹蔭超過它根部所需的庇蔭範圍，因為樹葉需要遊戲。一支蠟燭的火光跳動也是一種遊戲。所以，遊戲是生物的本能表現，是生命力過於豐富的顯示。遊戲給人自由的感覺，因為它沒有目的，所以不受拘束。另一種觀點認為：對於人類來說，遊戲是我們製造出來的想像世界。譬如，象棋可以模擬戰爭，人在下棋時可以進入假想的世界，暫時忘記現實的煩惱。

對席勒來說，遊戲衝動是人性內在具有的衝動。這種衝動的目的是要將感性與理性聯繫起來，顯示人性發展的正確方向。席勒進一步說明遊戲的三個特色：

1. 遊戲本身是嚴肅的，不是一般的玩耍而已，不能隨便放棄；

2. 遊戲本身就是目的，讓人可以享受它的過程；

3. 遊戲有不斷創新的可能，讓人有重新開始的希望與機會。

席勒要設法連結感性衝動與理性衝動。感性注意到實質，理性注意到形式。遊戲衝動可以化解雙方的規定，使感性和理性各自鬆動，然後自行互通。

遊戲衝動的對象是美。席勒的遊戲觀念與「美」是結合在一起的，這就是「與美遊戲」。「與美遊戲」會產生一個「活的形象」（lebendige Gestalt），也就是「有生命的形式」。「活的形象」是席勒的專用術語，這個詞聽起來是矛盾的：「形象」是抽象出來的形式，怎麼可能是活潑變動的？一個活潑的東西，又怎麼會有固定的形式？如果有形式，就會讓活潑的生命受到限制。

「完形」（Gestalt）是指完整的形式，在心理學上有所謂的「完形心理學」（Gestalt psychology）。譬如，看到矮牆上有兩隻牛角，你就知道牆後應該是一頭牛，代表你從部分可以領悟到全體。

一般來說，形式或形象是不變的，但你不能只關注形象而忽略其中有生命的部分，那樣會執著於永恆而不能介入變化的世界。反之，你如果只關注萬物的變化，就找不到任何固定的形式去規範它。

席勒的「活的形象」的意義是：生命不再是感覺的、變遷的過程而已，生命也成為理解的對象。換句話說，生命無時無刻不在變化，而形式是不變的；透過形式，生命成為可理解的對象。另一方面，這種形式又不是完全的抽象，它因為規範個體而變得活潑。感性衝動與理性衝動原本在各自的範圍裡，現在鬆動它們的界限，使

兩者可以自動相洽，使無限與有限可以溝通。

　　所謂無限，就是永恆的形式部分；所謂有限，就是變化的實質部分。人或多或少都在進行此兩者的溝通。席勒強調的溝通在於「均衡」：如果讓人好好發展遊戲衝動，就會顯示出平衡和諧。因此，他特別強調審美教育。席勒受到一位貴族邀請，寫了《審美教育書簡》二十七篇，於1795年發表。這本書有些基本觀點非常深刻。

（三）人的自由是什麼？

　　人的自由是什麼？在西方哲學的探討中經常會遇到這個問題。總結前面章節的內容，至少有四種關於自由的看法：

1. 想像力的自由。譬如，我在數學考試中回答不出來，就想像自己在迪士尼樂園遊玩。這種自由是每個人都能做到的。
2. 沒有任何外在限制，可以為所欲為的自由。譬如，一個人走路不看斑馬線、不看紅綠燈。這種自由只能算是任性。真正的自由是把規則內化，使其變成一種本能。
3. 康德所說的自由。即理性為自己立法，由此形成自律，有自律就有自由。我有理性，可以給自己提供一套法則，使我個人行為的格準適用於整個人類；同時，不能把道德行為當做實現別的目的的工具。
4. 席勒所說的自由。席勒認為，當一個人具有審美心態時，他無所求，也無所待；沒有欲望，也沒有目的。席勒顯然受到康德美學的啟發，因為康德認為「美就是不帶有目的又合乎目的性」。這樣一來，可以讓自己在感性與理性之間，在變化與形式之間，調節得恰到好處。

　　席勒進一步強調，人的自由是他最根本的特色。這種自由是人人都具備的，因為人對整體世界的說明，必須超越個人有限的經

驗。沒有一個人活在世界上能夠不對整體世界做出說明的，這就是他的世界觀。但個人經驗總是有限，不足以充分提供說明的材料。因此，當一個人對整體世界做某種說明時，他已超出了個人經驗，即他是自由的。換句話說，自由的意義在於超出個人生命經驗的範圍。我們的世界觀一直在改變，誰能提出這些世界觀，就是那些能把自己從現存世界觀中解脫出來的人。事實上，所有世界觀都無法找到最後的根據，因為它們是人製造出來的，而不是被給予的。

　　席勒在《審美教育書簡》中，提出許多關鍵的想法。他說：「感性的人不可能直接發展成為理性的人，他必須首先變成審美的人。人在審美狀態中已經得到淨化提高，因而可以按照自由的法則，從感性的人發展成為理性的人。因此，文明修養最主要的任務之一，就是使人在純物質生活中接受形式的支配。為此，人在受自然目的支配時，同時要訓練自己適應理性目的的要求。」最後，席勒總結道：「當你從事審美遊戲時，最初會以外界事物為樂，最後會以自己為樂。開始是透過屬於人的東西，最後是透過人本身。」

收穫與啟發

1. 席勒是受康德影響很深的一位美學家，他是德國狂飆運動以及浪漫主義運動的代表人物，與歌德也有深厚的交情。他從康德那裡得到啟發，在文學界、哲學界都有一定的地位。

2. 席勒的觀點叫做「與美遊戲」。他認為，人有感性衝動與理性衝動，兩者本來是分開甚至對立的，但是人還有遊戲衝動。遊戲衝動不僅是去聯繫而已，它還能使兩種衝動化解固定的邊界，並且自動得到調和。

3. 席勒的《審美教育書簡》共二十七篇，主題可歸結為：審美遊戲的目的是要恢復人的自由，使人再度成為一個完整的生命。

席勒說：「只有當人遊戲時，他才完全是人。」這樣的說法能帶給我們怎樣的啟發？

我試用現象學的方法，來描述一下所謂「遊戲」的大致內容和具體結構，最後再轉到席勒本身的觀念。所謂「現象學的方法」，就是盡量採用純粹描述的方式。譬如談到遊戲，一開始很難界定遊戲到底指什麼，我們可以把除正常工作與食衣住行之外的所有活動，都暫且當做遊戲來思考。

1. 遊戲有哪些種類？

(1) 自己可以進行的。譬如打電玩、看動漫、看電影、追劇。

(2) 與別人互動的。譬如大家一起下棋、打牌、打球等娛樂休閒活動。

(3) 社會群體進行的運動比賽。這往往需要專業的運動員，但它會吸引很多支持者的關注。甚至英國人說足球就是他們的宗教，這屬於比較極端的情況。

(4) 把上述遊戲變成賭博。這會造成很多複雜的問題。全世界只要有賭場的地方，大都生意興隆。事實上，很多人一生的夢想都葬送在裡面。

2. 遊戲有怎樣的結構？

(1) 遊戲可以讓人重新開始。譬如電影能讓你轉換視角，看到不同的人生經歷。人生最大的煩惱就是不能重新開始，你要帶著過去的傷痛，承受現在的壓力，慢慢走向無法確知的未來；而遊戲有開始、有結束。在遊戲時，你可以體驗

到每個人心中最自然的願望 —— 希望重新開始。

(2) 遊戲有不同於現實人生的新規則。譬如象棋，不管你是帝王將相還是販夫走卒，是老闆還是員工，遊戲規則都是一樣的、公平的。你可以透過提升技術加上隨機應變，在規則裡尋找制勝之道，但有時難免要靠運氣。所以，想在遊戲中獲勝，往往還要靠技術、聰明和運氣。

(3) 遊戲能帶來新的希望。每次遊戲結束之後，不論前面結果如何，又是一個新的開始，這給人帶來興奮之感，可以把人生的無奈或煩悶暫時放在一邊。

(4) 但是不斷的去遊戲，最後會上癮；上癮後會不自由。「不自由」一出現，就把遊戲帶來的一切優點全部取消。

3. 席勒的觀點

因此，席勒才會建議「與美遊戲」。人都有理智，因而要去求真；人都有意志，因而要去行善。兩者的範圍都很明確，表現是好是壞非常明顯，給人很大的壓力。因此，兩者之間需要用感性來協調，這就是「遊戲衝動」。

席勒所謂的「美」是指什麼？人在遊戲過程中，會發現「有生命力的形式」 —— 這是席勒的專用術語。只要談到他的遊戲觀或美學，就會涉及「有生命力的形式」這一觀念。它是什麼意思呢？

人的任何活動都需要有一定的形式，譬如文章要有起承轉合，戲劇亦有基本的結構模式。透過這些不變的形式，能讓你領悟某些深刻的含義。「有生命力」則代表充滿變化，世界上的事不會重複，藝術創作可以用不同方式顯示同樣的內涵。後來尼采便認為，希臘悲劇是日神阿波羅（Apollo, 代表形式）和酒神狄奧尼索斯（Dionysus, 代表生命力）合作的產物，它們讓希臘人走出悲觀的人生，勇敢面對人生挑戰，承受生老病死所帶來的各種考驗。

28-5　歌德的浪漫主義

本節的主題是歌德的浪漫主義，要介紹以下三點：

第一，歌德對於德國哲學的發展有充分的接觸。

第二，歌德與康德的思想有何關係？

第三，歌德的藝術觀如何？

（一）歌德對於德國哲學的發展有充分的接觸

歌德（J. W. von Goethe, 1749-1832）說：「我自己對哲學一向敬而遠之。」但這並不代表他對哲學缺少看法。談到十九世紀浪漫主義思潮，不能忽略歌德的重要作用。

歌德的年代是 1749 年至 1832 年，當時的德國文化界（尤其是哲學界）正處於黃金時代。康德已經發表了他的重要著作，接著上場的是德國唯心論的三位代表：

費希特與歌德曾在耶拿大學共事；謝林得到歌德正面的評價；黑格爾甚至尊稱歌德為精神上的父親。歌德在文藝界最好的朋友是席勒，席勒是受康德影響的藝術家與美學家。席勒過世之後，歌德認為自己的生命有一半已經隨他而去了。由此可見，歌德對於當時的哲學界有相當深入的認識與交往。

歌德是一位作家，二十五歲就寫了《少年維特的煩惱》。據說這本書拿破崙念了九次，而拿破崙比歌德小二十歲。所以，歌德的角色非常特別。

當時德國仍處於諸侯分裂的狀態，大約有三十個王國或公國，

威瑪是其中之一。歌德在威瑪擔任過文化部長，造成文化上的狂飆運動，後來演變為浪漫主義思潮，這些都與歌德有關。

（二）歌德與康德思想的關係

康德比歌德大二十五歲。歌德承認自己不是專業的哲學家，但經由席勒的介紹，他也關注過康德的著作。他說：「康德從來沒有注意過我，但我卻自己走上了一條與他類似的道路。我寫過《植物變形記》，這本書完全符合康德思想的精神。」這句話讓人覺得詫異。歌德做為藝術家，早期的興趣集中在自然界方面，他為什麼說自己寫的《植物變形記》與康德的想法類似呢？

這裡首先要說明歌德與康德最大的差異。康德推崇牛頓物理學，而歌德一再批判牛頓物理學。因為牛頓物理學是用機械論的方式來了解自然界，而歌德主張用機體論的方式來了解自然界。當時整個歐洲思潮的發展趨勢，已經由機械論轉向機體論，兩種觀念開始互相激盪，演化論逐漸流行。客觀唯心論的謝林就認為，自然界是有機體，一直在變化發展之中。

歌德又說，他直到念了康德的《判斷力批判》，才找到自己哲學上的糧食。歌德說：「《判斷力批判》到了我手中，使我度過了一生中最快樂的時光之一。在這本書裡，我看到用同樣的方法處理藝術與自然界的問題。藝術與自然界這兩者的內在生命各自獨立又互相影響，藝術講的是審美，而整個自然界是有目的性的，這兩種判斷可以互相輝映。」

這就是康德《判斷力批判》給歌德的啟發。他認同康德所說的：「只從自然界的機械原理不可能充分了解有機物。如果不談目的與設計，不可能明白生物的出現是怎麼回事。」

換言之，一方面有自然界，一方面有人所創造的藝術品，兩者

有內在的關聯。康德的美學思想有一個主要觀念是「不含目的的目的性」，也就是藝術作品不含目的，但又合乎目的性。而自然界本身有它的目的，它與藝術作品不是一樣嗎？所以，藝術與自然界可以對應。

歌德在《植物變形記》裡所談的就是有機物的形態與變形，他的重要觀點是：在變遷中顯示永恆。歌德為此還創造了「形態學」一詞，英文叫做 morphology，就是要從植物的形態中找出它原始的情況。他想說明的是：植物一直在演變發展之中，自然界不是機械的，而是機體的。

歌德提出「原始植物」一詞，自認為是一個創見。但他的好友席勒說：「原始植物只是一個觀念而已，不可能得到驗證。」席勒所謂的「觀念」是指康德式的觀念，它並非獨立、客觀的存在，而是一種規範性原理，是人在運用經驗時必不可少的。這種規範性原理與經驗相輔相成，才能使經驗構成一個完整的系統。

歌德接受了席勒的說法，他說：「那就把原始植物當做象徵來看吧。」

歌德說：「生命具有無限豐富的表面，這已經足以讓我喜悅了，所以用象徵的方式來描述生命就夠了。」他繼續說：「原始植物就是一個象徵。真理與神性其實是一體的，它不會讓我們直接認識。我們只能在反省個案與象徵中，在個別的、相關的表象中，見到真理或神性。」

歌德是文學家而不是哲學家，所以他無法欣賞沒有形象的東西。他說：「我們天生就是要看，注定就是要看。不能讓我觀看，就不能夠讓我領悟及了解。」歌德甚至對數學有一定程度的反感，他說：「沒人比我更怕數字，任何數字記號我都避之唯恐不及，因為它是沒有形象的，令人沮喪的。」

（三）歌德的藝術觀

　　歌德認為，藝術與科學這兩個領域並沒有明顯的分別，藝術是
人創造出來的，而科學是要去探討自然界的。歸根結底，歌德是要
把藝術與自然界連在一起。他說：「一切的美都是真。美來自於藝
術，真來自於自然界。」他說：「美的事物是隱祕的自然法則的呈
現。沒有這種呈現，自然法則將永遠隱藏起來，不會讓人發現。凡
是能夠領悟自然界祕密的人，必定不可抗拒的渴望它的最佳詮釋
者，那就是藝術。」

　　歌德一再強調，美與真是一致的，藝術與科學是一致的。這些
思想都來自於他早期所寫的《植物變形記》，他透過探討而領悟：
自然界是有一種內在創造力的偉大過程。這就連上了此前的謝林、
史賓諾莎與布魯諾的思想。歌德推崇史賓諾莎，要從「所產自然」
（Natura naturata）領悟到「能產自然「（Natura naturans）。「所
產自然」就是眼前所見的大千世界、宇宙萬物；由此往上提升，可
以領悟到「能產自然」，也就是回到那生生不息的本體層次。歌德
的這些思想非常具有哲學性。

　　歌德的思想對於整個浪漫主義運動有風向標的作用。歌德所領
導的自然哲學運動，試圖把經驗觀察與精神直覺統合為一種自然科
學。他強調，不能再用機械論的方式，而要用機體論的方式去了解
自然。只有使我們的觀察與想像的直覺密切配合，才能洞察自然現
象，發現它的本質。換言之，人要在個別事物中認識到普遍之物，
使個別與普遍統一。在歌德看來，自然界滲透每一樣東西，包括人
的心靈與想像。因此，自然界的真理並非獨立而客觀的東西，而是
顯示於人的認識行動之中。

　　歌德認為，人的精神並不像康德所說的那樣，只是把自己的秩

序強加於自然界。相反的，自然界的精神透過人而產生它自己的秩序，人只是自然界自我顯示的器官。自然界並非有別於精神，它本身就是精神。自然界不僅與人不可分離，而且與上帝也是不可分離的。上帝並非做為自然界很疏遠的統治者而存在，它是緊緊的貼近自然界的胸脯的。因此，自然界的演變過程，所呼吸的是上帝本身的精神與力量。歌德在對自然界的分析中，統一了詩人與科學家，由此開啟浪漫主義的思潮。

收穫與啟發

1. 十八世紀中葉是德國文化的黃金時代，以威瑪為核心，以歌德為主要人物。歌德與許多哲學家都成為朋友，彼此之間有深刻的互動。
2. 康德的一個基本觀點讓歌德深受啟發，並使他後來開創了浪漫主義運動。
3. 歌德的藝術論強調：自然界與藝術，一個是真，一個是美，真與美不可分，兩者永遠是合一的。歌德說：「我因為人類的不一致所感到的痛苦，在自然界的一致中獲得了安慰。」人的世界紛紛擾擾，有許多無法預測的情況；而自然界遵循自然定律，永遠是一致的。歌德做為一位重要的文學家，經常受到別人的批評，他還詳細的說明「多少人批評我」、「為什麼批評我」。歌德在人的世界中飽受困擾，但是他從自然界齊一的面貌中獲得很大的安慰。

課後思考

蘇格拉底強調「認識你自己」，但是歌德多次公開承認：「我就是不認識我自己。」請你思考一下，人有可能真正認識自己嗎？

　　這兩句話表面上是矛盾的，但蘇格拉底的話可以說是一種期許或要求；而歌德很誠實，他努力認識自己，但最後發現，還是沒有辦法了解自己。所以，我們要談兩個方面：第一，自我為何難以認知？第二，如何了解自我？

1. 自我為何難以認知？

(1) 自我一直在變化、發展、成長之中，因此怎麼可能清楚的界定「自我」？你對自我的認識會把「自我」固化，好像它不能再變化一樣。

(2) 人除了可見的言行表現之外，還有難以了解的潛意識。歌德的時代還不知道什麼叫做潛意識，但是覺得自己的內心有複雜難解的一面，則是自古以來就有的，否則就不用強調「認識你自己」了。

(3) 每個人都可能在某種情況下頓悟 —— 對於從前認為理所當然的事情，忽然產生懷疑。

　　前文介紹過，柏拉圖曾是一名文藝青年，具備各種優越條件，二十歲時創作了悲劇，準備參加悲劇作品的競賽。他在去劇院的途中看到一群人在聊天，他湊上前去，聽到蘇格拉底與其他人的對話，於是立刻覺悟：原來追求真理才是自己真正的願望。從此以後，他每天只做一件事，就是上街尋找蘇格拉底。

　　每個人都可能像柏拉圖那樣，某一天忽然覺悟，「昨日種種，譬如昨日死；今日種種，譬如今日生。」從前就像昨天一樣過去了，當下正是全新的開始。既然如此，你又怎麼可能說已經認識「自我」了呢？

2. 如何認識自我？

認識自我有一種簡單的方法。人有過去、現在和未來。對於過去，你可以透過看日記、與朋友一起回憶，或者聽父母講述你小時候的故事，很容易就能對自己的過去有所認識。對於現在，你可以用心思考：自己每天接觸哪些人群？上班做哪些工作？每天有哪些休閒活動？這樣就會對自己的現在有大致的了解。

最重要的是未來。對未來的構想決定了你現在的思維和行動，所以孔子經常會問學生有什麼志向。志向就是對未來有某種憧憬，給自己定一個目標，這樣才有明確的前進方向。

認識自我還有許多其他方法。譬如每天反省十分鐘。每天睡前花十分鐘，把自己當天說過的話、做過的事、與別人互動的過程都回想一下。一個月下來，你會對自己言行的效果一清二楚。慢慢的，你就不會再說一句廢話、再做一件無用之事，你的言行表現全在自己的掌握之中。

另外，我們每天看到各種新聞和消息，你要常常問自己：什麼事令我感動？什麼人讓我羨慕？一個是事，一個是人。從這兩方面著手，會幫助你了解內心中有哪些單純的願望。

第二十九章

馬克思

共產主義的理想

29-1　十九世紀的英法哲學

　　本章要介紹馬克思的哲學思想。在介紹馬克思之前，先簡單介紹十九世紀的英法哲學以及唯物論思想家費爾巴哈的哲學。十九世紀的歐洲，是德國唯心論與浪漫主義運動發展的時代，法國和英國都聲光黯淡，但是當時的代表人物仍然值得介紹，他們的思想也可以接上反對宗教與肯定唯物論的立場。

　　本節要介紹兩位哲學家：

　　第一，法國的孔德。

　　第二，英國的斯賓塞。

（一）法國的孔德

　　孔德（Auguste Comte, 1798-1857）是十九世紀法國哲學的代表。十八世紀啟蒙運動時期，法國思想曾達到輝煌的境界。做為百科全書派的兩位主編之一，科學家達朗貝爾曾經倡議科學化的哲學，要求哲學合乎科學研究的規範。達朗貝爾的學生是聖西門（Henri de Saint-Simon, 1760-1825），孔德是聖西門的學生。孔德的思想有三個重點：實證主義、知識三階段論、人道宗教。

1. 實證主義

　　孔德認為，科學進步之後，就可以取代哲學與宗教，為我們提供知識上的保障，提高我們對自然界的掌控力。而所謂的「實證主義」（Positivism），就是一切都要以可感覺的事實做為出發點，並且限於描述可感覺的事實及其規律。

實證主義不同於科學上的實證方法。實證方法是一種方法，要對科學上的各種假設進行驗證，從而得到科學理論。而實證主義認為，只有直接表達感覺經驗的陳述，或間接與這一類陳述有相同意義的命題，才有意義。換句話說，一個人說的話，如果不能直接表達感覺經驗，或不能間接的與這種感覺經驗的說法有關，那就是沒有意義的。實證主義受到很多批評，因為這個論斷本身就與感覺經驗無關，而純粹是一套理論。

2. 知識三階段論

孔德認為，人類知識的發展有三個階段，依次是神學階段、形上學階段以及科學階段。這是孔德最知名的主張。

在神學階段，所有自然界的現象都可以由神話或者是超自然的神明行動來加以解釋。這個階段後來被哲學所取代，出現了形上學階段。

孔德認為，西方兩千多年哲學的發展屬於形上學階段，即用抽象的元素或普遍的本質來解釋自然界的現象。譬如，為什麼星辰按照圓周運行？因為圓是最完美的圖形。這就是一種抽象的解釋。

現在到了科學階段，要由實證科學產生統一的、普遍的規律，以此來解釋自然界的現象。哲學此時有什麼用處？孔德認為，哲學要協調各門科學來改進人類的生活。孔德心目中的哲學，是要以科學的實證態度來探討一切問題。

3. 人道宗教

孔德有一個特別的想法，他要創造一種新的宗教——人道宗教。他選擇歷史上對人類生活有傑出貢獻的人來取代宗教的聖徒，要把自然科學的研究方法運用到社會、道德等各個領域中。

孔德推崇人道，想藉此增強人性中微弱的利他性。他設計了一整套制度，參考天主教的架構，填充新的內容。他還提倡一種新的

日曆，把原來聖徒的名號或神明的紀念日統統去掉，換上為人類進步做出突出貢獻的人物，例如蘇格拉底、西塞羅等人。而這種人道宗教顯然是一種主觀的幻想，因為這些對人類有貢獻的人物，彼此之間存在著各種矛盾與爭議。

（二）英國的斯賓塞

斯賓塞（Herbert Spencer, 1820-1903）是英國十九世紀最知名的哲學家，他沒有受過什麼正規教育，他承認自己在四十歲時閱讀荷馬史詩《伊利亞特》，讀到前六篇就讀不下去了。他的祕書後來也說，他從來不曾讀完一本科學著作。但是他非常聰明，他的著作包括生物學、心理學、社會學、倫理學。大概是他了解了黑格爾的龐大系統之後，想要取而代之。

斯賓塞的學問如此分散，怎麼可能成為哲學家？這是因為他有一個核心觀念——演化論。斯賓塞參加過一個俱樂部，他利用與成員聊天的機會，吸收他們全部的專業知識。其中有一位是當時最著名的演化論支持者赫胥黎（T.H. Huxley, 1825-1895）。達爾文曾說：「英國最熱烈捍衛生物演化原理的主將就是赫胥黎。」赫胥黎所寫的《天演論》由嚴復翻譯成中文，對當時的中國產生很大影響。

斯賓塞在學問上吸收有限，但建構很多。他提出一個龐大的系統，就像培根所謂的「蜘蛛吐絲」。他四十歲時承認自己的生活可以用「雜」這個字來形容。他把演化論用在每一門學問上。他的代表作名為《綜合哲學》，顧名思義，就是把哲學的所有問題都整合起來加以處理。

斯賓塞的思想有兩個重點：

1. 他認為在宗教上與科學上，根本的觀念都是不可知的、不確定的。要調和這兩者並不難，就是在談宗教的時候不要

　　肯定絕對者，因為那只是神話；在談科學的時候也不必否認上帝，甚至不必直接宣稱自己是唯物論者。等於大家各退一步。斯賓塞認為，真正存在的是一種不可思議的力。這個力是宗教真理與科學真理的核心，也是一切哲學的起點。

2. 他說：「既然這一切都不可確知，所以哲學應該轉向可知之物，它的任務就是要匯合及統一科學上的各種結論。」當時的主要思潮是演化論，他的哲學就以此為基礎，提出一個廣大而普遍的原理來說明一切。他認為，演化是物質的結合與分散的過程，中間經過四個階段：混同、分化、平衡、衰亡。具體細節不再詳述於此。

　　斯賓塞野心很大，他希望透過《綜合哲學》這本書來說明物與心的演化。他從太陽、星雲談到人類是怎麼回事，從野蠻人談到莎士比亞的智慧，試圖把一切統統整合起來。

　　在倫理學方面，他要為人類找到一種合乎自然的新倫理，用來取代那種與宗教糾纏的倫理。換句話說，他要用自然的保障取代超自然的保障。他認為，新道德必須建立在生物學的基礎之上。如果一種規律不能抵擋自然選擇與生存競爭的測試，則毫無用處。

　　行為的善惡如何判斷？行為的善惡在於能否適應人生的目的。一個行為是否合乎道德，要看它能否使個體或團體得到結合與凝聚，以產生更強的適應力。因此，倫理規範都是相對的，根據各地區、各時代、各民族的情況而調整改變。

　　斯賓塞承認自己對於人性的具體方面是一個不太高明的觀察者，因為他很容易陷入抽象的思維，重視主觀的演繹，想像力過於豐富，而不太理會反面的例子。演化論的代表人物達爾文也是英國學者，他與斯賓塞有過多次接觸，他這樣評論道：「斯賓塞這個人過於自私自利，是一個自我中心主義者。儘管他的書可以讓人感受

到非凡的能力，但內容其實沒有嚴格的科學意義，並沒有表述什麼
自然的規律，只是一些簡單的定義罷了。」達爾文認為斯賓塞對他
沒有什麼幫助。

收穫與啟發

1. 很多哲學家都喜歡建構龐大的系統。法國的孔德把整個人類知
   識的發展分為三個階段，認為現在到了實證階段，要以科學為
   主。這種單向式的發展，把人類生命的豐富表現都化約為簡單
   的東西。他到後期還想建構一種人道宗教，結果引來了批評與
   訕笑。

2. 斯賓塞也是典型的喜歡建構系統的哲學家，他以演化論來解釋
   人類社會各方面的現狀，甚至連道德都要建立在生物學上。生
   物學講究物競天擇、適者生存，所以一個人有無道德要看他能
   否適應競爭，進而讓整個社會凝聚起來。他也用生物演化來解
   釋人類的知識系統與整個社會的發展。可惜的是，他對演化論
   的知識連達爾文都不敢苟同。可見，他是為了建構系統而建構
   系統。所以到了二十世紀之後，英國哲學界就把斯賓塞當做過
   時的哲學家，很少再有人認真看待他的學說。

3. 十九世紀英法哲學的兩位代表，反映出哲學進入一個新的階
   段。隨後的二十世紀將再度出現百家爭鳴的場面。

課後思考

　　十九世紀的孔德與斯賓塞都急於針對當時的思潮，建構一個完
整的系統，但都沒有成功。甚至斯賓塞對演化論的錯誤認識，讓
他淪為過時的哲學家。請問：你認為哲學家應該如何思考問題，
才是嚴肅而有價值的？

29-2　不是上帝造了人，
　　　而是人造了上帝

　　本節的主題是費爾巴哈所說的一句話：「不是上帝造了人，而是人造了上帝。」

　　費爾巴哈（L. A. Feuerbach, 1804-1872）年輕的時候聽過黑格爾的演講，但是印象不深。他也研究過基督宗教的神學，結果大為失望。他說：「神學把自由與依賴、理性與信仰拼湊起來，根本是一種大雜燴。它與我所認定的真理，即要求統一、果斷、絕對性的心靈，始終都互相違背。」費爾巴哈取得博士學位之後也教過書，但學生反應不佳。他說：「我沒有資格成為哲學教授，正因為我是哲學家。」

　　本節要介紹以下三點：

　　第一，回歸自然界。

　　第二，以人類學取代神學。

　　第三，人類的未來何在？

（一）回歸自然界

　　費爾巴哈是黑格爾絕對唯心論最明顯的反對者。當時有所謂的「黑格爾左派」，就以費爾巴哈的無神論與唯物論做為代表。他的唯物論把黑格爾的絕對唯心論整個翻轉，認為真正存在的、重要的是自然界；無神論則徹底顛覆了基督宗教，不是上帝創造了人，而

是人創造了上帝。

費爾巴哈認為，真正第一序的存在是具有時空特色的自然界，人的思想或意識是第二序。我們有時也說「第一性、第二性」，但用「第一序、第二序」比較適合。因為「性」接近「性質」，是一種附屬的東西；而「序」代表排序或序列。

費爾巴哈並沒有進入黑格爾的系統去反駁他，而是從外面來說，認為黑格爾的整個系統根本無法成立。真正需要的是一個具體的實在界，也就是自然界。

存在本身應該是自然界，而非觀念或者思想，自然界才是人的根基所在。他說：「人所依賴的，以及人所感受到自己所依賴的，在根源上只是有形可見的自然界。而感覺是人的本質，也就是真理之所在。」

費爾巴強調：「真理、實在與感覺，是同樣的東西。」真理與實在值得肯定，但是由感官所獲得的感覺也是真理嗎？費爾巴哈就是要強調：不用去想什麼現象背後的東西或抽象的東西；凡是超越感覺之上的一切，都應該煙消雲散；宗教也根本站不住腳。

費爾巴哈如何批判有神論呢？他的方法是解釋神這個概念是怎麼來的，藉此解決並取消有神論的問題。他說，宗教的主要對象其實是自然界，古人把自然界神格化，把自然界當做神，因為人對於外在可感覺的實在界有一種依賴的感受。

「依賴的感受」一詞當時正在流行，它是由著名神學家席萊爾馬赫提出的，他與黑格爾發生過爭執。席萊爾馬赫認為：宗教在本質上是我們對於無限者依賴的感受。

費爾巴哈接過席萊爾馬赫的說法，將其調整為：宗教是我們對自然界依賴的感受。可見，費爾巴把自然界當做第一序的存在，與黑格爾針鋒相對。

（二）以人類學取代神學

　　費爾巴哈要以人類學取代神學。他認為，「神」根本就是人類自己的投射。人的本質有理性、情感、意志三種能力（費爾巴哈只談人的身與心，而刻意避免談到靈的層次）。在心的層次有三項內容：理性可以認知，情感可以審美或同情，意志可以行動。把知、情、意三種能力設想為不受任何限制的完美狀態，就產生了「神」的概念。說神是全知的、全善的、全能的，其實就是把人的各種能力限制取消，再提升到無限的完美狀態並投射出去，就形成了一神論的神。神的本質就是人的本質。如此一來，整個基督宗教或類似的一神論系統就全被顛覆了。

　　費爾巴哈要重新界定宗教。他說：宗教源自於人對於自然界的依賴感受，再經過人的自我投射，就形成「位格神」的概念。自然界可以滿足人的物質需要，也可以滿足人的自由想像，使人以為自然界是為人而存在的、具有某種內在目的，並且是有智慧的創造者的產品。所以就要另外弄個創造者出來，然後稱之為上帝。

　　費爾巴哈認為，人類這種自我投射其實顯示了人與自己的異化。他說：「宗教是人與自身的分離。人把神當做對立的東西，神是人所不是的，人是神所不是的。」神是無限的存在，完美、永恆、全能而神聖；人則是有限的存在，不完美、短暫、無能而有限。結果神與人變成兩極：神包含一切正面的東西，是一切實在界的本質；人成為負面的，只有虛無的本質。

　　費爾巴哈要徹底推翻這樣的觀念。他認為，人只要明白「神」是人自己被理想化的本質，是被投射到超越領域時的名稱，就克服了宗教中所包含的自我異化。所以，不是上帝造了人，而是人造了上帝。這些觀點對於傳統的西方哲學界來說，顯然是完全另類的。

　　費爾巴哈拒絕黑格爾主義以及一切宗教，尤其是基督宗教，他的代表作就名為《基督宗教的本質》。他說：「人類必須放棄基督宗教，才能夠成為人類。」

　　費爾巴哈接著說了一句話經常被引用，明確表達了自己的立場，他說：「無信仰取代了信仰，理性取代了《聖經》，政治取代了宗教與教會，俗世取代了天堂，工作取代了禱告，物質上的困窘取代了地獄，人類取代了基督徒。」換言之，被取代的都是與基督宗教有關的，如信仰、《聖經》、教會、天堂、禱告、地獄等等。

（三）人類的未來何在？

　　費爾巴哈認為，人類學取代神學之後，人成為自己的目的，但這並非利己主義，因為人在本質上是社會性的存在。人不是個別的，而是與別人同在的。所以，哲學的最高目標是人與人之間的合一，是表現在愛裡的合一。既然只有自然界與人類，而沒有所謂的上帝，那麼人與人就要好好相處，彼此相愛。

　　費爾巴哈強調愛，他說：「只有愛能為你解開不死之謎。」這種愛可以帶來永恆的感受。但是他並沒有說清楚那是怎麼一回事，有的時候還要借助宗教的觀點來解釋。他說：「我與你（任何一個人）的會合處，就是上帝。上帝就是一個人的內心與靈魂。」換言之，你只要真心與別人來往，兩個人彼此都把對方當做上帝，就可以好好相處。

　　所謂的「大家」不能脫離政治的現實。費爾巴哈最後說：「政治必須成為人的宗教。」他在一系列批判之後，對政治表示了肯定。費爾巴哈進一步強調，既然談到政治，當然要強調國家。於是國家成為絕對者。

　　黑格爾認為絕對者就是精神，最後他也不能脫離基督宗教中的

上帝。現在費爾巴哈說：「人是國家根本的本質。國家是被實現、被發展的人性，是人性明顯的整體。」換句話說，只有在國家裡面，人性才能恢復完整。

　　費爾巴哈一方面把唯心論轉變成唯物論，認為我們所見的自然界才是唯一存在的東西；另一方面，他認為宗教使人嚴重異化，所以要用人類學來代替宗教。他提出唯物論和無神論，後來演變成馬克思與恩格斯的辯證唯物論與經濟史觀。

收穫與啟發

1. 費爾巴哈強調要回歸自然界，因為自然界才是第一序的存在。至於人的思想和意識，只是對自然界反思之後第二序的東西，所以人要掌握自己的感覺。他有一句話令人印象深刻：真理、實在與感覺，是同樣的東西。將「感覺」等同於「真理」，「感覺」從來沒有被提升到如此高的位置。事實上，英國的經驗主義提出過類似的觀念，不過費爾巴哈進一步加以落實，連宗教也可以如此解釋。

2. 費爾巴哈要以人類學取代神學。只要把人類了解透澈，就可以充分理解神是怎麼回事。換句話說，不是上帝造了人，而是人造了上帝。

3. 人類未來只有一條出路，就是回到人類自己的世界，人與人好好相處，建構一個理想的政治結構，組成理想的國家，去追求人生的幸福。

課後思考

　　費爾巴哈要以人類學取代神學，認為把人類了解透澈就能明白神是怎麼回事。你能想像這樣的神是何種情況嗎？

補充說明

對於這個問題，可以從以下四點來看：

1. 肖似人類的神

費爾巴哈的思想讓人聯想到古希臘時代的色諾芬尼。色諾芬尼認為，古希臘時代的神根本是擬人化的神。這些神肖似人類，兼具人的優點和缺點，只是人的完美化表現；而且完美化的是人的身體、生理、心理這些部分（身與心）。後人在批評宗教時，很多人都會參考色諾芬尼的觀點。

2. 用人與人之間的愛取代基督宗教的博愛

費爾巴哈把神放在一邊，用人與人之間的愛來取代基督宗教的博愛，這樣過於誇大了人類愛的力量。因為人間不僅有愛，還有恩怨情仇等各種複雜的狀況。愛這個字是最美的，但老子說得好：「信言不美，美言不信。」意即真實的話不動聽，動聽的話不真實。

3. 推展到群體

費爾巴哈再推展到人的群體，認為將來要靠政治、國家來取代宗教裡的神明。這固然不錯，但又誇大了政治的作用。自古以來，沒有哪個國家或族群的政治是完美的。

4. 費爾巴哈並非獨斷論

「獨斷論」是指，在缺乏明確證據的情況下提出某種說法。費爾巴哈屬於「無神論」，它針對基督宗教的「有神論」，批評那個神是人編造出來的。無神論不是第一序的觀點，它本身沒有立場，要透過批判別人的有神論，才能凸顯出自己的否定性。如果有人主張無神論，別人會說：「請你先界定一下什麼叫做神，再來否定。」他怎麼可能界定一個他認為根本不存在的東西？所

以，無神論可以做為一種批判的反省力量，但它本身不能構成明確的系統，永遠要針對別人既定的信仰結構去加以質疑。這種質疑的好處是：讓人不要迷信，不要一頭栽進宗教的某些說法，以為那就是真理了。

不管有神還是無神，重要的是我們要真誠的面對自己。我的「身」終究會老化，最後會結束。我的「心」總有限制，永遠處於「需要」的狀態：我們要不斷求知，不斷改善與別人的關係，不斷行善。請問：最後你要如何理解人生的意義呢？難道人生結束後真的什麼都沒有了嗎？我這一生對精神層次的嚮往、對真善美的追求，難道最終會落空嗎？

我這裡只是提出一個問題讓大家思考。對於別人的宗教信仰，一個人只要出於真誠的心，努力去實踐自己人性的正向潛能，都值得我們尊重。至於自己相信與否，則要靠某些機緣。也許某一天，你發現宗教都是假的，但也許發現反面的情況。所以，我們要保留一定的空間，知道有許多西方哲學家跟我們一樣，都在思考這一類問題，大家各有不同的心得和體會。在談到存在主義時，這一點表現得更為明顯。

29-3　哲學要改變世界

　　本節的主題是：哲學要改變世界。在西方哲學史上，馬克思有一句話受到廣泛注意，他說：「哲學家們只是用不同的方式解釋世界，而問題在於改變世界。」要想改變世界，就要付諸行動。付諸行動之前，在觀念上一定要有明確的立場。本節要介紹馬克思對唯物論的看法，他用唯物論來解釋人類整個歷史的發展。

　　本節內容包括以下三點：

　　第一，馬克思主張唯物論。

　　第二，他對唯物論有新的看法。

　　第三，他的唯物史觀是怎麼回事？

（一）馬克思主張唯物論

　　馬克思（Karl Marx, 1818-1883）是猶太人，但他的父親改信基督教路德教派，於是馬克思六歲時變成了基督徒。他進入大學後成為無神論者，因為如果猶太人信仰基督宗教，會同時受到兩種宗教的巨大壓力。

　　馬克思博士論文的題目是《德謨克利特的自然哲學與伊比鳩魯的自然哲學之比較》。德謨克利特主張原子論，他是古希臘時代標準的唯物論者；後來伊比鳩魯受到德謨克利特的啟發，把唯物論應用在人生哲學上。馬克思研究這兩位古代唯物論者的思想，自然深受啟發。

　　馬克思讀大學期間，正是黑格爾哲學成為德國官方哲學的階

段，絕對唯心論成為主流思想。但是物極必反，黑格爾過世之後，他的哲學很快分裂為左派與右派：左派稱為青年黑格爾學派，右派稱為老年黑格爾學派。這兩派思想有何差異？

老年黑格爾學派認為，哲學就是宗教，國家與君主政體有其宗教基礎，而普魯士（後來的德國）是絕對精神發展到最後階段的具體表現。可見，老年黑格爾學派與國家主義緊密結合，與當時的宗教立場也可以協調。

青年黑格爾學派不以為然，他們要發揮黑格爾辯證法的創新精神，反對把哲學等同於宗教，也反對用黑格爾哲學替普魯士政府辯護。他們認為，國家應該以理性為基礎，只有脫離宗教，才能形成公平的社會秩序。

馬克思年輕時參加由青年黑格爾學者組成的「博士俱樂部」，受到大家的注意，因為他有很多創新的思想，其中包括他對唯物論的一些新觀點。

（二）馬克思對唯物論的新看法

上一節介紹的費爾巴哈是明顯的唯物論者，要以自然界做為第一序的存在。馬克思進一步質疑費爾巴哈：「難道他沒有注意到人對自然界的創造及改造的作用嗎？」馬克思宣稱：「從前的一切唯物論，包括費爾巴哈在內，它們主要有一個缺點，就是對於事物、現實與感性，只從客觀的角度或直覺的形式去了解，而沒有把它們當做人的感性活動或當做人的實踐去了解。」

馬克思認為，真正的唯物論不應該把萬物當做一個與人類無關的對象去觀察與了解。在觀察自然界的時候，不能把人的活動撇開。真正的唯物論應該把自然界以及人類在自然界中的各種活動配合起來看。

　　人對自然界的認識只有透過人的實踐才有可能。譬如，在農耕社會，如果沒有實際下田耕作，怎麼可能認識自然界？同時，正是由於過去人類的實踐，才使自然界有了人的味道，成為人化的自然界。我們看到農田密布、溝渠穿流、連綿屋宅，都是人類實踐及創造的成果。

　　馬克思進一步強調，人是在特定的社會關係中，有意識的進行這樣的活動。他把過去狹隘的唯物論加以擴充，加入人與社會的因素，使之成為更全面的思想體系。這是馬克思的新見解。

　　馬克思以這種唯物論為基礎，提出有關勞動生產與勞動創造的觀點，這些都與人性有關。馬克思在《政治經濟學批判》的開頭說了一句非常著名的話：「物質生活的生產方式，制約著整個社會生活、政治生活與精神生活的過程。不是人的意識決定人的存在，而是人的社會存在決定人的意識。」換言之，你所處的時代和你所從事的工作，決定了你有什麼樣的想法。所以，馬克思的唯物論發展到最後，焦點就轉向人類具體的社會生活。

　　人的社會存在決定人的意識，這是他的主要觀念。從漁獵社會到農耕社會一路發展下來，物質生活的生產方式、經濟條件與經濟結構，決定了上層的政治、社會與精神生活的表現。

（三）馬克思的唯物史觀

　　馬克思的歷史唯物論又被稱為唯物史觀。馬克思認為，歷史發展的根源，在於生產力與生產關係之間的矛盾。所謂「生產力」，是指人所擁有的一切條件，這些條件可以在生產活動中做為工具使用。所謂「生產關係」，是指在勞動過程中所包含的人與人之間的社會關係。生產力與生產關係之間始終存在著矛盾。馬克思以此為基礎，把歷史的發展分為五個階段：

1. 原始的共產社會，以早期的亞洲為例。在古代是氏族組織，眾人共同擁有土地，聯合生產，沒有私有財產。後來隨著財產私有和冶鐵技術的發明，出現了大規模的戰爭，戰爭的俘虜變成奴隸，被大量投入生產活動中。

2. 奴隸社會，可以用希臘與羅馬時期為例證。

3. 封建社會，以中世紀為代表，中產階級在其中逐漸發展。

4. 資本主義社會，這是馬克思身處的歷史階段，其中存在著各種問題。馬克思認為，要透過革命才能實現無產階級專政。

5. 共產主義社會，馬克思相信，未來一定會出現這樣的社會。

　　歷史唯物論是馬克思很有特色的觀念。這種觀念也許會受到某些歷史學家的質疑，但不可否認的是：馬克思對社會與歷史問題採取新的態度，進而為人類的知識打開新的途徑。

收穫與啟發

1. 由於獨特的成長背景與個人遭遇，馬克思對於西方傳統的宗教與政治，甚至對於傳統的人生觀與價值觀，都提出很大的挑戰。他接受傳統的唯物論思想，認為黑格爾的唯心論在根本上是無法成立的。他贊成費爾巴哈的觀點，要把物質（自然界）當做第一序的存在。

2. 他對唯物論有新的看法：他不再只是客觀的看待自然界，而要把人的元素加進去，把人在自然界裡不斷實踐的過程加入唯物論的範疇。馬克思並不否認人有心智。自然界在由量到質或由質到量的轉變中，人的心智可以做為「質」的因素出現。不過，人的心智與意識是由其社會或經濟條件所決定的。換句話說，辯證運動首先出現於自然界中，而人的思想中的辯證反映了自然界的辯證運動。所以他的思想也被稱為辯證唯物論。

3. 馬克思提出的唯物史觀雖然有一定的參考資料，但是要以如此
簡單的五個階段來解釋人類社會在不同地區、不同民族中的發
展，難免有想像的成分。

（課後思考）

　　馬克思有一句批判宗教的名言：「宗教是人民的鴉片。」請你
思考，你個人有沒有像鴉片一樣的東西，可以讓你暫時避開煩惱
與痛苦，而不去積極的改善現況？

29-4　馬克思的人文主義

　　本節的主題是：馬克思的人文主義。馬克思是德國人，他在德國取得博士學位之後，由於思想不合當時的主流，所以無法找到教職，只能在《萊茵河日報》擔任編輯。後來因為許多觀念不為當時社會所接納，他被逐出巴黎，前往布魯塞爾。1848 年，馬克思三十歲，他在那一年發表了《共產主義宣言》。第二年流亡到英國，在英國一待就是三十四年。他活了六十五歲，生命中有一半以上的時間都是在英國度過的。他在英國每天都在學習、研究和創作，後來寫成了他的代表作《資本論》。

　　本節內容包括以下三點：

　　第一，人不等於動物。

　　第二，人性是怎麼回事？

　　第三，共產主義的理想。

（一）人不等於動物

　　馬克思直接用比喻來凸顯人的特色。他說：「再好的蜘蛛所結的網或蜜蜂所做的蜂窩，都比不上一個最差的工人所蓋的房子。」蜘蛛與蜜蜂是自然界的生物，只能按照本能求生存。工人蓋房子則可以透過思考而逐步改善，使房子愈來愈合乎人的需要。

　　馬克思進一步指出人與動物的三點不同：

　　1. 人可以不受身體當下的需求所限制，主動進行生產活動。動物只注意到身體當下的需求；或者只能按照本能進行分工合

作，謀求整個群體的生存與發展。

2. 在生產活動中，人可以讓自然界再生（即改變自然界的風貌），也可以自由對待自己的勞動產品。譬如，種植五穀雜糧，可以自由對待收穫的糧食，拿來與別人交換或送給別人。動物則不可能如此。

3. 人可以用任何方式進行生產，代表人有理性可以思考及選擇；並且，人可以由其內在需求去運用他的生產成果，如此就有了審美與行善的可能。

由此可見，馬克思對人的特色有相當精準的觀察。

（二）人性是怎麼回事？

馬克思認為，人在面對自然界的時候，自然界也面對著人。人性有兩個方面：一方面是普遍的、經常的欲望，如食與色；另一方面是相對的欲望，那是人在生命過程中逐漸形成的。換言之，馬克思認為：「人性是人自己在歷史發展的過程中製造出來的。」

人有自我意識，當他發現世界與他對立的時候，就著手改造世界，進行某種生產活動，使世界成為人的世界。譬如，人透過農耕、漁獵等生產活動，在世界上取得生存資源。同時，人也在生產活動中塑造了自己的人性。因此，人性、自然界與人的生產活動是互相影響的。

人的活動就是勞動（「勞動」一詞是馬克思的術語）。勞動是自我實現的過程，具有創造性，它本身就是目的，而不是達到其他目的的手段。換言之，人在進行創造性或生產性的勞動時，就是在自我實現，因而也應該是自由而快樂的。但是馬克思觀察到，十九世紀中葉以後，整個社會的現狀卻並非如此。

在當時的工業社會中，大多數工人的勞動都出現了「異化」

（Alienation）現象：工人勞動取得的成果與他本身是分離的，成果屬於資本家或工廠老闆。譬如，一個產品的售價是十塊錢，工人的薪資可能只有兩塊錢，剩餘價值都被老闆剝奪了，這就是異化現象。換句話說，工人努力勞動，卻只獲得微薄的工資；老闆反而愈來愈富有，成為工人的對立面。

人在工作中不但沒有實現自己，反而導致自我否定。工人最後變成無產階級，他們的勞動力在勞動市場上被交易買賣，聽任顧客擺布。無產階級的內心世界變得愈來愈空洞，他們的人性特質與尊嚴也逐漸消失。為了改變這種情況，馬克思提出了「共產主義」的理想。

（三）共產主義的理想

馬克思年輕時就非常熟悉猶太教與基督宗教的傳統，知道「彌賽亞」（救世主）的觀念能給世人帶來很大的希望。他提出的「共產主義」也具有類似的性質。共產主義要積極揚棄私有財產與人類的自我異化。它透過人類，也為了人類，使人類獲得真正的本質。人類為了自己而回歸成為社會人，也就是成為具有人性的人。共產主義要化解人類與自然之間、人類與人類之間的矛盾對立，要消除自由與必然性之間的鬥爭。

馬克思心目中的理想社會是什麼情況？他認為，在理想社會中，每個人都可以做他願意做的事。今天當獵人，明天做漁夫，後天變詩人，才是真正快樂的人生。任何人都不只是某種職業的工人而已，才能保證人格的完整性。這與《聖經》描寫的樂園有些類似：所有生物都和諧相處，相互之間沒有任何威脅與傷害。

馬克思這種理想其實包含在更廣義的社會主義觀念中。他心目中的社會主義是什麼情況呢？他說：「這種社會應該設定某種生產

模式或社會組織，使人在其中可以克服異化。」換句話說，社會主義是為了使個人完成他的生命理想。社會上有各種階級，但是階級中的人不是整合的；只有消除經濟上、社會上、宗教上的自我異化，人才可能成為完整的人。最後，人性的倫理將取代階級倫理，建立真正的人文主義社會。

　　馬克思的人文主義理想雖然難以實現，但它對於二十世紀的哲學產生了可觀的影響。馬克思有幾點獨到的見解：

1. 實在界（真實的一切）具有歷史與辯證的性質，而不是單純的外在物質而已。
2. 哲學與經濟及政治之間有本質的關聯。他有一本代表作就叫做《政治經濟學批判》。
3. 要以深刻而完整的方式去理解個人與社會的關係。
4. 哲學是一種行動的形式，而不再只是玄思冥想。

　　馬克思提出的「共產主義」對世界的影響有目共睹。哲學家應該要切入現實人生，而不應該只關在象牙塔中沉思。這種觀點已經被現代哲學普遍接受。不過，如果哲學與現實結合得太緊密，就可能隨著時空條件的改變而過時。二十世紀後期，歐洲出現新馬克思主義，要設法修正和重新詮釋馬克思的思想。社會主義國家也結合時代需求，修訂具體政策，向著馬克思所揭示的人文主義社會而前進。

收穫與啟發

1. 馬克思對人性的看法獨具特色。他指出，人與動物在根本上是不同的：動物完全受制於自然界的條件；而人可以施展才幹，使自然界成為人的一部分。人可以透過勞動或生產活動來改造或再生自然界，並在這一過程中肯定自己的存在與發展。

2. 人性是人自己在歷史過程中製造出來的。人的社會難免會有各
   種階級，有時甚至可以說人性就是階級性，但是這個事實終究
   會被超越。

3. 馬克思對於人生提出「異化」的觀念，就是我與我真實的生命
   脫節了。異化可能出現在經濟、社會、宗教等各個方面。同時
   在工作上，我也與我的產品脫節了。共產主義的理想是要恢復
   人的完整性。從這個角度來說，馬克思表現了一種人文主義，
   對二十世紀哲學有深刻的影響。

課後思考

馬克思的人文主義希望恢復人的生命完整性，使人成為一個完
整的人。如果你可以安排一天的生活，請自由想像一下能充分顯
示你的自我完整性的三種職業。

29-5　總結近代哲學的發展

　　本節將簡要總結近代哲學的發展。在近代哲學之前，有古希臘哲學與中世紀哲學。近代哲學從十七世紀中葉發展到十九世紀中葉，只有短短兩百年的時間；但是它的演變卻超過前面兩千多年的發展，並且改變的腳步也愈來愈快。

　　本節的內容包括以下三點：

　　第一，近代哲學經過四種運動。

　　第二，近代哲學經過三重革命。

　　第三，近代哲學讓我們進入到現代世界。

（一）近代哲學經過四種運動

　　從十五世紀開始，西方世界每個世紀都有一個主要的思潮，依次為：文藝復興、宗教改革、科學革命與啟蒙運動。啟蒙運動最終引發了 1789 年的法國大革命。

　　十五世紀是文藝復興。文藝復興伴隨著人文主義而出現。「人文主義」（humanism）也可翻譯為「人本主義」。所謂「人本主義」，就是以人為基礎，做為理解一切的根據。與之對照的還有神本主義或物本主義。古希臘時代是西方人愛智慧的初級階段，當時還沒有清楚的分辨心與物，屬於比較樸素的階段，並沒有明顯的「物本」思想。中世紀是明顯的「神本」立場。文藝復興旨在恢復古希臘與羅馬初期的樸素觀念，以人的立場來思考各種問題。文藝復興結合時代因素，對於當時的宗教與政治提出重大挑戰。

　　十六世紀是宗教改革。宗教改革並不是要把過去一千多年的天主教完全清除，而是要去掉後來人為所添加的成分。對於原始的《聖經》、教義，以及對上帝與耶穌的信仰，並沒有什麼改變。宗教改革讓很多人開始鬆動傳統的信仰，哲學家則堅持個人所體驗的真理。一般說來，西方近代哲學家都把宗教信仰當成了思想的背景與預設的事實。由家庭所傳下來的信仰，個人就把它當成一種習俗來接受。近代哲學家其實是用「上帝」這個觀念來說明萬物的來源與歸宿。

　　十七世紀是科學革命。科學革命使人類的宇宙觀從地心說轉變為日心說，讓人類眼界大開。再配合西方發現新大陸，更讓這一時期顯得多采多姿。所謂「西方世界」主要以西歐為主。西方世界今天能領先其他族群，就與科學革命密切相關。為什麼科學革命會在西方出現？後文介紹懷德海的思想時，將對此做進一步的說明。

　　十八世紀是啟蒙運動。啟蒙運動以理性為主，要挑戰及揚棄傳統的宗教權威與政治結構，由此帶來樂觀進步的觀念。但理性運用過頭就會出現反動，接著上場的是十九世紀的浪漫主義運動。

　　近代哲學的發展，呈現為歐陸理性主義與英國經驗主義並駕齊驅的景象。發展到最後，兩種思潮分別走向獨斷論與懷疑論的結局。獨斷與懷疑，都是思想上的致命陷阱。隨著康德的出現，整個近代哲學達到高峰。康德是西方哲學的一個重要轉捩點。

　　康德提出先驗哲學。所謂「先驗」，就是先於經驗並且做為經驗之基礎者。無論你有任何經驗，都要問：這樣的經驗如何可能？亦即尋找使經驗成為可能的先決條件。如此一來，康德把焦點轉向人類主體的特定情況，他要問：我能夠認識什麼？結果發現，人只能認識現象，而不能認識本體。所以康德論斷：世界、上帝與自我都不可知。

康德第二步思考更為重要，他要問：我應該做什麼？人除了在自然界中受到各種自然規律的支配以外，他還有一個自由的世界。人的自由在「我應該做什麼」這個問題裡得到了肯定，所以人的道德有三個先驗的設定，即人的自由、靈魂不死與上帝存在。

西方哲學由此進入唯心論的領域。在康德之後，沒有人可以繞開康德。對於任何經驗，都要問有何先驗條件。這種思維模式對人類構成明確的限制。所以，在過度重視理性之後，進一步發展的是強調意志與情感方面的學說。

（二）近代哲學經過三重革命

心理學家佛洛伊德綜觀近代思潮的發展，提出「三重革命說」，即天文學、生物學以及他本人所代表的心理學的革命。

天文學革命就是前面所談的科學革命。

生物學革命主要以 1859 年達爾文出版的《物種起源》一書為標誌，認為人的生命與其他生物一樣，在面對外界的刺激與挑戰時，為了生存而產生適應能力，再逐漸演化而成。這樣一來，就把原來「人類由上帝所造」的信念，調整為人類與其他生物都是由演化而產生的。

心理學革命是指佛洛伊德的心理學，又稱為深度心理學。萊布尼茲曾認為，人的內在自我是統一而明確的。其實未必如此。佛洛伊德心理學用無意識（潛意識）來解釋人的自我。

這三重革命給人類帶來重大改變。天文學革命改變了人的宇宙觀，生物學革命調整了人的人生觀（把人類當做生物之一），心理學革命則顛覆了人的價值觀。

如今，人的價值觀很難形成共識。隨著三重革命以及浪漫主義運動，人類從十九世紀跨入二十世紀。

（三）近代哲學讓我們進入到現代世界

　　現代世界有何特色？首先，現代世界在思想上多元並存，不但唯心、唯物各有支持者，而且大家開始從理性、意志、情感等不同角度去了解人生。但重要的問題依然沒有改變，人還是要問：人生有意義嗎？有何意義？所謂「意義」，是指理解的可能性。當你選擇自己的人生之路時，必須先清楚選擇的理由是什麼。

　　其次，個人的自我慢慢擺脫宗教、政治、經濟、社會等各方面的控制，獲得相對的獨立性。沒有任何宗教可以得到眾人的普遍信賴，沒有任何政治體制可以完全掌控社會的穩定，也沒有任何群體可以讓一個人完全失去自由。

　　自我解脫之後出現了新問題。以前的「自我」是一個小我，只要跟隨群體就能實現發展，因而少了很多煩惱。現在則要獨自思考：我活在世界上要如何選擇？一方面，你無法避免群體對自己的影響；另一方面，你又有相對的獨立性，有完整的生命要求。

　　哲學就是愛智慧，智慧不能脫離「完整」與「根本」這兩個角度。如果把人生視為一個整體，你會如何抉擇？當你面對人生的根本問題時，你會如何看待自己的人生？於是，哲學變得愈發重要。現在學習西方哲學，可選擇的範圍非常廣泛，顯示了開放性與多元性。但我們在思考時難免先入為主，或只以個人經驗做為唯一的參考。因此，思想需要有再整理、再出發的機會。

　　後續章節將要介紹現代哲學。現代哲學從十九世紀後半期發展至今，雖然只有一百多年，但其內容非常豐富，比起前面兩千多年不遑多讓。

(收穫與啟發)

1. 近代哲學大約有兩百多年的時間，發生了四大運動、三大革命，才使人類進入到現代世界。我們會發現，人類的發展未必等於進步，但人類的歷史就是這樣在一步步的向前邁進。

2. 每一次革命都會給人類帶來新的挑戰，如心理學革命、基因學革命、虛擬實境的革命。

3. 相對於過去，現代世界的人更加自由，但自由也帶來選擇的困難，人應該何去何從呢？你或者接受某一種哲學，或者要慢慢建構屬於自己的思想系統。

(課後思考)

你覺得自由所帶來的最困難的選擇是什麼？你在面對選擇時又是如何思考的？有哪些哲學家的觀點可以幫上忙？

Part 7

倫理學的爭議

第三十章

價值觀的探討

30-1 宇宙觀是如何形成的？

　　本單元的主題是：倫理學的爭議。因為倫理學是價值觀的主要部分，所以本章要先對價值觀加以探討。學習哲學到最後要建立「三觀」，即宇宙觀、人生觀與價值觀。本節的主題是：宇宙觀是如何形成的？內容包括以下三點：

第一，宇宙觀與科學的關係。

第二，宇宙有目的嗎？

第三，宇宙觀與人生觀的關係。

（一）宇宙觀與科學的關係

　　哲學家是愛智慧的人，他們表現出的特色是：其「三觀」可以形成一個完整的系統。宇宙觀會隨著科學的進步而逐漸接近宇宙的真相，因此會出現兩種看法：

1. 古代的宇宙觀是落後的，因此古代的哲學系統也必然是落後的、過時的。

2. 因為科學不斷的在進步，所以沒有任何哲學系統是穩定而可靠的。

　　我們很難接受上述說法。隨著科學的不斷進步，人類對宇宙的認識不斷在改變，所以宇宙觀不可能單純建立在科學上。從古希臘到近代，確實有許多哲學家兼具科學家的身分，但這並不代表只有科學家才能成為哲學家。並且，如果「科學家」是指宇宙的研究者，那他們之間並未達成共識。今天，最好的科學家也承認，人類

並不了解占整個宇宙百分之九十六的黑暗物質與能量。如果要完全
了解宇宙才能建立宇宙觀，恐怕遙遙無期。但是，從古希臘第一位
哲學家開始，每個人都有他的宇宙觀，這是怎麼回事？

（二）宇宙有目的嗎？

　　宇宙觀必須基於科學，但是宇宙觀從來不局限於科學。所謂
「觀」，就代表有完整的理解與解釋。宇宙觀表面上是要說明四個
概念，事實上則是要追問另外兩個問題。

　　宇宙觀表面上要說明四個概念：空間、時間、物質與運動。空
間與物質是一組，時間與運動是另外一組。人類看到這個世界，首
先掌握到的是萬物皆在空間中，什麼是空間？同時，時間是從運動
的角度來看的，因為萬物皆在變化發展之中。而物質與運動正好是
古希臘時代亞里斯多德「四因說」中的兩個因：物質是質料因，運
動是動力因。

　　事實上，世人要問的是另外兩個問題：

　　1. 人有理性，有認識能力，所以要追問形式因。所謂「認識一
　　　　樣東西」，就是要認識它的形式。

　　2. 人還有想像和願望，配合人的認識能力的發展，一定會追問
　　　　目的因。目的因才是人類探問宇宙的關鍵所在。

　　探問宇宙的目的因，就是問：宇宙有目的嗎？這時只有兩種選
擇：一個是有目的，一個是沒有。如果選擇宇宙沒有目的，則一切
皆為偶然，人生難免無奈，每個人只能自求多福。如果選擇宇宙有
目的，情形就完全不同了，你會認為有一個力量在對宇宙進行設
計。要如何解釋這個力量？目前有三種解釋受到廣泛的注意，即創
造論、演化論與流衍論。

　　創造論認為，有一個力量創造了宇宙，它設計、安排這一切。

創造論的目的性最明顯。演化論認為，宇宙萬物包括人類在內，都是慢慢演化而成的。這兩種看似極端的立場，事實上是可以協調的。流衍論認為，由「太一」逐漸流衍出萬物。在理論上可以把它看做創造論與演化論中間的一種協調說法。這是新柏拉圖主義的基本主張，裡面有太多折衷性和想像成分，暫且可以不論。

所以，目前主要是創造論與演化論的對峙。創造論的支持者大部分是有宗教信仰的學者，他們如今大都接受了演化論，形成新的解釋。他們肯定，最初有一個創造的力量在設計一切；在時間過程中，這個原始設計所確定的目的，將以演化的方式來完成。所以，有很多人一方面相信位格神，另一方面也接受演化論。

近代哲學隨著科學的進展，出現了自然神論。亦即相信上帝創造世界之後不再監督管理，而讓人類在自然界裡自己去做研究。所以，自然神論並不等於無神論。譬如，近代科學革命的四位代表——哥白尼、克卜勒、伽利略與牛頓，都肯定上帝的存在，事實上他們的立場都接近自然神論。

對於「宇宙有目的嗎」這個問題，可以說：就算宇宙本身的目的無法被理解，但是因為人在思考，所以人也會要求宇宙有目的，以便理解這一切。

（三）宇宙觀與人生觀的關係

宇宙觀是人生觀的背景和基礎。許多科學家主張不可知論，認為我們無法了解宇宙有沒有目的。但是，如果要建立自己的人生觀，必須要求宇宙有某種目的，否則人生觀要如何建立？如果宇宙的目的和你想的完全不同，那麼你這一生發展到最後，等於是與宇宙的目的完全脫節了。為什麼很多人欣賞斯多亞學派？因為他們認為宇宙按照自然的規律在運作，人的理性與這樣的規律是合拍的。

這樣一來，就把人生的過程與宇宙的規律結合在一起，讓人這一生可以平穩的發展，不管順利還是不順，都可以安心接受。

　　因此，宇宙的目的不可知，但是人要求它有某種目的。在此基礎上，才能進一步探討形上學。形上學是由亞里斯多德所開創的學科，「形上學」原本是指「在自然學之後」的一種學說。如果把「自然學」界定為研究有形可見、充滿變化的萬物，那麼形上學就是要探討無形可見、永不變化的本體。有這樣的本體，才能解釋我們所見的宇宙萬物。

　　亞里斯多德是標準的哲學家，他有明確的「三觀」，他的宇宙觀與形上學是密切配合的。他的形上學推到最後是「第一個本身不動的推動者」，宇宙萬物都有其目的，都是從潛能走向實現，目標是純粹的實現或純粹的形式。在這樣的宇宙觀下，人生觀就很明確：要設法把人的形式（人的理性功能）充分發揮。所以亞里斯多德認為，人生的最高境界是從事理性的「觀想」，因為宇宙最後的力量是「思想之思想」。這樣一來，兩者才能適當對照起來。

收穫與啟發

1. 「三觀」是指宇宙觀、人生觀與價值觀。人的生命寄託於宇宙中，自然會思考三觀的問題，並且要設法形成一個系統。沒有系統則稱不上「愛智慧」。由於科學在不斷發展，所以宇宙觀的建立可以基於科學，但不局限於科學。

2. 宇宙有目的嗎？答案是：即使宇宙的目的不可知，人也要求它有某種目的，否則無法建立人生觀。如果有人說，何必非要建立人生觀？那就不必談愛智慧的問題了。

3. 宇宙觀是人生觀的背景與基礎。為什麼亞里斯多德的形上學直到今天仍是許多哲學家探討的題材？原因就在於此。

如果有人主張宇宙沒有目的，但人生有意義，那麼你該如何表達你的意見？

這是個很大的問題。

首先，我們看宇宙是否有目的。有些人認為，宇宙最後難免歸於寂滅。從科學的角度來看，的確如此，因為有開始之物必有結束。後面將會介紹一位叫德日進（Pierre Teilhard de Chardin, 1881-1955）的哲學家，他專門從科學的角度思考，認為宇宙的目的就是讓人類出現，以扭轉宇宙滅亡的命運。這是很好的思考方向。

有些人認為，假設發生彗星撞地球之類的天災，或核子戰爭之類的人禍，地球徹底毀滅，宇宙有何目的可言呢？如果真的如此，也確實沒有什麼好爭論的，人生就是一場鬧劇、一場夢幻。但這樣的情況尚未發生，而且世人也盡量避免讓它發生。

所以在今天，在沒有發生天災人禍之前，我們還是要問：人生有意義嗎？我如果想要理解人生是怎麼回事，就必須設定宇宙有某種目的，可以讓人生存與發展。如果你說宇宙沒有目的，請問：為什麼經過一百多億年的演化，最後會出現人類？在時間的過程中，我們可以認為，後來出現的結果就是原來存在的某種目的，或至少是某種指向。人有理性，當然可以這樣去解釋。

「宇宙的目的」這個問題太大，不易把握，我們不妨換個角度來看，譬如問：歷史有目的嗎？歷史是由人類的各種作為造成的，它在時間上是連續發展的。如果要界定歷史的目的，要從兩個角度著眼。

1. 從全人類的角度著眼，個人在歷史中顯得無足輕重。譬如中國歷史上的帝王將相，在當時固然是不可一世，但從整體看來，只是一個簡單的過程而已。

2. 由歷史發展的終局著眼。最差的結局是人類與地球一起毀滅，所有的努力全部落空。

看透這兩點，你才能理解現在，理解每一個人生命的意義到底是什麼。

因此，之所以問宇宙有沒有目的，是因為人在思考這個問題。人為了理解人生的意義，所以要求宇宙有其目的。但是我們無法從人的角度來看宇宙的目的，就像探討歷史的目的一樣，做為個人，你只能立足於整個歷史過程的某一點上，而無法看到全貌。對宇宙目的比較合理的說法是「不可知」，說「不可知」並不代表宇宙沒有目的，而是說這個目的必須存在。否則，其他的一切都不用談了。

其次，我們要肯定人生的意義。意義是理解的可能性。譬如，我現在講一句希臘文，如果你聽不懂，就覺得這句話毫無意義。人有理性，總是要求理解，他一定會問：我這樣過這一生，能夠說個道理出來嗎？能夠理解才有意義。

為什麼一定要問人生的意義這樣的問題？因為人可以思考，就要求理解；人有意志，就願意負責；人有情感，就希望快樂。所以，「我要理解」、「我要負責」、「我要快樂」就是人生的實際狀況。每個人都有這三種屬於人的心智方面的自然要求，理智、意志、情感都有某種自然的指向，因此人生必然有某種意義可以被我理解。

倫理學有不同的派別，各有不同的觀點。倫理學屬於人的價值觀的一部分，而且價值觀與人生觀不能分開，人生觀又必須依託

於某種宇宙觀。有了這樣的認識，就可以將很多問題暫時擱在一邊，不用再鑽牛角尖。

因此，你要為自己的人生負責。你可以思考、可以選擇並付諸行動，那麼你就面對自我，活出自己的人生吧！你認為怎樣適合就怎樣去做。當然，我們會受到各種條件的限制，只能在某些方面得到較為明確的結論。

我們學習西方哲學要知道，在西方有許多勇於思想、勇於抉擇的學者，他們留下很多個人的心得。大多數能上檯面的西方哲學家，他們的思想都系統完備、自成一格，一般人不易反駁。但是你也不用全盤接受，因為各有特定的時空背景，以及個人生命的特殊條件和遭遇。因此，在了解生命的各種可能之後，關鍵要問自己：今天是我在生活，我要對自己的生命負責，我要選擇哪些前人的智慧做為我的參考？

最後的結論是：宇宙是為了人而存在的。而人又是為了什麼而存在呢？許多事情是偶然發生的，但偶然發生不等於沒有原因，只是暫時還不知道它的原因，因此要保留一個開放的探討空間。

宇宙和人生為什麼緊密相連？因為如果宇宙沒有目的，那麼人生的意義可能都是自己想像出來的。有些人說，就算人生沒有意義，人也要設法創造意義。這種態度值得肯定，因為人生本來就有其特殊之處。

30-2　從宇宙觀到人生觀

　　本節的主題是：從宇宙觀到人生觀，要討論以下三點：

第一，兩套形上學。

第二，如何探討人生觀？

第三，從人生觀到價值觀。

（一）兩套形上學

　　在西方哲學發展的過程裡，出現兩套比較明確的形上學。

　　第一套是由古希臘的亞里斯多德所提出的，又稱為「自然學之後」，就是要探討無形可見、永不變化的本體世界。但是，從有形可見的萬物出發，去探討它背後的基礎，推到它的源頭，事實上是不可能的。萬物充滿變化，萬物的本質並不包含存在，所以萬物的本質是「0」，再多的「0」加起來也無法得到「1」。「1」就是那個真實存在的源頭。亞里斯多德推出「第一個本身不動的推動者」，它與宗教裡的「上帝」完全不同。這個「推動者」對人並不關心，人也不能向它禱告。

　　第二套形上學是由康德提出的。康德認為，人有形上學的自然傾向，每個人都傾向於設定一個本體的世界；但做為科學來說，形上學不能成立。亦即，亞里斯多德「自然學之後」的形上學是不能成立的。

　　康德回到源頭。他發現，面對宇宙萬物，只有兩個領域存在：一個是自然界，另一個是人類。提出問題的是人類，是人類要探討

宇宙根源的問題，所以在向外追求自然界的原因之前，還不如先回頭問自己幾個問題。

康德提出四大問題。第一個問題是：我能夠知道什麼？結論是：人只能知道現象，不能知道本體。所謂「本體」，是指自我、世界與上帝。這樣一來，傳統的形上學就不能成立了。

接著康德轉彎問了第二個問題：我應該做什麼？做為一個人，不管我能夠知道什麼，我還是要有具體的行動。既然談到「應該」，代表我有選擇的可能，由此出現所謂的道德行為。每個人都有後悔的經驗。如果沒有一個自我可以自由選擇，那麼是誰在後悔？又何必後悔？後悔代表人要負責任，所以人在選擇之後應該要有適當的善惡報應，否則責任是空話。但人的生命是有限的，善惡在生前顯然沒有圓滿的報應，怎麼辦？

為了使道德行為能夠成立，康德提出三個設定（預先設定的條件），否則道德行為只是一種幻想。這三個設定是：

1. 我是自由的；
2. 靈魂是不死的，這樣才能在死後繼續接受適當的報應；
3. 最重要的是，上帝是存在的，由他來負責完成德福一致的圓滿的善。

這樣一來，康德就把傳統形上學中三個不可知的本體恢復了兩個──自我與上帝。至於世界，就讓科學家繼續去研究吧。人只要與上帝建立了某種關係，就可以應對日常生活了。

亞里斯多德的形上學，英文稱做 Metaphysics，意為「在自然學之後的」。而康德的形上學可以理解為「在倫理學之後的」，英文稱做 Metaethics。如果採取亞里斯多德「自然學之後」的路線，就要透過自然界的萬物去探尋本體；如果採取康德「倫理學之後」的路線，則要透過人的道德實踐去探尋本體。換言之，如果要對人

的道德經驗做出徹底的說明，就要設定上帝的存在。

　　可見，在談到宇宙觀的時候，可以不涉及任何特定的宗教，不管是有神論還是非神論。有神論肯定有一個位格神，如基督宗教。非神論肯定有一個超越的境界，如佛教所說的「涅槃」。同時，宇宙觀會強調宇宙有一個目的，可以讓人類的生命得以存在及發展。因此，要由宇宙觀進一步探討人生觀的問題。

（二）如何探討人生觀？

　　人類生於天地之間，是萬物之靈，發展到最高的層次。人與萬物的差別在於人有理性。有理性才會探問意義，想要理解這一切。所謂「意義」，就是理解的可能性。也有人認為，不能忽略人的情感、欲望與意志。但是如果沒有理性，這一切都不能被理解。因此，所謂人生觀，就是一套系統的、完整的道理。你要問自己：我對人生有什麼基本看法？它的根據是什麼？我是如何推出這種結論的？這種人生觀與我實際的生命抉擇有何關係？

　　人生觀可以來自於個人的經驗、別人的說法、書本的知識，最重要的還要結合個人的思考。建立人生觀要有正確的推理，可以從兩個角度來看：第一，人的生命的靜態結構；第二，人的生命的動態發展。

　　人的生命的靜態結構可以分為身、心、靈三個層次。「身」就是身體，包括有形可見、可以量化的各種成就，如身體的健康狀態、食衣住行各方面的需求、科技的發展等。「心」就是心智，表現出認知、情感與意願這三種功能，即知情意。再往上還有一個「靈」的層次，就是一般所謂的精神層次，它無形可見，但是包括理想與觀念，可以決定一個人身心活動的發展方向。

　　人的生命結構可以概括為三句話：

1. 身體是必要的，沒有身體怎麼談人生？

2. 心智是需要的，人只要活著，就一直會有更新的、更高的可能性出現。

3. 靈性的層次是重要的，「重要」這兩個字牽涉到意義。你要如何解釋人生？關鍵就在於靈的層次，它可以說明人生的意義何在。

另一方面，從生命的動態發展來看，包括從生到死的整個過程，從少年、青年、中年到老年，一生的變化是非常豐富的。人在一生中會遭遇到自然界與人間的各種變化，整個人生都在時間的動態發展之中。

靜態結構與動態發展配合起來思考，才能形成人生觀。簡單來說，隨著生命的發展，從年輕到年老，人要不斷往上提升——從身到心，再到精神的層次。由此接上宇宙觀，使個人精神的發展與宇宙的目的可以相呼應。

（三）從人生觀到價值觀

人只要活著，就一直在做選擇。任何一種選擇都或隱或顯的體現某種價值觀。如果有人說「我是純粹的生物，我放棄思考」，這樣就沒有哲學問題了。如果不放棄思考，人的任何行動，包括說話在內，都預設了某種人生觀。康德認為，人有追問形上學問題的自然傾向。這表明，人生觀背後一定有某種模糊的宇宙觀。有的哲學家會說：人生沒有意義，我要揭穿這個幻覺，希望大家不要再做夢了。他這樣說其實也是在追求真理。一方面他認為沒有真理，同時他又要去追求真理，這豈不是自相矛盾嗎？

自古以來，一直都有消極、負面的思想。譬如，古希臘哲學家泰奧格尼斯（Theognis of Megara, 約 585-540 B.C.）說：「人最好

不要出生，不要看到陽光。萬一出生，就只好盡快穿過死亡的門檻。」他到處宣傳，造成很多人自殺。我們可以問泰奧格尼斯：你為什麼不立刻結束自己的生命？

有一個關於弗里吉亞王邁達斯（Midas）的神話故事，也表達了類似的觀點。邁達斯有一次遇到森林之神，追著問他：「人生的究竟智慧是什麼？」森林之神只好勉強回答：「人吶，何必問這個問題呢？人最好不要出生。如果出生，最好早點死亡。」這兩段話都會導致虛無主義。

事實上，詛咒人生的人照樣有某種價值觀，只是他自己不一定知道，這會導致他的觀點自相矛盾。由此可見，人生觀與價值觀的關係是非常密切的。

收穫與啟發

1. 哲學史上有兩套形上學。第一套是亞里斯多德所說的，要探問自然學背後的本體；第二套是康德所說的道德形上學，從人的道德經驗推到最後的設定。不管這兩套形上學能否證明上帝存在，這個「上帝」與宗教信仰中的「上帝」沒有什麼關係。哲學家探討上帝，旨在尋找「萬物的來源與歸宿」——以此做為哲學家的上帝的標準定義，顯然是比較恰當的。

2. 探討人生觀，要從空間的結構與時間的發展兩方面來看。在空間的結構上，人的生命可分為身、心、靈三個層次；在時間的發展上，人從年輕到年老，從內到外有各種複雜的遭遇。人生觀的建構要把人的結構與發展結合起來，隨著生命的發展，在結構上往上提升，從身到心，從心到靈，由靈再接上「宇宙的目的」，從而構成完整的系統。

3. 人生觀與價值觀的關係非常密切。人每天都在做選擇，裡面就

含有價值觀。後文會繼續探討價值觀的問題，而倫理學是價值觀裡最重要的部分。

課後思考

如果有人主張人生沒有意義，你要如何與他討論？

補充說明

　　一個人可能會説人生沒有意義，但只要他還活著、還願意思考、還在做某些選擇與行動，就代表他一定有某種預設，只是他自己未必了解。學哲學目的就是要設法「化隱為顯」，把隱含在他言行裡的內在根據清楚顯示出來，即使他自己尚未察覺。

　　我們能看到的是自然界、人類社會和自我這三方面，但是在問「人生有沒有意義」這個問題時，一定要涉及第四個方面──超越界。否則自然界、人類社會以及「自我」，難免有開始、有結束，你無法舉出充分的證據來説明人生有何意義。因此，要從超越界的角度去思考。

　　為什麼人生一定要有意義？平常本來不用想這個問題，你按照傳統或流行的生活方式過日子就好。但是人生難免會遇到關鍵時刻，這就是後來存在主義所説的「界限狀況」。當你的生命遇到某個臨界點時，你必須選擇要不要真誠的面對自己。你的抉擇對歷史或整個宇宙而言可能沒有多大影響，但做為一個人，就是會有一種負責的心態。

　　所以，一個人説「人生沒有意義」，代表他還是有某種論斷，你可以跟他進一步討論，這時便能發揮哲學「化隱為顯」的作用。

30-3　價值主觀論在說什麼？

　　人生是由各種選擇組成的，有選擇就有價值的問題。譬如，家中窗簾的設計、檯燈的品牌，今天要吃什麼、穿什麼，選擇什麼職業、交什麼朋友，以及個人的興趣、志向與信仰，都要經過你的選擇而呈現出價值，每樣東西都代表你的某種價值觀。

　　本節的主題是：價值主觀論在說什麼？要介紹以下三點：

　　第一，價值是什麼？

　　第二，價值主觀論的立場。

　　第三，主觀論必須兼顧客觀論。

（一）價值是什麼？

　　人的世界充滿了價值。人有理性可以思考，有意志可以選擇，也必須選擇。我們在選擇的時候表現為一種評價活動，使被選擇的東西呈現出價值。

　　價值有四點特色：

1. 價值需要一個攜帶者。譬如，我選擇吃蘋果，蘋果就攜帶著某種價值。所以，任何價值都不可能是獨立的，它需要依附在一樣東西上面。

2. 價值有非實在性。我選擇蘋果，會增加蘋果的價值，但沒有增加蘋果的實在性。這代表價值是非實在性的。

3. 價值有兩極性，有被選擇和不被選擇這兩極。體現在道德上就有善與惡，體現在審美上就有美與醜，這都是我的選擇造

成的。所以，選擇一定有正面、負面這兩極。

4. 價值有層級性，由低到高構成一個層級。有時會為了更高的
價值而放棄較低的價值。

（二）價值主觀論的立場

價值主觀論（Subjectivism）主張：因為我對於一樣東西有欲
求，所以它才有價值，價值是由人來估定的。相對的，價值客觀論
（Objectivism）則主張：一樣東西本身有價值，所以我們才會欲求
它；價值不是由每個人隨意估定的，價值本身有其可貴之處，所以
值得我們重視。

在西方哲學家之中，價值主觀論者非常多。英國哲學家霍布斯
在他的《利維坦》裡面就說：「所謂的善惡全依個人的喜好，事物
本身無所謂好壞。」

休謨在他的《人性論》裡面進一步強調：「當你判斷某種行為
或品格是邪惡的時候，那只是你心裡面有一種譴責的情緒而已。邪
惡完全在於你心中的判斷，而不在於對象上。」換句話說，所謂的
善惡，就像冷熱、聲音、光線一樣，它們都不是事物本身的性質，
而只是人心中的知覺而已。

不僅經驗主義持此種觀點，就連理性主義的史賓諾莎也說：
「一樣東西是善的，是因為我們欲求它，它才是善的。」所以，價
值主觀論看起來聲勢浩大。

西方的邏輯經驗論以及語言分析學派的著名學者，如卡納普
（Rudolf Carnap, 1891-1970）、艾耶爾（A. J. Ayer, 1910-1989）、
羅素與維根斯坦（Ludwig Wittgenstein, 1889-1951），他們都主張價
值主觀論。

他們主要用兩種方式來闡明立場：

1. 價值是由個人欲望、情緒或興趣所決定

也就是說，人在主觀方面的心理感受、欲望、情緒或興趣，決定了一樣東西的價值。人的興趣強度如何、偏好如何、涵蓋範圍如何、能否得到多數人贊成，都可以進一步研究。但問題在於，人的興趣與情緒是主觀的，最後到底以誰的興趣與情緒為準？如果以多數人的意見來決定，那麼少數人的意見該如何考慮？

2. 從語言學的角度提出論證

他們認為，善或惡純粹是一種情緒的表達，並沒有涉及任何客觀的東西。譬如，對照下述兩句話。第一句話說「這是紅色的」，「這」指涉了紅色的東西。第二句話說「這是善的」就不知所云，因為「是善的」三個字只是表達了你個人喜歡它而已，並不代表客觀上有一種像紅色那樣的東西。換句話說，沒有客觀上所謂的善。這就是語言學的策略。

他們進一步說，價值判斷的語句都沒有認知意義，非真非假，因為它們都無法驗證。譬如，說爬山好或游泳好，只是表達我個人喜歡爬山或游泳的情緒而已，並不代表一種客觀的立場。又譬如，我說「這幅畫真美」，只是表達我個人的感受和情緒，我怎麼證明這幅畫到底有多美？只有事實的問題才可能被爭論。甚至有人說，「偷錢是錯的」這句話也沒有實質的意義，這只是個人的感受，表示他不贊成偷錢。

羅素也是價值主觀論者，他的理由很簡單：「因為很難找到有效的論證去證明某物本身有價值，所以我無法接受價值客觀論。」但是，「很難找到論證」只代表目前如此，不代表將來也找不到。羅素事實上也承認自己的矛盾。因為如果支持價值主觀論，就不必給別人提供任何建議，尤其是在道德方面。但是羅素經常給人建議，他承認：「道德評價是主觀的，但是我對道德問題有各種意

見，因為我無法以虛偽來掩飾我的矛盾。」羅素寧可矛盾也不要虛偽，這聽起來很真誠；但他仍然是矛盾的。

價值主觀論者依然相信有某種正義、尊嚴的存在，但是要如何肯定這些價值？如果以個人的欲望、興趣或快樂等心理現象來決定價值，則根本無法分出好壞。世界上每個人都是主觀的，都可以選擇自己的價值，這等於是萬物都有價值，也都沒有價值；或者是今天有價值，明天不一定。所以，價值主觀論很容易就變成相對論與懷疑論。

（三）主觀論必須兼顧客觀論

德國十九世紀末有位學者叫做布倫塔諾（Franz Brentano, 1838-1917），他的思想對於價值問題的討論影響很大。他本來是研究心理現象的，發現人的意識一定有意向性。「意向性」是非常重要的術語，直接影響布倫塔諾的學生胡塞爾（Edmund Husserl, 1859-1938），使他由此建構了現象學。所謂「意向性」是說，意識就像箭頭一樣，總是指向一個客觀的物體。任何意識都有它意識到的物體，也包括內心裡主觀的對象。

布倫塔諾有兩個學生，一個叫邁農（Alexius Meinong, 1853-1920），一個叫艾倫費斯特（Paul Ehrenfest, 1880-1933），兩人關於價值的討論非常經典。他們原本支持價值主觀論，後來慢慢融合了客觀論的說法。他們的討論相當複雜，在此只做簡單的描述。

首先，價值不能脫離人而存在，要靠人的評價才能使一樣東西的價值呈現出來。這確實是一種心理學上的事實，屬於情感世界的領域。但是布倫塔諾提出，人的意識都有意向性，都指向一個客觀存在的東西。所以，人的情緒或興趣也一定有它的對象。你必須承認它存在，至於它有沒有價值，是第二步的問題。

　　一般來說，只有存在的東西才有價值。一樣東西存在，才能讓我產生愉悅的感覺，產生興趣和欲望。然而，不存在的東西依然是有價值的。譬如，這個世界上沒有完美的正義，沒有道德的至善，但我們依然會給它們很高的評價。

　　另一方面，一樣東西的價值也不能完全基於它是否被我們欲求。因為我們欲求的往往是尚未得到的東西；而我們判斷一樣東西是否有價值，往往是針對我們已經擁有的東西。譬如，我有一幅畫、有很多朋友，我就認為它們有價值，值得珍惜。所以，把欲求與價值連在一起，不容易說得通。

　　那應該如何解釋呢？其實也不難。我們認為已經擁有的東西有價值，是因為知道如果這樣東西不存在，或是還沒有擁有它，我們將會對它有所欲求。換言之，不存在之物照樣可以被我欲求，雖然它當時不存在，但事實上它是以一種將來可能存在的方式被我欲求。這樣一來，還是可以把欲求與價值連在一起。因此，價值主觀論必須注意到價值客觀論，亦即存在之物本身有某種價值，它才會被我欲求。

　　經過幾番討論，兩位學者的結論是：價值是一種主客之間的關係，這種關係藉著對客體有清晰而完整的圖像，順著從樂到苦整個感覺的領域，在我們身上決定了一種情緒，使我們認為有它要勝過沒有它。簡單來說，有一個客觀物體存在，我對它有所欲求，我與這個物體之間的關係就產生了價值；就算物體不存在，這種關係仍然會使我對它有所欲求。這就是價值主觀論經過修訂之後的結論。

收種與啟發

　　1. 價值需要有一個攜帶者，它不是被我無中生有想像出來的。價值本身是非實在的，當我說一樣東西有價值，我並沒有增加這

樣東西的客觀實在性。價值一定有兩極性，有正面就有負面。價值還有層級性，由下往上構成一個層級系統。

2. 價值主觀論的立場在西方根深柢固，很容易得到大家的認同。它認為，一樣東西有價值，是因為有人在欲求它、對它有興趣或有正面的情緒反應。所以價值完全是主觀的。

3. 德國兩位哲學家本來支持價值主觀論，後來受到布倫塔諾的啟發，發現不可能有意識而沒有意識的對象。我主觀上喜歡一樣東西，它才有價值；但如果沒有客觀存在的東西，價值從何而來？所以主觀論與客觀論要互相協調。

課後思考

價值主觀論者認為，一個人的價值判斷主要是根據個人的情緒、欲望與興趣，你能否舉幾個例子來支持這種觀點？

30-4　價值客觀論在說什麼？

本節主題是：價值客觀論在說什麼？內容包括以下三點：

第一，價值客觀論源遠流長。

第二，價值客觀論的代表 —— 德國哲學家謝勒。

第三，對價值客觀論的評論。

（一）價值客觀論源遠流長

　　柏拉圖《對話錄》中有一篇叫做〈尤西弗羅〉（*Euthyphro*）。尤西弗羅是個中年人，蘇格拉底曾經與他對話，探討怎樣判斷一個行為是善的，有兩種觀點：第一，一個行為神喜歡，所以是善的；第二，一個行為本身是善的，所以神必定喜歡。第一種觀點代表價值主觀論，第二種代表價值客觀論。從中可以看出，價值主觀論與客觀論的差異何在。

　　價值主觀論認為，一樣東西的價值完全由我主觀的欲望、興趣、情緒來決定。價值客觀論則認為，一樣東西本身有價值，所以我自然就會欲求它。如果加上兩個字，說「一樣東西有價值，所以你『應該』欲求它」，就會涉及道德上的問題。

　　蘇格拉底之後，整個中世紀的西方哲學基本上都主張價值客觀論。中世紀有明確的宗教信仰，直接規定某些行為或事物的價值，規定可做與不可做。價值本來就有正負兩極，正面的就應該做，負面的就不准做。所以，當時普遍認為價值是客觀的，某些行為或事物本身就有價值。

　　價值客觀論很難討好，它隨著西方宗教的變遷而受到批判。如果主張有客觀的價值，別人就會質疑：這個價值是誰規定的？當人有宗教信仰時，可以說「是上帝規定的」或者說「是宗教權威所設定的」，一般人還可以接受。但是當宗教信仰受到挑戰時，說一樣東西有價值，它怎麼可能本身就有價值呢？如果離開人類，誰來選擇它、評價它？因此，價值客觀論仍需做進一步的探討。

（二）價值客觀論的代表 —— 德國哲學家謝勒

　　德國哲學家謝勒（Max Scheler, 1874-1928）是價值客觀論的代表。一般認為，他是胡塞爾最傑出的學生之一，可惜他享年不久，很多精采的觀點沒有得到充分的發揮。

　　謝勒主張價值客觀論，他提出五項標準來判斷價值的高低，分別為：持久性、不可分割性、基礎性、深度滿足性以及非相對性。

1. 持久性

　　愈能持久存續的，價值愈高。譬如，一本流行小說一年之後就被遺忘了，而一本文學經典可以流傳幾百年，所以文學經典的價值更高。又如，喝酒會讓我覺得快樂，但是感官享樂的價值比不上健康的價值，因為健康更為持久。

2. 不可分割性

　　愈不可分割的，價值愈高。譬如，把一塊麵包切成兩半，每一半的價值是原價的一半。把一幅世界名畫分成兩半，每一半的價值到不了原價的一半。可見，畫的價值更高。這說明物質上的價值可以分割，容易讓人產生爭奪；而精神上的價值不能分割，只能讓人共同享有。

3. 基礎性

　　如果甲是乙的基礎，那麼甲的價值更高。譬如，飲食要以健康

做為基礎。如果不健康，就不能吃喝。所以健康的價值高於吃喝。謝勒對於宗教的看法比較傳統，他認為，所有的價值最後都基於宗教的價值。宇宙萬物一直在變化中，但它的基礎是不變的，這個基礎的價值顯然更高。

4. 深度滿足性

愈能讓你深度滿足的，價值愈高。譬如，喝一杯啤酒與聽一首音樂所得到的滿足，顯然是不同的。如果你覺悟了某種真理，會對自己的生命感到滿意，這當然更有價值。

5. 非相對性

也就是不可替代性。相對性愈明顯的，價值愈低；相對性愈小的，甚至接近絕對的程度，價值就愈高。為什麼黃金比石頭有價值呢？因為石頭到處都有，而黃金比較難得。再往上推，愈是不可替代的、沒有相對性可言的，價值就愈高。

謝勒提出價值的五項判準之後，進一步表現價值客觀論的立場，他從低到高界定了四種價值：

(1) 感官愉快的價值，包括看什麼、聽什麼、吃什麼、喝什麼等等。這種價值可以直接讓你在感性上覺得愉快，是最基本的價值。

(2) 生命感受的價值，包括你是否活得健康、心情愉快。

(3) 精神品味的價值，包括三種：第一種是認知了真理，第二種是了解了正義，第三種是肯定了美。「真理」、「正義」、「美」類似於「真」、「善」、「美」，屬於精神品味的層次。

(4) 宗教價值，亦即你能否體會到什麼是神聖的，這是最高的價值。人在信仰中所獲得的密契經驗、對愛的體認等，都屬於宗教價值。

從人的生命結構來看，感官愉快價值與生命感受價值屬於「身」以及身心之間的層次；精神價值屬於心的層次，涵括真善美；宗教價值屬於靈的層次。需要強調的是，我們不一定非要信仰某種特定的宗教，照樣可以有靈的層次的體會。

謝勒沒有特別提到道德價值。事實上，在精神價值裡面，正義與不義就屬於道德價值的範疇。謝勒認為，道德價值是一個人面對較低價值時，能夠選擇較高價值的結果。當你面臨選擇時，會對價值高低有所判斷；你選擇了高的，就代表你實現了某種道德價值。

（三）對價值客觀論的評論

謝勒提出價值判斷的五項標準與四種具體的價值層次，如此明確的說法當然會受到很多嚴厲的批評與檢驗。

對於價值判準中的持久性，一個年輕人會覺得他的初戀是終生難忘的，但這不妨礙他一兩個月之後又交了新朋友。所以，持久性沒有客觀的標準。又如，說一個雕像有持久性的價值，前提是具有大理石這樣特定的材質。如果把同樣的內容刻在木板上，這個材質就會給它的持久性帶來很大限制。

對於不可分割性，因為價值不具有空間性，所以愈不可分的，價值就愈高。但是我們不能忽略，在物資極度短缺時，一塊布料比它平時的一半，價值絕對不止高出一倍而已。

再看基礎性。可以說「有健康做為基礎，你才能活得快樂」，但是快樂也能促進健康。

對每個判準都可以做進一步的討論，到最後可能根本找不到定論。最主要的問題是，謝勒所提出的價值表（如五項判準、四個層次）都是先驗的。它們並非經驗上的結果，而是在有相關經驗之前就要問：你為何會有價值判斷？價值判斷是怎樣做出的？

　　如果進一步追問這些先驗觀念的根據是什麼，謝勒只能說，是根據一種特別的認知行動，也就是每個人的特定偏好，這種偏好往往是一種直觀。但是要以誰的偏好或直觀做為標準呢？偏好或直觀會隨著一個人的性別、年齡、文化而有所不同，又要如何分辨偏好的對錯？這就是價值客觀論最大的問題。

收穫與啟發

1. 價值客觀論的立場源遠流長。從古希臘時代就已認定，一種行為或一樣東西本身有價值，所以值得我們去追求它。中世紀有明確的規範，價值有穩定的基礎。到了近代，隨著西方宗教逐漸瓦解，價值上也出現各種挑戰。

2. 當代價值客觀論的代表是德國哲學家謝勒，他提出五項判準、四個層級來說明價值客觀論，他的觀點值得參考。

3. 謝勒的問題在於，他的觀點都來自於先驗的思考，一旦用經驗加以檢驗，就會出現許多難題，不容易得到大家的認同。

課後思考

　　請你參考謝勒的五項價值判斷標準，找一兩個例子來說明這些判準的有效應用。

30-5 從價值觀到倫理學

本節的主題是從價值觀到倫理學,內容包括以下三點:

第一,價值觀確實重要。

第二,要考慮到情境。

第三,價值的完形觀點。

(一)價值觀確實重要

討論價值觀的目的,是為了銜接上倫理學。倫理學主要探討善惡問題。人的心智有三種基本能力:一是認知,針對的是真理;二是情感,針對的是審美;三是意願(意志),針對的是善惡。

首先,認知所追求的真理可以說是客觀的,至少以客觀性為主,而不是愛怎麼說就怎麼說。其次,情感所針對的審美偏向於主觀。最後,意志所針對的善行是主觀的還是客觀的?如果把善惡當做客觀,就要指出有某些行為,所有人都認同它是善的或惡的;如果把它當做主觀,個人認為善的就是善的,認為惡的就是惡的。可見,價值觀的探討非常重要。如果沒有把價值觀了解透澈,後面關於人生的各種問題就很容易混淆。

價值客觀論或主觀論都有問題。價值主觀論者認為,因為人對一樣東西有欲求,它才有價值,價值是由人決定的,尤其是個人。價值客觀論者認為,因為一樣東西本身有價值,所以人才會欲求它。

我們很容易就會發現,在比較低的價值層次上,主觀成分確實居多。譬如個人喜歡吃什麼、穿什麼,主觀成分居多。愈往高層次

走，如在道德價值方面，客觀成分就會增多。譬如，一個法官是否公正，不能僅憑個人主觀判斷，而必須有客觀的標準。這說明人的生命有不同層次，有的層次的價值偏向主觀，有的層次偏向客觀。

（二）要考慮到情境

價值不能脫離情境（situation）而存在。情境就是某種情況或處境。在價值問題上，首先要克服主客對立。換言之，思考價值問題不能用簡單的二分法，好像不是主觀就是客觀。個人興趣、欲求或情緒，都屬於主觀的心理經驗，是掌握一樣東西價值的「必要」條件，而非充分條件。「必要」條件就是「非有它不可，有它還不夠」。一樣東西當然要有人去選擇，它的價值才能呈現。但你有這樣的主觀心理經驗，並不能排除還有客觀的元素──必須先有一樣東西存在。若客觀上沒有東西存在，只有主觀上的欲求，是沒意義的。所以，任何價值都同時有主客兩面，它是主客之間的關係。

價值一方面存在於主客關係上，另一方面主體還要採取某種活動，才能與客體產生關係。這時就會出現某種情境。情境有主觀因素、客觀因素、社會因素與文化因素。

譬如，我對啤酒的評價有主觀因素，我口渴時喝與喝飽水後喝不一樣，生氣時喝與高興時喝又不一樣。另外還有客觀因素。啤酒本身有它的本質，它與水是不一樣的。但這個本質是不變的嗎？啤酒有各種品牌，每種品牌的口感都不一樣。

更重要的是社會因素與文化因素。我與朋友喝或與陌生人喝，共飲或獨飲，在國內或在國外喝，在大飯店或小酒店喝，評價都不一樣。同時，個人的經驗和鑑賞力、啤酒的品牌和口碑等，也會影響我對一杯啤酒價值的判斷。

換句話說，我要把啤酒本身的物理、化學性質，轉化為我在舌

尖上愉快的經驗，把客觀轉化為主觀。關鍵在於：我是「轉化」而不是「創造」，我把在客觀上存在的東西轉化成我選擇的價值，而不是去創造價值。這樣就排除了主觀論與客觀論各自堅持的立場。

主觀論者有一點是對的：如果沒有人做評價，則根本沒有任何價值的問題。一個人的評價，會受到個人經驗和當時狀態的影響，這些確實是主觀的。客觀論者也有一定道理：如果沒有客觀的物體，就沒有評價的問題。評價是人的意識的一種選擇，一定具有意向性，因而必須先肯定物體的存在。你欣賞一種價值，怎能不考慮它的攜帶者呢？譬如，你看到一座雕塑很美，它的美離不開大理石的材質。你看到一座教堂很美，它的美離不開宗教的背景。你看到一套家具很美，它的美離不開它的實用性。

可見，一樣東西的價值存在於主客之間的關係上。這種關係不是簡單的、靜態的，而是複雜的、動態的。因為構成這種關係的評價者（某個人）與被評價之物，兩者不是單純的、同質的，所以它們之間的關係自然是複雜的、動態的。因此，價值觀有可能改變。

所謂「情境」，是指個人的、社會的、文化的、歷史的因素與情況的綜合體。價值只在某種特定情境中才能存在，並具有意義。

（三）價值的完形觀點

價值不能離開經驗，又不能化約為經驗，因為價值具有完形（Gestalt）性質。「完形」原本是心理學術語，是指當你看到物體的某一部分，就能推斷出整體是什麼。價值具有完形性質，代表價值不是一種非此即彼、互相排斥的模式。它一方面有經驗的、自然的性質，另一方面也有非經驗的、可由直覺掌握的、非自然的性質，甚至有相反而成的性質。完形有以下四點性質：

1. 完形是殊多的統一，它具有各個組合的部分所找不到的性

質。換句話說，全體大於各部分的總和。譬如，一個交響樂團顯然比單獨某位團員更具有感染力。

2. 完形是具體而真實的存在，它兼具形式與內容，而非純粹抽象的形式。

3. 組成它的各個部分之間是整合的，也是相互依存的，有結構上的統一性。譬如，一盆插花就構成一個完形，各個花朵之間有相互依存的關係。同時，每一朵花也構成一個完形，它有結構上的統一性，所以才能說這朵花比那朵更美。

4. 組成它的各個部分不是同質的。譬如，把一塊黃金切成兩半，每一半仍然是黃金，代表構成它的每一部分是同質的。但人不能分成兩半，因為組成他的各個部分不是同質的。

因此，價值具有完形的性質，它綜合了主觀、客觀雙方的特色，只有在具體的人類情境中才能存在，並具有意義。同時，價值與真實世界有雙重關聯：一方面，價值來自人生經驗；另一方面，價值又不能化約為經驗。換言之，價值與價值物體不能劃等號。譬如，美是一種價值，而美的畫是價值的物體。世界上有許多畫，但不一定都美。價值與價值物體兩者相合，才能構成美的畫。

價值可能隨情境而改變。譬如一幅世界名畫，天下人都認為它很美，但你不一定要同意。價值的層級也不是垂直發展、固定不變的，謝勒說的生命感受價值一定比精神品味價值層次低嗎？那要看在什麼情境下、什麼人做選擇。所以價值觀具有開放及發展的可能。

（收穫與啟發）

1. 價值觀非常重要，周遭所見的一切都可與價值觀結合在一起。價值有高低不同的層次。價值觀的重要性，特別表現在追求真、美、善的過程中。追求真的時候，以客觀性為主；追求美

的時候，偏重於主觀性；追求善的時候，是主觀與客觀相結合。人生最關鍵的問題在於對善惡的判斷，所以在介紹完價值觀之後，要進一步探討倫理學的問題。

2. 價值不是純粹主觀或純粹客觀的，而是一種主客之間互動的關係。這種互動不能脫離個人、社會、文化、歷史的因素和背景。在具體的情境中，價值才能呈現。

3. 價值具有完形性質，它由經驗而來，又不能完全化約為經驗。每個人隨自己生命的成長，對價值判斷有開放和發展的可能。

(課後思考)

你能否找到一首你認為好聽的歌曲，然後設法用完形的觀念來說明它的價值？

(補充說明)

對於價值觀，既然是人在選擇，當然有主觀的成分，但既然你選擇的是某樣東西、狀態或境界，當然也有客觀的成分，它不是你憑空幻想出來的。我們的問題是：你能否從一首歌曲裡面找到一種完形價值？所謂完形價值，一定是把主觀、客觀配合起來，找到某種在它本身不太明確、但確實能被你掌握到的價值。

當你肯定某樣東西有價值，一定要就人的身、心、靈三個層次來區分。譬如，健康、運動屬於身的層次。求知學習、情感互動、行善以及各種藝術傑作屬於心的層次。

「生命誠可貴，愛情價更高，若為自由故，兩者皆可拋」，很多人覺得這句話很有啟發性，因為這句話涉及到價值層級。若你認同價值層級，代表你不是完全的價值主觀論者，一定有某些客觀論的成分。因此，談到價值觀時，完形觀念是非常重要的。

第三十一章

善惡問題難解

31-1　亞當・斯密《道德情操論》

本章的主題是：善惡問題難解。上一章討論價值觀的問題，本章要由價值觀轉向倫理學的題材，主要的問題是：善惡判斷是怎麼回事？倫理學對人生有何具體作用？本章先介紹幾位非哲學家的觀點，包括經濟學家亞當・斯密（Adam Smith, 1723-1790）、心理學家佛洛伊德與史金納（Burrhus Frederic Skinner, 1904-1990），以及社會學家馬克斯・韋伯（Max Weber, 1864-1920）等。

本節要介紹亞當・斯密的《道德情操論》一書，內容包括以下三個重點：

第一，亞當・斯密怎麼看待同情？

第二，亞當・斯密所謂的「公正旁觀者」是什麼意思？

第三，亞當・斯密對於良心與德行有何看法？

（一）亞當・斯密怎麼看待同情？

亞當・斯密是十八世紀的英國學者，他與啟蒙運動的代表人物都有過交往。他在 1776 年（美國獨立那一年）發表《國富論》，該書是他在經濟學方面的代表作。

亞當・斯密原來是探討道德哲學的專家，《道德情操論》是他在這方面的傑作。事實上，書名譯為「道德情操論」不是很恰當，因為「情操」在中文裡表示高尚的情感，需要經過後天培養和努力修練才能獲得；亞當・斯密的「道德情操」是指人的一種與生俱有的天賦，所以譯為「道德情愫論」可能更適合。

亞當‧斯密的思想在十八世紀頗有代表性。他首先談到「同情」。每一個人都會關心別人，把別人的幸福看成是自己的事，這種本性就是同情。這是人類的原始情感透過設身處地的想像而形成的。我們想像別人的遭遇或情感狀態，如喜怒哀樂，雖然會有程度上的差異，但性質上是相同的，所以我們會產生相似的感應。

亞當‧斯密認為，引起同情主要有兩種方式：

1. 來自於對別人情緒的觀察。譬如，我看到別人號啕大哭，會覺得他很可憐。後來發現他因為考上了理想的學校，心情激動才號啕大哭的。原來是我會錯意了。

2. 來自於對別人處境的觀察。你觀察到別人處於某種情況，而對方卻不一定有這樣的情感。譬如，媽媽聽到嬰兒的哭聲，覺得他恐懼無助。事實上，嬰兒只是肚子餓而已，並沒有什麼恐懼。

所以，基於對別人的情緒和處境的觀察，人就會設身處地想像別人的情況，而由此產生同情。亞當‧斯密認為，這種同情就是道德的起源在感情上的基礎。因此，他的學說被稱為「情感主義的倫理學」。

（二）亞當‧斯密「公正旁觀者」的觀點

亞當‧斯密接著提出「公正旁觀者」的說法。他認為，人對感情與行為的評價有兩種：一種是對他人，要做一個公正的旁觀者；另一種是對自己，要有良心。

同情是人的天性，人與人之間自然會產生同情心，所以你要設法從「公正旁觀者」的立場，去判斷一個人的行為是否合適。行為是否合適，要由感情是否一致來決定。高興的時候做高興的事，悲傷的時候表現出悲傷，這叫做「一致」。

　　一般來說，我們對於悲傷與對於快樂的同情是不一樣的。對悲傷的同情，我們比當事人要少一點；對快樂的同情，則比較容易接近當事人的情況。其次，在對於成就或處境的同情方面，我們發現，一個人若是富有就會誇耀，貧窮就會隱瞞。對於富者和名人的同情，往往表現為欽佩那些有錢、有名的人，但是比較少人欽佩有智慧、有德行的人。

　　亞當‧斯密認為，一個行為由動機與感情所組成，再表現為外在的動作。可能每個人的外在動作都相似，但是後面的發展如何，則要靠機運。所以，要盡量對別人的言行採取公正旁觀者的態度，採用與自己利害無關的客觀規範做為判準，而不要濫用同情心或者過於隨意。

（三）亞當‧斯密對於良心與德行的看法

　　亞當‧斯密的「良心說」是針對自己的。要努力從別人的眼光來看待自己的言行表現。換言之，還是要做一個公正的旁觀者，把自己當做被審查、被評判的人，此時良心就變成最高的審判者。他認為，每個人心中都有一個半神半人的良心，也可稱為理性或道義感。等於是我們心中有一個法官或仲裁者，可以評判我們的言行。但是，人有時因為自愛、自私或自欺，不再從公正旁觀者的立場來看待自己，從而失去良心的作用。

　　有人會問：良心是先天的還是後天的？亞當‧斯密是英國人，受到經驗主義明顯的影響，所以他不認為有任何先天的良心。他說：「並不存在一種先於對行為之贊同或責備的不變準則。」換句話說，對行為肯定或否定的準則，建立於我們在各種場合贊成或反對什麼的經驗之上。亦即由各種經驗的歸納，才得到目前所支援的普遍準則。要尊重這樣的普遍準則，這就是人的責任感。也就是

說，人有責任要尊重普遍的準則。

　　事實上，在人的社會裡面，這種準則更注重的是避免受責備，要超過希望受讚賞。譬如，看到老人摔跤，你有兩個選擇：去扶他，會受到讚賞；不管他，也不會被責備。通常情況下，大家就不去管摔跤的老人了，因為心裡都有一種避免受責備或少找麻煩的心態；很少有人為了受到讚賞而去扶他。所以，人類社會的存在需要依賴這兩個原則──避免受責備與希望受讚賞，然後才能相安無事。

　　換言之，責任感是行為的唯一準則。這種準則是造物主的指令與戒律所安排的，此外還有最終賞罰。亞當‧斯密沒有特別說明造物主是什麼，因為當時天主教、基督教依然盛行，無須多做解釋。

　　進一步來說，從良心到德行當然需要某些修練。亞當‧斯密特別提到三方面：

1. 審慎。要小心謹慎，關心自己的安全，包括身體健康以及保持財富、地位與名聲，同時還要發展自己的明智，指向更高尚的目標。

2. 與別人來往要有仁慈與正義。仁慈是由自己選擇的，可以得到讚美。缺乏仁慈不會受到懲罰。相對的，正義則強調不許傷害別人，要由外在的約束來維繫。你如果做正義的事，不會得到什麼報答；但如果違反正義，就會受到處罰。可見，仁慈與正義是不同的：缺少仁慈不會受責罰，違反正義就會受到處分。

3. 要培養自制，約束自己。一個人如果不能自我約束，即便有審慎、仁慈與正義，還是不夠理想。簡單來說，沒有自我約束的自制，就沒有德行。同時，你在自制的時候，不能忽略公正的旁觀者。你能否做到自制、言行是否合宜，要由別人的角度來評判。

亞當‧斯密對於經濟學有一定的貢獻；在道德觀念方面，他總結了當時強調情感的倫理學的觀點。

1. 亞當‧斯密認為，道德的基礎在於同情。所謂同情，就是透過觀察別人的情緒或處境，設身處地想像自己處在別人的情況，從而在內心裡面引起一種情愫。
2. 我們與別人來往，要盡量把自己當做「公正的旁觀者」。先不要考慮自己與別人有什麼利害關係或交往經驗，不要有個人的期望，這樣才能做一個公正的旁觀者。
3. 對待自己要採用良心原則。等於是把「公正的旁觀者」搬回內心，做心中半神半人的裁判，來對自己進行判斷，要求自己履行責任。亞當‧斯密認為，責任感就是對普遍準則的尊重。但沒有先天的普遍準則，所有準則都是我們從經驗中學習、歸納出來的。人生要不斷進行德行修養。首先，自愛會要求我們審慎。其次，與別人來往有兩個原則：仁慈與正義。第三，由「公正旁觀者」的角度評判自己：能否做到自制、言行是否合宜。這就是亞當‧斯密對道德情感來源的看法。

從經驗出發去探討道德問題，始終有一個關鍵問題，不論説「公正旁觀者」還是「良心」，最後都要問：從誰的角度來評判？世界上有那麼多人，每個人的遭遇都不一樣，如果由經驗來歸納，最後的結果可能相當主觀。你覺得亞當‧斯密這套觀點可以用來維持一個社會的道德水準嗎？

31-2　佛洛伊德對於道德的看法

　　本節的主題是：佛洛伊德對於道德的看法。佛洛伊德主要是一位心理學家，但他不以此為滿足，還要進一步解釋人類社會其他層次的問題。

　　本節內容包括以下三點：

　　第一，佛洛伊德在心理學上有何主張？

　　第二，文明壓抑了人性。

　　第三，良心是什麼？

（一）佛洛伊德在心理學上的主張

　　佛洛伊德（Sigmund Freud, 1856-1939）是現代重要的心理學家，他早期是研究神經症（neurosis）的。這與一般所說的神經病不一樣，它研究的是人在某些方面有什麼樣的反應。他的重要著作《夢的解析》，透過研究人類做夢的事實，找到人的「無意識」（the Unconscious）。

　　「無意識」有時也被譯為「潛意識」。人的意識就像冰山在海面上可見的部分，約占六分之一的體積；潛意識就像在海面下看不見的部分，占六分之五的體積。既然是在意識底下，譯為「潛意識」比較容易理解，譯為「無意識」反而可能引起誤會。譬如，一個人昏倒時就處於無意識狀態，但那顯然不是佛洛伊德的意思。佛洛伊德提出的心理分析理論，也被稱為深度心理學。在他之前的心理學家往往只注意到人類的意識層次或外在的行為表現。

　　佛洛伊德是猶太人，非常關心人類的文化。他早期出版《夢的解析》，後來把他的觀念推廣到文化、歷史等方面。他特別強調人類文明與人性本能的關係。佛洛伊德於 1930 年出版《文明及其缺憾》，書中的主要觀點就是：文明意味著對人性的壓抑。

（二）文明壓抑了人性

　　文明是如何壓抑人性？人活在世界上，目標是要追求幸福，但人生中難免遇到痛苦、失望等負面情況，感受到各種各樣的壓力。譬如，身體的壓力是它會老、會病、會結束，自然界的壓力是各種天災的威脅。更複雜的是人際關係的壓力，這正好是文明或社會進步所造成的。

　　佛洛伊德認為，化解痛苦有三種方法：轉移注意力、尋找替代性滿足以及麻醉自己。

1. 「轉移注意力」就是把本能加以昇華。譬如，藝術家與科學家專心工作，就不太會注意到生活與身體上的煩惱。很多人喜歡玩遊戲，因為遊戲也能轉移注意力。

2. 其次，「尋找替代性滿足」就是去關心別人，在愛與被愛中得到滿足。但是，愛上一個人也會有煩惱，在防備痛苦方面會比其他時候更加束手無策，你可能被所愛者操縱，在失去所愛者時會更痛苦、更孤獨。

3. 最後就是「麻醉自己」，譬如培養審美情操，使人有一種微微喝醉的感覺。至於真正去酗酒或吸毒，就等而下之了。

　　佛洛伊德強調，文明標誌著人類的進步，但同時也壓抑了人性。他早期研究神經症，認為它的來源就是文明給人的各種挫折。文明當然有其優點。佛洛伊德認為文明有四種作用，可以讓人類超越動物生活的層次：

1. 實用性。讓人使用工具、控制火、建造房屋，活得更安全。
2. 改善性。讓人的生活條件不斷改善，活得更清潔、更有秩序、更富於美感。
3. 思想性。讓人能有各種精神活動，建構各種思想的學說、宗教的體系、人的理想等。
4. 社會性。任何的文明到最後一定會建構社會制度，產生各種行為規範。

前三種作用對人都有正面的價值，但最後歸結到社會制度上，則會壓抑人性的某些方面。換言之，為了使個人與群體彼此協調，個人要犧牲某些他認為的自由與正義，群體才會給你愛的力量，讓你的本能得到發展，包括組織家庭以及安排人與人之間的相處方式。群體文明對個人的壓抑，最主要體現在兩個方面：性本能與侵略本能。

關於文明對性本能的壓抑，佛洛伊德提到三點：

1. 一個人組成家庭之後，個人與他所屬的更大群體會有衝突。他屬於家庭，還是屬於更大的社會？人很難容忍家庭成員參與更廣闊的生活圈。
2. 婦女處在文明的對立面。男人投入更大群體的機率較高，所以婦女的地位就降低了，她們被男人疏遠。這種情況在古代比較明顯。
3. 文明服從效益原則，其中有各種禁忌、風俗、法律等等，都會壓抑人的性本能。

換句話說，文明雖然可以讓眾人好好相處、彼此相愛，但它會犧牲人的性本能。

另外，文明還會壓抑人的侵略本能。佛洛伊德分析宗教裡面的金律——愛人如己，要愛你的鄰居如同愛你自己。事實上，鄰居是

陌生人，恰恰是由於你的鄰居不值得愛，他甚至可能是你的敵人，所以你應該愛他，有如愛你自己。由於我對別人以及別人對我都有敵意，所以佛洛伊德歸結出人的本能有一種「侵略性」。這個詞有時也譯為「進攻性」，就像英國經驗主義學者霍布斯所說：「人對人而言就像豺狼一樣。」如果讓人的感情自由發展，超過理性的利益的話，文明就有崩潰的危險。所以，人的侵略本能是文明最大的障礙，文明必須壓抑這樣的本能。

（三）良心是什麼

佛洛伊德把人的自我分成「本我、自我、超我」三個部分。

1. 「本我」其實就是天生的本能，只要活著，就有一種基本的驅動力，要求欲望立刻得到滿足。
2. 「自我」是「本我」與外在世界的媒介，可以讓我與別人好好相處。
3. 「超我」是我從小學到的社會規範，良心是「超我」的一種功能。

文明使人的侵略性轉向內部，以良心的形式出現。良心的作用在於監視個人的侵略欲望。一個人只要想做壞事，就會產生內疚感，讓人產生對懲罰的要求，並且自己懲罰自己。事實上，對自己內心的壓抑力量是人格的一部分，佛洛伊德稱之為「超我」。所謂「內疚」，就是嚴厲的「超我」與受制於超我的「自我」之間的緊張關係。

人在做壞事時會感到內疚，並不代表人天生就有判斷是非的能力。事實上，做壞事對我未必不利，有時我還喜歡做壞事。那我為什麼還會內疚？佛洛伊德認為那是後天的影響，是因為我害怕失去愛。譬如，我做壞事時，父母教訓我「再不聽話就不理你了」，我

害怕失去愛，所以只好聽話。佛洛伊德重新定義什麼是壞事：「壞事」就是足以威脅一個人失去愛的東西。做壞事自然會產生焦慮，小孩子怕失去父母的愛，成年人怕失去更大群體的肯定。

最初，人只怕做壞事被發現，只要不被發現就繼續做。後來，外在權威內化為超我，使得「做壞事」與「想做壞事」這兩者沒有區別。人瞞不過自己嚴厲的超我，邪惡的自我受到焦慮感的折磨，並且設法尋找機會，要透過外在世界來懲罰自己。所以，如果一個人的良心很敏感，就會給自己帶來各種困擾。

佛洛伊德除了說過「做壞事與想做壞事沒有區別」，他還說過另外一句話：「許多人因為罪惡感而犯罪。」這句話值得思考。人本來在犯罪之後才會有罪惡感，但許多人還沒有做壞事就有了罪惡感，最後乾脆去做壞事，這就是因為罪惡感而犯罪。

佛洛伊德認為，做好人很辛苦，一個人愈正直，對自己的行為就愈嚴厲，也愈不信任。最後恰恰是這些最聖潔的人，指責自己罪惡深重。如果要追究內疚感的先天因素的話，佛洛伊德將其歸結為「伊底帕斯情結」（Oedipus complex），即男孩從小就有戀母仇父的情結，對父親既愛又恨。

佛洛伊德指出，文明與內疚感緊緊聯繫在一起，強化了內疚感。文明不僅是個人自我的超我，也是人類集體的文化超我。如果要談倫理學，在每一個文明中都很容易認識到人類最痛苦的處境，因此應該嘗試著做出治療。佛洛伊德反對文化超我的倫理要求，他要降低文明給人的壓力。他的結論是：文明對人是無用的。

佛洛伊德的分析相當深刻，他把一個人行善避惡說成是某種壓抑造成的，是文明為了穩定和諧而壓抑了個人。他認為，解決這個問題最根本的辦法就是取消對文明不必要的恐懼，這只有透過他的心理治療才能實現。

收穫與啟發

1. 佛洛伊德是一位心理學家，他透過夢的解析，發現人類的潛意識，認為人類表現出來的一切都受潛意識的狀況所決定。他發現人生是艱難的，人都會設法轉移注意力、尋找替代性滿足或麻醉自己，但效果有限。文明標誌著人類的進步，但是難免會壓抑人性。
2. 文明所壓抑的是人的性本能與侵略本能。
3. 佛洛伊德的「本我、自我、超我」三分說廣為流傳。他認為，文明壓抑了我們的侵略性，使它轉向我們內部，造成內部的監視者。超我就表現在良心上。

課後思考

倫理學討論道德問題，不能錯過對善惡判斷的理解，但是有的學者把這個問題解釋不見了，而不是解釋清楚了。請問，佛洛伊德把善惡判斷解釋為文明對人性的壓抑，他的做法是把善惡解釋不見了，還是解釋清楚了？

31-3 史金納的行為主義心理學

　　本節的主題是史金納的行為主義心理學。在心理學家中，我們以佛洛伊德與史金納為代表，因為他們不但研究心理學，還把研究成果普遍應用到人類社會。他們探討人的道德問題，涉及人的良心、自由與尊嚴等方面。史金納（Burrhus Frederic Skinner, 1904-1990）在哈佛大學擔任二十六年的心理學教授，他代表的是行為主義心理學，或稱做行為科學心理學。本節要介紹以下三點：

第一，行為主義心理學在說什麼？
第二，環境決定一切嗎？
第三，人是什麼？

（一）行為主義心理學在說什麼？

　　史金納是行為主義心理學家，簡稱為行為主義者。行為主義強調，不要再研究那看不見的心靈、意識或靈魂，而要研究能夠看到的人的外在行為。這個學派在他之前有兩位重要人物。

　　一位是俄國心理學家巴甫洛夫（Ivan Petrovich Pavlov, 1849-1936），他對狗做了一個著名的實驗。他每次餵狗之前先搖鈴，狗聽到鈴聲就知道馬上會有食物，便開始分泌唾液。這個實驗有三個要素：一是搖鈴，二是餵食，三是狗分泌唾液。重複幾次之後，只搖鈴但不餵食，狗照樣分泌唾液。代表牠的行為反應是制約反射的結果。所謂「制約反射」，就是在某種情況或條件下，一個生物會有某些特定反應。通常把這些情況或條件當做「制約」來理解。

該學派的另一位重要人物是華生（John Broadus Watson, 1878-1958）。他認為，在決定行為方面，環境比遺傳更重要。遺傳的只是簡單的生理反射動作，其他的都來自於環境與學習。換句話說，人除了有生理反射的本能，還有學習的能力。

華生這段話很具代表性：「給我十二名健康嬰兒，給我一個專門培養他們的環境，我保證任意選出一個嬰兒，不管這個嬰兒的品行、能力、愛好如何，也不管他的祖先是什麼種族，我都能把他培訓成任何領域的專家，如醫生、律師、藝術家等，或某種特定的人，如企業家，甚至乞丐或小偷。」可見，行為學派要降低遺傳的影響，完全透過後天環境與學習來改造一個人；要透過制約反射作用讓人學習，因為人的行為就是他對所處環境之制約反射作用的結果。

史金納進一步認為，科學的目的不僅是預測世界，還要控制世界，所以不用談抽象的東西。信上帝沒有科學基礎，宗教只是操縱人類行為的社會機構之一。所謂人性，那是無法觀察的部分，沒有什麼解釋的效力，所以不用談自我或靈魂的問題。遺傳基因的成分在實驗分析中也沒有太大價值。這是史金納的出發點。

他認為，一個生物的生理狀態，只是在環境對牠的行為發生影響的時候，起了媒介作用。換句話說，心理學要研究的是聯繫環境與行為的規律。他肯定人的行為是由某些科學規律所支配，亦即人的行為是被決定的。這些科學規律說明了環境因素與人類行為之間的因果關係。「因」就是外在環境因素的條件，也就是制約的情況；「果」就是人類的行為。

（二）環境決定一切

史金納認為，所有行為都是環境作用的結果。這種說法受到了挑戰。有實驗指出，一對雙胞胎分開養育後，兩人能力水準的相似

度極高，遠超過任意兩個孩子之間的相似度。這證明遺傳也有作用。

在巴甫洛夫的實驗中，有鈴聲刺激，有食物做誘因或強化物，狗就會有分泌唾液的反射動作。史金納做了進一步實驗，強調制約不見得這麼呆板。他說：「動物在未受刺激的情況下也能自發的做出行動。」譬如老鼠按壓槓桿可以得到餵食，鴿子把頭伸到某種高度也可以得到餵食。所以，只要安排某種環境，隨著動物的某種行為給牠某種強化物（如食物），這個行為的頻率就會加快。

史金納由此推論，人的一般行為也是如此，可以把這個結論應用在人與機構的關係上。所謂「機構」，包括政府、宗教團體、心理治療及教育等領域。換言之，如果一個孩子有好的表現就給他鼓勵，他的表現會愈來愈好。問題是，人的世界恐怕沒那麼單純。

史金納把該理論運用在人類行為的許多重要領域，包括語言學習方面。他說：「所有的人類語言，都是由於說話者的環境對他產生制約作用的結果。」譬如，嬰兒聽了許多英文之後，可以準確說出一句英文，他得到強化物的支持，很快就能學會英文。事實上，學習語言沒這麼單純。難道嬰兒學習語言也需要餵食嗎？

知名語言學家喬姆斯基（Chomsky, 1928-）說：「史金納忽略了一點：當我們學會使用母語之後，還會繼續主動學習。」事實上，在學習母語的過程中，開始可能會有一些制約反射的情況，孩子由於得到某些鼓勵，會更樂於學習。但掌握基本能力之後，就算沒有明顯的鼓勵，孩子也會繼續擴展他的語言表達能力。

喬姆斯基認為，人類語言的創造性以及語言結構的特點，使語言與已知的任何一種動物行為都有本質上的差異。譬如，了解某些字詞和語法之後，就可以說出並理解從未聽過的句子；或在聽到別人說出特殊句子時（如朗誦詩詞），也能有一定程度的理解。換言之，掌握字詞和語法之後，可以進而了解各種創新的用法。

　　所以，行為主義心理學家積極從事動物實驗，尤其是白老鼠與鴿子實驗，然後把結論應用到人身上，卻忽略人與動物有本質上的差別。不可能用動物實驗的結論來分析人類的語言，因為沒有任何動物可以學會類似人類語言的東西。人類本身有一種天生的、根據某些規則加工語言的能力。人類行為的許多重要方面都不是從環境中學會的，人具有某些與生俱來的、由遺傳得到的能力。

　　史金納後期的代表作《在自由與尊嚴之外》，有時也譯為《超越自由與尊嚴》。但是「超越」兩字容易引起誤會，不如譯為《在自由與尊嚴之外》，因為該書主旨是要否定人類有自由與尊嚴。

　　史金納在這本書的結論中說：「人類為自由而奮鬥，不是因為人有自由意志，而是因為人這種有機體的行為，本來就有一種躲避或逃脫環境中不利因素的傾向。」換句話說，為自由而奮鬥，不是因為有自由意志可以追求理想，只是因為要擺脫環境中的不利因素而已。人的自由在於不被別人的蓄意安排所控制。今天這個時代，這種控制已經少之又少，因而現代人沒有太多自由的空間。換言之，史金納排除了過去心理學家所肯定的人的「自我」，「自我」就包含了「自主」的觀念。史金納認為，人完全受環境所控制。

（三）人是什麼？

　　史金納這本書最後歸結為一句話：人是環境的產物。人的心理狀態、知覺作用、認知能力、思維方式以及哲學見解，都由環境複雜的相關性所決定。換言之，人的行為完全取決於他的環境條件。

　　史金納又說：「人並不是因為具有某種特殊性質或德行才成為道德的動物；相反的，是因為人創造了一種促使他以道德方式來行動的社會環境。」換句話說，社會環境決定了我們要以某種道德的方式來行動。若果真如此，則根本談不上人的自由。如果沒有自

由，哪裡有尊嚴可言？

　　史金納舉了一個例子，有一定道理。他說：「一個人受到的肯定與他行為的明顯程度成反比。」你做一件好事，如果有明顯的原因，就不會受到太多肯定。譬如，與幫助一個朋友相比，你幫助一個陌生人會受到更多的肯定。沒有明顯原因的善行最能得到稱讚，像不求回報的愛情，不迎合時尚的作品。一旦把原因搞清楚，就毫無尊嚴可言。每個人都是在制約的情況下做某些事，如此一來，也談不上高尚的道德情操了。

收穫與啟發

1. 在心理學方面，行為科學心理學派的影響很大。該學派又被稱做行為主義，代表人物是史金納。在他之前的學者透過研究動物的行為，發現動物經由刺激會有反射動作。史金納把動物實驗的結論用於理解人生的問題。

2. 史金納用「環境決定一切」來解釋人的行為與社會現象，又進一步用小孩學習語言的過程來說明人類確實如此。他的說法有不少漏洞，受到很多專家的批評。

3. 史金納認為，人根本沒有真正的自由，所以也沒有什麼尊嚴的問題。按照他的說法，我們就沒有辦法再談道德了。因為道德不能脫離人的良心、自由選擇以及隨後的責任，人在這個過程裡才能確立自己的尊嚴。所以，史金納的說法是心理學家對於道德問題最負面的一種批判。

課後思考

　　人的行為有原因，不代表他被原因控制，不代表他不是自由的。這種想法能否緩和史金納的學說，使它不要走上太極端的路線？

31-4　倫理學對人生的具體作用

　　本節的主題是倫理學對人生的具體作用，要介紹德國社會學家馬克斯・韋伯（Max Weber, 1864-1920）的一本重要著作──《基督教倫理與資本主義精神》（*The Protestant Ethic and the Spirit of Capitalism*），看看他如何把現代資本主義與傳統宗教倫理結合起來。

　　本節要介紹以下三點：

第一，什麼是基督教倫理？

第二，基督教倫理有什麼內容？

第三，它如何造就了資本主義精神？

（一）基督教倫理

　　「基督教倫理」（The Protestant Ethic）通常被譯為「新教倫理」。前文介紹過，基督宗教分為一教三系：最早出現的是天主教，後來分裂出東正教，到十六世紀馬丁・路德宗教改革之後，才出現中文翻譯所謂的「基督教」。因此，在中文裡直接說「基督教」，是指基督新教。Protestant 從字面上來看，指的是反對派。他們所反對的就是天主教。韋伯在此說基督教倫理，是要強調不是指傳統天主教的倫理觀。

　　馬克斯・韋伯這本書於 1905 年出版。在此之前，很少有人在乎基督教倫理或宗教的倫理觀了，這一類題材幾乎被打入冷宮。韋伯這本書針對時代問題做出深入考察，引起廣泛的注意，使「基督教倫理」一詞重新受到大家的重視。

韋伯首先考察歷史。他從後果進行反省，分別從基督教與天主教對資本主義社會的關係，來說明這兩種倫理觀的差異。他指出兩點事實：

1. 喀爾文在日內瓦的專制統治，居然還能造成經濟發達。這是他探討的重點。

2. 基督教徒大多數成為工商領袖、企業家、高技術工人、管理人員等。天主教徒大部分學習文科，接受人文教育，比較少接觸到新時代在經濟方面的發展，比較忽視「經濟理性主義」。資本主義就是一種經濟理性主義，用理性來思考經濟的合理發展。

（二）基督教倫理的具體內容

根據韋伯的研究，基督教倫理主要有三點內容：第一是天職觀，第二是預定論，第三是入世禁欲主義。

1. 天職觀

所謂「天職觀」，就是肯定一個人的職業是上天給他的任務。因此要把完成世俗工作的義務，當做他道德行為能力所能達到的最高形式。因此，不要把道德與現實工作分開。上帝給人的唯一生活方式是讓他活在這個世界上，而不是讓他去參與苦修的禁欲生活。事實上，世俗的道德沒有什麼不好。喀爾文所強調的天職，就是要完成自己在世俗生活中應盡的責任與義務。

馬丁・路德是宗教改革最重要的代表，他強調「因信稱義」──只要相信，就可以得救。這與天主教的觀念已經不同了。如果只要相信就能得救的話，那麼你可以繼續從事世俗活動，做一個好公民，盡一個好人的責任。

喀爾文進一步指出，世界的存在是為了榮耀上帝，基督徒必須

全心服從上帝的誡命才能榮耀他。所以要投入世界，使世界變得愈來愈美好，在事業上取得成功，這就是榮耀上帝的最好方法。因此，基督徒在現實世界上要努力奮鬥、爭取成就，以此做為自己的使命，這就是天職觀。

2. 預定論

預定論是喀爾文教派比較特別的主張。預定論強調，一個人的命運在他出生之前已經由上帝決定了，無論他這一生怎麼修行都無濟於事；但是他可以從上帝的召喚中感覺到一些信息，可以按照自己在這個世界上的表現，去揣摩自己是不是上帝的選民。這純屬於宗教性的觀點。既然上帝預定了我的命運，我又何必那麼辛苦呢？但是問題在於，我永遠不會知道上帝所預定的內容，不知道自己是否被選中了。

喀爾文強調：「上帝不是為人類而存在的，人類的存在完全是為了榮耀上帝。」因此，不管命運如何，都不用抱怨。如果做為人而抱怨自己的命運，就好像動物抱怨自己沒有生而為人一樣。

喀爾文這種說法顯然違反人情與人性。但愈是違反人性的，愈是荒謬的，反而會使信徒覺得它更有深刻的含義。因此，信徒在面對上帝時有一種特殊的孤獨感，他被迫孤獨的沿著自己的道路，去面對那永恆的、早已為他決定的命運。誰也幫不了他，教會機構、宗教儀式、神職人員都幫不上忙，由此反而強化了信徒的主體自覺與自律，每個人都要為自己負責。一個真正的信徒，必須把自己看成上帝的選民，不要有疑慮，要全力以赴，在世俗生活裡得到充分的自信。

3. 入世禁欲主義

所謂禁欲，當然是要禁止自己欲望的發展。而所謂「入世」，代表它不是「出世」的。天主教提到「禁欲」會強調「出世」，要

從這個世界隱退，拒絕這個世界的各種享樂，也不再承擔對世界的責任。古希臘時代發展出來的犬儒學派與斯多亞學派，都有類似的觀點，講禁欲都偏向於出世。

　　喀爾文教派最大的貢獻就是提出入世禁欲主義，也就是在現世之中把行為合理化，肯定這種禁欲是合理的，也是為了來世的考慮。這種禁欲主義使基督徒的職業觀得到明確的指示：要在世俗生活中透過禁欲活動來建功立業，以此做為宗教生活的完美典型；同時，也不要以為財富是萬惡之源，而要以財富做為榮耀上帝的手段，賺了錢之後仍要節制欲望。

　　上述三種基督教倫理產生了什麼效果？它們讓一個人有合乎經濟要求的理性主義，由此確立資本主義的精神。

（三）基督教倫理如何造就了資本主義精神？

　　韋伯說，所謂的「資本主義精神」，簡單來說就是美國開國元勳富蘭克林（B. Franklin, 1706-1790）所說的「時間就是金錢，信用就是金錢，金錢可以產生金錢」。由此會進一步遵守工作紀律，宣導勤勞節儉，強調嚴謹生活，反對奢侈怠惰，肯定現世的正當經濟活動有它的價值。這樣才能用前所未有的道德使命感，兢兢業業的從事世俗的經濟活動，履行自己的天職，以世間的成功，來證明對上帝的信仰，以此榮耀上帝。這就是由基督教倫理造就的資本主義精神。

　　今天的西方是資本主義社會，即使主張社會主義的國家，也在某種程度上接受了資本主義的做法，譬如市場經濟。資本主義是怎樣形成的？如果它的背後沒有一套倫理學或某些基本的倫理觀念，就不可能讓一個地區的人全面表現出這種經濟理性主義，從而使資本主義得到順利發展。

收穫與啟發

1. 對於今天世界上最流行、最普遍的經濟活動模式——資本主義，我們要問：它背後有沒有倫理觀做為基礎？韋伯1905年出版的《基督教倫理與資本主義精神》深入分析了這個問題。

2. 韋伯認為，基督教倫理有三點主要內容：天職觀、預定論與入世禁欲主義。這三點合起來可以讓一個人充分發揮能力，又不至於耽溺於世俗的享受。

3. 基督徒賺了錢之後要努力改善社會，使各方面不斷進步，由此造成資本主義社會的成功。

課後思考

　　韋伯的觀點告訴我們，一個成功的企業家需要有某種天命觀，對自己有某種使命感；同時還要有約束自己欲望的能力。至於他是否被預定得救，則屬於宗教信仰的問題，暫且不論。你能否舉例說明，哪些企業家由於意識到自己的天職，同時採取了某種程度的禁欲主義，從而獲得了成功？

31-5　對馬克斯‧韋伯觀念的進一步探討

本節要進一步探討馬克斯‧韋伯的觀念，包括以下三點：

第一，資本主義精神有何具體內容？

第二，別的文明沒有基督教倫理，就不能發展出資本主義嗎？

第三，對韋伯的觀念做一個簡單的評論。

（一）資本主義精神的具體內容

　　韋伯的年代是 1864 年至 1920 年，在他所處時代的前後，已經有一些學者開始探討與資本主義社會相關的問題了。譬如，德國學者宋巴特（Werner Sombart, 1863-1941）先對資本主義做了一個表面的描述：社會上的市民階級都信守契約，勤勞節儉，為了謀利發財而腳踏實地的工作。他進一步認為，資本主義精神顯示出以下三點特色：

　　1. 肯定誠實的價值。誠實之所以有用，是因為它可以保證信用，能夠讓一個人守時、勤勞、節儉。換句話說，誠實可以成就一個人的德行。誠實也代表要認真負責、言行一致，至少在外表上要做到一個人該做的事。久而久之，他會覺得自己確實在遵守某些規範。

　　2. 資本主義的本質是讓一個人追求金錢，但把賺錢與人的天職聯繫起來則是資本主義的特色。事實上，賺錢的欲望古已有

之，但是資本主義精神把合理謀利與尊重倫理的生活態度結合了起來。一方面，我要合理合法的賺錢；另一方面，我的這種倫理觀是合乎道德價值的。

3. 資本主義精神是理性主義整體發展的一部分。資本主義是一種經濟理性主義，它強調以合乎道德的手段經商謀利，以合乎理性的方式組織勞動，把勤勞節儉當做天賦使命。所以，它本質上是一種理性精神加上倫理的原則，使一個人能夠節制、講信用，又精明能幹。

資本主義有什麼後果？在韋伯看來，資本主義會使一個人做到誠實的謙遜，而不是虛偽的謙遜。所謂「誠實的謙遜」，就是一個人的財富僅僅為他帶來做好本職工作的極不合理的感覺。換句話說，一方面我覺得這些工作是我該做的，另一方面我居然發現自己賺了錢。這在基督徒看來是極不合理的，因為很多人像我一樣努力工作，卻不一定賺到錢。這是一種誠實的謙遜，知道這一切都是神賜予的，而不是我該得的，所以不敢放縱欲望去揮霍享受。這就形成了資本主義的精神。

（二）其他文明不能發展出資本主義嗎？

韋伯透過認真考察，發現只有基督教倫理才可能發展出資本主義。他分析過儒家、印度教、佛教、伊斯蘭教、猶太教以及天主教，這些宗教或哲學都有密契主義與禁欲主義，但它們的禁欲主義是出世的。你要節制欲望，就要與人群隔絕，不再承擔現實世界的工作或責任，好像閉關修行一樣。

所以，其他宗教或哲學都缺乏基督教的天職觀與入世禁欲主義。基督教的這兩種倫理之間有一種緊張關係，它使信徒可以按照上帝的指令，理性的支配及改造世界，不排斥現存秩序，努力盡自

己的責任，使世界變得更好，更適合人群居住。

　　韋伯特別提到，中國因為缺乏基督教倫理，所以沒有出現像西方那樣的資本主義。韋伯認為，儒家有以下五點特色：

1. 儒家信仰非人格化的宇宙秩序──天。
2. 儒家強調人與人的和諧，表現一種和平主義。
3. 在人與自然界、人與神之間，缺乏應有的緊張與對立。基督教有一種「緊張與對立」，如果沒有好好做，或者沒有做到某種程度，就不能得救。中國人講究和諧，缺乏這種緊張關係，因而不會全力投入工作。
4. 儒家沒有基督教的原罪意識，因而沒有救贖靈魂的需要，更不會把世俗的成功當做上帝給人的天職。
5. 儒家主張修養自己、陶冶人格，而不是要克服內在的罪惡。它要求人與永恆的宇宙法則以及社會法則做理性的協調，接受現實世界的情況，而不必操心去改變它。換句話說，韋伯認為，儒家是以理性的態度去適應這個世界，而不是像基督教那樣讓信徒去改善這個世界。

　　這種說法後來受到挑戰，因為從 1970 年代以後，東亞地區也出現了現代化。日本學者福山（Francis Fukuyama, 1952- ）特別指出：如果按照韋伯的思維模式，任何現代化或資本主義社會的成功背後都有某種倫理，那麼東亞現代化背後的倫理基礎就是儒家，因為儒家是東亞國家共同的文化背景。

　　但問題是：西方的基督宗教存在兩千多年，到十六世紀宗教改革之後，出現了一種新的詮釋，才使基督教倫理影響許多人的工作態度，最後造就了資本主義精神；而儒家並沒有出現像宗教改革那麼大的變動，它是比天主教還要長久的傳統，為什麼也可以拿來做為現代化的基礎？是否所有資本主義社會的發展都要有某種類似基

督教的倫理？這是一個很大的問題。

所謂資本主義化或現代化，是這個世界上一直在進展的現象。儒家能否做為東亞現代化背後的倫理基礎？要考慮兩個方面：一個是必要條件，一個是充分條件。

首先要像西方社會那樣，整個社會的教育水準發展到一定程度，工業化、技術化進展到某個階段，這是必要條件。沒有這些必要條件，就不可能出現資本主義社會。

所謂充分條件，就是當一個社會進步到某個階段，具有該條件就能發生進一步蛻變，展現出資本主義精神。韋伯認為儒家不具備這樣的條件；但從東亞現代化的進程來看，不用儒家倫理學很難解釋得通。

韋伯認為，基督教倫理有三點特色：天職觀、預定論與入世禁欲主義。這三點至少有兩點與儒家有關。

1. 基督教有天職觀

一個人知道自己有上天賦予的任務。如果認真研究儒家，就會發現孔子有天命觀，他說自己「五十而知天命」。他的天命觀讓他先是投入魯國的政治活動，後來又周遊列國。孔子要在現實世界中盡好自己的責任，設法完成上天所賦予的使命。事實上，孔子的天命觀較少受到學者的探討。

2. 入世禁欲主義

孔子強調對言行方面的約束，所以儒家不可能主張去享受現實世界的富貴榮華。由此可見，儒家具備與基督教類似的態度，讓一個人努力取得現實世界的成就，又不要耽溺在世俗享受中。

按照韋伯的思考模式，我們可以說儒家是造就東亞現代化的倫理基礎，否則找不到其他理由。將儒家與基督教倫理進行對照，我們發現儒家也有它的天職觀和入世禁欲主義，但是談不上預定論。

（三）對韋伯觀念的簡單評論

如今，所謂「現代化」幾乎就等於西方化，資本主義全面的發展使得西方非常強勢。資本主義社會所取得的正面成果固然很多，但對整個人類社會來說，也有許多明顯的後遺症。同時，西方很多大企業家取得很大的成就，但他是否還奉行韋伯所說的基督教倫理？這些企業家賺了錢之後，也許將來會把錢捐給社會，但是他們現在所過的生活恐怕談不上什麼禁欲主義。

收穫與啟發

1. 資本主義主導當今世界的經濟活動，它的背後有基督教倫理做為支撐，這一點在西方是一個客觀事實。但是這種資本主義能否推廣到非西方社會？這是我們要思考的問題。

2. 韋伯把資本主義精神與基督教倫理建立關聯之後，進一步研究其他文明、宗教與社會，發現它們都無法孕育出資本主義精神。資本主義出現在歐洲與北美是一個客觀事實，所以韋伯的論點在某種程度上是可以成立的。不過，他認為儒家的倫理不可能導致理性的資本主義；事實上，亞洲的全面現代化也是一個客觀事實。所以有學者認為，儒家也有天職觀與入世禁欲主義，同樣可以造成資本主義社會。

3. 資本主義社會並非完美的社會，也不是一種完善的理想，它出現很多嚴重的後遺症，並且仍不斷發生。

課後思考

韋伯認為，基督教倫理有三項重要內容：天職觀、預定論與入世禁欲主義。你覺得這三項中的哪一項值得你個人參考？

補充說明

　　許多人認為天職觀與入世禁欲主義比較容易實踐，很少有人提到預定論。也有人認為預定論就是上帝賦予我某種使命，或者認為預定論是一種悲觀的論調，如果結果都預定了，為什麼還要那麼辛苦？這些都是明顯的誤解。

　　韋伯所謂的基督教倫理，最關鍵的恰恰就是預定論。預定論與天職觀是不同的。預定論是說，我不知道上帝對我最後的安排或底牌是什麼，我這一生只能像過了河的卒子一樣全力以赴。這裡面存在一種很明顯的緊張狀態，這是促使一個人奮鬥一生最主要的理由。這裡並不存在什麼悲觀、樂觀的問題。要想了解西方人的思維模式，預定論是關鍵所在。

　　這其中，「誠實的謙遜」是一個重點。一個人若想在事業上成功，一定要有「誠實的謙遜」，要知道很多人像我一樣努力，甚至比我更努力，但沒有成功。我今天可以成功，代表天時、地利、人和配合得很好，所以我要真誠的、由內而發的謙虛，不能認為自己有什麼了不起。

　　至於佛教的影響，佛教或禪宗對某些企業家的影響往往偏重於個人修養的情調或審美的趣味。譬如學習禪宗後，練習靜坐，穿黑色衣服，內心充實而自信等等。

　　談到儒家，有些人會想到「修身、齊家、治國、平天下」，要按照個人的角色進行努力。事實上，儒家講「天命」只有一個答案，就是每個人都應該成為君子。但君子的問題相當複雜，背後有人性論做為它的基礎。

第三十二章

從效益論到義務論

32-1　西方倫理學簡介

　　本章的主題是：從效益論到義務論。本節的主題是：西方倫理學簡介。前文已經介紹過，價值介於主觀、客觀之間，有一定的情境與完形作用。價值觀裡最重要的部分，就是人的意志在做選擇時所涉及的善惡問題，亦即倫理學的觀念。西方哲學從誕生以來，一直關心這個問題。

　　本節要介紹以下三點：

　　第一，倫理學是什麼？

　　第二，西方有哪三派重要的倫理學？

　　第三，如何做道德判斷？

（一）倫理學是什麼？

　　倫理學是大學哲學系的一門必修課，英文叫做 Ethics，來自於 Ethos（習俗）。從古至今，任何一個族群都有自己的「習俗」，即風俗與禁忌，規範大家應該做什麼、不應該做什麼。「倫理學」設定人與人之間的規範，重視群體中穩定的秩序。

　　倫理學又稱為道德哲學，即從哲學的角度對道德加以反省。道德涉及個人的自由選擇，有其內在的基礎。倫理與道德這兩個詞，在中文裡可以交換使用。一般講「倫理」會側重外在秩序，講「道德」會強調內在基礎，但兩者都指涉人在行動時必須遵守的規範。

　　倫理學主要討論兩個問題：第一，如何界定善惡？第二，為何要行善避惡？由此可見，倫理學與人直接相關。

（二）西方三派重要的倫理學

西方有三派重要的倫理學，包括效益論、義務論與德行論。由於西方哲學當中有很多「主義」，容易造成混淆，所以本書將這三派倫理學統一譯為「某某論」。

1. 效益論（Utilitarianism）

「效益論」通常被譯為「功利主義」，但是中文裡的「功利」含有貶義，有急功近利的意思。譬如，應該排隊上車，這與「功利」完全無關，譯為「效益」比較符合原文的意思。「效」是「效果」，「益」是「利益」。效益論認為，善在於效益，要考慮行為的結果。「謀求最大多數人的最大幸福」是效益論的主要標籤。一般說來，英語系國家從英國經驗主義之後，都比較推崇效益論。效益論在建構社會秩序與制定政治措施方面有明顯的作用，它的具體內容值得我們參考。

2. 義務論（Deontology）

義務論在康德的主張中表達得最清楚。事實上，在康德之前的西方宗教，談到道德幾乎都是義務論：人要遵守上帝的誡命，所有的道德規範都是義務，沒有什麼好商量的。康德在探討「我應該做什麼」這個問題時，清楚的採取義務論的立場：判斷一個行為是不是善的，不看該行為的結果或效益；而只看一個人的動機，也就是「善的意志」，簡稱「善意」。只要你有善意去做一件事，這件事就有道德價值。結果好壞往往難以預料，有可能好心辦壞事，所以有好心才是關鍵。

3. 德行論（Virtue Theory）

古希臘時代的亞里斯多德強調德行論。德行論認為，善既不是效益論所說的行為結果，也不是義務論所說的行為動機；善在於人

生的修養過程。換句話說，不要問「善在什麼地方」，而要問自己：我應該成為什麼樣的人？我如果成為善人，我的行為自然都是善的；我如果沒有任何修養，那麼我做善事恐怕只是碰巧而已。

這三派倫理學有各自明確的立場，你接受哪一派，就會有後續的行為表現。

一般而言，效益論在政治領域比較受重視，廣泛用於公共政策的制定，因為它考慮的是大多數人的現實需求。義務論比較適合個人的行動，它強調行為要出於對義務的尊重，有良善的動機。德行論在教育領域有較大影響，它注意到整個生命的過程，強調要養成遵守規則的習慣，讓自己成為一個善良的人。所以，這三派倫理學各有所長，在理論與實踐上有各自的價值。

（三）如何做道德判斷？

道德判斷首先要肯定人有自由。人有自由，才有所謂「該做」與「不該做」的問題，以及隨之而來的責任問題。為什麼人要做道德判斷？因為人的理性有限，同情心也有限。

首先，理性的作用是有限的。有許多事應該做，但是你不見得知道；即便你知道，還是傾向於滿足眼前的、強烈的需求，無法做長遠的考慮。其次，同情心也是有限的。你滿足自己的需求之後，還能關心多少人？頂多是周圍的一些親友而已。所以，在理性有限、同情心有限的情況下，道德判斷是必要的。

另外，人還有一種自然的傾向，可能去傷害別人或幸災樂禍，也就是霍布斯所說的「人對人而言就像豺狼一樣」。如此一來，道德判斷就更有必要了。

在做道德判斷的時候，首先要記得，各派倫理學都強調四個「不可」：

1. 不可有偏見。不能根據一個人天生的因素來下判斷，比如根據一個人的性別或種族，就認為他在道德上比較低劣。有些社會對於女性、黑人、猶太人往往會有偏見。

2. 不可有感情反應。在做道德判斷時，個人要克制自己的喜怒哀樂等感情反應。

3. 不可完全考慮實用觀點，以此評判道德的高下。比如，因為同性戀無法生育下一代，就判斷這種關係有道德問題。

4. 不可按一個宗教信仰的權威來下判斷。很多人在信仰宗教之後，就有了特定的成見，會以宗教的教義或教會的觀點來判斷其他人的行為表現。

這四個「不可」名正言順，大家應該都可以接受。

收穫與啟發

1. 倫理學屬於哲學裡一門應用的學問。西方哲學首先用邏輯與認識論探求世界的真相；接著進入形上學的層次，包括宇宙論、人性論以及對本體的探討；然後落實在應用的範疇，包括倫理學、美學以及其他應用哲學。倫理學主要探討人的自由行動，要了解如何界定善惡以及人為何要行善避惡。

2. 西方倫理學有三個主要派別，就是效益論、義務論與德行論。

3. 為什麼要做道德判斷？因為人的理性有限，同情心也有限，並且人心還有某些不良傾向。在做道德判斷的時候，要記得四個「不可」。

課後思考

　　我們對西方倫理學有基本的認識，知道道德判斷有四個「不可」。請你思考一下，需要減少或增加什麼？

32-2　效益論的基本原則

　　本節的主題是：效益論的基本原則，要介紹西方效益論的創始人——英國學者邊沁（Jeremy Bentham, 1748-1832）的思想。

　　本節內容包括以下三點：

第一，什麼是效益原則？

第二，如何計算苦樂？

第三，道德在於效益。

（一）效益原則

　　效益論是由邊沁首先提出的。邊沁是英國學者，他先是受到休謨的啟發，發現效益的觀念，就是做任何事都要看它最後的結果和利益，簡稱「效益」。後來他又學到另一位學者所說的「最大多數人的最大幸福」的觀念。邊沁在 1789 年法國大革命這一年，出版了《道德與立法原理導論》，標舉出「最大多數人的最大幸福」的主要內容。

　　什麼是效益原則？效益論建立在西方傳統的快樂主義之上。快樂主義認為，人都追求快樂。自然界把人置於兩個至高的主人——快樂與痛苦之下，所以人類行為的最終目的就是求樂避苦。從快樂主義可以延伸出效益原則：效益是一個行為使當事人得到求福避禍的效果。「福」包括利益、快樂、幸福、善等等，「禍」包括損失、痛苦、不幸、惡等等，這兩個系列分別代表善與惡。任何行為都有利有弊，要如何判斷效益？一個行為的利大於它的弊，超過了

另一個行為的利大於它的弊，這個行為就稱為善的。

採取任何行動的時候，都要考慮這個行動能在多大程度上增加或減少當事人的幸福。所謂「當事人」，既可以指個人，也可以指一個政府。效益原則在這兩方面是通用的。換句話說，每個人都考慮個人的利益，要選擇能獲得最大利益的行為。

在社會上，沒有一個人的幸福與別人無關，所以要考慮最大多數人的最大幸福，簡稱為「最大幸福原則」。在計算最大幸福時，人人平等。這裡牽涉到平等原則，因為一個人的利益不可能離開別人的利益來考量。

簡單比較一下道德與法律。道德是利用人追求快樂及讚賞的心理。你有道德的行為，別人就肯定你、稱讚你。法律是利用人避免痛苦及懲罰的心理。你害怕懲罰與痛苦，所以就遵守法律。這些都是標準的經驗主義的觀點。

有三種行為表面看來違反效益原則，其實不然。

1. 禁欲主義

就是節制、禁止我的欲望。為什麼要禁欲？因為我已經了解，在一個特定環境下所獲得的快樂，久而久之就會伴隨著超過快樂的痛苦。譬如，一個人整天吃喝玩樂，最後發現有很多痛苦的後果，最後乾脆禁止欲望。邊沁認為，這是對效益原則的誤用，因為禁欲的目的還是為了自己的快樂，它事實上並沒有擺脫這個原則。

2. 同情與反感原則

我對別人的行為有時候同情，有時候反感，以此來判斷是非。同情與反感是我個人主觀的想法，我並沒有考慮對方本身幸福與否。然而，同情與反感原則自身不是一條實在原則，它只是對其他原則的否定，因為個人的情感沒有標準，不能做為判斷的根據。事實上，該原則常常與效益原則一致。

3. 神學原則

就是以上帝的意志做為是非判斷的標準。但上帝的意志是神學家按照自己的好惡來解釋的，根本上也不能脫離效益原則。

結論是：效益原則是唯一正確的原則，也是在政治學、法律學、道德規範方面的普遍原則。這就是邊沁效益論的觀點。

（二）如何計算苦樂？

一個行為所帶來的效益，是要追求快樂、避免痛苦。但是，苦樂如何計算？要按照苦與樂的數量進行計算與比較，才能充分運用效益原則。這聽起來有點抽象，所以邊沁指出，要計算苦樂，就要先知道苦樂的來源以及決定苦樂的條件。

邊沁認為，苦樂的來源有四種，即所謂的「四種制裁」：

1. 最基本的是自然的制裁。在世界上按照自然的規則，承受自然界造成的結果，就稱為自然的制裁。譬如，吃多了就會生病，老了就會身體衰弱。因此，吃東西要有節制，要鍛鍊身體以保持健康。

2. 政治的制裁。政府的法律、鼓勵與懲罰措施會導致苦與樂。很多人不願意違法，是因為它會帶來痛苦的後果。

3. 道德的制裁。這其實是一種公眾制裁。周圍的人對你言行的稱讚或厭惡，會造成你的苦與樂。

4. 宗教的制裁。設定一個超越的神明，在你今生或死後給你一種肯定或懲罰。

苦樂來自於這四種制裁，具體要怎樣計算？邊沁提出，人計算苦樂時要考慮以下七點：

1. 強度。這個行為造成苦樂的強烈程度如何？

2. 持久性。苦樂持續時間的長短如何？

3. 確定性。苦樂感受是確定的，還是不確定的？

4. 遠近性。苦樂感受是遙遠的，還是眼前就要碰到的？

5. 派生性。它是否會派生出其他苦樂？

6. 純粹性。會不會苦之後有樂，或樂之後有苦呢？

7. 範圍。苦樂所影響的人數有多少？

以上七個條件都有一定的變數，恐怕只有電腦才能算清。如果做任何事都要如此計算的話，實在太麻煩了。

邊沁在苦樂的計算上，只注意到「量」，而沒有考慮它的「質」，因為考慮「質」的話就更複雜了。但是只考慮「量」的話，就會出現一些問題。譬如，一個人去賭博或聽音樂，在苦樂的量上，說不定賭博的價值更高。如此一來，又該如何判斷？

（三）道德在於效益

邊沁認為，道德在於效益，亦即在於行為的結果。哪些因素會影響行為的結果呢？邊沁提出六個因素：動機、意向、意識、客觀環境、一般習性、行為本身。在這六個因素裡面，最引人注目的是動機和意向。由此可見，具體的行為不是那麼單純的：在內心裡有動機和意向，對外要意識到處於什麼樣的客觀環境，再加上一般的習性，然後才有行為本身。行為造成後果，後果就可以拿來計算。

邊沁專門對動機加以討論，因為他反對義務論特別強調動機的觀點。前面介紹過，不是只有康德提出義務論，傳統的宗教都強調義務。具體的動機包括：名聲、財富、權力、地位、交友、社會關係、宗教信仰等等。可以分為：個人的動機、社會性的動機與反社會性的動機。邊沁指出，所有的動機都是中性的，都有任意性或不確定性。按照動機來判斷善惡是不可能的，畢竟有很多動機是不可知的。所以，重要的還是行為的後果，效益才是人能夠考慮的。結

論是：道德只是達到效益的手段；效益在於後果，只能按照客觀的、外在的標準來判斷行為的後果。

人難免會有罪惡，邊沁如何解釋罪惡？他說：「罪惡只是對機遇的失算。」我的行為有各種時機與遭遇，我算錯了就是罪惡。所以，道德行為的過程就是計算以及取得最大效益的過程。他的這些說法出現在西方資本主義開始盛行的時期，個人利益最大化的現實情況在道德領域中也反映了出來。

收穫與啟發

1. 所謂效益原則，就是一個行為要設法讓當事人求福免禍。不僅考慮個人的福與禍，還要考慮社會上大多數人的最大幸福是什麼。效益原則通常用於一個社會公共政策的制定。
2. 比較複雜的是如何計算苦樂。邊沁提出：苦樂來源於「四種制裁」，計算苦樂要考慮七種條件。但是他只注意到苦樂的「量」，而沒有考慮它的「質」。
3. 邊沁肯定道德在於效益，有六個因素會影響行為的結果。邊沁指出，動機是中性的，他反對義務論對動機的過分強調。

課後思考

我們行動的時候，不可能不顧及效益，這一點問題並不大。邊沁對動機提出不少批評，你認為他的說法可以成立嗎？

32-3　是要做快樂的豬，
還是要做痛苦的蘇格拉底？

　　本節的主題是：要做快樂的豬，還是要做痛苦的蘇格拉底？要介紹效益論第二位重要代表彌爾（John Stuart Mill, 1806-1873）。他的姓也被翻譯為「穆勒」。如果配合英文發音的話，譯為「彌爾」比較適合。

　　彌爾在 1863 年出版《效益論》，從這本書可以學到以下三點：
　　第一，人的幸福超越了動物。
　　第二，幸福的豐富與驗證。
　　第三，幸福也可以自我犧牲。

（一）人的幸福超越了動物

　　彌爾在《效益論》中強調，他要超越邊沁，更有系統、更嚴謹的論述效益論的學說。他認同古代的兩個快樂學派──施勒尼學派以及伊比鳩魯學派，他要在邊沁的基礎上繼續往前發展。

　　首先，彌爾認為，人類的幸福超越了動物。邊沁在他的效益論主張裡，只關注到「量」，而不願意討論「質」的問題。因為他認為，快樂就是快樂，一旦討論到「質」，問題就過於複雜了。但彌爾認為，一定要考慮到「質」的問題。

　　念大學的時候，老師讓我們思考一句話：你要做一隻快樂的豬，還是做一個痛苦的蘇格拉底？這個問題其實來自於彌爾書中的

一段話，其完整表述為：「與其做一頭快樂的豬，不如做一個不滿足的人；與其做一個滿足的傻瓜，不如做一個不滿足的蘇格拉底。」事實上，如果說豬是快樂的、滿足的，就像莊子說「魚是快樂的」一樣，不容易說清楚。另外，蘇格拉底痛苦嗎？他看起來不太像是痛苦的樣子。

彌爾認為，效益原則（最大幸福原則）是道德生活的根本。一個行為愈能夠增進幸福，就愈正當、愈應該做。人生的目的就是要得到快樂，避開痛苦。這種快樂不僅僅是指動物的或生理上的快樂而已。彌爾說：「人不會放棄人類的快樂而去尋找動物的快樂。」即人與動物的快樂應有不同的層次。他又說：「誰也不會甘願愚蠢，而不願意聰明；誰也不會甘願做卑鄙的人，而不做有良心的人。」這就是彌爾超越邊沁的地方，他肯定人的生命與動物有不同的性質，所以人可以選擇更高層次的快樂。

一個人如果沒有受過太多教育，就沒辦法欣賞某些藝術品，如音樂。可以享受高層次快樂的人，可能因為誘惑而選擇低層次快樂，但這並不代表快樂是一樣的，只代表這種人有性格上的弱點或缺乏修練，很容易被誘惑。只有充分理解高等與低等兩種快樂的人，才有決定權。如果對高等與低等快樂的意見不一樣，只能以大多數人的判斷做為最後的標準，因為你找不到其他標準。這是明顯的效益論的立場。

（二）幸福的豐富與驗證

幸福是很豐富的，要如何驗證它？人生的終極目的是要免除痛苦，增加快樂，讓自己在「量」與「質」兩方面都可以享受生活。

彌爾強調，幸福的內容很豐富。首先，他提到「寧靜」與「興奮」這兩點。他說：「在寧靜中有輕微的快樂，就可以得到很大的

滿足。」譬如，我現在生活平靜，歲月靜好，聽到一些好消息，有輕微的快樂，就會覺得很滿足。關於興奮，他說：「一個人在高度興奮中，可以承受相當程度的痛苦。」譬如，一個人中獎了，他奔跑中把腳摔傷了，他會由於過度興奮而沒有什麼太大感覺。

彌爾還強調，同情別人的人永遠對生活充滿熱情。因為同情別人，你的心胸是開放的，態度是包容的。另外，有修養的人對任何事物都會產生興趣，會對自然界、對歷史、對人類社會的文化產品（如詩歌、藝術）等等都會感興趣。這樣一來，快樂自然就比較豐富，也比較容易獲得。

幸福如何驗證？彌爾說：「人的一切作為都是在追求幸福。」有人會說：「也有很多人在追求德行啊！」彌爾的回答是：「人原來並不是在追求德行，只因為德行有助於快樂，尤其是它能夠抵抗痛苦。」換句話說，追求德行將產生無私的心態，這種心態可以讓一個人更為幸福。

彌爾的結論是：除了幸福，別無可求之物。人欲求的一定是兩者之一：要麼它本身是幸福的一部分，要麼它可以做為手段來達到真正的幸福。除了讓人快樂的東西，以及讓人能夠獲得快樂或避免痛苦的手段之外，對人來說，沒有任何東西是善的。這就是效益論非常明確的表達。

（三）幸福也可以自我犧牲

彌爾的效益論也強調自我犧牲，甚至把自我犧牲當做最高的德行。你如果認為效益論是對的，代表一個行為的判斷標準不只是為了行為者自身的幸福，而是為了一切相關的人的幸福。所以，行為者必須像一個無私而仁慈的旁觀者一樣，在自己的幸福與別人的幸福之間做到嚴格的公平，不能為了自己的利益而傷害別人。這類似

亞當·斯密的「公正旁觀者」的觀點。

彌爾在此提到「金律」。所謂金律，就是耶穌說過的「你們願意人怎樣待你們，你們也要怎樣待人。」（《馬太福音》，7：12）以及「要愛護你的鄰人如同自己」。彌爾認為，金律與效益論的理想是一致的。因此，一個社會要做到兩點：

1. 法律與社會組織應該協調個人利益與全體利益；

2. 教育與輿論應該聯繫個人幸福與全體幸福。教育要設法讓一個人知道：他做出的某些犧牲是為了全體的利益。

如果有人不遵從效益論，要如何約束？約束的力量從何而來？彌爾提出，效益論的最後裁決有兩個方面：外在的和內心的。外在的裁決在於社會輿論以及宇宙主宰。我們與別人之間有互動關係，對宇宙主宰有一種敬畏，外在裁決的效果就體現在這些方面。此外還有個人內心的裁決，一個人破壞了義務就會產生痛苦。

彌爾強調，人除了有良心之外，還有與別人互動的社會情感，因為人總是與別人相處在一起。如果把這種社會情感做為一種宗教以及做為教育、輿論和社會制度的力量源泉來加以傳播，那麼這樣的制裁應該足夠充分，不一定非要提到死後的審判。

収穫與啟發

1. 彌爾的代表作是《效益論》，可以說，他建構了效益論的完整系統。彌爾強調，人的幸福不能只考慮「量」，還要考慮「質」，這樣可以使人超越於動物之上。他的名言是：「與其做一隻滿足的豬，不如做一個不滿足的人；與其做一個滿足的傻瓜，不如做一個不滿足的蘇格拉底。」以此凸顯幸福有不同層次。一個人覺悟到更高層次的幸福，就會超越較低的本能層次。這方面可以參考德國學者謝勒所列的價值層級表。

2. 幸福是豐富的，並且可以驗證。幸福絕不是短暫的滿足、享樂而已。彌爾討論了寧靜與興奮、對別人同情、自己有修養、對任何事物都感興趣等等，可見幸福是非常豐富的。如果要驗證的話，還是要強調效益論的原則：連德行修養在內，人的一切作為最後都是為了得到某種快樂。追求快樂確實是人類表現出的明顯願望。如何對快樂加以界定？快樂除了有性質上的差異之外，有沒有完全不同領域的快樂呢？這些問題都需要再進一步討論。

3. 彌爾進一步強調，效益論還可以支持自我犧牲。做為一個無私而仁慈的旁觀者，主張效益論就要追求大多數人的最大幸福，因此他會為了多數人著想而願意犧牲個人幸福。彌爾認為，兩句金律與效益論的理想是一致的，這在西方傳統裡可以得到相當大的支持。

(課後思考)

效益論的基礎在於快樂主義。人活在世界上，都要活得快樂，追求幸福。你認為「愛人如己」的理想與效益論的「追求個人幸福」，這兩者之間真的可以得到協調嗎？

(補充說明)

聽到效益論，就要想到兩點：

1. 它認為善惡在於結果，要看它的效益如何。

2. 效益的結果需要計算。因此，「愛人」也需要經過計算，愛到最後還是對自己有利。

接著，我們分析一下什麼叫「愛人如己」。

1.「愛人如己」中的「人」是指誰？如果是指親人、朋友或認識的人，還有可能做到。

2.「愛人如己」是說愛別人要像愛自己一樣，這就很主觀了。這個世界上有哪一個人愛別人就像愛自己一樣？父母對子女的愛，情人間、夫妻間的愛，也許在某個階段能做到「愛人如己」，但恐怕難以持久。另外，你能做到愛人如己，必須在物質上具備一定的條件。但是，物質上的幫助不見得是別人真正需要的。

愛人如己可能會引發哪些後果？

1. 你的過分愛護可能會使別人養成依賴心理，這對他的成長反而不利。

2. 你幫助人之後，別人未必會感恩，也未必能把你的愛推擴給其他人。

因此，真正的愛一定要配合智慧的判斷。否則，你的愛對別人來說不一定是好事，那並非真愛。

「愛人如己」的說法出自《聖經》。耶穌所謂的「愛人如己」是讓人不要區分親疏。他的原則只有一個：要愛你的近人。「近人」有兩個條件：第一，在你身邊出現；第二，正好需要你的幫助。只要在你身邊出現、正好需要你幫助的人，就是你的近人，你愛他要像愛你自己一樣。如果「愛人如己」的「人」是指天下所有人的話，又有誰能做得到？就算是愛你身邊的人、你認識的人，也很難做到。

同時，「愛人如己」不能太主觀，它需要智慧的判斷，要清楚怎樣做對他來說才是最好的。否則，你對別人像對自己一樣，有

些人可能會覺得不夠好，有些人可能會覺得太過頭而難以承受。

　　因此我個人認為，「愛人如己」這四個字最好放在宗教的領域去說。在教堂、寺廟裡說愛人如己，沒有人會反對；離開那種環境，在人與人相處的世界上說愛人如己，可能只是理想的口號，或是對自己的要求和期許，實際上根本做不到。我有時經過公園，看到有人衣衫襤褸的在乞討，我都不敢伸出援手，因為我一旦幫忙，他可能每天都會等我出現。一個社會應盡量避免出現類似的現象，不要讓一個人的愛心總是面臨考驗。

　　如果你只是強調行善，到最後可能就像《論語》裡孔子所說：「好仁不好學，其蔽也愚。」喜歡行善卻沒有多加學習，不了解人情世故，那種流弊就是愚昧上當。《禮記·經解》裡面也提到，一個國家或地區如果用《詩經》來教化百姓，會使百姓溫柔敦厚，但它同樣有個弊端，就是使人愚昧。百姓溫柔敦厚，正好讓一些壞人有機可乘。

　　因此，當我們好心行善時，一定需要智慧的配合。要很清楚的知道，為什麼要做這件事，怎樣才能幫助別人，幫他忙之後，他可能會有怎樣的正面發展。判斷清楚之後，再去盡力幫忙。

　　有關「愛」的問題非常重要，也非常複雜。後文會介紹德國學者謝勒，他對於「愛」談得比較完整，屆時再做進一步的反省。

　　只要談到效益主義，就不能忽略對結果的計算。像「愛人如己」這種口號，真的實踐就會發現，恐怕只是說說而已。我們要記得老子說的話：「說得太動聽的話不真實，真實的話並不動聽。」（信言不美，美言不信。）

32-4　善是什麼？

本節的主題是：善是什麼？要特別介紹英語系哲學家謨爾的代表作《倫理學原理》。

謨爾（G. E. Moore, 1873-1958）對倫理學有獨到見解。他深入分析倫理學的概念，細緻入微。後來由他的說法演變出「分析倫理學」，與近代西方流行的語言分析或邏輯經驗論有相近的立場。分析倫理學又稱為「元倫理學」。「元」代表最初的、最根本的。元倫理學旨在說明倫理學本來應該是什麼樣子。

謨爾認為倫理學應該關注兩個基本問題：第一，為什麼某種行為本身是善的，或有內在價值？第二，我們應該採取何種行為，或者哪種行為是義務的或正當的？謨爾認為，這兩個問題要分開討論，否則容易造成混淆。過去的倫理學之所以有問題，就是因為沒有分清楚這兩點。

本節內容包括以下三點：

第一，善不可定義。

第二，自然主義的謬誤。

第三，對分析倫理學的簡單評論。

（一）善不可定義

謨爾在倫理學上的基本立場是：善不可定義。他認為，倫理學研究的是有關德行、邪惡、義務、正當、應該、善惡等等的判斷，所以首先要確定「善」是什麼。此時有三種可能的回答：

1. 描述許多個別的善的行為，由前人值得讚揚的行為中歸納出
   善。謨爾認為，這些都是個案而已，不可能告訴我們善到底
   是什麼。

2. 一般性的回答，譬如直接告訴你「快樂就是善」。事實上，
   行善有可能會得到快樂，但是不能說快樂就是善，兩者不能
   等同。如果說快樂就是善，難免會有感覺主義的嫌疑，或者
   表達了傳統所謂的快樂主義，那就無法繼續深入探討。

3. 先給善下個定義。這是謨爾討論的重點。謨爾說：「如果有
   人問我『什麼是善？』我的回答是：善就是善，答案到此為
   止。或者如果有人問我『怎樣給善下定義？』我的回答是：
   不能給善下定義，並且這就是我所要說的一切。」

　　為什麼謨爾堅持認為不能給善下定義？因為他認為，定義要用
來描寫一個詞所指涉的對象或概念的真實性質，而不僅是告訴別人
這個詞有什麼作用。定義最重要的意義在於，陳述那些必定構成某
一個整體的各個部分。譬如，我要定義「馬」，就要把馬的身體結
構的各個組成部分統統加以描述，才能清楚界定什麼是馬。

　　但是，善是單純的、獨特的、不能分析的概念，它沒有「部
分」，正如黃色的「黃」是一個單純的概念一樣。你不可能對一個
天生的盲人闡明什麼是黃色，因為黃本身並沒有組成的部分。同樣
的，你也不可能對事先不知道什麼是「善」的人闡明什麼是善，因
為善也不能被分析為許多單純的部分。

　　謨爾說，雖然善不能分析也不能下定義，但是它直接呈現給人
的心靈，心靈可以憑直覺把握它。你直接問自己的內心：快樂是善
嗎？助人是善嗎？你在心裡都可以找到一個對象叫做善。這屬於直
覺主義的說法。

　　善是一個單純的、不可定義的、不能分析的思想對象，但是倫

理學研究的其他概念必須參照善而被定義，所以倫理學首先就要設法理解善的含義是什麼。謨爾花了大量篇幅來討論這個問題。

（二）自然主義的謬誤

　　只要談到倫理學中善的概念，大家都會想到「自然主義的謬誤」，這是謨爾最主要的貢獻。謨爾說：「學者們在探討倫理學時犯了一個錯誤，就是用自然客體的某一種性質來代替善。」譬如，生而為人，有手、有腳、有頭，你說「一個人身體健全就是善」，這就犯了自然主義的謬誤。事實上，身體健全只代表健康正常，這與道德上的善沒有什麼關係。

　　所謂「自然主義的謬誤」，就是把善與另外一樣東西連起來，說它們之間有一種確定的關係。「另外一樣東西」可能是自然的客體（自然界存在的某個物體）或者是超感覺界的客體。譬如，說「人性是善的」就明顯犯了自然主義的謬誤。因為「人性」是人生下來就具有的自然狀態與性質，把人性與善連在一起，就混淆了事實與價值。

　　舉例來說，張三是某人的兒子，然後你說「張三應該孝順」。你分析「兒子」這個概念，只能說他是由父母所生，他是一個男生，但是得不到「孝順」這個概念。張三是某人的兒子是事實，而「孝順」（善）是價值，兩者不能連在一起。因為這個世界上做為兒子而不孝順的人並不少，他們照樣度過了一生。因此，說人性是善的，是把自然客體的性質與善混在一起，用自然客體的性質來代替善，這是一個明顯的謬誤。

　　謨爾在這方面貢獻很大，他分辨了許多觀點。譬如，他批判斯賓塞演化論的倫理學。斯賓塞認為，善就是更發達，更能適應社會，使社會發展得更好。他顯然犯了自然主義的謬誤，因為「更發

達」可能只意味著物質方面的進步，而人與人之間的關係則屬於另外一個領域。

　　謨爾也批評了彌爾的效益論。彌爾把快樂當做善，其他東西，如行為、知識、生命、德行、自然界、美，都因為它們能帶來快樂而是善的。彌爾也犯了同樣的錯誤，他把「值得欲求的」與「所欲求的」混同了。所欲求的是主觀的，值得欲求的是客觀的，兩者不能等同，否則就會陷入價值主觀論的困境。

　　謨爾進一步分析，快樂主義有兩種：第一種是利己主義，第二種是效益主義。這兩者是矛盾的。你如果主張利己主義，就會以個人的最大快樂做為唯一的善；但如果主張效益主義，則要以全體的最大快樂做為唯一的善。問題是：個人與群體之間如何協調？利己主義是手段還是目的？如果快樂主義是正確的，那麼效益主義的目的就不是你所想像的最好的目的，而是我們最有可能提倡的目的，它只是暫時性的。

　　謨爾除了批判自然主義的謬誤，也批判屬於形上學的謬誤。他認為，先界定形上學存在的萬物（包括人），再由此推導出倫理學，這樣也是不行的。因為形上學只能判斷什麼是確實存在的東西，這與倫理學對善惡的判斷是兩回事。

（三）對分析倫理學的簡單評論

　　謨爾屬於經驗主義，因為他最後強調：「什麼是達到善的手段？只能用經驗考察法來解答。」他說：「某種行為是義務，是它比其他選擇都會在人類社會產生更多善的行為，所以義務是最大可能的善的總和。」這顯然是效益論的立場。同時，他也不反對德行的修養。他說：「你要實行做義務行為的習慣性的氣質。」這個說法有點接近亞里斯多德的德行論。謨爾的貢獻在於分析善的概念，

但是要構成一個系統還是有困難。

　　進一步來看，自然主義的謬誤有沒有問題呢？我們要知道，定義至少有兩種：

1. 本質性的定義

　　本質性定義確實像謨爾所說的，某樣東西是單純的就不可能下定義。如果一定要定義善的話，結論可能是：善是惡的反面，惡是善的反面。這就變成了循環論證，不可能成立。

2. 操作性的定義

　　既然大家都在使用善的概念，這個概念一定有它的可用性、操作性或功能性。由操作性來看，你可以說「善是從動機開始，一直到行為的結果」，你可以從它的每一部分或從整體來看，對善做一個描述，由此達到溝通的效果，讓一個社會對於善能形成某種共識。

（收穫與啟發）

1. 效益論有三位代表人物是：邊沁、彌爾與謨爾。謨爾認為，善是不能定義的。他最大的貢獻是提出「自然主義的謬誤」。

2. 定義有兩種：一種是本質性的定義，那確實如謨爾所說，不可能用在「善」這個概念上；另外還有操作性的定義。既然有很多人在使用善的概念，那麼善一定有某種操作上、功能上的定義。我們對善不能做本質性的定義，但是可以對善做某種操作上的定義。

（課後思考）

　　長期以來，我們在學習儒家的過程中，都會受到朱熹的影響，以為人性是本善的。請你分析一下，人性本善與謨爾所說的「自然主義的謬誤」之間的對立點是什麼？

補充說明

　　學習西方哲學的目的之一，就是希望能夠與中國哲學互相對照，以此來檢視自己是否關起門來講儒家思想，講到最後別人都聽不懂，不知道你的說法有什麼意義。自然主義的謬誤是學習西方哲學一個非常重要的收穫。要討論以下三點：1. 朱熹的「人性本善」犯了「自然主義的謬誤」。2. 我透過研究認為「人性向善」。3. 對「自然主義的謬誤」的反思。

1.「人性本善」犯了「自然主義的謬誤」

　　我列舉一些人的說法做為代表。譬如有人說：「人性本善來自於孟子所說的惻隱之心。」事實上，孟子說的「惻隱之心」與「人性本善」是兩回事。孟子從未肯定過人性本善，《孟子》一書中提到過兩次「性善」，但「性善」與「本善」無關。

　　需要補充一點，第一個把孟子的「性善」說成「人性本善」的是荀子，他比孟子大約晚五十年。荀子就此對孟子痛加批判：如果人性本善，那人為何還要受教育？為何還需要法律？荀子的質疑是有道理的，但是他把孟子的「性善」說成「人性本善」是一種誤解。

　　也有人說：「人性本善是先驗的。」這種說法是不對的。所謂「先驗」是說，人有某些善惡的行為表現，是因為人在這些經驗之前具備某些人性特質。譬如為什麼人有善惡？因為人有理性可以思考，人有意志可以選擇，理性與意志是天生的，不是後天經驗才有的。只要是人，就會思考，就會選擇，這種能力可以說是「先驗的」。一般講「先驗」是針對某種能力來說的。譬如，康德認為人在認識的時候，先驗的條件是人與生俱有的感覺、想像這些能力。

有的人提到：「儒家講本善是一種假設，它假設一個人生下來就有善的性質，跟謨爾所批評的謬誤是不一樣的。」其實，人性本善與謨爾所批評的謬誤是一樣的。

有的人舉例說：「狼孩子回到人間，如何判斷善惡呢？」「講人性本善是有教化意義的，要多包容別人，給他教化的機會，讓大家都朝這個方向走。」狼孩子之所以無法再融入社會，就是因為他沒有「教化」的機會。人透過教育才能懂得什麼叫做「善」，知道「善」之後才能去實踐。

也有人以孟子的一段話為例。因為無法直接看到人性，所以孟子用水做比喻：「人性之善也，猶水之就下也。人無有不善，水無有不下。」這確實是孟子說的很重要的一段話。但是由此把這句話解釋為人性是善的，並且是某種事實，那就顯然違背了孟子的原意。

完整的對話是這樣的。告子說：「人性就像湍急的水，在東邊開個缺口就向東流，在西邊開個缺口就像西流。人性沒有善與不善的區分，就像水沒有向東與向西的區分。」孟子說：「水確實沒有向東與向西的區分，難道也沒有向上與向下的區分嗎？」孟子接著說：「人沒有不善的，水沒有不下的。水除非受到外力的作用或阻擋，才會使它改變向下這個方向。」將這兩句對照來看，就知道孟子用水做比喻的目的，是要表明人性是一種動態的力量，人性是「向」善的。這才是孟子的原意。

還有人認為：「程朱理學把人性分為天地之性、氣質之性。這不算是犯了這一謬誤。」其實，這是為了逃避這個謬誤而勉強做的區分。朱熹把人性分為兩半，認為氣質之性與身體有關，動物也有身體，所以這不能算人性；真正的人性只有「天地之性」或稱為「天理」。這種說法令人不知所云。一個人可能沒有身體而

存在嗎？身體有所謂的「氣質」，有它一定的條件、特色或傾向，你完全不管這些，而說人性是純粹的「天理」，實在令人難以理解。

所以，「人性本善」不是孔子、孟子的思想，而是以朱熹為代表的宋朝學者在注解《四書》時所推廣的一種思想。朱熹做為哲學家，可以有自己的一套說法，我們沒有意見。但是，不能說那就是孔孟的思想、是儒家原始的思想。我們學會了自然主義的謬誤，如果不能用這樣的思考來修正自己的觀點，那何必要學西方哲學？我們如果還是關起門來講朱熹的思想，又怎麼對得起孔子、孟子？

事實上，清朝就有幾位學者發現朱熹的注解有問題，它背離了人性的實際狀況。清朝學者並不知道「自然主義的謬誤」這個詞。你不見得非要知道這個詞，但是這種思想具有普遍性。也就是說，對於一個人生下來就具備的某些性質（即人性，包括人的生理結構、心理機能等），不能把它與價值（善或惡）直接等同。如果把它們直接連在一起，說「人性是善的」，就犯了自然主義的謬誤。

有人可能會問：為什麼西方人可以說人生下來就有原罪呢？這是個好問題，因為「原罪」是基督宗教的說法。宗教與哲學不同：宗教本來就有教義，你可以不接受；但是儒家是一種哲學，必須要禁得起理性的檢驗，否則這種哲學無異於個人的信念。

因此，儒家不可能主張「人性本善」，因為「人性本善」很明顯犯了自然主義的謬誤。所有講人性本善的學說，從來沒人對於「善」有明確定義。如果不能清楚界定什麼叫善，「人性本善」這四字有何意義？其實「善」是可以定義的。如果說人性本善，有個最簡單的問題：孝順是善嗎？當然是。但有誰本來就孝順呢？

2. 人性向善

　　自然主義的謬誤也有它的問題，因為按照謨爾的說法，把人性與善完全分隔開來，那為什麼要行善避惡？難道都是社會上後天的要求嗎？這樣一來，「善」就沒有普遍性了。

　　同時，對於「善」雖然不能做本質性的定義，但是可以做「操作性的定義」。我仔細研究《論語》、《孟子》後發現，孔子、孟子對於「善」的界定是：善是我與別人之間適當關係的實現。譬如孟子說：在堯舜的時代，老百姓吃飽穿暖，生活安逸而沒有受教育，就接近禽獸。聖人為此憂慮，就教導百姓「五倫」（五種人與人之間的適當關係）。所以，孔子、孟子對於「善」都有這樣一種理解：善是我與別人之間適當關係的實現，這需要透過教育，更需要人的真誠由內而發。這樣界定「善」之後，就不會說「人性本善」，而只能說「人性向善」。

3. 對「自然主義的謬誤」的反思

　　最後再來批評一下自然主義的謬誤。自然主義的謬誤有它的貢獻，人性與善確實不能混淆。但是它忽略了一點：宇宙萬物之中，只有人類有分辨善惡的要求，所以人性與善惡必然有某種先天的關聯。

　　由此可見：一方面，人性不能直接等同善或惡；另一方面，人性不能與善惡完全沒有關聯。所以，「人性向善」是唯一合理的解釋。這當中的關鍵就是真誠。當一個人真誠時，才是真正以人的身分在思考、在行動，這時就會出現孟子所說的「心之四端」。當你看到別人受苦時，心裡便會覺得不忍，這正是「惻隱之心」。心裡覺得不忍只是「向善」，當你把「不忍」化為行動，實現出來，才叫做行善或行仁。這才是儒家真正的思想。

　　西方哲學中有許多複雜的觀念，很難一下子全部理解。但是學

會自然主義的謬誤之後，我們要知道：孔孟思想要換一個角度去思考，就是由真誠肯定力量由內而發。人性是動態的，包括理性和意志的運作過程，所以你行善則心安，為惡則心不安。但一定要預先了解什麼叫善惡，否則沒有心安不安的問題。

　　我們要了解謨爾的「自然主義的謬誤」，因為他的說法逼著我們重新反省古代對儒家思想的詮釋。最後發現，原來儒家所說的並不是「人性本善」這麼簡單的論斷，而是從真誠引發「向善」的力量，再努力「擇善固執」，最後「止於至善」。

32-5　義務論的關鍵在於善的意志

　　本節的主題是：義務論的關鍵在於善的意志。西方哲學在倫理學方面的代表有效益論、義務論與德行論。效益論判斷一個行為該不該做，要看該行為所產生的效果與利益能否促成最大多數人的最大幸福。但問題是效益很難計算，外在環境與個人的需求或感受常在變化之中。義務論恰恰與之相反，它只看該不該做，只考慮一個人對義務的尊重，而不看行為的後果是否有效益。

　　本節要介紹三點：

　　第一，義務論的一般說法。

　　第二，義務論的關鍵在於善的意志。

　　第三，舉例說明義務論。

（一）義務論的一般說法

　　西方哲學談到義務論，通常都以康德的學說做為代表。事實上，西方至少有三派義務論：

　　第一派以神的意志為最終標準，基督徒通常採取這種觀點。一個人行善是為了服從神的意志，遵循神的命令就是他的義務。他不去考慮這個行為的結果如何，或是否符合公眾的利益。

　　第二派認為，人有理性，理性要求人應該要行善，康德就屬於這一派。

　　第三派認為，在絕對公平條件下所達成的社會契約，是大家共同接受的，因而是大家共同的義務。譬如，有些人服兵役是因為社

會有這樣的約定。他不是為了利益，而是為了使命感或責任感。

在這三派義務論當中，以「人有理性」的說法最能得到大家的認同。如果以神的意志做為義務的來源，有很多人不信神，又該怎麼辦？一個人不信神並沒有什麼明顯的後果，如果講到死後的報應，又太過遙遠。再看社會契約。所謂「絕對公平的社會契約」只是一種想像，社會契約最多到憲法的層次，而憲法在必要時也可以加以修訂。

所以，從宗教信仰或社會契約兩方面來看，都存在相對的情況，可能調整或改變。只有從人的理性來看，才具有普遍性。有理性的人都應該行善，行善是尊重他的義務，這就是康德的主張。

（二）義務論的關鍵在於善的意志

義務論強調，世間所謂的善，都是相對而有條件的。有些人具有良好的天賦，如聰明過人、反應靈敏、堅韌不拔，也有些人擁有豐富的後天資源，如權力、財富、榮譽與健康；但是這些都可能用於惡的目的。譬如，我聰明過人，但我可能去欺負別人；我有權力、財富，但我可能破壞社會正義。所以這些優良的條件並不是本身就是善的。

康德認為，這個世界上唯一的、無條件的、在它本身可以稱為善的，只有「善的意志」，簡稱為「善意」。每個人都有理性，一個人清醒的、完全出於尊重義務而採取行動的時候，那個行動就是善的。因為他不是為了結果或個人情感，也不是為了別人的稱讚，而是把義務當做自己的責任，由此出現善的動機，進而採取行動。

善意一般是扣緊「動機」來說的，所以康德的學派也被認為是動機主義。動機是行動之前在內心裡就具有的，相對於效益論完全看結果，兩者針鋒相對。換句話說，義務論認為，一個行為的道德

價值不在於行為的目的能否實現，而在於行為的動機是否出於善意。只要完全出於善意，這個行為就是善的。

這是標準的義務論，它認為理性是人類所共同具備的，理性可以產生普遍的要求。一個人不管在任何情況下，都可能有善意或好的動機去做他該做的事。

（三）舉例說明義務論

譬如，有三個人都把糧食送到發生災荒的國家，但動機各不相同。第一個人是政府官員，動機是讓自己得到良好的政績，將來可以繼續升官。第二個是商人，動機是獲得經濟利益。第三個人是出於義務，既不是為了升官，也不是為了發財，而是認為這件事情是他該做的。我們通常會認為第三個人更為高尚。因為如果是為了自身利益，一旦遇到阻礙，可能半途而廢；如果是出於義務，為了兌現自己的承諾，往往會堅持到底。

義務論可以進一步分為兩種：第一種是規則義務論，第二種是行為義務論。

1. 規則義務論

規則義務論認為規則不能改變，它完全不考慮行為當時的特定情況。譬如，「應該說真話」是一條規則，不管別人能否接受真話，都要按規則去做。小孩子生病時拒絕吃藥，如果你騙他說這是糖，他就會吃藥，病也能痊癒。但規則義務論認為，就算最後結果是好的，也不能調整規則；就算說謊可以救一個人，也不能說謊。康德顯然屬於規則義務論，他非常嚴謹，完全不考慮個別情況的差異，所以顯得非常嚴格，一板一眼。

2. 行為義務論

行為義務論則認為，一個人在採取行動的時候，要訴諸良心，

進行善惡的判斷；只要我當下認為自己是出於善意的，就可以在做法上稍做調整。問題是，調整的底線在哪裡？譬如，如果你為了對方的健康而騙他，那麼將來與別人來往時，是否可以為了你認為正當的各種理由而欺騙一個人？有很多人認為，只要我的動機是善的，應該有點彈性，做法上可以適當變通。但如此一來，一步步後退，到最後可能完全沒有底線了。這就是行為義務論的明確挑戰。

　　義務論另一個問題是善意這個概念。善意是一個人的動機，完全由自己負責，不考慮外在情況，只就自身去做真誠的反省與抉擇，有時會顯得不近人情。比如我去看望生病的朋友，這是基於我對朋友的責任與義務，而不是基於我與他的交情。如果基於交情去看望朋友，自己覺得快樂，將來就有可能為了快樂而行善，而不是為了應該行善而行善。這種想法非常嚴苛，甚至有些不近人情了。

收穫與啟發

1. 義務論並非只有康德一個人在主張，西方至少有三種義務論：
   (1) 傳統的基督宗教，信徒以神的意志為最高標準，行善是要服從神的意志，履行神的命令就是個人的義務。
   (2) 認為每個人都有理性，理性有普遍的要求，所以每個人都為了尊重自己的理性而去行善。康德屬於這一派，他的說法較為完整。
   (3) 認為有一個公平的社會契約，個人為了契約中的義務去做該做的事，而不去考慮做這件事的效果如何。
2. 在義務論中，動機是關鍵。康德認為，唯一的、真正的、無條件的、本身就是善的，只有善的意志，也就是善意。所以這個學派也被稱做動機主義。事實上，所有義務論都把重點放在動機上，而不去考慮行為的結果。

3. 進一步分辨兩種義務論：規則義務論和行為義務論。規則義務論非常嚴格，是就是，不是就不是，沒有中間的可能性；行為義務論要考慮每一個行為的具體情況。如果主張行為義務論，自然會考慮行為的後果如何，那就不是標準的義務論觀點了。

(課後思考)

　　假設朋友生病，你去醫院探望他。請問：你是比較接近效益論，想到這位朋友將來對你也會很好？還是會考慮到義務論，認為這是我的朋友，所以我應該去看他，而不考慮他將來對我好不好？在這兩者之間，你能找到一個比較合理的說法嗎？

(補充說明)

　　康德為何主張義務論？因為沒有人能準確預測和掌控一個行為的後果，並對其完全負責。所以判斷一個行為是否有道德價值，只能看是否出於尊重義務。也就是我的動機純粹是為了義務，我認為該做就去做，這合乎理性的自我要求。康德主要的目的是讓人了解，道德價值是人類生命一種純粹的特色，不應該與情感或其他方面相混淆。

　　義務論非常嚴格。譬如你有五個最好的朋友，一個人生病了，你去探望，這代表其他四人生病時，你也要去探望；同時，你今天去看他，代表後面你有空也要去看他。如果其他朋友生病時，你因為太忙而不去探望；或者開始去看他，後來不去了：這都不符合義務論的要求。請問：你能對所有朋友秉持同樣的原則嗎？你吃得消嗎？這是康德義務論的重點。康德認為，只有克服上述困難，排除自己情感方面的需要，純粹出於尊重義務，一個行為才真正具有道德價值。

第三十三章

從義務論到德行論

33-1　義務論顯示人的尊嚴

　　本章的主題是：從義務論到德行論，本節的主題是：義務論顯示人的尊嚴，要進一步介紹康德的思想，內容包括以下三點：

　　第一，人的二元性。

　　第二，實踐理性與道德要求。

　　第三，倫理學的三個設定。

（一）人的二元性

　　康德在《實踐理性批判》一書中，專門探討倫理學的問題。康德把理性分為「純粹理性」與「實踐理性」，「純粹理性」是指理性的認識功能，「實踐理性」是指理性的實踐功能。換句話說，人只有一個理性，但是理性還具有認識與實踐兩種功能。人除了用理性去認識事物之外，還需要用理性來指導行動，這時所涉及的就是實踐理性。

　　康德認為，人始終具有一種「二元性」。人類是有理性的存在者，他的存在始終處於二元對立之中，可以用以下這四組概念加以說明：

　　1. 先驗自我與經驗自我。所謂「經驗自我」，就是你現在處於特定的情況，有特定的想法與感受。「先驗自我」則是做為基礎或條件，使你能夠產生現在的經驗。

　　2. 本體與現象。表現在外、能夠被看到的是經驗自我，也就是現象。無法被看到的是先驗自我，也就是本體。

3. 自由與自然。很多人對這兩個詞印象深刻，因為在康德的墓碑上刻了兩句話。第一句是「在我頭上是眾星閃爍的天空」，這就是自然界，它有一定的規律。第二句是「在我心中有道德的法則」，道德法則與自由緊密相連。沒有規則就談不上自由，那只是盲目衝動而已。

4. 純粹理性與感性經驗。後天發生的一切都是感性經驗，而純粹理性是每一個人與生俱有的。

這四組概念可以劃分為兩大類：一方面，先驗自我就是本體，就是自由，就是純粹理性；另一方面，經驗自我就是現象，就是自然，就是感性經驗。因此，人具有雙重的生命：一方面有自由的本體，一方面有自然的現象。每一個有理性的人的身上，都存在這種二元對立。

再進一步，純粹理性做為道德實踐的本體，雖然無法認識它，但還是要在一切道德行動中肯定它。所以，實踐理性要與道德要求配合起來。

（二）實踐理性與道德要求

首先，理性的實踐功能要高於它的認識功能。譬如，你對世界、對自我、對上帝認識多少，只是程度問題，因為你永遠不可能認識到本體。但是做為一個人，理性要求你表現實踐的功能。在這一點上，康德的立場很明確，他說：「人的本性並不是歷代哲學家所強調的理性以及知識。」從亞里斯多德以來，就把人界定為有理性的動物。但康德強調，理性並非人的本性所在。人的本性是人能夠不受自然界的束縛，去追求自己設定的目標。換句話說，人的本性並不在於能夠認識以及理解，而在於他有自由。自由牽涉到人的意志，也就是實踐理性。

　　「意志」在倫理學裡具有關鍵的地位。如果沒有自由意志，人怎麼做選擇？怎麼為後果負責任？人的行為又怎麼會有道德價值？實踐理性做為意志，影響到包括叔本華在內的後代一系列重視意志的西方哲學家。

　　換句話說，自由意志可以肯定人的尊嚴。康德認為，人之所以為人而高於動物，以及人所特有的尊嚴，都充分體現在自由的道德實踐上。這種自由的道德實踐之可能性，才真正確立人在宇宙中的主宰地位。人估為萬物之靈，就在於人有自由行善的可能性；而人的尊嚴，也正是在這一點上得到實現。這就是實踐理性與道德要求的相關性。

　　康德認為，一方面，人有自然的身體，有形可見，與自然界的萬物沒有什麼差別，屬於現象的層次；另一方面，人還有自由的本體，也就是實踐理性。換句話說，純粹理性做為先驗的道德本體，就變成實踐理性，可以展現理性的實踐功能。

　　凡是有理性的人都會給自己立法，即自己定規矩，自己遵守。這就是意志上的自律，而不是他律，不是上帝的命令、政府的規定或別人的要求。理性能夠給自己立法，代表每一個理性的存在者（每一個人）都只能做為目的，而不能僅僅做為手段。

　　把人的實踐理性當做本體，是要擺脫所有現象的干擾。實踐理性做為本體，有以下四點特色：

1. 先驗的而非經驗的。以實踐理性做為先驗的原理，人在經驗世界中才有可能做出道德的行為。

2. 義務的而非效益的。實踐理性強調，一個人的行動完全出於尊重義務，認為該做的就去做，而不考慮外在的、可以計算的效益。

3. 形式的而非實質的。實踐理性只強調要為了義務而去行善，

這是形式的規定；但沒有說出義務有何具體內容。所以，康德的倫理學常被稱為形式倫理學。因為關於義務的內容一旦有明確的說法，就會落入特定的社會現狀、歷史脈絡、文化背景、人際關係當中，無法擺脫現象的干擾。

4. 自律的而非他律的。

因此，在運用實踐理性時，必須排除一切被感性條件所決定的東西。有理性的人都會給自己立法，並把人當做目的。這種自由是絕對的，它擺脫一切經驗和現象的干擾，真正顯示出人的自由的崇高本性。

（三）倫理學的三個設定

康德倫理學有三個設定：人的自由、靈魂不死與上帝存在。

1. 如果人不是自由的，就沒有道德的問題。

2. 所謂「自由」，代表要為所做之事負責任；否則，就談不上是自己選擇的自由行動。「責任」意味著善惡有適當報應，這種報應在一個人的有生之年不可能完全實現，所以人的靈魂必須一直存在，以便接受後續對善惡的圓滿報應。

3. 圓滿報應的實現需要有一個超級的力量才能保證，他必須是萬物的來源與歸宿，並做完全公平客觀的判斷，那就是上帝。只有上帝才能保證德福一致的圓善（圓滿的善）。

這三個設定是康德倫理學的最大特色。

換句話說，康德的義務論不僅強調要有善意，全靠動機；還強調人與動物的關鍵差別在於人有自由。自由來自於人的理性從認識功能轉移到實踐功能，使人可以採取道德上的行動。這種自由要排除所有自然現象的干擾，因此理性必須給自己立法，形成自律的倫理學，人與人互相尊重，由此可以顯示人的尊嚴。

收種與啟發

1. 在康德看來，人有自由的本體，同時有自然的現象。前者指的是人的心，後者指的則是人的身，這就是人的雙重性。在倫理學的探討中，這種雙重性的說法並不是很複雜。

2. 實踐理性與道德要求緊密相連。所謂實踐理性，就是理性在實踐上的功能。人在進行道德行動的時候，自由是他最獨特的價值，也是他與生俱有的尊嚴所在。

3. 康德倫理學引申出三個設定，即人的自由、靈魂不死以及上帝存在，由此顯示完整的系統。這些都合乎邏輯推論的要求，體現了康德義務論的特色。

課後思考

　　康德義務論的倫理學強調人的自律，也就是自己要求自己。請你思考一下，有哪種道德行為是完全自律而沒有涉及他律的？或者說，任何一種自律，其實最初都來自於他律，後面自己做決定時，再轉變成更高程度的自律？

補充說明

　　大多數人認為，自律往往是從他律慢慢演變成的。為什麼康德主張自律？因為非自律，則無道德可言。沒有自律，只是按照別人的要求，則談不上自己的尊嚴和責任。「自律」兩個字只用在道德的選擇上。其他方面是否自律與道德的關係不大。人都是由他律走向自律的，這毋庸置疑。哪裡有人一生下來就是自律的？所以，對於自律和他律都可以做進一步的思考。

33-2　義務論與人文主義原則

　　本節的主題是：義務論與人文主義原則，要對康德的義務論做簡單的總結。「人文主義」（Humanism）有時也被譯為「人本主義」，它的內容是什麼呢？

　　本節要介紹以下三點：

　　第一，個人與別人的關係。

　　第二，目的與手段的關係。

　　第三，對康德說法的簡單評論。

（一）個人與別人的關係

　　一般認為，康德的義務論有兩個基本公式：第一個公式偏重於形式，強調原則；第二個公式則偏重於實質，強調實際應用。

　　第一個公式是：我應該永遠如此行動，使我的行為格準成為一個普遍的法則。

　　格準是我個人的，而法則是共同的、普遍的。如果我要做一件事，我就要允許任何人在同樣情況下都可以這樣做。譬如，我要以誠實做為個人行動的格準，就要問：誠實能否做為人類普遍的法則？如果每個人都應該誠實，我就要做到誠實。

　　如果一件事只允許自己做，而不允許別人做，代表這只是我個人的行為格準，而不能成為普遍的法則，那麼我就不應該做這件事。譬如，我在危急時刻可以說謊嗎？那就要問：所有人在危急時刻都可以說謊嗎？如果可以的話，那麼人與人之間的互信顯然會出

現問題。因此，我即使在危急時刻也不能說謊。又譬如，一個學生想要畢業，就在情況危急的時刻作弊。如果你接受他的做法，就要允許所有人在情況危急的時刻都可以如此。這一步退讓，將來就很難再有什麼底線了。

康德的第一個公式偏重於形式上的考慮，也就是要問：人類是否都可以如此？事實上，你只能在自己的理性中思考。它的作用比較接近耶穌所說的「金律」，即「無論何事，你們願意人怎麼待你們，你們也要怎樣待人。因為這就是律法和先知的道理。」（《馬太福音》，7：12）也就是所謂的「己之所欲，施之於人」。

孔子所說的「己所不欲，勿施於人」，一般被稱為「銀律」。金律代表積極主動的去做某事；銀律代表收斂自己，消極的不要去做某事。一個積極，一個消極。其實兩者的意思是一致的，都涉及一個人的行為格準能否普遍推廣的問題。如果不能普遍推廣，我就不要去做。

（二）目的與手段的關係

第二個公式是：你應該如此行動，把每一個人當做目的來尊重，而絕不僅僅把他當做手段來利用。

康德第二個公式強調實質，可以具體落實。這兩個公式配合起來，成為康德倫理學的核心觀念。譬如，我乘坐計程車，司機雖然是我達到目的的手段，但是我絕不能只把他當做交通工具來利用，我同時也要尊重他是一個完整的人。看到他眉頭緊皺，表情痛苦，我應該關切的問他：你是不是感冒了，不太舒服？對計程車司機來說，我雖然是他賺錢的手段，但他也要尊重我是一個完整的人。他的耐心等候、安全確認、簡單問候，都會使我感到人性的關懷。如此一來，人與人之間都要以平等、互相尊重的方式來對待。

另外，康德還從整體的角度提出有關倫理的觀點。他強調，每個人都是有理性的存在者，當他使用意志去做抉擇的時候，這個意志對每個有理性的存在者都有立法權，這就是自律的道德。既然每個有理性的人都可以透過立法而給自己下命令，那麼每個人都應該做為目的，人的世界就形成一個目的王國。「目的王國」這個詞聽起來很美。人與人之間互相尊重，就構成人文主義的基礎。

我們與別人相處，彼此是平等的。每個人在理性上都具備給自己立法的先驗條件。所以，我們要做到上述三點。首先，我個人行為的格準必須對所有人都適用，成為人類行為的普遍法則。其次，我與別人相處，不能只把別人當做手段來利用，同時也要尊重他是一個目的。我們可能在許多事情上都需要合作，但就算是互相利用，仍要尊重對方是一個主體，他本身是一個目的。如此一來，就形成一個目的王國。可見，康德倫理學具有正面的意義。

（三）對康德倫理學的簡單評論

康德上述說法受到很多人的批評，其中有一位重要的代表人物就是叔本華。叔本華大力批判德國唯心論，他自認為得到康德的真傳，把康德的實踐理性做為意志接過來，發展出他的意志哲學。事實上，叔本華對於康德的三個說法都有明確的批判。

首先，康德強調個人的格準要做為人類普遍的法則。叔本華認為，這其實也是一種利己主義的道德原則，也在考慮是否對自己有利。不管一個人多麼開誠布公、替別人設想，最後也只能從自己的角度去考慮問題。

其次，康德強調，我與別人互動，要把別人當做目的來尊重。事實上，整個人類社會的表現就是人與人互相利用、互相需要，這是很自然的。如果把別人當做目的，假如有兩個人同時需要你的幫

忙，但他們的需求對你來說是矛盾的，那要如何衡量？並且，別人不見得希望你把他當成目的，自古以來有許多這樣的例子。所以，這條原則其實很抽象，甚至不合情理。

再者，談到目的王國，康德強調每個人都應該接受理性的立法，形成自律的道德，好像有一個普遍的、具有立法權的意志。也就是說，不能按照興趣，只能按照義務感去行動。但叔本華說：「沒有興趣，怎麼會有行為的動機？沒有動機的行為，會產生完全符合公正、仁愛的義務感嗎？所以，康德的目的王國顯然是一種道德的烏托邦。」他的批評有一定道理。

換言之，在目的王國裡的人永遠都在意願著，卻沒有對任何實際事物的意願，他對實際事物沒什麼興趣。譬如，你去看望生病的朋友，你不能因為自己關心他、對他有所肯定而去做這件事。義務論在這點上很難做出妥善的回答。你可以說義務論只考慮兩點：一方面要自我決定，代表道德的實踐要由自己決定；另一方面，每個人都要尊重原則，這對人有一種普遍的尊重，由此形成人文主義。

除此之外，對於義務論還可以提出以下幾點質疑：

1. 道德自律的要求是為自己立法，這在經驗與理論上都做不到。在實際生活中，人不可能完全自行其是，不考慮社會上大多數人的意見。同時，理性為自己立法，完全不承認其他任何權威，這在理論上也做不到。
2. 道德行動者是自律的。若接受這種說法，代表你已不是自律的，只有不接受這個說法才是自律的。這顯然是矛盾的。
3. 人生充滿各種矛盾與掙扎，不是只靠善意就可以立刻決定的。如果你與別人在同一個問題上有不同意見，兩個人都說自己出於善良意志，要如何判斷誰對誰錯呢？所以，把善意當做唯一的標準、唯一的善，最後難免會流於主觀。

最後，如果一個人行善純粹出於義務，可以完全不考慮效果嗎？如果你的行為給對方造成了災難，那行善不是一句空話嗎？如果說行善與它的效果完全無關，實在令人難以想像。

收穫與啟發

1. 康德義務論首先強調，我個人的行為格準可以成為人類的普遍法則，我才能依此而行動。這偏重於形式上的要求。
2. 在實際與別人互動時，要把每個人當做目的，而絕不能僅僅把他當做手段來利用。這一點成為西方人文主義的基本原則，由此推出「目的王國「的觀念。
3. 對於義務論，除了叔本華的批評之外，還可以從其他角度提出質疑。可見，這種學說有很好的用意，但在應用上流於形式化。所以，康德的學說經常被稱作「形式倫理學」。

課後思考

我們常聽人說「好心辦壞事」，一個人本來有好的動機，結果沒有把事情做好。請問：好心辦壞事的問題出在什麼地方？請你從康德的角度思考這個問題，看看有哪些方面是可以改善的？

補充說明

假如別人是好心，但是他最後把事情做錯了，你會贊同他嗎？你恐怕還是會批評他。好心辦壞事的問題出在什麼地方？在於我們的理性有限。我們對別人的需求了解不夠，所知道的方法有限，同時對方如何反應更是不可預測。

譬如，一個人犯了錯，我出於好心，該怎麼辦呢？我有兩個選擇，第一是安慰他，第二是責怪他，但結果完全不能預測。有些

人你安慰他，他就改過自新了；有些人你愈安慰他，他愈變本加厲。責怪也一樣，有些人你責怪他，他就破罐子破摔，變得更壞；有些人你責怪他，他就改過遷善了。

不要說你對別人的了解不夠，其實我們對自己的了解都不夠。所以，好心辦壞事的情況常常出現。康德只強調好心，而效益論只看結果，哲學思辨要求精確，但在實際生活中，很難如此精確。每個人在現實生活中，都會在動機與結果之間遊移不定，需要自己加以協調。

進一步思考：會不會有人壞心辦好事？一個人做了壞事，但陰錯陽差，反而救了人？這種事也可能發生。一般對於壞心辦好事的人，大家不會因為他做了好事，就對他予以肯定。但你怎麼判斷他是出於壞心呢？人的心思、動機本來就很複雜。

哲學有時不能給你提供明確的答案。歷代重要的哲學家在愛智之路上走得很遠，他們是替人類在做思考。他們經過一生的深思熟慮，才提出一種主張，我們要尊重他們的思考。

我們自己做事的時候，要經常提醒自己保持高度的自覺，不能全靠動機論，也不能全看效益。我們沒有必要像哲學家那樣，有時顯得偏激或極端，對於跟自己主張不同的觀念水火不容。當然，這並不代表我們沒有自己的主張，也不代表我們否認有一種明確的、客觀的、合乎人性要求的真理存在。

真正的困難在於：不管你知道多少真理，最後還是要自己做出判斷。雖然說太陽底下沒有新鮮事，但也不能兩次把腳踏入同一條河流。所以，培養智慧是關鍵。智慧可以幫助你全方位的衡量各種情況，使你的表現更靈活。這是一種高度自覺的人生，你的生命將會變得敏銳，你在生命的每一天、每一剎那都會活得踏實。

33-3　德行論在主張什麼？

本節的主題是：德行論在主張什麼？要介紹以下三點：

第一，德行是什麼？

第二，德行需要修養。

第三，德行是中道的表現。

（一）德行是什麼？

有人把西方哲學所說的「德行」（virtue）翻譯成「德性」；但在中文裡，「德行」與「德性」的意思是不同的。

西方哲學從古希臘時代就有「德行」這個詞，希臘文是 arete，意為「傑出的品行」。一個人的人品與行為超過一般人，就稱做德行。所以，德行與一個人的修養密切相關。最明顯的例子是蘇格拉底所說的「知識就是德行」。如果一個人對德行沒有正確的認識，那麼他的德行是碰巧出現的，恐怕不會堅持到底。所以，人一定要先知道德行，才能去實踐德行。柏拉圖在他的理型論中，把德行當做最重要的理型。亞里斯多德則認為，德行是一種均衡狀態。他的倫理學就被稱為「德行論」。

中文的「德性」一詞最早出自《中庸》第二十七章「君子尊德性而道問學」，意即：君子要遵從天生的本性，並且努力請教及學習。「德」代表與生俱來的某些稟賦，「性」代表本性，「德性」就是指「天生的本性」。所以，對於西方哲學的德行論，在翻譯時不能與「德性」相混淆。

德行論做為一種倫理學理論，它與效益論或義務論有完全不同的思考模式。效益論與義務論都在考慮：我應該做什麼？都是對具體行為的判斷。效益論考慮的是行為的後果，義務論考慮的是行為的動機，兩者針鋒相對。而德行論關注的是：我應該成為什麼樣的人？它把焦點轉到人的身上。你成為什麼樣的人，後續就會有相應的行為表現。

德行論有兩點基本的考慮：第一，任何德行都不是生來具備的；第二，任何德行都是由人性的自然狀態經過修養而成功的。

（二）德行需要修養

亞里斯多德有一套完整的哲學系統。首先，他分析人的心靈有三種狀態：情感、潛能以及品質。所謂情感，就是一個人喜怒哀樂的具體表現；所謂潛能，就是能產生各種情感的一種潛在能力；所謂品質，是指一個人對待情感的態度。請問：德行在哪裡？是在情感上，在潛能上，還是在品質上？亞里斯多德的答案很清楚，德行在於品質。

1. 德行不等於情感

因為一個人被稱為高尚或卑下，不是就他的情感來說的，而是就他的德行來說的。換句話說，人不會因為情感而受到稱讚或譴責，只有德行才會如此。有一部分情感是未經選擇就出現的，例如恐懼、憤怒；而德行一定需要選擇。在情感上，你可以說是被感動的；但是一個人在德行上是好是壞，不能說是被感動的，只能說是經由某種行動的過程而得到的。由此可見，德行不屬於情感。

2. 德行也不屬於潛能

一個人被稱做善或惡，不是就潛能來說的，因為每個人天生都有潛能，但你不能說他生下來就是善或惡。

　　因此，德行只能是一種品質，它是經過長期修養而形成的一種習慣。亞里斯多德對德行有清楚的界定：德行是個人固有的氣質，經由培養訓練，而使德行的活動成為習慣。如此一來，「我應該成為什麼樣的人」就成為思考的主軸。

（三）德行是中道的表現

　　亞里斯多德特別強調，德行是中道的表現。「中道」一詞在中文裡顯得很神聖，它經常被譯為「中庸」。但《中庸》是中國古代「四書」中的一本，「中庸」一詞有特別的含義。現在談到「中庸」，一般是指態度溫和，不堅持己見，讓各方都能接受。

　　亞里斯多德的「中道」是指不要過度，也不要不及。譬如，談到勇敢，過度就變成魯莽，不及就變成怯懦；節制，過度就變成放縱，不及就變成冷漠；慷慨，過度就變成浪費，不及就變成吝嗇；大方，過度就變成炫耀，不及就變成小家子氣；自重，過度就變成虛榮，不及就變成自卑；忠實，過度就變成吹噓，不及就變成自貶；機智，過度就變成戲謔，不及就變成呆板；知恥，過度就變成害羞，不及就變成無恥。

　　每一種德行都處於兩個極端的中間。譬如勇敢，過度是魯莽，不及是怯懦。與魯莽比起來，勇敢顯得有些怯懦；而與怯懦比起來，勇敢又顯得有些魯莽。這就是他的中道思維。

　　亞里斯多德進一步強調，德行決定情感與行動的品質，它與中道結合在一起，所以要參照理性來加以確定。亞里斯多德有一句名言：「中道就是適中，不要過度，也不要不及。在適當的時間，就適當的事情，對適當的人物，為了適當的目的，以適當的方式，來產生情感或發出行動。」換句話說，一個人表現在外的情感與行動，要考慮時間、事情、人物、目的、方式這五個方面。這樣一

來，一個人在情感方面就會表現得溫和而適當。

美國 1996 年出版一本書叫做《EQ》（*Emotional Intelligence*，即情緒智商），非常暢銷。這本書在扉頁引用了亞里斯多德的一段話：「生氣誰都會，但在適當的時候，對適當的人，就適當的事情，為了適當的目的，以適當的方式來生氣，那是非常困難的。」生氣是一種情感，所有情感與行動都要考慮這五方面適不適當，這需要高度的修養才能做到。

德行修養有兩個特色：第一，自願性；第二，抉擇性。德行一定是自己願意的，這樣才能得到稱讚或譴責。一般來說，小孩與動物都有自願性，他希望自己做出選擇；但是他沒有抉擇性。抉擇一定要經過理性思維，不能只靠情緒、欲望、想像或意見。因為意見有真有假，但沒有善惡；而抉擇一定有善惡之分，需要理性的思維。這就是德行論最主要的代表亞里斯多德的思想。

德行論強調人應該成為什麼樣的人。自古以來，無論身處哪一個社會，人都要面對這個問題：我要成為什麼樣的人？因此，德行論適合一個人整個生命發展的要求。

收穫與啟發

1. 有許多人把西方哲學中的「德行」（virtue）翻譯成「德性」。所謂「德行」是指有超過一般人的某種品質，表現出適當的言行。德行並不是指天生的本性（nature），所以譯為「德性」是不適合的。
2. 德行需要修養，它不是一個人天生具備的，德行的培養也不是違反本性的。
3. 德行是中道的表現。這種中道不容易衡量，還需要高度的理性思維。

課後思考

　　亞里斯多德所謂的「中道」，是說在適當的時間，就適當的事情，對適當的人物，為了適當的目的，並以適當的方式，來產生情感或發出行動。你能否用一件你曾經做過的事來說明這種觀念？或者你認為還有更好的思考方法？

33-4　進一步探討德行與幸福

本節的主題是：進一步探討德行與幸福，要介紹以下三點：

第一，分辨英雄與聖人的不同。

第二，幸福是什麼？

第三，對德行論做簡單的反省。

（一）分辨英雄與聖人的不同

亞里斯多德的德行論在西方影響深遠，它肯定了古希臘時代的一種共識：人活在世界上都要追求幸福。但各家各派對於幸福可能有不同的定義。譬如，伊比鳩魯學派主張快樂主義，斯多亞學派則強調個人的義務與責任。亞里斯多德對於德行與幸福的關係有獨到見解。根據他的看法，我們可以分辨兩種人格典型 —— 英雄與聖人。英雄與聖人究竟有何差異呢？

首先看英雄。在每個領域都會有一些傑出人士令人刮目相看，想要起而效法。所謂的英雄，就是在關鍵時刻做了一件正確的事。古往今來，英雄輩出：國家興亡之際，他們挺身而出；社會危急關頭，他們起身示範；朋友有難之時，他們鼎力相助。英雄往往能在非常之際，表現出過人的本事，甚至不惜犧牲自己。因此，一個人在一個特別的時機，做了一件正確的事，由此造福人群，就會成為英雄。

但聖人與之不同。聖人具有完美的品質，終生奉行高尚之事。英雄是在關鍵時刻做了一件正確的事，但他不能保證在每件事上都

能做出正確的抉擇。所以，在戰場上、運動場上或企業競爭中，只要在某一方面、某一件事上出類拔萃，就可以成為大家心目中的英雄。但這些英雄在其他方面可能問題重重，甚至連基本的社會規範都不見得遵守。事實上，這也是英雄的特色之一。

因此，我們更希望成為聖人，因為每個人都有同樣的能力與機會成為聖人，而成為英雄則需要特殊的才華或機緣。只要順從自己的天性，努力修養自己，最後就有可能超凡入聖，一切行動都表現出極高的品質。換句話說，無論何時何地，聖人都可以展現出英雄的光彩。

（二）幸福是什麼？

亞里斯多德認為，每個人都要修養自己的德行，目標是達到聖人的圓滿境界。這時就要問：幸福是什麼？如果成為聖人可以確保幸福，那正好是我們的目標。

亞里斯多德受到他的老師柏拉圖的啟發。柏拉圖把城邦的人分為三種：愛利者、愛名者、愛智者。亞里斯多德把生活方式也分為三種。最低的階層是一般百姓，希望享樂，愛好利益，考慮對自己有利的事，發展了情緒與欲望。中間的階層是從事政治的人物，追求榮譽，愛好名聲。但是，這兩種生活方式都無法保證人生的幸福。如果追求享樂，僧多粥少，人與人之間互相競爭，很容易出現爾虞我詐的情況，最後反而陷於危險與不安之中。如果追求名譽，取決於別人是否給你、是否稱讚你，你永遠沒有主動權，也沒有任何保障。所以，最好的生活方式是愛智的生活，要進行思辨活動，讓自己慎思明辨。

亞里斯多德強調，幸福有兩點特色：第一，它是終極的；第二，它是自足的。首先，幸福是終極的，是一切活動的最後目的，

而不能被當做達成其他目的的手段；反之，其他的一切都是手段，目的都是要達到幸福。同時，幸福也是自足的，只靠它本身就足以使生活有價值，而沒有任何匱乏。

怎樣才能得到終極而又自足的幸福？亞里斯多德認為，學習任何技藝，它的善都在於它的功能。功能有效，就代表這項技藝值得追求。而人的功能與其他生物的不同之處就在於理性。亞里斯多德將人定義為「有理性的動物」，所以人的善就在於人的理性能否充分發揮出來，使言行合乎理性。這就是追求幸福的方法。

結論是：要產生一種合乎德行的心靈活動。換句話說，理性與德行要結合在一起，並且要終身實踐德行。「知識即是德行」是蘇格拉底、柏拉圖、亞里斯多德的共同看法。如果一個人沒有理性的認知與判斷，根本就不知道什麼是德行。亞里斯多德進一步把德行當做中道，這更需要充分發揮理性，否則無法判斷是否適當。

如果行為合乎理性又能夠實踐德行，這樣的活動本身就有快樂。事實上，任何人都能在他喜愛的事物中找到快樂。譬如，馬使愛馬者快樂，戲劇使戲迷快樂。合乎德行的行為本身就有快樂，因為人的所有行為還是要回到人的理性上。

亞里斯多德認為，人的慎思明辨是最完美的幸福。他列舉六個理由來說明慎思明辨的重要性：

1. 思辨是最高級的。因為理智是人最高級的元素，是人類與其他動物的區別所在。
2. 思辨是最持久的。到戶外運動或去上班上學，很容易就會感到勞累；但思考可以經年累月，樂此不疲。
3. 思辨是最快樂的。它經常會讓你得到啟發，覺悟某些真理。
4. 思辨是最自足的，因為思辨本身就是價值。不需要向外追求，思辨本身就會讓你覺得圓滿自足。

5. 思辨是悠閒的。你將沒有其他的煩惱或是考慮，思想本身就會讓你得到安頓、感到悠閒。

6. 思辨是神聖的，因為理智是人身上最肖似神的部分。這是亞里斯多德的基本觀點。一個人若能發揮理智，認真思辨，他的表現就接近神明。

（三）對德行論簡單的反省

德行論關注的不是一個人應該「做」什麼，而是一個人應該「成為」什麼樣的人。要透過修養品德，使德行的活動成為習慣，做你該做的事。德行論的問題在於：品德修養的標準由誰來決定？人的修養有可能倒退嗎？譬如，古希臘是城邦時代，個人的德行要與城邦的要求相配合。另外，很多人德行修養不錯，但可能晚節不保，因此德行也可能倒退。

德行論的優點在於：它強調人生是不斷發展的過程，希望我們變得愈來愈孝順、謙虛、善良、公正、有愛心等；而不僅僅是做出一件或一些有德之事，或在適當時候做出重大事件而成為英雄。如果一個人使德行的活動成為習慣，成為有德之人，他所做的每一件事都會合乎規矩。如果一個人只是做幾件有德之事，有朝一日遇到重大的挑戰或考驗，就可能反其道而行之。德行論的目標和利益符合眾人的實際生活狀況。現實生活中的好人偶爾也會做壞事，這提醒我們：要成為有德之人，需要一輩子不斷的修練。

收穫與啟發

1. 分辨英雄與聖人的不同。英雄需要特殊的條件，譬如在某一方面有過人的天賦或本事。

2. 成為聖人將達成人生最高的境界，獲得最大的幸福，這是人人

都可以做到的。順著本性努力修練，就可以獲得德行。

3. 幸福必須是終極的、自足的，這樣的幸福只存在於合乎理性的行為上。合乎理性與合乎德行，兩者不能分開。所以，真正的幸福是一種思辨活動，亦即觀想。它可以使人不斷提升，達到接近神的境界。不同的時代對德行的要求未必相同，因此修養的方法與目標也會有所不同。

課後思考

倫理學上的德行論，強調一個人要努力的成為他所應該成為的人。請你思考一下，自己應該要成為什麼樣的人？需要考慮哪些因素呢？

補充說明

自己應該成為什麼樣的人？要考慮哪些因素？這是一個很大的問題。說「要成為什麼樣的人」，代表人生是一個成長發展的過程。如果生命的發展沒有目標，任其自由發展或隨波逐流，到最後就有可能像陀螺一樣，看上去轉得很快，但停下來時還在原地。為了避免出現這樣的情況，人生一定要有目標。

談到目標，我們通常都會效法某些典範人物，目標的選擇有其時代性和社會性。我們舉一些例子來說明選擇典範人物的重要。

從中國古代的歷史來看，常見的典範大多是在檯面上的人物。譬如，孔子曾說：「我實在太衰老了，竟然好久都沒有夢見周公了。」（子曰：「甚矣吾衰也！久矣吾不復夢見周公。」《論語·述而篇》）。從這句話就知道孔子崇拜周公，因為周公制禮作樂，使周朝初期得以安定，並讓周朝長期維持穩定。周公崇拜誰呢？在《孟子》書中提到，周公崇拜他的父親周文王，因為周

文王是周朝真正的創始人，到他的兒子周武王才訴諸武力，推翻了商紂的統治。孟子比孔子晚一百七十九年，孟子崇拜誰呢？他公開說：「乃所願，則學孔子也。」（《孟子·公孫丑上》）意即：至於我所希望的，則是學習孔子。

這幾位古人並未充分說明為何要學習別人，通常只是強調為社會造福、成就聖賢功業這一方面。所以，一般談到目標的時候，往往會集中在生命的某個階段或某一方面。但重要的是，對於整個人生而言，有沒有一種普遍的、每個人都要設定的目標呢？

要思考的是，到底怎樣才算是完整的人？人的生命有身、心、靈三個層次。掌握人生的問題，要記住三點：第一，人的生命有層次；第二，人的生命有重點；第三，人的生命有方向。在身、心、靈三個層次中，其關鍵在於心。因此，我們要對「心」的三種潛能──知、情、意，再做進一步的說明。

1. 知

人有認識能力，但是「知」要分辨三個方面：資訊、知識以及智慧。詩人艾略特（T. S. Eliot, 1888-1965）在《岩石》中寫道：「我們在資訊裡面失落的知識到哪裡去了？我們在知識裡面失落的智慧到哪裡去了？」簡單的兩句話，就把資訊、知識、智慧三個層次區別開來。

我們每天會接收到各種資訊，聽到各種新聞，令人眼花撩亂，但是其中缺乏系統性的知識。知識是對某一專業領域的系統性認識，它會給你帶來專業的能力與自信。智慧則是完整而根本的理解。所以，我們要提升認知的層次，不斷朝智慧前進。

2. 情

在情感方面，簡單說來就是從「利己」到「利他」。人先是利己的，這是人的情感自然的表現，後面再到利他。在審美方面，

則要超越利害方面的考慮。情感最後要發展到「博愛」，即完全超越利己與利他，不再區分每個人的具體條件，而是能普遍的關心別人。

3. 意

意志代表你可以自己選擇，它強調自主與自由，而自主與自由是要讓你行善。意志方面的表現一開始只是程度上的不同，累積到一定階段就會產生性質的改變。這時不必再立志去行善，而是自然為之了。

孔子說自己「七十而從心所欲不逾矩」。「從心所欲」代表「自然」去做的，「不逾矩」代表不會違背規範，也就是符合「應該」做的。所以人生的最高境界之一，就是在意志方面能夠做到「自然」與「應該」完全配合：我自然做的都是我應該做的，我應該做的都做得很自然，如行雲流水一般。

「心」的知、情、意雖然有各自的發展，但方向都指向「靈」的層次。「靈」是重要的，它的特色是「打通人我之際」。「靈」具有一種穿透性，能讓我與同代人彼此互動和溝通，打破人我之間、種族之間、國家之間的差異。在心理學上，這屬於「超個人心理學」或「超人格心理學」的發展。達到這種層次，才會覺得自己是一個完整的人。

有這樣一種理解之後，具體該怎樣著手？每個人的情況不同，基本上你要立足於當下的情況，從與家人和朋友的互動開始修練自己。這種修練是一輩子的事，不可能達到完美的境界。因為你只能負責「自己」、以及你與別人的「關係」這一部分，對於「他」那一部分無能為力。

譬如對於父母親，我們怎麼可能去改變他們？沒有父母就沒有我們，我們感恩都來不及。對於子女，我們總想著要改善子女，

想給他最好的物質條件和思想觀念，但我們不要太主觀。子女有自己的生命成長歷程，他要自己去面對。我們只要負責保護他們，不要太過冒險以致於受到嚴重傷害就好。你如果事事都要關心，子女就成了溫室裡的花朵，恐怕一輩子都不能真正成長，無法承受生命中的各種考驗。

我們跟任何人來往，都是一種個人的修練。我們要設法提升修練的「質」。回顧一下自己過去的十年，別人對你的評價是不是慢慢改善了？年輕時，別人可能會指出你有這樣或那樣的問題；後來，眾人會愈來愈多的說你在哪方面表現很好、做得不錯。

因此，我們要有高度的自覺，讓自己成為應該成為的人，成為完美的人的典型。這是人生最有趣、最奇妙的一種挑戰，充滿無限的可能性。只要你不限制自己，沒有任何其他限制。你在生命的每一剎那都會覺得，有一種力量要讓你重新開始。

33-5　德行論的現代思考

　　本節的主題是：德行論的現代思考，要介紹當代哲學家麥金泰爾（Alasdair Maclntyre, 1929- ）。他是德行論在當代的代表，他在1981 年出版代表作《德行之後》。

　　本節要介紹以下三點：

　　第一，今天的道德危機。

　　第二，參考傳統的德行論。

　　第三，新的德行論在說什麼？

（一）今天的道德危機

　　麥金泰爾認為，今天有許多爭執無法解決，都是道德上的困境。譬如戰爭。這個世界上不應該有戰爭，因為會傷害太多無辜的人。但是為了阻止潛在的侵略者，又要準備戰爭。這就是戰爭所帶來的分歧意見。

　　第二個例子是人工流產。母親有權利決定自己是否要流產，但是每一個人都不願意在母胎中就被流產，這個問題要如何解決？

　　第三是教育與醫療的權利。公民應該享有平等的教育和醫療權利，所以應該廢除所有私立的學校與醫院。但另一方面，每個人都有按自己的能力選擇教育與醫療的權利；並且身為老師與醫生，也有權利選擇去哪裡工作。

　　這些都是當代社會很難解決的爭議，由於無法確定統一的座標系統，最後難免會進入一種無序狀態，形成道德危機。真正的原因

是大家走向情感主義，這是從西方啟蒙運動一路發展下來的。所謂
「情感主義」是指，所有評價性的判斷，尤其是道德判斷，都不過
是愛好、態度或感情的表述而已。情感主義的自我以自己做為道德
評價的標準，判斷任何事物都從自己的角度出發，並且自由選擇他
想要的生活方式。

　　麥金泰爾認為，除非回歸亞里斯多德的傳統，否則這個問題不
可能解決。道德學說應該擁有具體的社會觀點及文化觀點。這個世
界上不存在純粹就道德而言的道德。脫離人的社會與文化，並沒有
一種抽象的、普遍的道德存在。

（二）參考傳統的德行論

　　麥金泰爾把傳統的德行論歸納為三個要素：

1. 人有人性，但人性是生下來就具備的，不是人可以選擇或考
   慮的，所以只能說「每個人都有偶然出現的人性」；
2. 要考慮德行論的倫理學，當然要有合理的倫理戒律；
3. 最重要的是認識自身的目的，形成一種「必然形成的人」的
   概念。

　　簡單說來，我們碰巧生而為人，都有理性及自由可以做選擇，
我們需要合理的戒律，要認識人生的目的，最後形成一個必然的人
性的概念。這裡預設人是有理性的動物，也預設人生的目的就是要
充分實現理性，使自己有適當的行為表現。

　　麥金泰爾認為，德行論就是要讓人知道：如何從一個偶然形成
的人，變成一個認識自身目的而必然形成的人。換言之，我生而為
人，具有理性，就會思考：我應該成為什麼樣的人，才能符合我的
人生目的？

　　但問題是，從啟蒙運動以來，從根本上取消了認識到自身目的

而必然形成的人。換言之，不要談人共同具有某種目的；也不要說
每個人生下來都不夠完美，需要不斷努力修養德行，才能成為真正
的人。把這些都去掉後，剩下的只有偶然形成的人：人與人各不相
同，隨著時代、地區、社會的不同，倫理上的戒律也有所不同。

麥金泰爾深入分析西方傳統的德行論，列出四個階段：

1. 英雄時代

在許多史詩和神話中都提到：一個人有他固定的位置、明確的
責任與權利。判斷一個人，就是判斷他的行為是否符合他的要求。

2. 雅典階段

從家庭、家族演變為城邦。城邦裡的德行包括明智、勇敢、節
制、正義、友誼等等。所以，做一個好人就等於做一個好公民。

3. 亞里斯多德所建構的德行論階段

亞里斯多德認為，人的本性有他的目的，追求善可以讓一個人
得到幸福。人為什麼要追求善？因為人偶然生而為人，每個人都有
理性，這是生物的特性，最後要認識到自己的目的而成為必然形成
的人，也就是成為應該成為的人。這種人知道自己的目的，朝著目
的不斷奮鬥，最後找到了幸福。譬如，人天生是政治的動物，人的
善就存在於一個有共同目標的團體裡面，這時就要特別強調友誼、
正義等等。核心的德行是明智，因為德行實踐的直接後果，是選擇
了正確的行為。在這個過程中，就要判斷什麼叫做適當。

4. 中世紀

中世紀繼承古希臘時代的四大德行——明智、勇敢、節制、正
義，再加上三種宗教裡面的德行——信、望、愛，合成七個德目。
中世紀不同於過去的王國或城邦，顯示了一種由宗教信仰而呈現出
的超自然的善。換言之，中世紀在人之外發現了德行實踐的目的與
意義，最後與「人得到救贖」的信仰聯繫起來。

（三）新的德行論在說什麼？

麥金泰爾提出一套新的德行論，希望藉此解決當前的倫理學爭議。他認為，要找到一個新的、統一的、可做為核心的德行觀念，至少要考慮以下三個方面：

1. 要由實踐的角度來界定什麼是德行

空談理論是沒有用的。實踐代表一種活動，這個活動必須是連貫的、複雜的，但又具有社會的穩定性，可以找到一種人類協作的方式。在追求達到這個協作活動本身的過程中，可以實現每一個人內在的利益。

人在實踐德行的過程中，有外在利益，也有內在利益。外在利益是指名聲、財富、地位等外顯的價值。這種價值的獲得一定要經過激烈的競爭，人與人是互相排斥的。

此外，還有內在的利益，可以肯定個人所獨有的價值。同時，你的作為對於整個群體來說，也有互相增長的價值。譬如，畫家可以藉由他的作品得到名聲、財富、地位等，但是這些東西也可以由別的途徑獲得。對於畫家來說，更重要的是在繪畫過程中發現生活的意義，這是他獨有的價值。並且，這幅畫對於整個社會也有不斷增加的利益。

因此，德行是一種後天獲得的品質。你如果擁有及實踐它，就會使你得到內在的利益，最重要的是發現生活的意義。如果缺乏這種德行，就無法得到這樣的意義。

2. 要從整體個人的角度來界定德行

在現代社會中，每個人的生活都慢慢碎片化，不同領域的人有各自的規範。做到這些規範，可能會在某個領域內得到肯定。但是，德行絕不能只限於某一個領域，必須要從一個人的生活整體來

考慮，要問自己：有沒有貫穿一生的德行？換句話說，德行不是一種使人在某種特定類型的場合中獲得成功的品質，而是要從整個生活中表現出來，使人不斷的充實成長，並克服各種誘惑與壓力。

3. 要從傳統與群體的角度來界定德行

人不可能只從個人的角度來尋求善、追求幸福或是實踐德行。每一個人都是歷史中的自我，是一個共同體的成員，與環境、社會都是互動的。人是傳統的承載者，不可能脫離傳統。德行的實踐可以維持並且強化傳統，否則就會讓這個傳統不斷受到侵蝕，而逐漸失去作用。

麥金泰爾也指出，西方目前是一個唯利是圖的社會，拜金主義盛行，並且充斥著個人主義。強調群體就有官僚主義的傾向，好像群眾占有支配地位，德行慢慢被邊緣化。強調德行則好像要宣導利他主義，以對付利己主義。事實上，利他與利己兩者之間並沒有必然的衝突。

麥金泰爾著作的英文書名是 *After Virtue*，這個詞既可以翻譯為「德行之後」，也可以翻譯為「追求德行」。他認為現在的處境正是如此。

──────────
（收穫與啟發）

　　1. 今天這個時代，道德上出現危機，有許多兩難的爭論，每一個人都可以為自己的行為找到某些理由。許多有名的專家提出各種理論，使得一切都莫衷一是，陷入無秩序的狀態。

　　2. 麥金泰爾提醒我們，要參考傳統的德行論。德行論在西方源遠流長：從古希臘時代最早的英雄社會，到雅典的城邦社會，到亞里斯多德時整合出一套完善的德行論，再到中世紀宗教信仰盛行的時代，甚至把德行與來世的賞罰結合在一起。

3. 麥金泰爾提出一套新的德行論，其中有些觀點值得參考。德行的觀念必須考慮三點：

(1) 德行是一種實踐，不能空談理論。這種實踐會達成一些外在利益，對群體有一定幫助；但最重要的是達成人的內在利益，這是個人所獨有的，可以讓人肯定活著的意義。

(2) 要從個人整體的角度去界定德行。德行不能只在某個特定類型的場合、特定類型的工作上，使人獲得成功；而必須從個人整個的生命出發，讓生命不斷充實成長。

(3) 要從傳統與群體的角度思考德行問題。人不能脫離他的社會、歷史與文化背景。

課後思考

麥金泰爾的德行論，強調思考德行時有三種角度——實踐的角度、個人整體的角度，以及傳統與群體的角度。請問：這三者對你現實生活的道德實踐有怎樣的啟發？你認為哪一點是你現在最需要的？

補充說明

麥金泰爾提出了思考德行的三種角度，事實上，這三者都不能偏廢。

1. 實踐是關鍵

沒有實踐，哪有道德可言？後續會談到存在主義，存在主義的學者們都討厭名實不符，譬如掛名的基督徒。基督宗教在西方廣為傳播、影響深遠，對於《聖經》中的故事和教訓，大家都耳熟能詳。如果不去實踐，則只是個掛名的信徒而已，不會得到大家的認可。

2. 均衡考慮內、外

個人的整體，即要均衡考慮「內」「外」。你可以得到外在的名聲、地位、財富、權力等。但關鍵要問：我從事的這個修練工作，能否使自己的內心得到成長？

3. 不要忘本

傳統與群體，就是讓我們不要忘本。我們現在說「不忘初心」，好像「初心」只是自己年輕時的心意；但是年輕時的「初心」往往只是一腔熱血、一股衝動。所以，要向聖賢與英雄看齊。其實，傳統經典才是我們真正的初心所在。我們要學習自己的傳統經典，西方人也一樣在學習他們的經典。

索引

文化文創 BCC033

西方哲學之旅
啟發人生的 120 位哲學家、穿越 2600 年的心靈巡禮
（中：近代）

作者 —— 傅佩榮

總編輯 —— 吳佩穎
副總監 —— 楊郁慧
副主編暨責任編輯 —— 陳怡琳
特約編輯 —— 李承芳
美術設計 —— BIANCO TSAI
內頁排版 —— 張靜怡
封面人像、底圖來源 —— iStock

出版者 —— 遠見天下文化出版股份有限公司
創辦人 —— 高希均、王力行
遠見・天下文化 事業群董事長 —— 高希均
事業群發行人／CEO —— 王力行
天下文化社長 —— 林天來
天下文化總經理 —— 林芳燕
國際事務開發部兼版權中心總監 —— 潘欣
法律顧問 —— 理律法律事務所陳長文律師
著作權顧問 —— 魏啟翔律師
地址 —— 台北市 104 松江路 93 巷 1 號 2 樓

讀者服務專線 —— (02) 2662-0012｜傳真 —— (02) 2662-0007；(02) 2662-0009
電子郵件信箱 —— cwpc@cwgv.com.tw
直接郵撥帳號 —— 1326703-6 號　遠見天下文化出版股份有限公司

製版廠 —— 東豪印刷事業有限公司
印刷廠 —— 祥峰印刷事業有限公司
裝訂廠 —— 精益裝訂股份有限公司
登記證 —— 局版台業字第 2517 號
總經銷 —— 大和書報圖書股份有限公司　電話／ (02) 8990-2588
出版日期 —— 2022 年 3 月 18 日第一版第 2 次印行

定價 —— NT 700 元
ISBN —— 978-986-479-968-8
書號 —— BCC033
天下文化官網 —— bookzone.cwgv.com.tw

國家圖書館出版品預行編目（CIP）資料

西方哲學思索：啟發人生的 120 位哲學
家、穿越 2600 年的心靈之旅. 中，近代／
傅佩榮著. -- 第一版. -- 臺北市：遠見天
下文化，2020.04
　面；　公分. --（文化文創；BCC033）
ISBN 978-986-479-968-8（精裝）

1.西洋哲學　2.近代哲學

143.2　　　　　　　　　　109003289